DICIONÁRIO DE ACORDES CIFRADOS

COM REPRESENTAÇÃO GRÁFICA PARA
VIOLÃO (GUITARRA), CONTENDO TAMBÉM
NOÇÕES DE STRUTURA DOS ACORDES,
EXERCÍCIOS DE PROGRESSÕES HARMÔNICAS
E MÚSICAS ANALISADAS

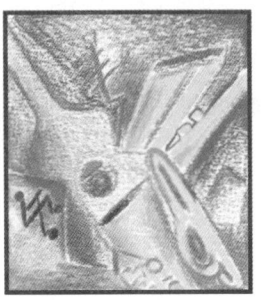

Almir Chediak

Nº Cat.: 317-M

Irmãos Vitale Editores Ltda.
vitale.com.br
Rua Raposo Tavares, 85 São Paulo SP
CEP: 04704-110 editora@vitale.com.br Tel.: 11 5081-9499

© Copyright 1984 by Irmãos Vitale Editores Ltda. - São Paulo - Rio de Janeiro - Brasil.
Todos os direitos autorais reservados para todos os países. *All rights reserved*.

Capa:
Bruno Liberati

Foto:
Frederico Mendes

Revisão Ortográfica:
Prof. Antonio José Chediak

Diagramação e Arte:
Robson Pires de Almeida

Composição:
J. Dantas

CIP-BRASIL. CATALOGAÇÃO NA FONTE
SINDICATO NACIONAL DOS EDITORES DE LIVROS - RJ.

C44d

Chediak, Almir, 1950-2003
    Dicionário de acordes cifrados / Almir Chediak. - São Paulo : Irmãos Vitale, 2010.
    368p
    ISBN 978-85-85188-83-2

    1. Harmonia (Música). I. Título.

10-3074		CDD: 781.4
		CDU: 781.6

| 01.07.10 | 01.07.10 | 019907 |

Aos amigos e músicos que colaboraram direta ou indiretamente para que este trabalho fosse realizado e a todos os estudantes de música em geral.

Agradecimentos especiais a Ian Guest cujo apoio foi imprescindível à realização deste trabalho.

INTRODUÇÃO

Há quase tantas maneiras de escrever cifras quantos são os manuscritos de partituras e até mesmo edições de melodias cifradas e livros didáticos. Em matéria de cifragem não me parece ter-se chegado até hoje a um sistema amplamente adotado e, portanto, racional.

O que a cifra pretende é dar ao executante uma idéia exata da harmonia, seja para acompanhamento ou para improviso, permitindo-lhe não só a leitura fácil e descontraída (libertando, assim, a mente para as nuances de interpretação), mas também o impulso criativo individual. Isto, porque o acorde, representado pela cifra, não é um grupo de 3, 4 ou 5 notas separadas pela terça como muitos acreditam e sim, uma gama inteira de 7 ou mais notas, de uso simultâneo ou sucessivo e em posição não estabelecida. Fica por conta do executante escolher a combinação de sons, dentre o número infinito de possibilidades.

Na última década a música brasileira conquista os continentes e também a presença da música do mundo se faz sentir aqui, de maneira crescente.

Como decorrência e por necessidade, o músico brasileiro tem que se sujeitar, entre outras coisas, à linguagem internacionalmente adotada do simbolismo em cifras.

O presente dicionário de Almir Chediak, além de oferecer numerosas opções para a execução de um determinado acorde, traz também o sistema de cifragem acima referido, implicando num conflito óbvio mas inevitável com a maioria das publicações anteriores do gênero, em nosso país.

Cabe, aqui, mais uma observação. Na verdade são poucos os músicos que, ao harmonizar uma melodia, se dão conta de que cada acorde tem a sua função dentro da harmonização. O som de cada acorde não depende de ser lá menor, ré menor ou dó menor, mas depende de sua função. Isso quer dizer que cada acorde tem uma localização (o grau da escala onde é construído) e um papel: prepara, resolve ou retarda e quando resolve, pode fazê-lo com maior ou menor força e assim por diante.

Para saber harmonizar é indispensável a análise funcional e este livro, além de mostrar os acordes com sua estrutura isolada, apresenta, também, as suas funções, usando cifras analíticas acopladas às cifras práticas e dissertando sobre o uso funcional dos acordes com abundantes exemplos em cada situação.

Desejo que ele alcance e beneficie os estudiosos e os músicos já formados, em geral, não só pelo enriquecimento de seus recursos técnicos, mas também pela assimilação do sistema universal de notação em cifras — objetivo aliás, sem dúvida alguma, deste trabalho.

IAN GUEST

PREFÁCIO

Aproveitando tratar-se de um Dicionário de Acordes, o presente livro é, também, uma tentativa de racionalizar e uniformizar o sistema de cifragem, levando em consideração as diferentes correntes nacionais e internacionais em uso. Para que o mesmo se torne compreensível, o leitor encontrará uma breve explanação das estruturas harmônicas.

Nele veremos as posições mais usadas dentro da variedade quase sem limites que a combinação de notas oferece para construirmos os acordes.

Nas construções das posições foram observadas as notas que formam os acordes e a disposição das mesmas.

Cada acorde é representado por seu símbolo (cifra), por sua notação em pauta e pela representação gráfica da posição dos dedos no braço no violão.

A cifra que representa o acorde é o sistema predominantemente usado em notações harmônicas em música popular para qualquer instrumento.

No decorrer deste trabalho, veremos aproximadamente 300 posições organizadas em diferentes tipos de acordes, tendo como exemplo a nota fundamental DÓ.

O transporte para as demais posições sobre as 11 notas restantes deverá ser feita pelo aluno (vide transposição de acordes, pág. 40).

Nos instrumentos de teclados, os acordes serão tocados usando as mesmas notas da cifra em posição de livre escolha.

Os acordes foram divididos em 4 categorias: maiores, menores, 7ª da dominante e 7ª diminuta.

Tomando como base o sistema tonal, pode-se dizer que a terceira e quarta categorias são acordes preparatórios e que pedem resolução.

As escalas dos acordes mostradas neste dicionário são de grande importância: indicam as notas básicas do acorde, assim como outras notas que enriquecem a sonoridade.

Algumas dessas notas não são necessariamente indicadas na cifragem, por serem subentendidas na mesma.

As escalas dos acordes são de grande proveito, como pesquisa, na área da improvisação.

Na parte 3, os acordes relacionados ao sistema tonal são apresentados em pequenas progressões, obedecendo a uma ordem didática.

Acima de cada grupo de acordes foi indicado o grau em que os mesmos se encontram, dando ao aluno uma visão geral das possibilidades de seu uso.

Uma vez que os acordes, em determinados graus, têm o seu som característico, também as progressões devem ser aproveitadas no treino da percepção harmônica.

As 43 marchas harmônicas modulantes, anexas ao dicionário de acordes, são situações e caminhos harmônicos de ocorrência freqüente, na maioria das músicas por todos conhecidas. As marchas harmônicas, além de aplicar os acordes contidos no dicionário, proporcionam um treino de encadeamentos de acordes.

A parte 4 apresenta um quadro prático que classifica os acordes em 4 categorias, para dar uma visão geral sobre o material harmônico utilizado no acompanhamento da música popular. O apêndice mostra a análise harmônica de progressões de acordes e de músicas harmonizadas, dando ao leitor conhecimento para que harmonize outras músicas.

Todos os acordes representados na pauta são lidos na clave de sol que foi omitida para melhor aproveitamento de espaço.

Para uma boa assimilação dos textos, é desejável o conhecimento dos fundamentos da teoria da música.

Espero que o presente dicionário seja de uso proveitoso para a escolha de bonitas progressões de acordes no processo da harmonização, nunca se esquecendo de que o critério final, na escolha, será, prezado leitor, o seu bom gosto.

ALMIR CHEDIAK

PARECERES

....*Saudamos com alegria o surgimento de um jovem músico que se dedica com entusiasmo e talento à fundamentação teórica, à racionalização dos processos do fazer, buscando assim ampliar uma conscientização, que só virá ajudar ao desenvolvimento da música no Brasil.*

HÉLIO SENA
(Professor de Música da UNI-RIO)

....*surgiu o primeiro método com princípios de harmonia teórica e prática dirigida ao violão.... como conseqüência natural o reconhecimento e uso obrigatório nas escolas de ensino tradicional de música.*

HENRIQUE PINTO
(Professor de Violão da FIAM, Mozarteum e Conservatório Musical Brooklim Paulista)

....*no meu trabalho de professor, arranjador e compositor, em que tão freqüentemente as fronteiras entre o chamado "erudito" e o "popular" se confundem, sentia a necessidade de um unificador de códigos, uma vez que sem essa necessária unificação tudo é caos e desordem....*
....*creio que a obra de Almir Chediak vem de encontro a uma necessidade premente e preenche praticamente uma lacuna seriíssima que existia em nosso universo editorial brasileiro.*

JOHN NESCHLING
(Professor, compositor, arranjador e regente)

....*Sem comprometer-se com o imediatismo inconseqüente tão comum em trabalhos no gênero, é notório no presente método do Professor Almir Chediak o compromisso em desenvolver, no aluno, o raciocínio musical objetivo, gradual e consciente....*

LEO SOARES
(Professor de Música da PRÓ-ARTE)

Nestes meus vinte e tantos anos de ensino de violão, venho buscando uma obra teórico-prática no caminho da harmonia aplicada ao violão, que eu possa recomendar aos meus alunos. Eis que, agora, a encontro neste "DICIONÁRIO DE ACORDES CIFRADOS" de Almir Chediak....

JODACIL DAMACENO
(Professor de Violão da SUAM e da UFU)

Ouvi este livro com o mesmo prazer que escuto a uma boa música.... É sem dúvida um trabalho cujo objetivo foi alcançado e que recebo com muito orgulho, como um presente dado à música brasileira, ainda carente de sua própria cultura.

VANIA DANTAS LEITE
(Professora de Análise Musical e Música Experimental da UNI-RIO)

O Almir é um tipo de músico que não se contenta em saber, tem necessidade de passar adiante as coisas importantes que aprende.

Sabedor das dificuldades de se estudar música com objetividade no Brasil, Almir não esconde o jogo e passa à ação procurando dar ao aluno o que se costuma chamar de "o pulo do gato", ou seja, aquele algo mais que escapa aos compêndios tradicionais. Toda a teoria nela contida funciona imediatamente na prática. A linguagem é atual....

ROBERTO GNATTALI
(Professor de Arranjo e Técnicas Instrumentais da UNI-RIO)

....Além das valiosas informações técnicas, gostaríamos de salientar que uma metodologia de ensino se faz presente em toda extensão da obra, vindo contribuir para a evolução de todos aqueles que se disponham a trabalhar ordenada, lógica e didaticamente, sendo, por isto mesmo, recomendável a qualquer curso sério.

....duas opções se destacam: ou se adota o sistema unificando o caos das convenções cifradas, ou simplesmente continua-se a conviver com a falta de padronização universal neste campo.

RICARDO VENTURA
(Professor de Violão da UNI-RIO)

....Apesar de caótica, a cifragem é resultado de uma longa e escrupulosa pesquisa, que propõe um caminho para a unificação dos códigos, transformando essa linguagem num meio muito útil para os estudiosos e profissionais que se iniciam.

O êxito dessa proposta vai facilitar a difusão das cifras nas escolas de formação musical, atendendo a um público e mercado de trabalho cada vez maiores.

SILVIO AUGUSTO MERHY
(Professor de Piano da UNI-RIO)

O trabalho de pesquisa do Prof. Almir Chediak vem suprir um vazio na nossa bibliografia, uma vez que além de almejar fazer com que o aluno bem utilize toda trama harmônica, lançando mão de recursos ordenados progressiva e didaticamente, se propôs como ponto mais importante, a padronizar e unificar o uso da cifragem de acordes; linguagem que não mais pode ser desconhecida nos nossos dias....

ERMELINDA AZEVEDO PAZ
(Professora de Percepção Musical da UNI-RIO e Canto Coral da UFRJ)

O presente trabalho, de autoria de Almir Chediak, vem introduzir novos conceitos harmônicos, procura ainda unificar e sistematizar a nossa cifragem de música popular em uso constante nos estúdios de gravação.

Porém, o mais importante é que em um país no qual a quantidade de bibliografia especializada na área de artes é por vezes embaraçosa, esta obra vem iluminar o universo catatônico dos manuais técnicos de harmonia.

ANTONIO GUERREIRO DE FARIA
(Professor de Harmonia da UNI-RIO)

ALMIR CHEDIAK E UM LIVRO PIONEIRO PARA OS MÚSICOS DO BRASIL

Por João Máximo — Jornal do Brasil

Um livro pioneiro. Há muito esperado por instrumentistas, arranjadores e compositores. E que chega às livrarias com o "aprovo" entusiasmado de Tom Jobim, Egberto Gismonti, Hermeto Pascoal, Paulo Moura, Antônio Adolfo, Wagner Tiso, Toquinho, Carlos Lyra, Edu Lobo, Caetano, Gil e incontáveis outros importantes conhecedores do assunto....

....Todo esse apoio se explica. Almir Chediak, 34 anos, violonista, compositor, arranjador, estudioso de música, é professor de muitos desses grandes nomes da música popular. E também de Moreno, filho de Caetano, e de Pedro, filho de Gil....

....Aos 17 anos, começou a lecionar. E não parou mais. O livro que lança agora deve-se muito à sua experiência como professor, ele e os alunos ressentindo-se de uma obra como esta, inexistente no Brasil....

....Seu dicionário de acordes parte de uma pesquisa feita em Boston, Estados Unidos, pelo Berklee College of Music, que estudou a harmonia de grandes músicos de jazz, como Duke Ellington e Charlie Parker, por exemplo, pondo-as ao alcance do estudante. É nesse sentido que o livro de Almir é pioneiro: nunca se fez no Brasil um estudo de harmonia aplicado à música popular.

— Foi uma adaptação e não uma cópia do que se realizou no Berklee. O mesmo em relação à padronização das cifras. Usei 80% do sistema adotado por eles e os outros 20% eu os trouxe para nossa realidade....

....A última parte oferece ao aluno 51 músicas populares harmonizadas e analisadas, composições que vão de Tom Jobim e Cartola a Rita Lee e Novos Baianos, passando por Gil, Caetano, Milton, Edu, Luís Gonzaga, Johnny Alf, Garoto, Marcos Valle, Toquinho & Vinícius, o próprio Almir, autor de música para filmes e de peças várias para o seu instrumento.

— Sempre gostei de ensinar — diz ele. — E acho que isso tem de ser feito com métodos, com apuro técnico. Há muito de errado, de empírico, no aprendizado do violão. Este é o único instrumento em que há uma postura para o homem e outra para a mulher. Outro dia, fui com o Caetano comprar um método para o filho dele, Moreno, meu aluno. O vendedor nos ofereceu um, dizendo ser muito bom, "com postura tanto para homem como para mulher". Ao que Caetano observou: "Então deve ser um livro de boas maneiras..." Sou contra o empirismo. Tudo se consegue com o estudo. A criatividade não está desvinculada da teoria. Se Tom Jobim não soubesse o que sabe, não criaria as músicas que cria....

AS CIFRAS DECIFRADAS NO DICIONÁRIO DE CHEDIAK

Por Ana Maria Baiana — Jornal O Globo

Endossado por muita gente boa — alguns alunos seus, inclusive, como Carlos Lyra, Nara Leão e Gal Costa — Almir Chediak está lançando um livro absolutamente precioso: "Dicionário de Acordes Cifrados". Almir é violonista, compositor e acima de tudo professor: seu trabalho vai muito além do simples método-tocar-violão e realmente ensina (inclusive subvertendo algumas regras do jogo) a compreender a noção de harmonia e da própria estrutura do fazer musical. Entre muitos depoimentos ilustres apresentando o livro — Tom, Egberto, Gil, Edu, Caetano, Paulo Moura — quem define bem o trabalho é o pianista André Dequech (atualmente no grupo Alquimia): "As sete notas musicais são 12 e têm 42 nomes. Como todo o ensino, a didática musical se baseia na premissa de que o aluno deve aceitar a imposição de conceitos absurdos pelo simples fato de que o professor um dia os aceitou. O trabalho de Almir Chediak é, entre outras coisas, uma crítica aos sistemas de cifragem atualmente em uso."

Depoimento do instrumentista, compositor e arranjador SIVUCA sobre o livro "DICIONÁRIO DE ACORDES CIFRADOS" – HARMONIA APLICADA À MÚSICA POPULAR, DE ALMIR CHEDIAK, publicado no jornal "O Catacumba" editado pela Divisão de Música do Instituto Municipal de Artes e Cultura – Rio Arte.

UNIFICAÇÃO DAS CIFRAS NO BRASIL: UM LIVRO FUNDAMENTAL

O Dicionário de Acordes Cifrados – Harmonia Aplicada à Música Popular, de Almir Chediak, é absolutamente necessário ao ensino do jovem músico brasileiro, porque somos carentes desse tipo de trabalho. O fato da primeira edição do livro ter se esgotado tão rapidamente – 20 dias após a publicação – e de hoje, quatro meses depois, já se estar esgotando a segunda, mostra o grande interesse dos estudantes de música e músicos em geral pela obra.

Os jovens músicos brasileiros, no meu entender, precisam de estudo disciplinado para saberem, cada vez mais, em que terreno estão pisando. Acho que a nossa juventude precisa estudar seriamente para melhorar a qualidade de sua criação musical, porque estamos passando por um processo de descaracterização que pode acabar com a música popular brasileira, nossa linda música. Felizmente veio o livro do Almir que instrumentaliza teoricamente aqueles que levam a sério o avanço qualitativo dessa coisa tão importante que é a cultura musical.

Sob o ponto de vista da prática o livro propõe a padronização da cifra no Brasil. A não padronização da cifra é, inclusive, um problema internacional. O fato de cada um cifrar como quer muda as convenções de leitura de país para país, de região para região, de músico para músico, resultando numa confusão danada. A cifra foi criada para simplificar, dar mais liberdade ao músico e não para complicar. Se você chega num estúdio de gravação e encontra uma cifra uniforme, o trabalho rende mais, ao passo que se uma pessoa cifra de um jeito e outra de outro, é o caos.

A unificação das cifras não é importante só para os iniciantes, mas também para mim que milito nessa profissão há tanto tempo e espero em futuro próximo, graças ao **Dicionário de Acordes**, *poder chegar com um monte de orquestrações ao território do Acre, ou em qualquer outra parte do Brasil, e as pessoas que estudaram pelo método do Almir compreenderem prontamente o que quero dizer. Bom seria se hoje você, nordestino, você do Rio Grande do Sul, você de Mato Grosso, soubessem que sua leitura de cifra é a mesma daqui do Rio e de todas as partes do mundo, como acontece com a escrita musical. Sempre tive o desejo de ver a padronização das cifras não só em termos brasileiros, mas também em termos internacionais.*

Sob o ponto de vista harmônico, os exemplos desenvolvidos no livro são absolutamente corretos – além de corretos, honestamente analisados – uma vez que Almir teve contatos com a grande maioria dos autores das 51 músicas usadas como exemplo e soube respeitar as harmonias originais de todos eles.

Quero ressaltar a parte de análise harmônica funcional apresentada no livro, no meu entender da maior importância para que o músico possa assimilar teoricamente o que acontece na harmonia de uma música e aplicar esse conhecimento na harmonização de outras músicas, já que existe sempre uma relação harmônica entre as composições musicais. No início do **Dicionário de Acordes** *são apresentadas as escalas dos acordes, cada um deles tendo a sua gama de seis, sete ou mais notas disponíveis para enriquecimento harmônico ou improviso, num mundo musical que se abre, mudando, também, todo um conceito sobre o acorde, já que antes o acorde era visto como se fosse composto de apenas três ou quatro notas.*

A escala de acordes é um mundo novo onde sentimos que música não é só dó-ré-mi-fá-sol-lá-si-dó. É uma terceira dimensão no senso visual da coisa. De maneira que lendo, analisando e pesquisando o livro de Almir Chediak, eu, **SEVERINO DIAS DE OLIVEIRA**, *o* **SIVUCA**, *os convido a conhecer* **UMA DAS OBRAS MAIS IMPORTANTES DESSA NOSSA DÉCADA.**

ÍNDICE

Convenções Gráficas para o Emprego dos Acordes 24

PARTE 1

Estrutura dos Acordes

I   Acorde 27

II Cifras 27

III Formação do acorde

   a.) tríade 29
   b.) tétrade 30
   c.) acorde invertido 31

IV Estrutura dos acordes 31

V   Sinais usados em cifras 32

VI Intervalos a partir da nota fundamental e os acordes onde os mesmos se encontram 33

VII Notas implícitas numa cifra para a formação do acorde ou para improviso (Escala de acordes) 34

VIII Opções de notação em cifras 38

IX Dobramento, triplicação e supressão de notas no acorde 39

X   Transposição de acordes 42

PARTE 2

Dicionário de Acordes

I   Acordes em posições fáceis

   a.) categoria maior 51

      b.) categoria menor 52
      c.) categoria 7ª da dominante 53
      d.) categoria 7ª diminuta 54

II Acordes com suas inversões e posições

    a.) categoria maior

      C   tríade maior 55

      C/E   tríade maior com a 3ª no baixo 56

      C/G   tríade maior com a 5ª no baixo 57

      C (add9)   9ª adicional 58

      C (#5)   tríade aumentada 59

      C6   com 6ª 59

      C_9^6 com 6ª e 9ª 61

      C7M   com 7ª maior 62

      C7M (#5)   com 7ª maior e 5ª aumentada 64

      C7M (6)   com 7ª maior e 6ª 65

      C7M (9)   com 7ª maior e 9ª 65

      C7M (#11)   com 7ª maior e 11ª aumentada 67

      C7M ($^{\ \ 9}_{\#11}$)   com 7ª maior, 9ª e 11ª aumentada 68

    b.) categoria menor

      Cm   tríade menor 69

      Cm/Eb   tríade menor com 3ª no baixo 70

      Cm/G   tríade menor com 5ª no baixo 71

      Cm (add9)   menor com 9ª adicional 72

      Cm6   menor com 6ª 72

      Cm_9^6 menor com 6ª e 9ª 74

      Cm7   menor com 7ª 75

      Cm/Bb   menor com 7ª no baixo 76

      Cm7 (9)   menor com 7ª e 9ª 77

      Cm7 (b5)   menor com 7ª e 5ª diminuta [Ebm/C]

      Cm7 (11)   menor com 7ª e 11ª 79

Cm7 $\binom{9}{11}$ menor com 7ª, 9ª e 11ª 79
Cm (7M) menor com 7ª maior 80
Cm $\binom{7M}{6}$ menor com 7ª maior e 6ª 81
Cm $\binom{7M}{9}$ menor com 7ª maior e 9ª 81

c.) categoria tríade com 4ª : C4 82

d.) categoria 7ª da dominante

   C7 sétima 83
   C7/E sétima com 3ª no baixo 84
   C7/G sétima com 5ª no baixo 85
   C/Bb sétima com 7ª no baixo 86
   C7 (b5) ou C7 (#11) sétima com 5ª diminuta ou 11ª aumentada 87
   C7 $\binom{9}{\#11}$ sétima com 9ª e 11ª aumentada 88
   C7 $\binom{\#11}{13}$ sétima com 11ª aumentada e 13ª 89
   C7 (#5) ou C7 (b13) sétima com 5ª aumentada ou 13ª menor 90
   C7 $\binom{\#5}{9}$ sétima com 5ª aumentada e 9ª 91
   C7 (13) sétima com 13ª 91
   C7 (9) sétima e 9ª 92
   C7 $\binom{9}{13}$ sétima, 9ª e 13ª 93
   C7 (b9) sétima e 9ª menor 93
   C7 $\binom{b5}{b9}$ ou C7 $\binom{b9}{\#11}$ sétima com 5ª diminuta e 9ª menor, ou sétima com 9ª menor e 11ª aumentada 94
   C7 $\binom{\#5}{b9}$ ou C7 $\binom{b9}{b13}$ sétima com 5ª aumentada e 9ª menor ou sétima com 9ª menor e 13ª menor 95

C7 $(^{b9}_{13})$ sétima com 9ª menor e 13ª 95

C7 (#9) sétima com 9ª aumentada 96

C7 $(^{\#5}_{\#9})$ sétima com 5ª aumentada e 9ª aumentada 97

C7 $(^{\#9}_{\#11})$ ou C7 $(^{b5}_{\#9})$ sétima com 9ª aumentada e 11ª aumentada ou sétima com 5ª diminuta e 9ª aumentada 97

C^7_4 sétima e 4ª 98

C^7_4 (9) sétima e 4ª, com 9ª [Bb/C ou Gm7/C] 98

C^7_4 (13) sétima e 4ª com a 13ª [Gm7 (9)/C] 99

C^7_4 $(^9_{13})$ sétima e 4ª com 9ª e 13ª 99

C^7_4 (b9) sétima e 4ª, com 9ª menor 100

e.) categoria 7ª diminuta

C° ou C^{dim} sétima diminuta 101

C° (b13) sétima diminuta com 13ª menor 101

C° (7M) sétima diminuta com 7ª maior [B/C] 101

III Acordes especiais

a.) acordes resultantes de notas de passagem 103
b.) acordes híbridos 111
c.) baixo pedal 112
d.) acordes pedal 112

IV Posições especiais 113

PARTE 3

Exercícios de Progressões Harmônicas

I Progressões modulantes formadas por acordes do mesmo tipo

a.) categoria maior

(1) ‖: C | F | Bb | etc. 123

(2) ‖: C (add9) | F (add9) | Bb (add9) | etc. 123
(3) ‖: C (#5) | F (#5) | Bb (#5) | etc. 123
(4) ‖: C6 | F6 | Bb6 | etc. 123
(5) ‖: C_9^6 | F_9^6 | Bb_9^6 | etc. 123
(6) ‖: C7M | F7M | Bb7M | etc. 123
(7) ‖: C7M (9) | F7M (9) | Bb7M (9) | etc. 123
(8) ‖: C7M (6) | F7M (9) | Bb7M | etc. 124
(9) ‖: C7M (#11) | F7M (#11) | Bb7M (#11) | etc. 124
(10) ‖: C7M ($^9_{\#11}$) | F7M ($^9_{\#11}$) | Bb7M ($^9_{\#11}$) | etc. 124
(11) ‖: C7M (#5) | F7M (#5) | Bb7M (#5) | etc. 124

b.) categoria menor
(1) ‖: Cm | Fm | Bbm | etc. 124
(2) ‖: Cm(add9) | Fm (add9) | Bbm (add9) | etc. 124
(3) ‖: Cm6 | Fm6 | Bbm6 | etc. 124
(4) ‖: Cm_9^6 | Fm_9^6 | Bbm_9^6 | etc. 124
(5) ‖: Cm7 | Fm7 | Bbm7 | etc. 124
(6) ‖: Cm7 (9) | Fm7 (9) | Bbm7 (9) | etc. 124
(7) ‖: Cm7 (11) | Fm7 (11) | Bbm7 (11) | etc. 124
(8) ‖: Cm7 ($^9_{11}$) | Fm7 ($^9_{11}$) | Bbm7 ($^9_{11}$) | etc. 125
(9) ‖: Cm7 (b5) | Fm7 (b5) | Bbm7 (b5) | etc. 125
(10) ‖: Cm (7M) | Fm (7M) | Bbm (7M) | etc. 125
(11) ‖: Cm ($^{7M}_9$) | Fm ($^{7M}_9$) | Bbm ($^{7M}_9$) | etc. 125

c.) categoria 7ª da dominante
(1) ‖: C7 | F7 | Bb7 | etc. 125
(2) ‖: C7 (9) | F7 (9) | Bb7 (9) | etc. 125
(3) ‖: C7 (13) | F7 (13) | Bb7 (13) | etc. 125
(4) ‖: C7 ($^9_{13}$) | F7 ($^9_{13}$) | Bb7 ($^9_{13}$) | etc. 125
(5) ‖: C7 (b9) | F7 (b9) | Bb7 (b9) | etc. 126

(6) ‖: C7 $\binom{b9}{b13}$ | F7 $\binom{b9}{b13}$ | Bb7 $\binom{b9}{b13}$ | etc. 126

(7) ‖: C7 $\binom{b9}{13}$ | F7 $\binom{b9}{13}$ | Bb7 $\binom{b9}{13}$ | etc. 126

(8) ‖: C7 (#9) | F7 (#9) | Bb7 (#9) | etc. 126

(9) ‖: C7 $\binom{\#5}{\#9}$ | F7 $\binom{\#5}{\#9}$ | Bb7 $\binom{\#5}{\#9}$ | etc. 126

(10) ‖: C7 $\binom{\#9}{\#11}$ | F7 $\binom{\#9}{\#11}$ | Bb7 $\binom{\#9}{\#11}$ | etc. 126

(11) ‖: C7 (b5) | F7 (b5) | Bb7 (b5) | etc. 126

(12) ‖: C7 $\binom{b5}{b9}$ | F7 $\binom{b5}{b9}$ | Bb7 $\binom{b5}{b9}$ | etc. 126

(13) ‖: C_4^7 | F_4^7 | Bb_4^7 | etc. 126

(14) ‖: C_4^7 (9) | F_4^7 (9) | Bb_4^7 (9) | etc. 127

(15) ‖: C_4^7 $\binom{9}{13}$ | F_4^7 $\binom{9}{13}$ | Bb_4^7 $\binom{9}{13}$ | etc. 127

(16) ‖: C_4^7 (b9) | F_4^7 (b9) | Bb_4^7 (b9) | etc. 127

(17) ‖: C4 | F4 | Bb4 | etc. 127

d.) progressões formadas por acordes invertidos

(1) ‖: C/E | F/A | Bb/D | etc. 127
(2) ‖: C7M/E | F7M/A | Bb7M/D | etc. 127
(3) ‖: C/G | F/C | Bb/F | etc. 127
(4) ‖: C7M/G | F7M/C | Bb7M/F | etc. 127
(5) ‖: Cm/Eb | Fm/Ab | Bbm/Db | etc. 127
(6) ‖: Cm/G | Fm/C | Bbm/F | etc. 128
(7) ‖: Cm7/G | Fm7/C | Bbm7/F | etc. 128
(8) ‖: Cm/Bb | Fm/Eb | Bbm/Ab | etc. 128
(9) ‖: C7/E | F7/A | Bb7/D | etc. 128
(10) ‖: C7/G | F7/C | Bb7/F | etc. 128
(11) ‖: C/Bb | F/Eb | Bb/Ab | etc. 128

e.) categoria 7ª diminuta

(1) ‖: C° | F° | Bb° | etc. 128
(2) ‖: C° (b13) | F° (b13) | Bb° (b13) | etc. 128

II Pequenas progressões em todas as tonalidades 128 / 129

a.) tonalidade maior

(1) [I 7M | V 7 | I 7M   ] 130
(2) [I 7M | II m7 | V 7 | I 7M   ] 131
(3) [I 7M | IV 7M | V 7 | I 7M   ] 132
(4) [I 7M | II m7 | I 7M   ] 133
(5) [I 7M | IV 7M | I 7M   ] 134
(6) [I 7M | VI m7 | I 7M   ] 135
(7) [I 7M | VI m7 | V 7 | I 7M   ] 136
(8) [I 7M | VI m7 | II m7 | V 7 | I 7M] 137
(9) [I 7M | VI m7 | IV 7M | V 7 | I 7M] 138
(10) [I 7M | III m7 | IV 7M | V 7 | I 7M] 139
(11) [I 7M | III m7 | I 7M   ] 140
(12) [I 7M | III m7 | V 7 | I 7M   ] 141
(13) [I 7M | III m7 | VI m7 | V 7 | I 7M] 142
(14) [I 7M | III m7 | II m7 | V 7 | I 7M] 143
(15) [I | V | IV | I   ] 144

b.) tonalidade menor

(1) [I m7 | V 7(b9) | I m7   ] 145
(2) [I m7 | II m7(b5) | I m7   ] 146
(3) [I m7 | II m7(b5) | V 7(b9) | I m7   ] 147
(4) [I m7 | IV m7 | I m7   ] 148
(5) [I m7 | IV m7 | V 7(b9) | I m7   ] 149

(6) [I m7 | bVI 7M | I m7   ] 150
(7) [I m7 | bVI 7M | V 7(b9) | I m7] 151
(8) [I m7 | bVI 7M | IIm7(b5) | V 7(b9) | I m7] 152
(9) [I m7 | bVI 7M | IV m6 | V 7(b9) | I m7] 153
(10) [I m7 | b II 7M | I m7   ] 154
(11) [I m7 | b III 7M | V 7(b9) | I m7] 155
(12) [I m7 | b III 7M | IIm7(b5) | V 7(b9) | I m7] 156
(13) [I m7 | b III 7M | IV m7 | V 7(b9) | I m7] 157
(14) [I m7 | b III 7M | b VI 7M | V 7(b9) | I m7] 158

III Progressões mostrando os dominantes individuais (secundários)

    a.) tonalidades maiores

(1) [I 7M | V 7 | V 7 | I 7M] 159
(2) [I 7M | V 7 | II m7 | V 7 | I 7M] 160
(3) [I 7M | V 7 | IV 7M | V 7 | I 7M] 161
(4) [I 7M | V 7 | VI m7 | V 7 | I 7M] 162
(5) [I 7M | V 7 | III m7 | V 7 | I 7M] 163
(6) [I 7M | V 7 | b VII 7M | V 7 | I 7M] 164

    b.) tonalidades menores

(1) [I m7 | V 7(b9) | IV m7 | V 7(b9) | I m7] 165
(2) [I m7 | V 7(b13) | V 7(b9) | I m7] 166

(3) $\left[\text{I m7} \mid \text{V 7} \mid \text{bII 7M} \mid \text{V7(b9)} \mid \text{I m7}\right]$ 167

(4) $\left[\text{I m7} \mid \text{V 7} \mid \text{bVI 7M} \mid \text{V7(\#9)} \mid \text{I m7}\right]$ 168

(5) $\left[\text{I m7} \mid \text{V 7} \mid \text{bVII 7M} \mid \text{V7(b9)} \mid \text{I m7}\right]$ 169

(6) $\left[\text{I m7} \mid \text{V 7} \mid \text{bIII 7M} \mid \text{V7(b9)} \mid \text{I m7}\right]$ 170

IV Acordes de resolução com seus respectivos dominantes e os acordes que os precedem 171

V Progressões harmônicas com acordes de 7ª da dominante e seus substitutos

1) Progressões harmônicas com acordes de 7ª da dominante:
   a.) tonalidade maior 173
   b.) tonalidade menor 174

2) Progressões harmônicas com acordes substitutos da 7ª da dominante:
   a.) tonalidade maior 175
   b.) tonalidade menor 176

3) Progressões harmônicas com acordes diminutos. 177

VI Progressões por marchas harmônicas modulantes

(1) ‖ C7M ‖: Dm7 G7 | C7M | Cm7 F7 | etc. 178
(2) ‖ C7M ‖: G_4^7 G7 | C_4^7 C7 | etc. 182
(3) ‖ Cm7 ‖: Dm7 (b5) G7 | Cm7 (b5) F7 | etc. 184
(4) ‖ Cm7 ‖: G_4^7 (b9) G7 (b9) | C_4^7 (b9) C7 (b9) | etc. 187
(5) ‖: Dm7 G7 (b9) | Cm7 F7 (b9) | etc. 188
(6) ‖: Dm7 G7 (#9) | Cm7 F7 (#9) | etc. 189
(7) ‖: B o Cm7 | C#o Dm7 | etc. 190
(8) ‖ C7M ‖: Dm7 G7 (b5) | Cm7 F7 (b5) | etc. 191
(9) ‖: Db7 (#11) C7M | B7 (#11) Bb7M | etc. 192
(10) ‖: C7M C7 | F7M | Bb7M B7 | etc. 195

(11) ‖: C7M | C_4^7 C7 | F7M | F_4^7 F7 | etc. 199

(12) ‖ Cm7 ‖: Db7 Cm7 | B7 Bbm7 | etc. 202

(13) ‖: C7M F7 | Bb7M Eb7 | etc. 205

(14) ‖: C7M Cm6 | Bb7M Bbm6 | etc. 208

(15) ‖: C7M F7(#9) | B7M E7(#9) | etc. 209

(16) ‖: Cm6 B° | Bbm6 A° | etc. 210

(17) ‖: Cm7/G F#° | Bbm7/F E° | etc. 211

(18) ‖: G7(13) G7(b13) | C7M C6 | F7(13) F7(b13) | | Bb7M Bb6 | etc. 212

(19) ‖: Dm7(9) | G7(13) G7(b13) | Cm7(9) | F7(13) F7(b13) | | Bbm7(9) | etc. 214

(20) ‖: C7(13) C7(b13) | Cm7 F7(b9) | Bb7(13) Bb7(b13) | | Bbm7 Eb7(b9) | etc. 215

(21) ‖: C7(13) C7(b13) | F_4^7(9) F7(b9) | Bb7(13) Bb7(b13) | | Eb_4^7(9) Eb7(b9) | etc. 216

(22) ‖: Cm(8) Cm(7M) | Cm7 Cm6 | Bbm(8) Bbm(7M) | | Bbm7 Bbm6 | etc. 217

(23) ‖: C(8) C7M | C6 C7M | C#(8) C#7M | C#6 C#7M | etc. 220

(24) ‖: Cm Cm/Bb | Am7(b5) D7(b9) | Gm Gm/F | | Em7(b5) A7(b9) | etc. 222

(25) ‖: C E7/B | Am C7/G | F A7/E | Dm F7/C | etc. 224

(26) ‖: C7M C6 | Cm7 F7(9) | Bb7M Bb6 | etc. 226

(27) ‖: C7M C6 | Dm7 G7(9) | Eb7M Eb6 | etc. 227

(28) ‖: C7M/E Eb° | Bb7M/D Db° | A7M/C B° | | Gb7M/Bb A° | etc. 228

(29) ‖: C/E Eb° | Dm7 Db7(#11) | etc. 229

(30) ‖: C7/G F#m6 | Bb7/F Em6 | etc. 231

(31) ‖: C7M | F#m7 B7 | E7M | Bbm7 Eb7 | etc. 232

(32) ‖: C7M | F#m7(b5) B7(b9) | E7M | Bbm7(b5) Eb7 | etc. 235

(33) ‖: C7M | Bm7(b5) E7 | A7M | G#m7(b5) C#7 | etc. 236

(34) ‖: C Em/B | Am Am/G | F#m7(b5) B7 | E G#m/D# | | C#m C#m/B | Bbm7(b5) Eb7 | etc. 238

(35) ‖: C7M | F#m7(b5) B7 | Em Em/D | C#m7(b5) F#7 |
    | B7M | Fm7(b5) Bb7 | Ebm Ebm/Db | Cm7(b5) F7 | etc. 241

(36) ‖: C7(#9) Gb7(13) | F7(13) B7(9) | Bb7(#9) E7(13) |
    | Eb7(13) A7(9) | etc. 245

(37) ‖: C7(13) F#7(9) | F_4^7(9) B7 | Bb7(13) E7(9) |
    | Eb_4^7(9) A7 | etc. 246

(38) ‖: C/E Ebm6 | Bb/D Dbm6 | etc. 247

(39) ‖: C/E Cm/Eb | Bb/D Bbm/Db | etc. 248

(40) ‖: C7M(#11) F7(9) | Bb7M(#11) Eb7(9) | etc. 249

(41) ‖: Cm6/Eb D7 | Bbm6/Db C7 | etc. 250

(42) ‖: G7/B C | A7/C# D | etc. 251

(43) ‖: C7M Ab7 | Db7M A7 | etc. 252

VII Progressões diversas
    a.) acordes de 7ª construídos sobre cada nota da escala maior (progressão diatônica) 253
    b.) progressões formadas por dominantes consecutivas (progressões modulantes) 253
    c.) progressões formadas por acordes diminutos de passagem ascendentes e descendentes 253
    d.) progressões contendo diminutos de passagem ascendentes, descendentes e auxiliares 254
    e.) progressões com acordes dominantes e suas resoluções na tonalidade maior 254
    f.) progressões usando acordes invertidos (tonalidade maior) 254
    g.) progressões de acordes com dominantes e suas resoluções na tonalidade menor 255
    h.) progressões usando acordes invertidos 256

VIII Definições
    a) tonalidade 256
    b) harmonia 256
    c) modulação 256

PARTE 4

Relacionamento Melodia/Harmonia 257

APÊNDICE
Análise Harmônica

I — Análise Harmônica de uma Progressão de Acordes na Tonalidade de Dó Maior 261

II — Considerações sobre a análise 265

a) Número romano sobre os acordes 265
b) Sinalização analítica 265
c) Acordes diatônicos e não diatônicos 265
d) Funções harmônicas 265
e) Dominantes individuais 266
f) SubV7 266
g) Preparação 267
h) Diminutos 267
i) Dominantes seguidos 268
j) Preparação sem resolução 268
l) Ritmo harmônico 268
m) Acordes de empréstimo modal 268
n) Tonalidade paralela 269
o) Dominante auxiliar 269
p) Acorde de sétima e quarta 269
q) Notas de tensão 269
r) Notas de tensão na preparação de acorde maior e menor 269
s) Cadência 270
t) Modulação 271
u) Resolução passageira 271
v) II cadencial secundário (diatônico) 272
x) Emprego dos números romanos em análise harmônica 272
z) Trítono 272

III — Análise Harmônica de uma Progressão de Acordes na Tonalidade de Dó Menor 273

IV — Músicas Harmonizadas e Analisadas

- Tônica, 7ª da dominante (dominante primário) e tônica:

  I V7 I — **Preta Pretinha** 274

- II cadencial: I IIm7 V7 I • Dominante secundário para o IIm: I V7 IIm7 V7 I — **Casa de Bamba** 275
- Dominante secundário para o IV: I V7 IV — **Asa Branca** 277
- Dominante secundário para o V7: I V7 V7 I — **Viagem** 277
- Dominante secundário para o V7: I V7 V7 I • Empréstimo modal — **Andança** 279
- Dominante secundário para o VIm precedido por II cadencial: I IIm7 V7 VIm • SubV7 para o IV — **Sampa** 280
- Diminuta descendente para o IIm • SubV7 • Empréstimo modal • IIIm7 substituindo o I • Dominantes consecutivos — **Tristeza** 282
- Encadeamento I VIm IIm7 V7 I • Modulação • Acorde de empréstimo modal — **Valsa de uma Cidade** 284
- Modulação por terça menor acima • Empréstimo modal: IVm6 — **Pela Luz dos Olhos Teus** 285
- IIIm7 substituindo o I — **Marinheiro Só** 287
- SubV7 para V7 V • Dominantes consecutivos — **A Banda** 288
- Quarto grau elevado menor com a 7ª e a 5ª diminuta: #IVm7(b5) • Dominante secundário para o IIIm precedido por II cadencial — **Flor de Lys** 290
- Empréstimo modal — **Maria Maria** 292
- Músicas a serem analisadas: **Felicidade, O Leãozinho, Gente Humilde, Alegria Alegria, Outra Vez, Menino do Rio** 292

- Diminuta auxiliar: I I° I — **Superhomem** 298
- VII° substituindo V7 • Dominante secundário para o bIII precedido por II cadencial • Modulação para a tonalidade paralela — **Quem Te Viu, Quem Te Vê** 299
- Acorde de empréstimo modal: Vm7 — **Procissão** 301
- IVm (empréstimo modal) como acorde inicial — **Lua e Estrela** 302
- II cadencial como acorde inicial • Modulação por 2ª maior acima — **Qualquer Coisa** 303
- IV7 • Dominante secundário para o V7 e dominante secundário para o bIII precedido por II cadencial • Acorde com a 4ª suspensa — **Mania de Você** 305
- Modulação para a tonalidade paralela • Acorde de empréstimo modal — **Tarde em Itapuã** 306
- SubV7 para o V — **Samba em Prelúdio** 307

- Músicas a serem analisadas: **Tigresa, O Barquinho, Você é Linda, Se Eu Quiser Falar com Deus, Samba de Uma Nota Só** 308

- SubV7 para o Im • Im6 como acorde inicial • II cadencial do bII que não aparece — **Prá Dizer Adeus** 312
- Dominantes consecutivos • Acorde diminuto com o baixo pedal • Empréstimo modal — **Wave** 313
- Diminuta auxiliar: F° • Diminuto alterado: Ab°(b13) e E°(7M) — **Corcovado** 315
- Empréstimo modal — **Garota de Ipanema** 316
- II cadencial secundário • Dominante para o IIIm • Modulações — **Eu e a Brisa** 317

- Músicas a serem analisadas: **As Rosas não Falam, Luz do Sol, Teletema, Drão, Odara, Sem Fantasia** 318

- Modulação por 4ª justa acima • Dominante secundário para IIm IIIm IV V7 VIm • Dominante auxiliar — **Se Todos Fossem Iguais a Você** 325

- Músicas a serem analisadas: **Minha Namorada, Viola Enluarada, Desafinado, Travessia** 326

- **Acalanto** • **Prelúdio em Dó Maior** • **Canaã** 332

V — Músicas a serem Harmonizadas e Analisadas. 336

Índice Alfabético de Palavras e Expressões Técnicas Usadas neste Livro 340

Bibliografia 341

Agradecimento 342

Pareceres 343

CONVENÇÕES GRÁFICAS PARA O EMPREGO DOS ACORDES

Na montagem dos acordes usam-se alguns sinais, a seguir enumerados, para indicar:

O — cordas que devem ser tocadas, sendo a nota mais grave o baixo (bordão) do acorde.

⟵ — pestana, serve para prender duas ou mais cordas com um mesmo dedo,

Algarismos romanos — indicação de casa.

1, 2, 3, 4 — dedos da mão esquerda, que correspondem ao indicador, médio, anular e mínimo, respectivamente.

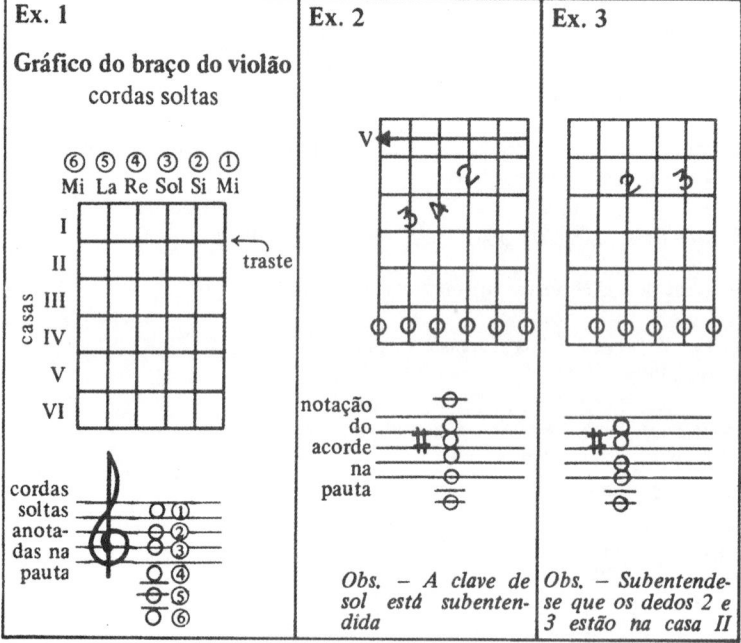

À colocação dos dedos que formam a posição do acorde dá-se o nome de digitação.

Devemos dizer que um determinado acorde poderá ser digitado de maneiras diferentes, sendo que a forma mais correta dependerá da posição do acorde anterior e/ou posterior ao referido acorde.

PARTE 1

ESTRUTURA DOS ACORDES

I Acorde

Acorde é uma combinação de sons simultâneos ou sucessivos quando arpejados.
Exemplo de acorde com quatro sons, separados por intervalos de terças superpostas.

3 M = terça maior
3 m = terça menor

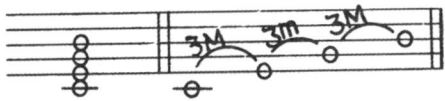

II Cifras

Cifras são símbolos criados para representar acordes, e são compostas de letras, números e sinais.

Em cifra substituimos os nomes Lá, Si, Dó, Ré, Mi, Fá, Sol pelas sete primeiras letras, maiúsculas, do alfabeto, respectivamente.

O acorde maior é representado apenas pela letra (exemplo: A); quando menor coloca-se um "m" (minúsculo) ao lado direito da letra (exemplo: Am).

Os sinais de alteração sustenido (#) e bemol (b) aparecem imediatamente depois da letra maiúscula indicando a nota fundamental (baixo ou bordão) alterada, podendo, também, aparecer antes do número que indica o grau a ser alterado (ver págs. 32, 33 e 34).

A cifra estabelece o tipo de acorde, com eventuais alterações, e a inversão do mesmo. A cifra não estabelece a posição do acorde (a ordem vertical, dobramentos e supressões de notas)

A notação de cifras ainda não está mundialmente padronizada, razão por que encontramos um mesmo acorde anotado de maneiras diferentes, como é o caso do acorde de sétima maior, diminuto, e outros, que veremos mais adiante. (ver tabela da pág. 36).

Nome dos intervalos a partir da nota fundamental (exemplo Dó) e representação dos mesmos em cifras.

Notas	Intervalos	* Enarmonia	Representação	
			Sinais	Nome
Dó	1			fundamental
Reb	2m		b9	nona menor
Ré	2M		9	nona (maior)
Ré #	2aum.	enarmônicos	#9	nona aumentada
Mib	3m		m	menor
Mi	3M			(maior)
Fá	4j		4	quarta (justa)
			11	décima primeira (justa)
Fá #	4aum.	enarmônicos	#11	décima primeira aumentada
Solb	5dim		b5	quinta diminuta
Sol	5j			(quinta justa)
Sol #	5aum.	enarmônicos	#5	quinta aumentada
Láb	6m		b 6	sexta menor
			b13	décima terceira menor
Lá	6M	enarmônicos	6	sexta (maior)
			13	décima terceira (maior)
Sibb	7dim		o ou dim	sétima diminuta
Sib	7m		7	sétima (menor)
Si	7M		7M ou maj7	sétima maior

* *Enarmonia é a situação em que nomes diferentes são dados a uma mesma nota.*

   Ex.:   Fá# = Sol b
           Si # = Dó

Obs. 1 – 2m = segunda menor
              2M = segunda maior
              2aum = segunda aumentada

Obs. 2 – Os termos entre parênteses são subentendidos.
         Ex.:   C7   = Dó com a sétima
              C7M   = Dó com a sétima maior
              Cm7(9) = Dó menor com a sétima e a nona.

III Formação do Acorde

a) tríade

Tríade é o agrupamento de três sons. A tríade pode ser perfeita maior ou menor, diminuta ou aumentada.

A tríade perfeita maior se caracteriza pela terça maior e quinta justa; a menor pela terça menor e quinta justa; a diminuta pela terça menor e quinta diminuta (superposição de duas terças menores); a aumentada pela terça maior e quinta aumentada (superposição de duas terças maiores).

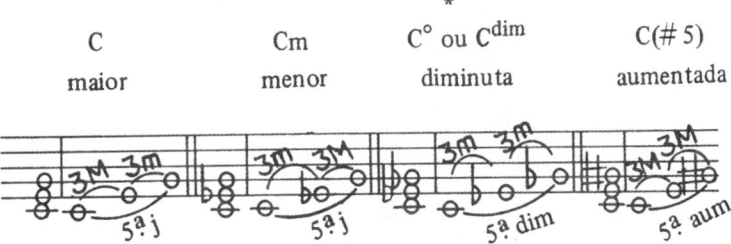

* A cifragem "o" ou "dim" se refere ao acorde diminuto (ver pág. 99) e geralmente inclui a nota da 7ª diminuta.

tríade com nota acrescentada

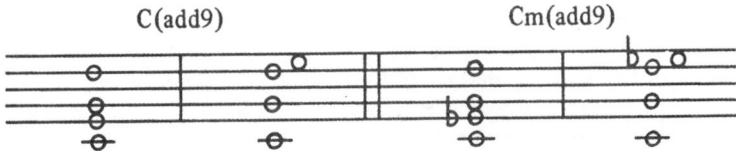

Obs. — add9 quer dizer 9ª adicionada à tríade

b) tétrade

Tétrade é o agrupamento de quatro sons.

Os demais acordes de cinco, seis ou mais sons, são acordes de quatro sons com notas acrescentadas.

Exemplo

Acordes em ordem de terças superpostas	tétrade	tétrade com nota acrescentada
	C7	C7(b9)
posição para violão		

OBSERVAÇÕES

a) *Como sabemos, o piano é o instrumento mais completo para a execução de qualquer acorde, em qualquer posição. Agora, no caso do violão, com menores possibilidades técnicas, temos que adaptar certos acordes, como vimos no exemplo acima, caso em que foi omitida a quinta justa.*

b) *O uso de parênteses, na cifra, é recomendado para separar visualmente o som básico (tríade, tétrade) e as notas acrescentadas.*

c) *Usa-se também o parênteses em casos, tais como: C(#5), Cm7(b5), Cm(7M), etc.*

c) acorde invertido

Os acordes de primeira, segunda e terceira inversão mostrados neste trabalho são denominados acordes invertidos. Na primeira inversão, a terça vai para o baixo; na segunda, vai a quinta e, na terceira, a sétima.

A cifra do acorde invertido é representada em forma de fração; o numerador indica o acorde, e o denominador, a nota do baixo.

Ex.:

Acorde perfeito maior e menor no seu estado fundamental	1ª inversão terça no baixo	2ª inversão 5ª no baixo	*3ª inversão 7ª no baixo
C Cm	C/E Cm/Eb	C/G Cm/G	C/Bb Cm/Bb

* *Nas tétrades*

IV Estrutura dos Acordes

Tomando como base o sistema tonal, os acordes foram divididos em 4 categorias: maior, menor, 7ª da dominante e 7ª diminuta.

Os acordes maiores se caracterizam pela terça maior e nunca possuem a sétima menor; os menores, pela terça menor; os de 7ª da dom., pela terça maior e sétima menor, sendo que a terça deste acorde pode ser precedida (suspensa) pela quarta; os diminutos, pela terça menor, quinta diminuta e sétima diminuta.

maior	menor	de 7ª da dom.	diminuto
C	Cm	C$_4^7$ C7 C$_4^7$ C7	Co

* *Posições para violão.*

Obs. — *O acorde de 7ª da dominante é encontrado sobre o V grau da escala maior e menor harmônica.*

V Sinais Usados em Cifras

a) categoria maior

#5, 6, 7M, 9, #11.

b) categoria menor

m, b5, 6, 7, 7M, 9, 11.

c) categoria 7ª da dominante

4, b5, #5, 7, b9, 9, #9, #11, b13, 13.

d) categoria 7ª diminuta
o ou dim, (7M, 9, 11, b13)

VI Intervalos a Partir da Nota Fundamental (Ex: Dó) e os Acordes Onde os Mesmos se Encontram:

	Dó	1	fundamental	todos os acordes
	Réb	b2	segunda menor	C7 (b9), C_4^7 (b9), C (alt)
	Ré	2	segunda maior	Acordes maiores, men. e de 7^a da dom.
Enarmô-nicos	Ré #	#2	segunda aumentada	C7 (#9), C (alt)
	Mib	b3	terça menor	Acordes menores e diminutos
	Mi	3	terça maior	Acordes maiores e de 7^a da dom.
	Fá	4	quarta justa	Acordes de 4^a e menores
Enarmô-nicos	Fá #	#4	quarta aumentada	C7 (#11), C7M (#11)
	Solb	b5	quinta diminuta	Cm7 (b5), C7 (b5), Co C (alt)
	Sol	5	quinta justa	Todos os acordes exceto com 5ª alterada
Enarmô-nicos	Sol #	#5	quinta aumentada	C (#5), C7 (#5), C7M (#5) C (alt)
	Láb	b6	sexta menor	C7 (b13)
Enarmô-nicos	Lá	6	sexta maior	C6, Cm6, C7M (6), C7 (13)
	Sibb	bb7	sétima diminuta	C^o
	Sib	b7	sétima menor	Acordes de 7^a da dom., Cm7, Cm7 (b5)
	Si	7	sétima maior	Acordes maiores e menores com 6^a ou 7M

Estrutura dos acordes • 33

VII Notas Implícitas numa Cifra para Formação do Acorde ou para Improviso (Escala de Acordes)
Para maiores esclarecimentos leia antes a pág. 35

a) categoria maior	
Acordes	Notas implícitas
C, C6, C$^6_9$ C7M, C7M(9), C7M(6)	1 T9 3 5 6 T7M
C7M (#11), C7M ($^{\,\,9}_{\#11}$)	1 T9 3 T#11 5 6 T7M
C (#5), C7M (#5)	1 T9 3 T#11 #5 6 T7M
C (add9)	1 T9 3 5

b) categoria menor	
Cm, Cm7, Cm7 (9) Cm7 ($^{\,\,9}_{11}$), Cm7 (11)	1 T9 b3 T11 5 T7
Cm7 (b5), Cm7 ($^{b5}_{\,\,9}$)	1 T9 b3 T11 b5 Tb13 T7

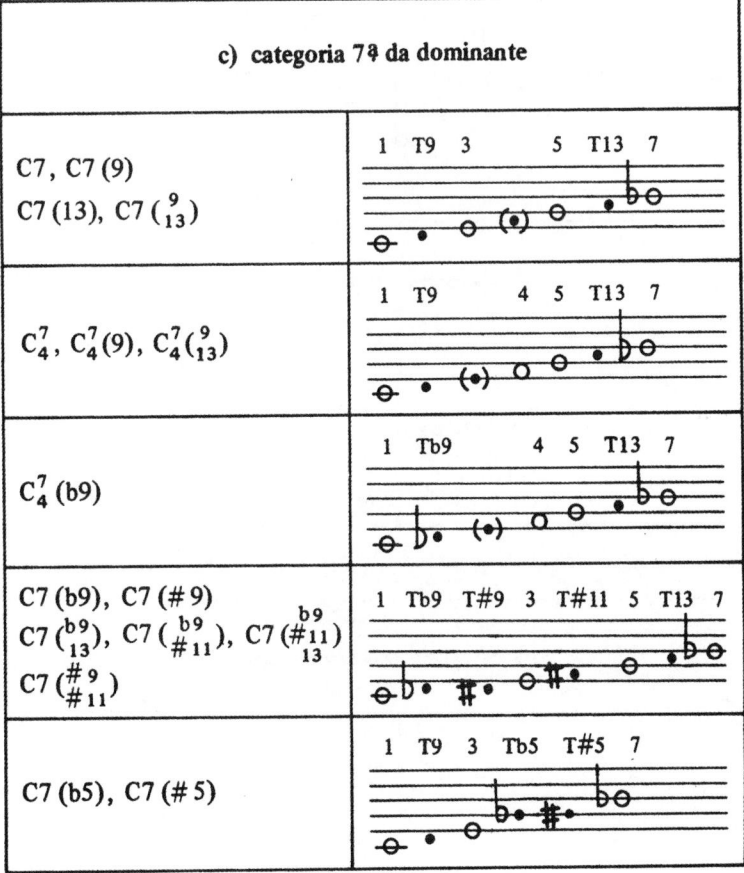

Cifra	Pentagrama
C7(#11), C7($^9_{\#11}$), C7($^{\#11}_{13}$)	1 T9 3 T#11 5 T13 7
C7(b9), C7(b13), C7($^{b9}_{b13}$)	1 Tb9 T#9 3 5 Tb13 7
C(^{alt}), C7($^{b5}_{b9}$), C7($^{\#5}_{b9}$), C7($^{b5}_{\#9}$), C7($^{\#5}_{\#9}$), C7(#9)	1 Tb9 T#9 3 Tb5 T#5 7

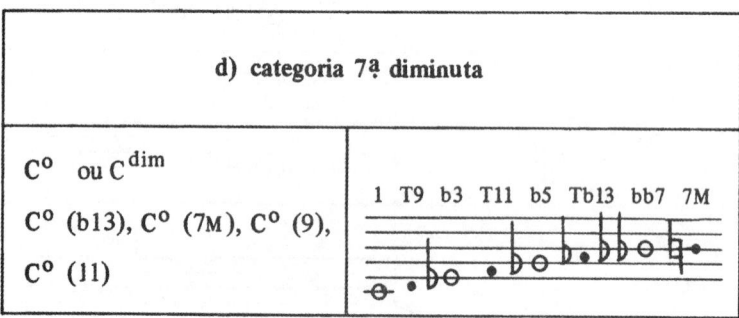

d) categoria 7ª diminuta	
C° ou C^{dim} C°(b13), C°(7M), C°(9), C°(11)	1 T9 b3 T11 b5 Tb13 bb7 7M

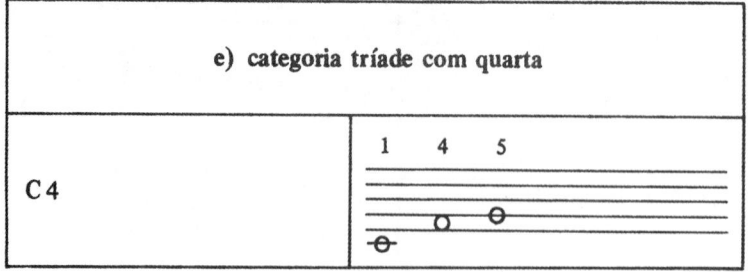

e) categoria tríade com quarta	
C4	1 4 5

Observações

A) Escala de acorde é um conjunto de notas disponíveis, que uma cifra representa, para formar harmonia ou linha de improviso.

B) Os acordes com notações alternativas [ex. C7(b5), C7(#11)] têm a mesma posição no violão, mas pertencem a diferentes escalas de acordes.

C) Relação dos acordes com notações alternativas enarmônicas:

C7(b5)	C7($^{b5}_{b9}$)	C7($^{b5}_{\#9}$)	C7($^{\#5}_{b9}$)
C7(#11)	C7($^{b9}_{\#11}$)	C7($^{\#9}_{\#11}$)	C7($^{b9}_{b13}$)

D) Sistemática de cifragem dos acordes de dominantes alterados:

(b9) compatível (#9)
(b5)   "   (#5)
(#11)   "   (5)
(b13)   "   (5)

(b9 e #9) não admitem (9)
(b5 e #5)   "   "   (5)

E) Os acordes que pertencem a uma mesma escala são intercambiáveis. As notas da escala são implícitas nos respectivos acordes.

F) Os números nas cifras representam as notas de destaque sobre as demais notas na escala, que, juntamente com o som básico (3ª e 7ª), formarão o som desejado.

G) As notas entre parênteses na pauta não devem entrar na formação de acordes e no improviso só devem ser usadas de passagem.

H) Os números sobre as notas das escalas são os intervalos a partir da nota fundamental. As notas brancas são do acorde.

I) T significa nota dissonante (de tensão).

VIII Opções de Notação em Cifras

Como foi dito, a cifra ainda não está mundialmente padronizada; por isso o leitor poderá encontrar em outros trabalhos um mesmo acorde anotado de maneiras diferentes.

RECOMENDADAS	ACEITÁVEIS	EVITADAS
C		CM
Cm	C –	
C (#5),	C+, C 5+	
C°, C^{dim}	C^{o7}, C^{dim7}	
C$_9^6$	C$_6^9$	C$_6^{9\,M}$
C7M	C maj7	C7 +, CM7, C7△
C7M ($^{\,9}_{\#11}$)	C7M ($^{+\,11}_{\,\,\,9}$) C7M ($^{11+}_{\,\,9}$)	C$^{+\,11}_{7+\,9}$
Cm (7M)	Cm (maj 7)	Cm7 +,
Cm7 (b5)	Cm^7 (– 5), C ø	C ø^7. Cm7 (5°)
Cm7 (11)	Cm$^{11}_{\,\,7}$	Cm$^7_4$
C7 (#5)	C7 (+5), C$^7_+$	
C7 (9)	C$^9_7$	C9
C7 (b9)	C7 (– 9)	C$^{-\,9}_7$, C – 9
C7 (#9)	C7 (+9)	C$^{+\,9}_7$, C +9
C7 (#11)	C7 (+11)	C$^{+\,11}_7$, C +11
C7 (b13)	C7 (– 13)	C$^{-\,13}_7$, C – 13
C7 (13)		C$^{13}_{\,\,7}$, C13
C7 ($^{\#9}_{\#11}$)	C7 ($^{+\,11}_{+\,9}$)	C$^{+\,11}$ +9$_7$
C7 ($^{b9}_{b13}$)	C7 ($^{-\,13}_{-\,9}$)	C$^{-\,13}$ – 9$_7$
C4	C$_{sus}$, C$_{sus4}$	C11
C$^7_4$	C$^7_{sus}$, C$^7_{sus4}$	C$^{11}_7$
C$^7_4$ (9)	C$^7_{sus}$ (9), C$^7_{sus4}$ (9)	C$^{11}_7$9, C^{9}7$_4$
C (add9)	C add9	C9

Obs. – 1: *maj7 (sétima maior); sus 4 (quarta suspensa); add9 (adicional).*
Obs. – 2: *Algumas cifras devem ser evitadas pelas seguintes razões: má programação visual, dificuldade de leitura e por darem margem a dúvidas e interpretação errada.*

IX Dobramento, Triplicação e Supressão de Notas no Acorde

Em qualquer inversão e posição de todos os acordes, pode-se dobrar, triplicar ou suprimir a nota fundamental e a quinta justa do acorde. (A supressão da nota fundamental só é indicada se um outro instrumento tocar o baixo).

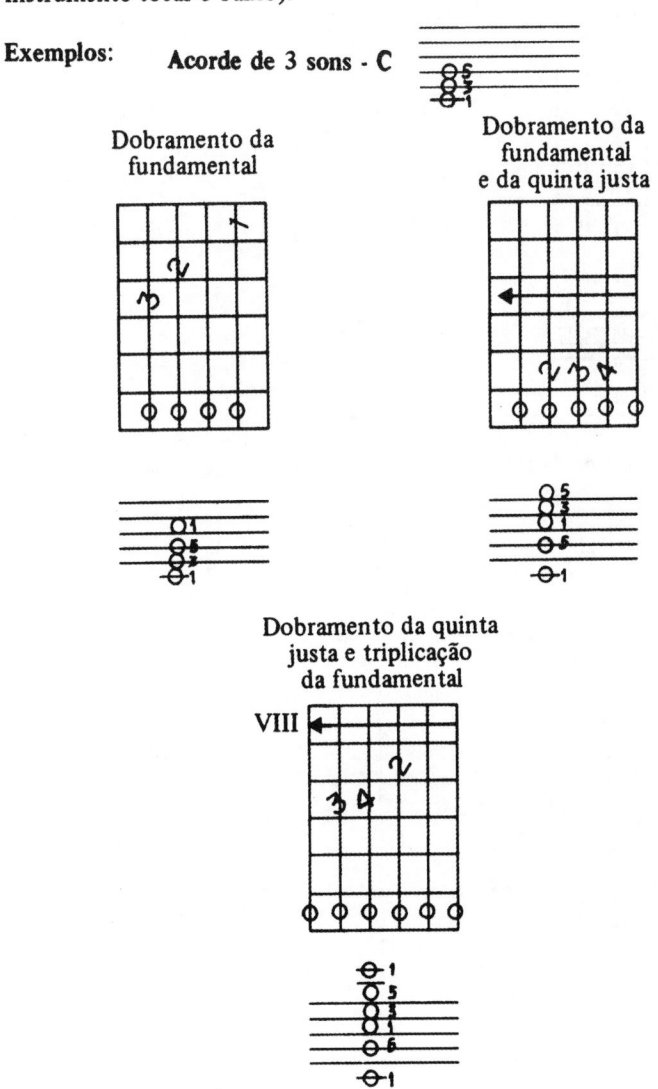

Exemplos: Acorde de 3 sons - C

Dobramento da fundamental

Dobramento da fundamental e da quinta justa

Dobramento da quinta justa e triplicação da fundamental

VIII

Estrutura dos acordes • 39

Acordes de 4 sons – C7

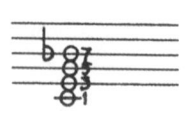

Supressão da quinta justa

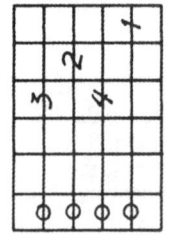

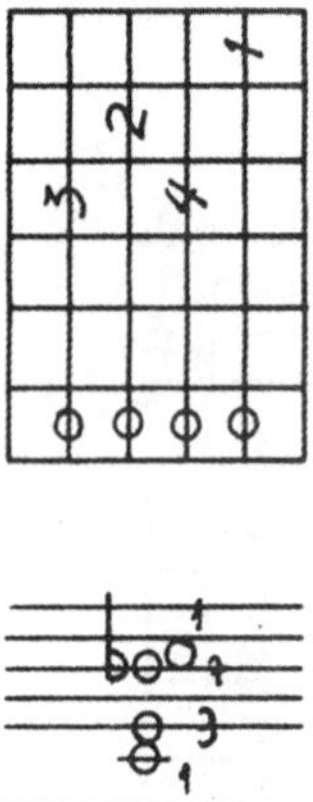

Duplicação da quinta justa

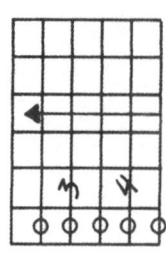

Duplicação da fundamental e da quinta justa

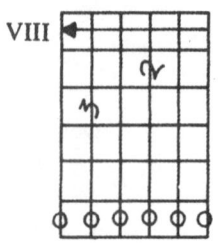

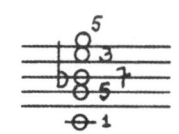

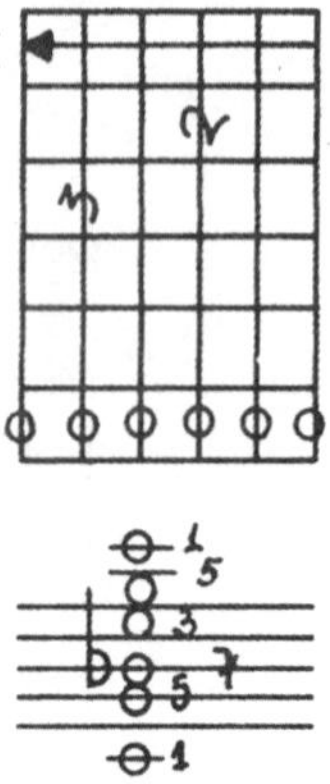

VIII

Acorde de C7(9)

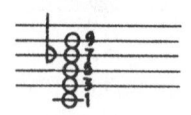

Supressão da quinta justa

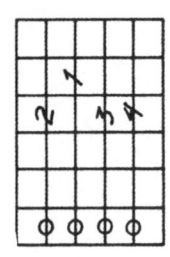

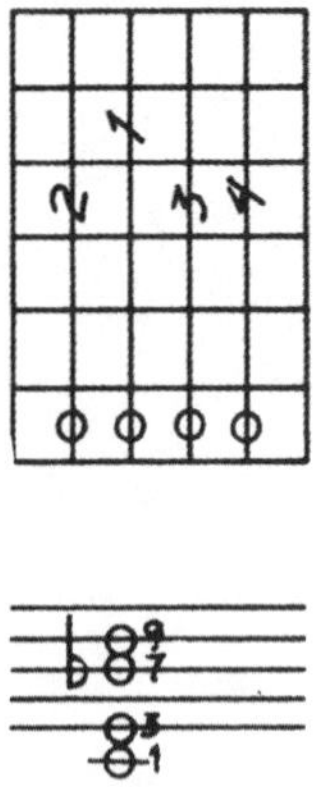

Acorde de C7M $\binom{9}{\#11}$

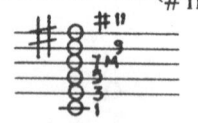

Supressão da quinta justa

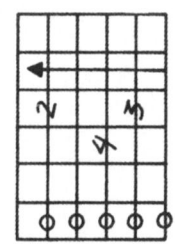

Dobramento da Terça

O dobramento da terça deve ser usado com extremo cuidado, pois raramente resulta num bom efeito.

Exemplo de acorde com a fundamental e a terça dobrada E7M

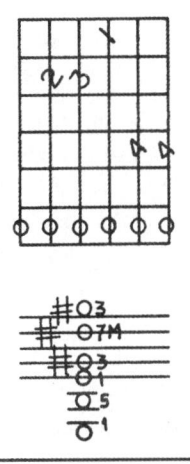

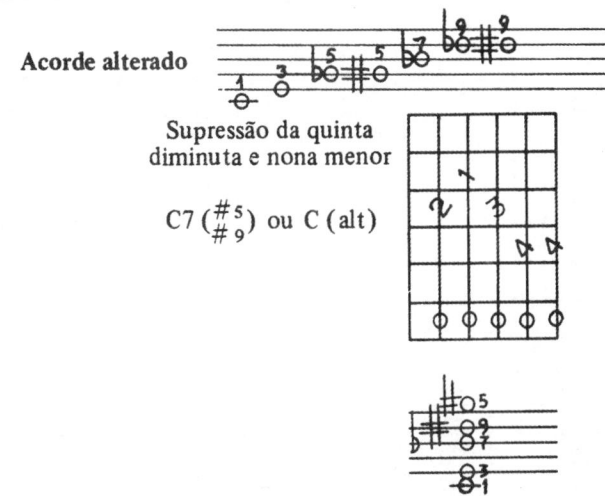

Acorde alterado

Supressão da quinta diminuta e nona menor

C7 ($^{\#5}_{\#9}$) ou C (alt)

Só é possível formar este acorde no violão, suprimindo-lhe notas, devendo estar presente, na formação do mesmo, uma quinta e uma nona alterada — pois a quinta diminuta é compatível com a quinta aumentada e vice-versa e a nona menor é compatível com a nona aumentada e vice-versa.

Estrutura dos acordes • 41

X Transposição de Acordes (para violão)

Nos exemplos usaremos sempre o mesmo desenho de acorde, tomando como modelo os acordes de (E), cujo baixo é feito sobre a sexta corda solta; o (A), com o baixo na quinta corda solta e o (D), com o baixo na quarta corda solta.

Na nomenclatura dos acordes, com referência à nota fundamental, deve-se utilizar os nomes das notas dentro da tonalidade, como, por exemplo, não utilizar Lá # na tonalidade de Fá maior ou Sol b na tonalidade de Sol maior (vide pág. 46).

Para melhor efeito visual, os números que representam os dedos serão substituídos pelo sinal " • ", e na pauta será anotada apenas a nota fundamental do acorde (baixo ou bordão).

a) Acordes maiores com o baixo na 6ª corda

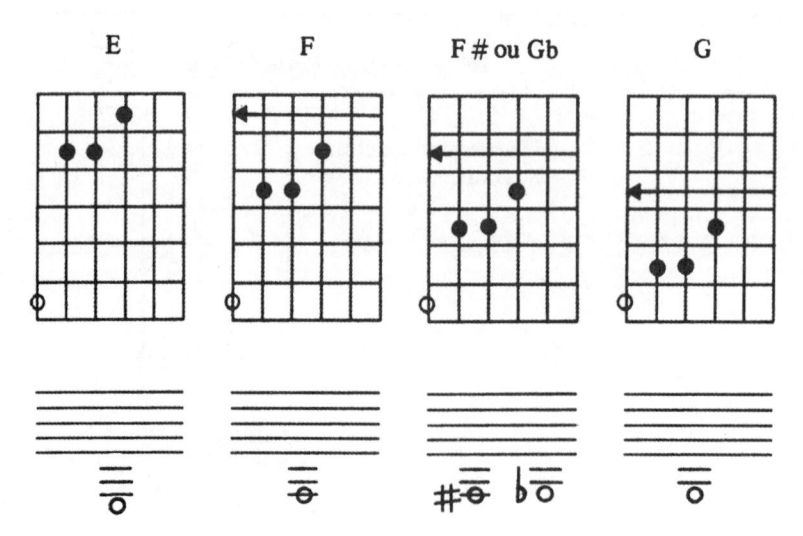

E   F   F # ou Gb   G

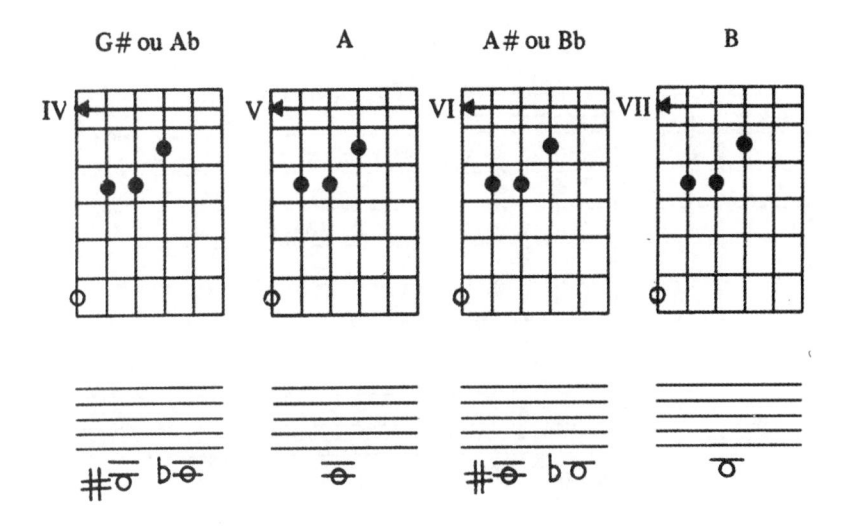

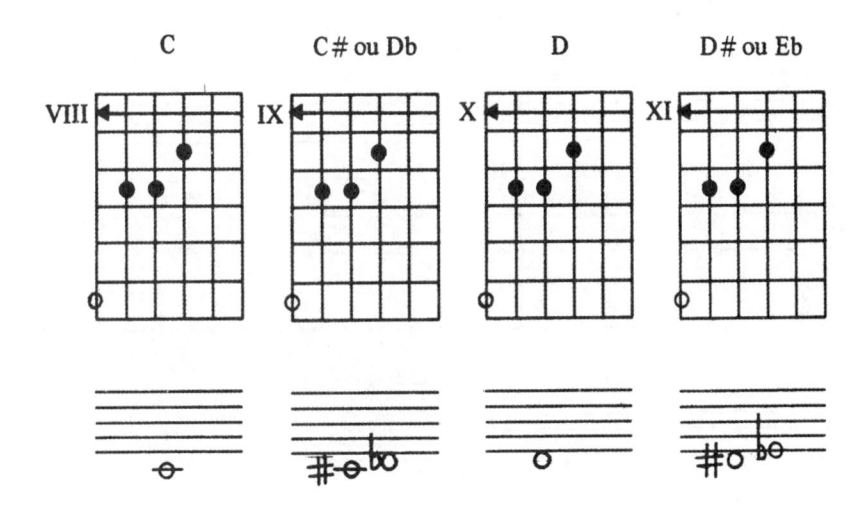

Estrutura dos acordes • 43

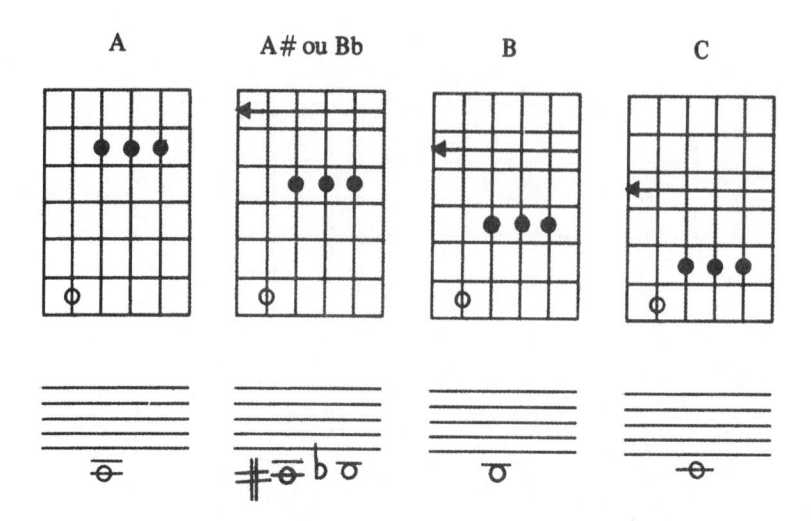

b) Acordes maiores com o baixo na 5ª corda

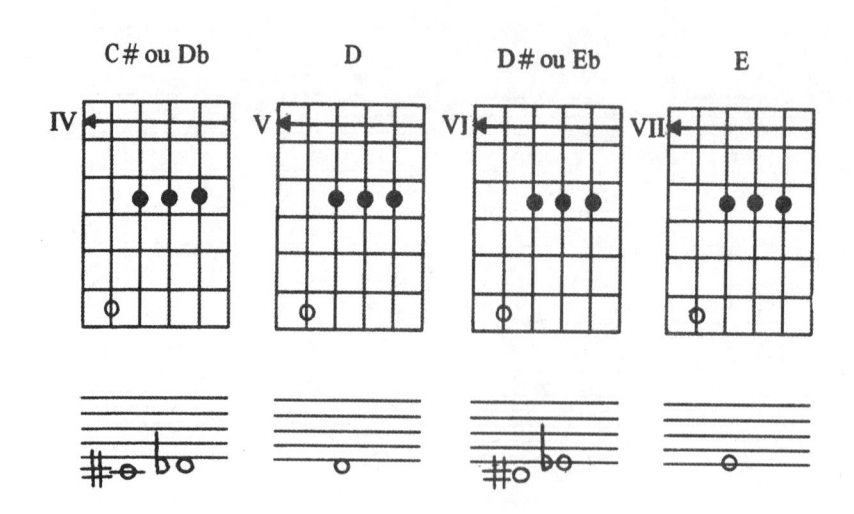

| F | F# ou Gb | G | G# ou Ab |

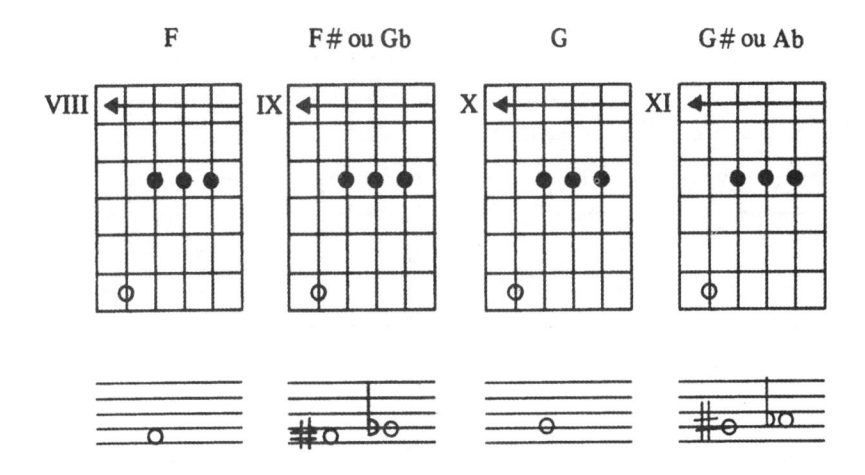

VIII — IX — X — XI

c) Acordes maiores com o baixo na 4ª corda

| D | D# ou Eb | E | F |

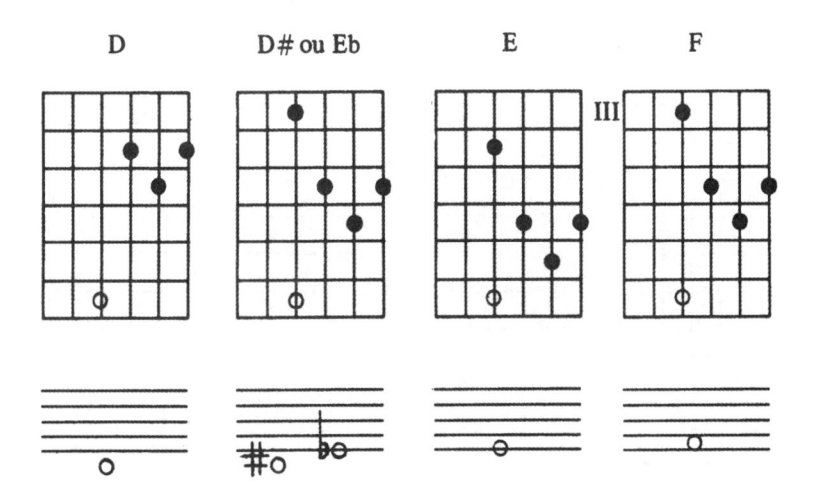

III

F# ou Gb	G	G# ou Ab	A
IV	V	VI	VII

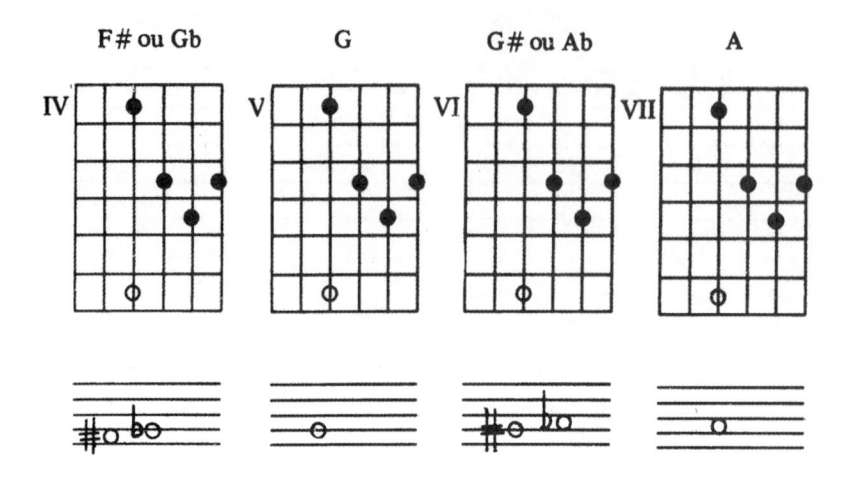

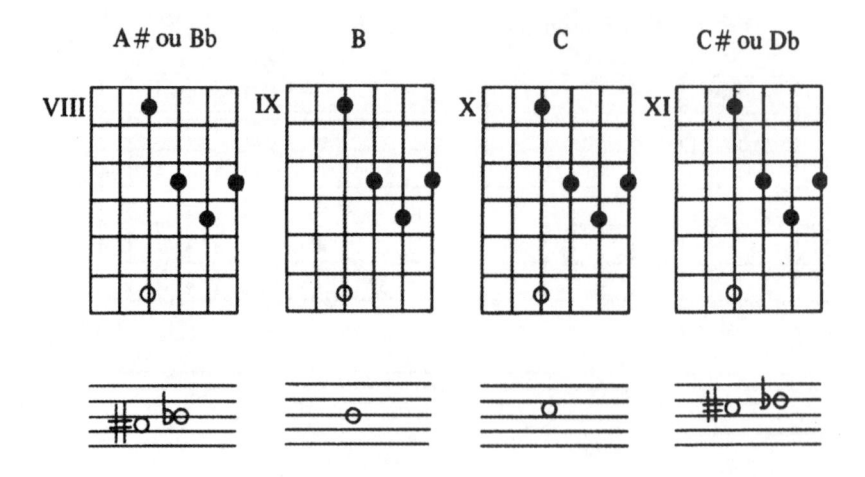

A# ou Bb	B	C	C# ou Db
VIII	IX	X	XI

No presente dicionário os acordes-modelo estão em Dó, para serem transportados. Vejamos: desloca-se o acorde para a direita ou para a esquerda do braço do violão, elevando-se e abaixando-se todas as notas, por igual, respectivamente, obtendo-se, assim, os demais acordes.

Na notação desses acordes apenas a cifra que representa a fundamental (baixo ou bordão) é mudada.

Por exemplo: se temos um acorde em Dó (C7) e queremos o mesmo acorde em Dó sustenido (C# 7), elevam-se todas as notas uma casa acima, e veremos, então, que o (7) continua, mudando apenas a notação da fundamental que, anteriormente, era (C) passando a ser (C#).

No transporte dos acordes invertidos, muda-se a letra do numerador que representa a fundamental, e o denominador que representa a nota do baixo.

Se temos uma cifra de um acorde invertido e queremos saber qual a sua posição, no violão, procuramos inicialmente saber se este acorde está com a terça, quinta ou sétima no baixo. Por exemplo: G/B (Sol com o baixo em Si), Si é a terça de Sol, logo, trata-se de um acorde com a terça no baixo, sendo assim, o acorde básico do dicionário será C/E (Dó com a terça no baixo). Observa-se que em determinadas situações, resultantes do movimento do baixo, um acorde pode ter qualquer nota como baixo, além da terça, quinta e sétima (ver págs. 76, 96, 97, 99, 102, 104, 108 e 109).

Exemplos:

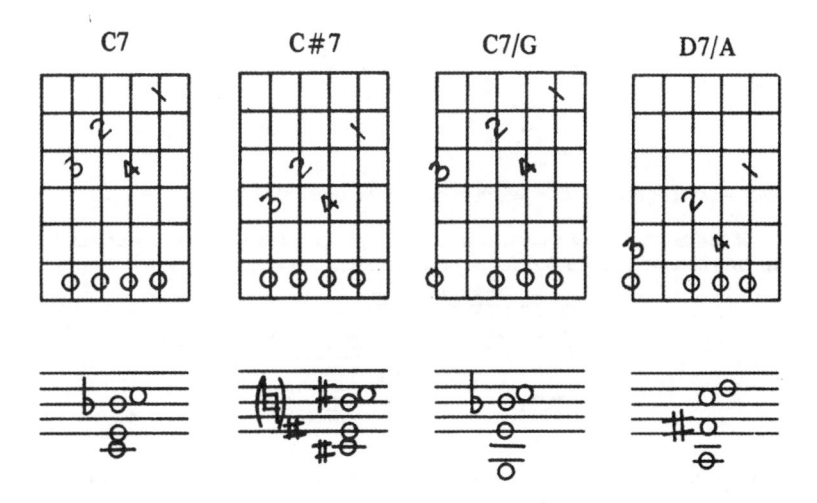

Sustenidos (#) e bemóis (b) encontrados nas tonalidades maiores

Tonalidade	Quantos Acidentes	Quais
Dó	0	—
Sol	1#	Fá#
Ré	2#	Fá# Dó#
Lá	3#	Fá# Dó# Sol#
Mi	4#	Fá# Dó# Sol# Ré#
Si	5#	Fá# Dó# Sol# Ré# Lá#
Fá#	6#	Fá# Dó# Sol# Ré# Lá# Mi#
Dó#	7#	Fá# Dó# Sol# Ré# Lá# Mi# Si#
Dó	0	—
Fá	1b	Si b
Si b	2b	Si b Mi b
Mi b	3b	Si b Mi b Lá b
Lá b	4b	Si b Mi b Lá b Ré b
Ré b	5b	Si b Mi b Lá b Ré b Sol b
Sol b	6b	Si b Mi b Lá b Ré b Sol b Dó b
Dó b	7b	Si b Mi b Lá b Ré b Sol b Dó b Fá b

Obs. — Cada tonalidade maior tem o seu relativo menor, uma terça menor abaixo, utilizando os mesmos acidentes.

Acorde relativo e anti-relativo

O relativo de um acorde maior é um acorde menor e vice-versa; estes acordes estão separados por intervalo de terça menor. Vejamos:

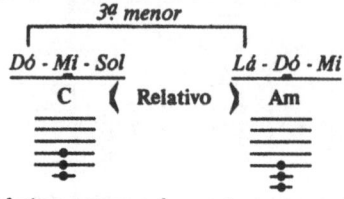

```
         3ª menor
    ┌─────────────┐
  Dó - Mi - Sol   Lá - Dó - Mi
    C  ( Relativo )  Am
```

Obs. — Os acordes relativos possuem duas notas comuns entre eles.

O anti-relativo de um acorde maior é também um acorde menor e vice-versa; estes acordes estão separados por intervalo de terça maior. Vejamos:

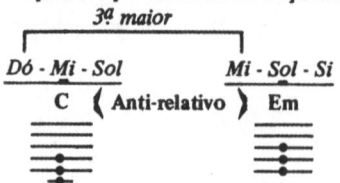

```
         3ª maior
    ┌─────────────┐
  Dó - Mi - Sol   Mi - Sol - Si
    C ( Anti-relativo )  Em
```

Obs. — Os acordes anti-relativos possuem, também, duas notas comuns entre eles.

PARTE 2

DICIONÁRIO DE ACORDES

I Acordes em Posições Fáceis

a) categoria maior

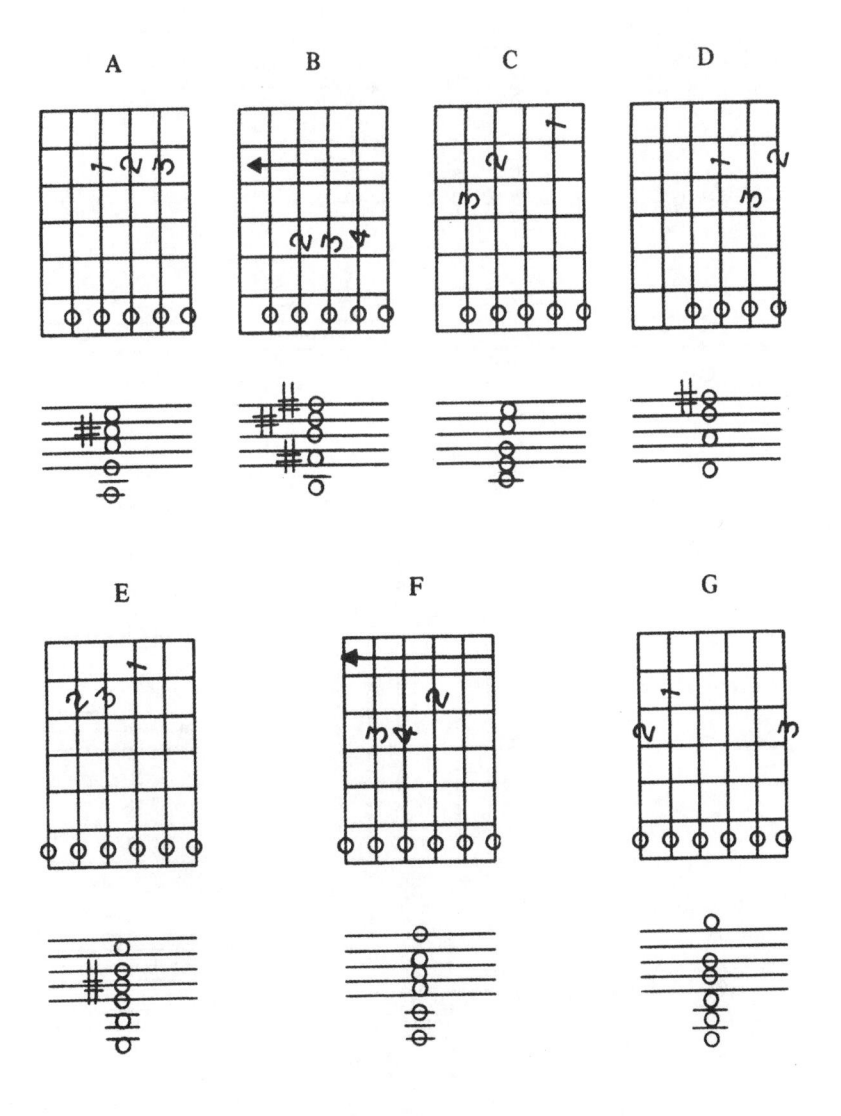

b) categoria menor

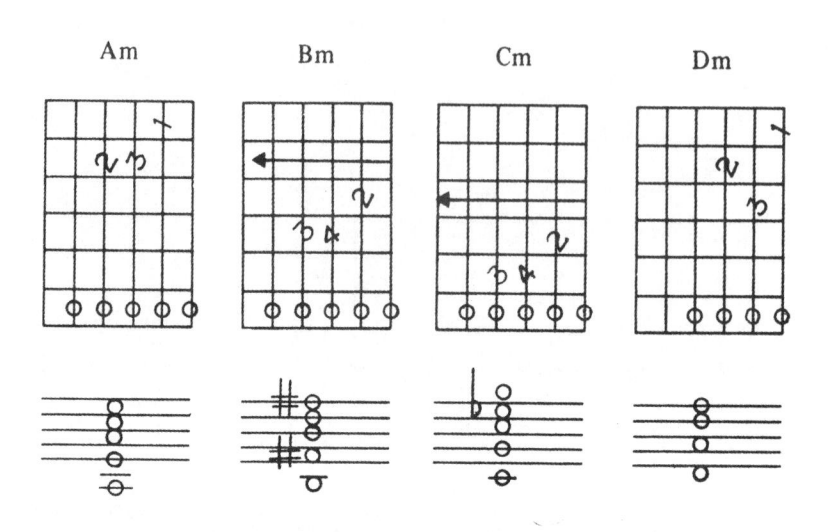

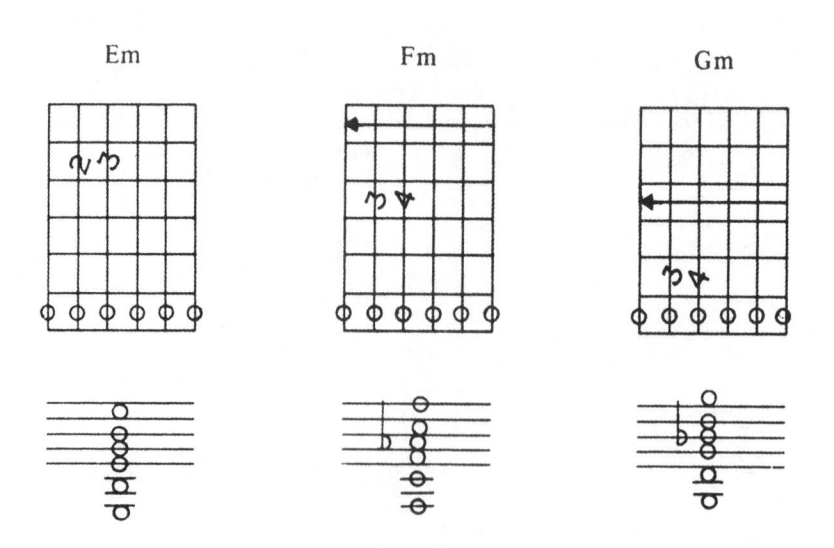

Am Bm Cm Dm

Em Fm Gm

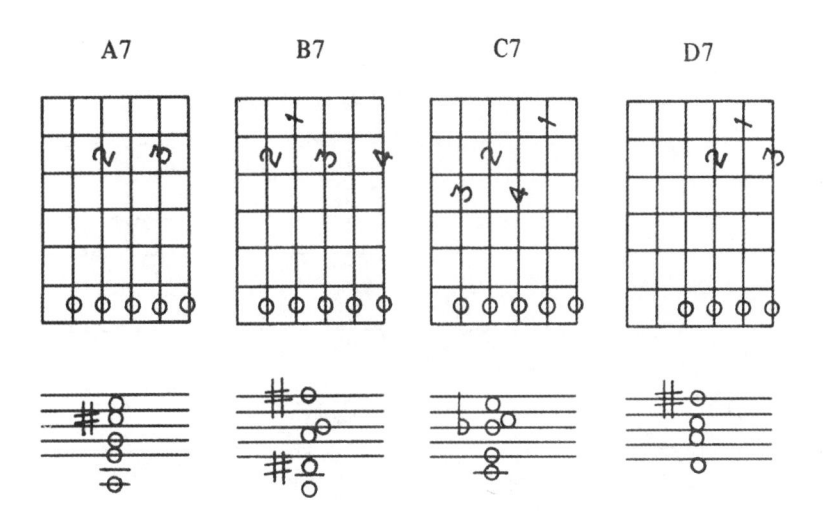

c) categoria 7ª da dominante

A7   B7   C7   D7

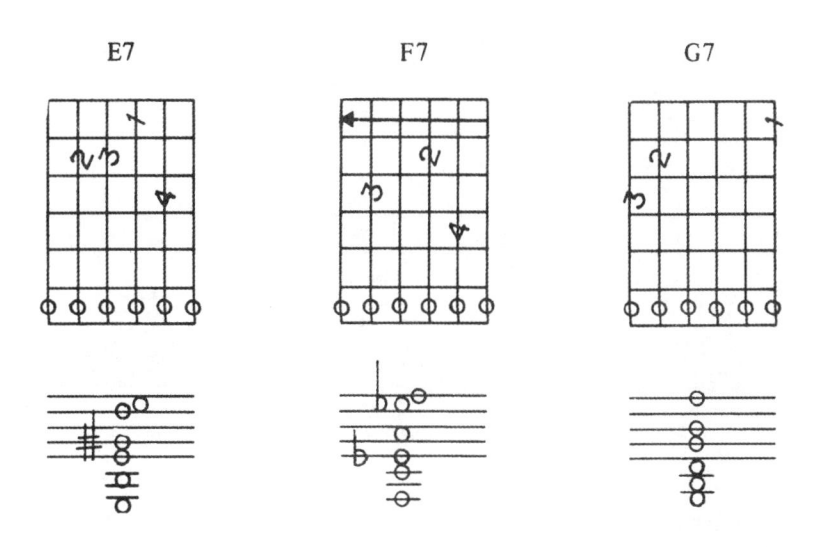

E7   F7   G7

d) categoria 7ª diminuta

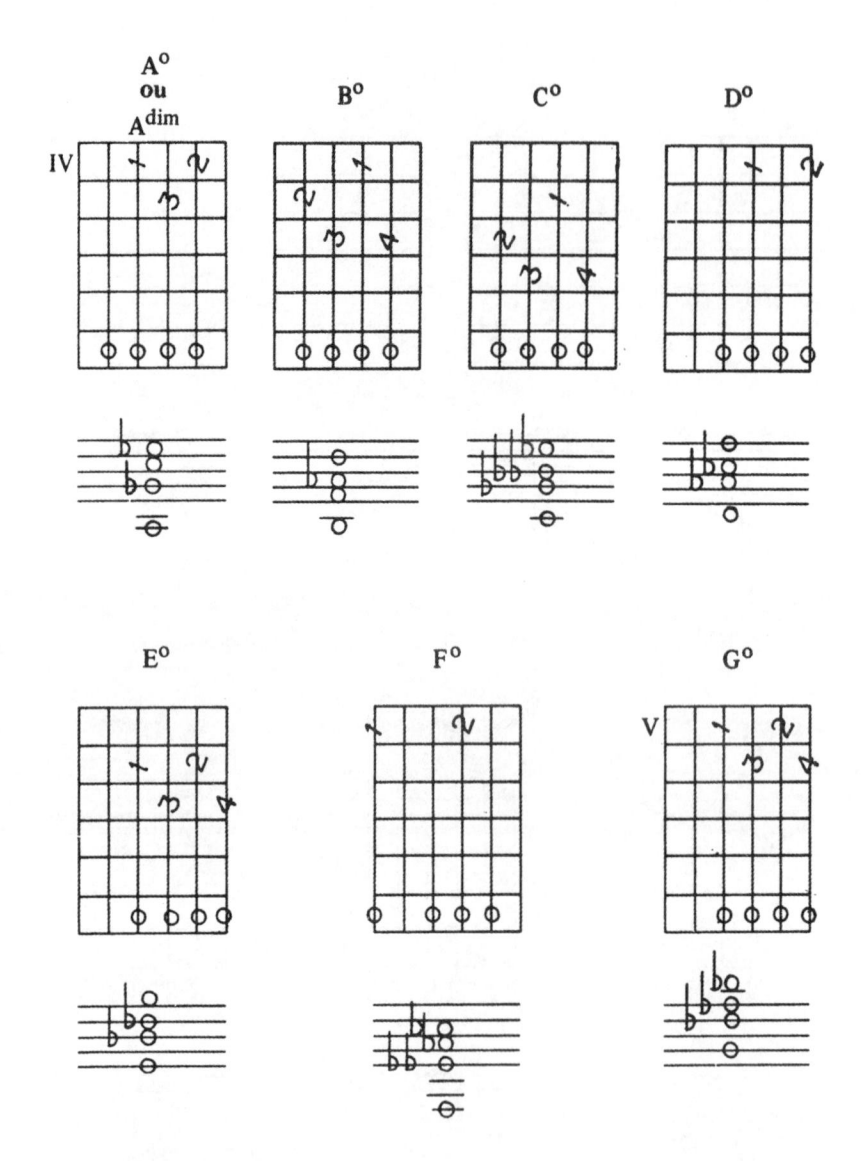

Esta série é bastante útil ao principiante, pois mostra a maneira mais fácil de construí-los.

II Acordes com suas Inversões e Posições

Obs.: *Nos instrumentos de teclados, os acordes serão tocados usando as mesmas notas da cifra em posição de livre escolha.*

a) CATEGORIA MAIOR

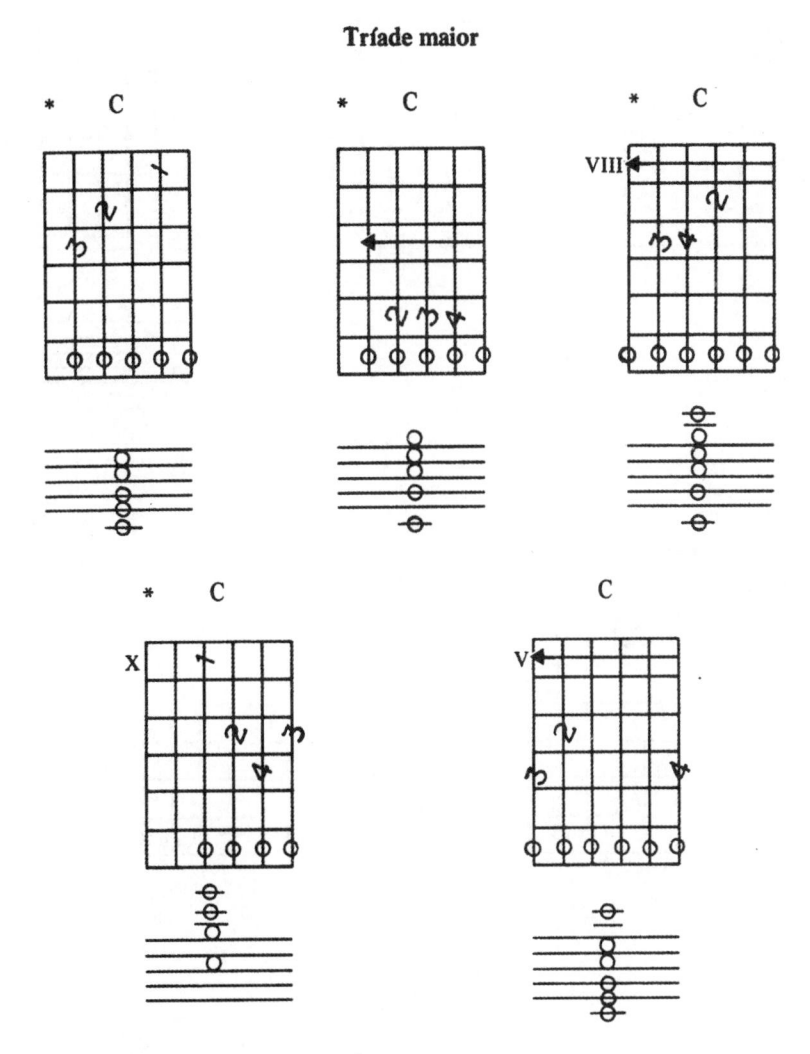

Tríade maior

* *indica as posições mais usadas.*

Tríade maior com terça no baixo

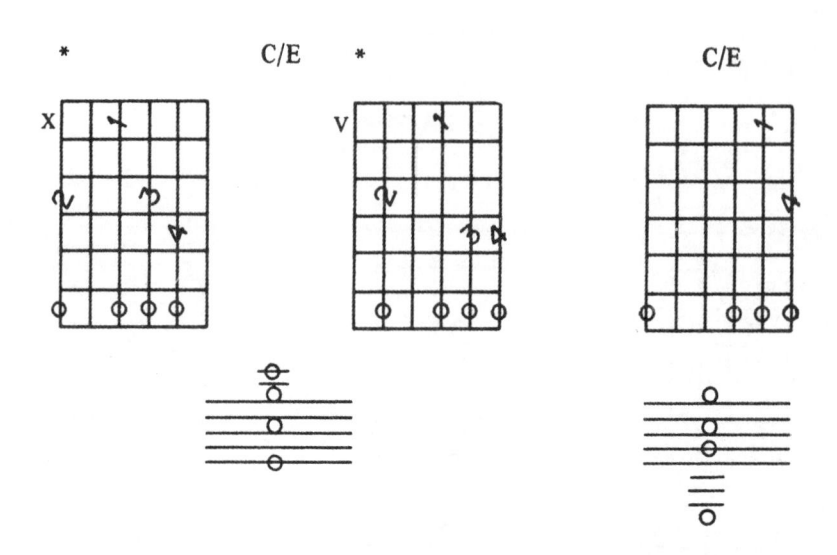

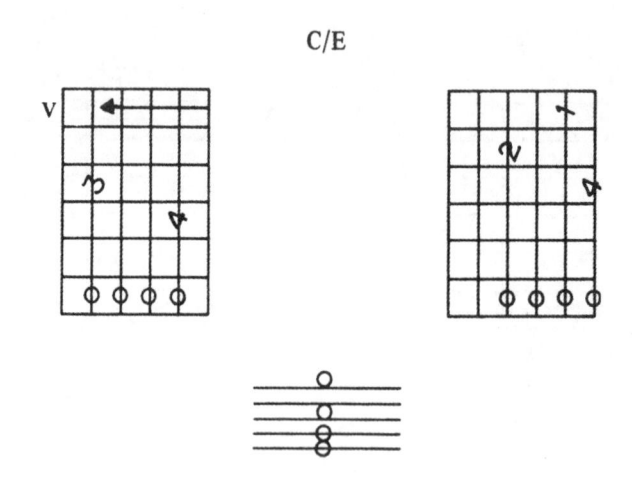

* Indica as posições mais usadas.

Tríade maior com 5ª no baixo

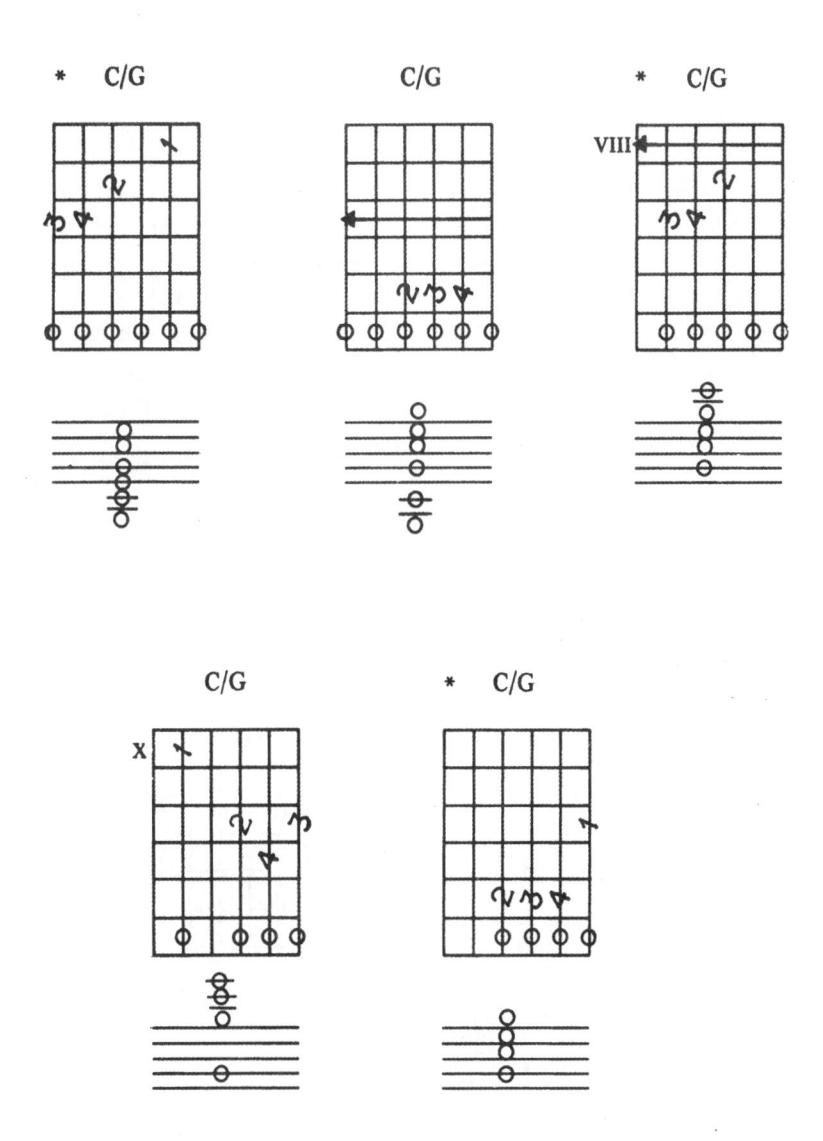

* C/G   C/G   * C/G

C/G   * C/G

* Indica as posições mais usadas.

(add9) simboliza a nona adicionada a uma tríade

9ª adicional

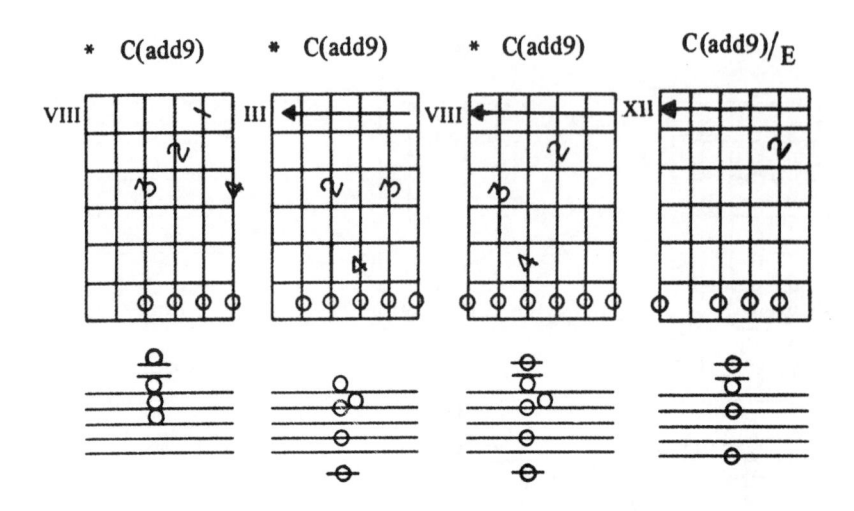

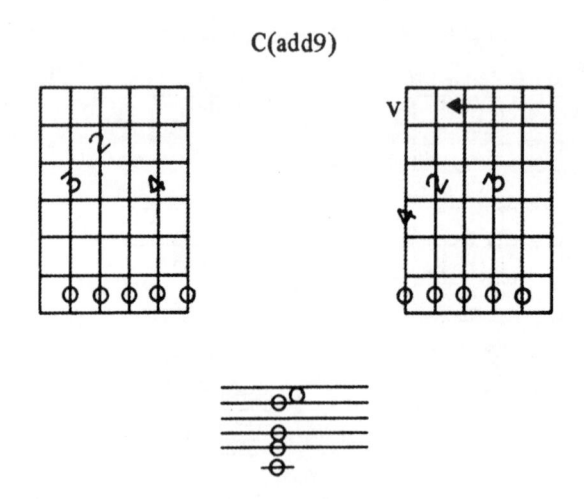

* C(add9)   * C(add9)   * C(add9)   C(add9)/E

C(add9)

* **Indica as posições mais usadas.**

Tríade aumentada

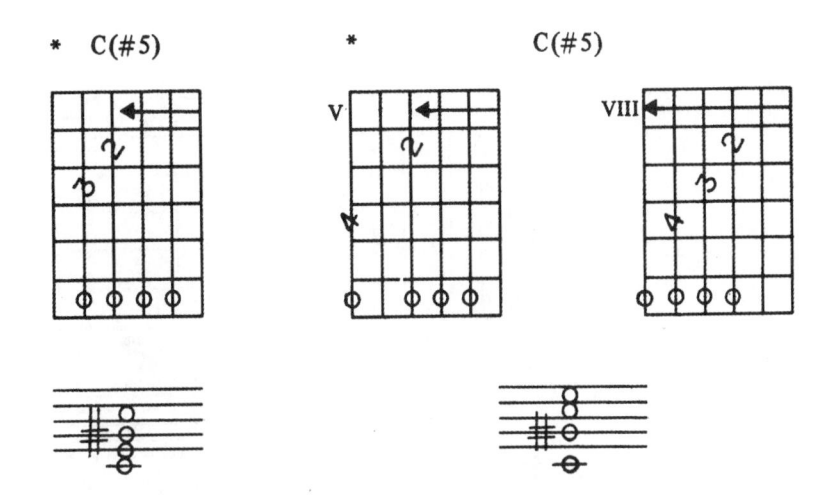

* C(#5) 　　　　* C(#5)　　　　C(#5)

com 6ª

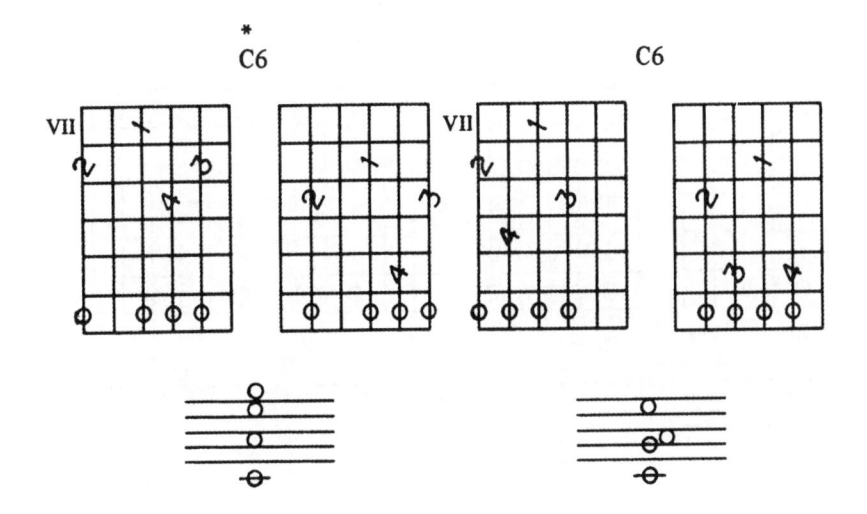

* C6　　　　　　C6

* Indica as posições mais usadas.

C6 C6/G C6

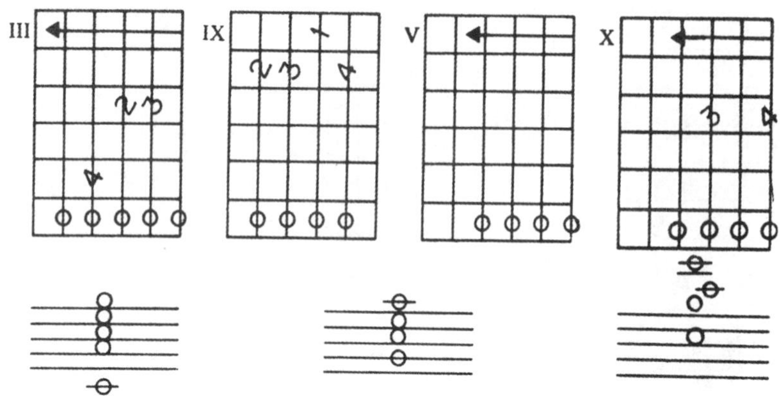

C6/G C6 C6 C6

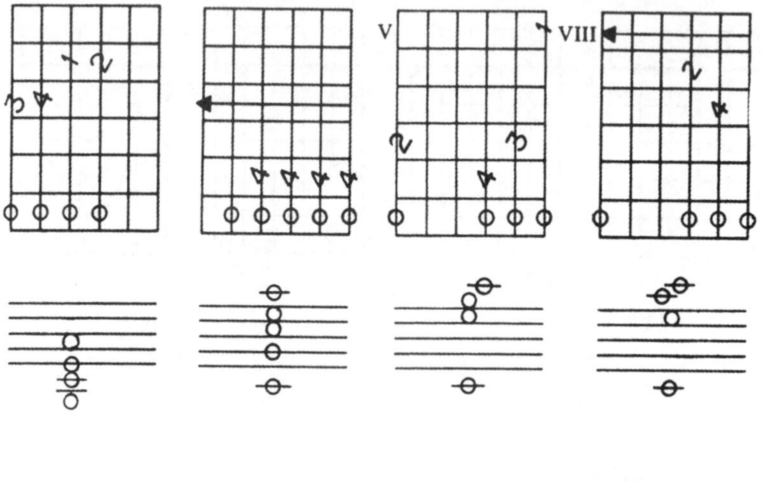

com 6ª e 9ª

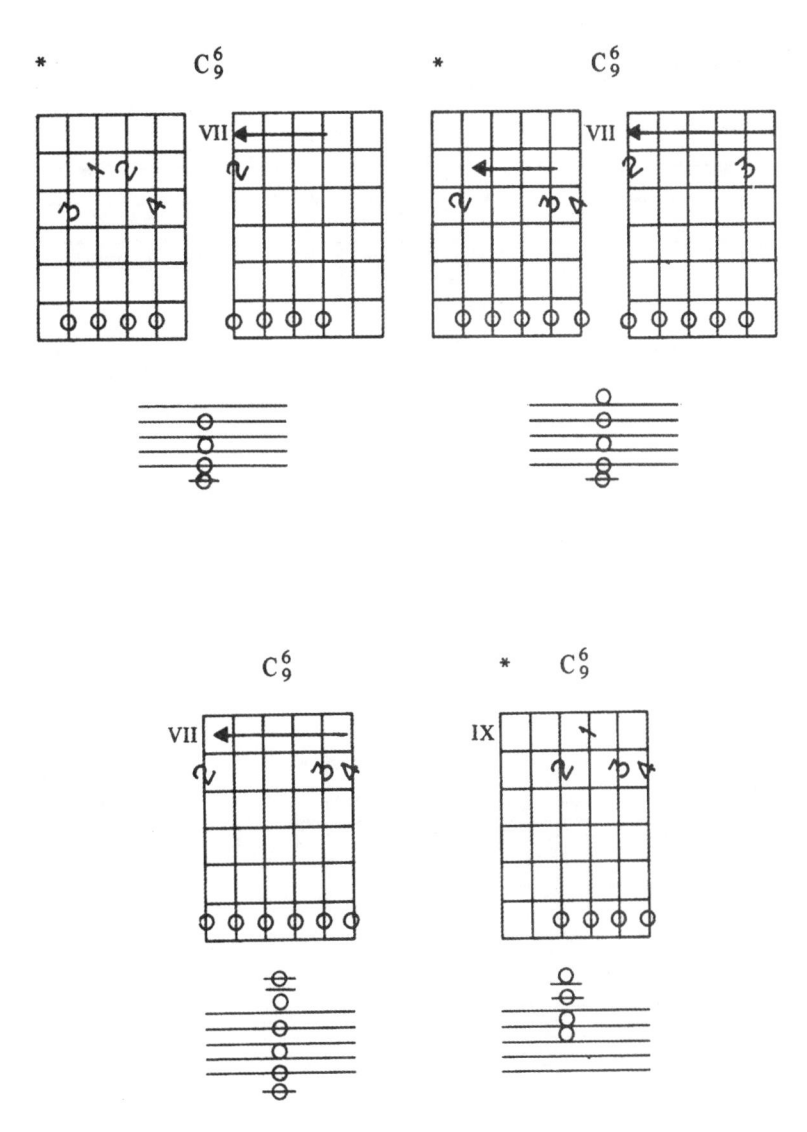

* C_9^6 * C_9^6

C_9^6 * C_9^6

* Indica as posições mais usadas.

C_9^6/E C_9^6/G C_9^6/G

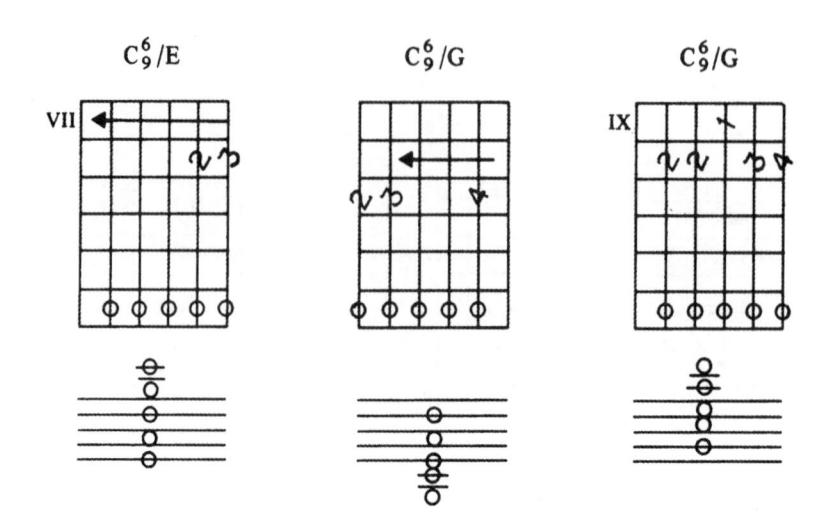

com 7ª maior

* C7M   * C7M   * C7M   * C7M

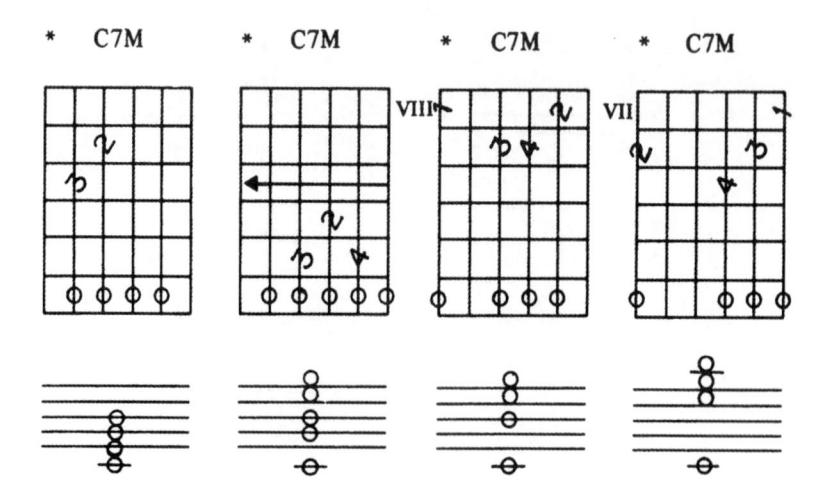

* Indica as posições mais usadas.

| * C7M | * C7M/G | * C7M/E |

| | C7M/E | | * C7M/G |

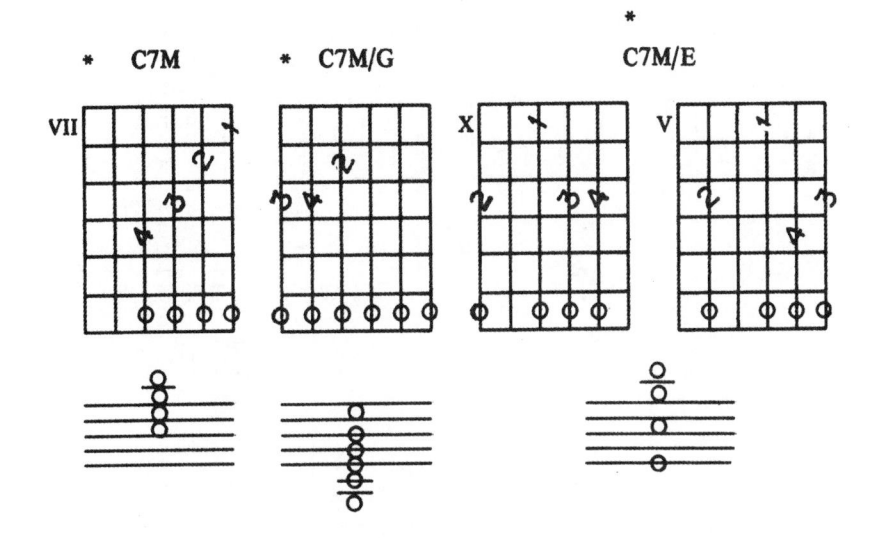

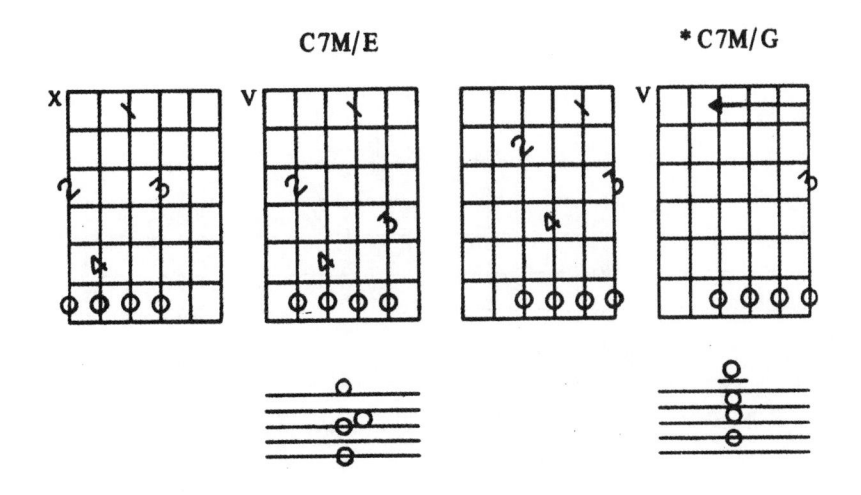

* Indica as posições mais usadas.

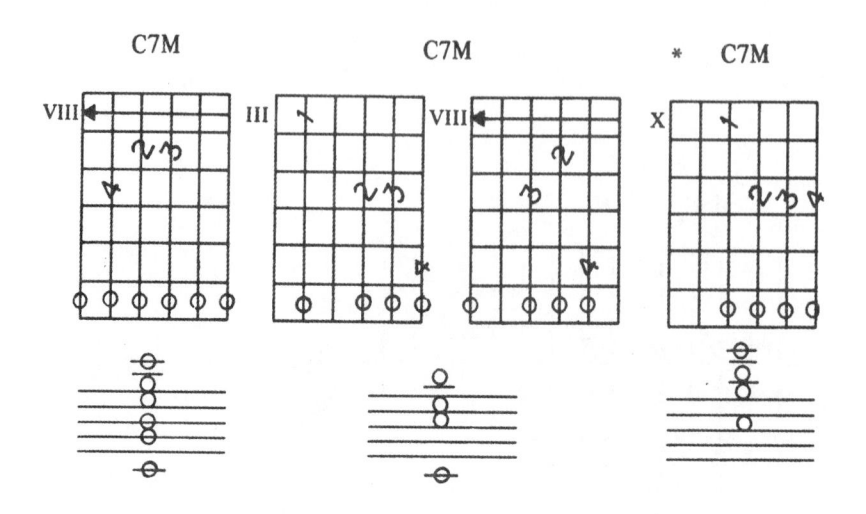

com 7ª maior e 5ª aumentada

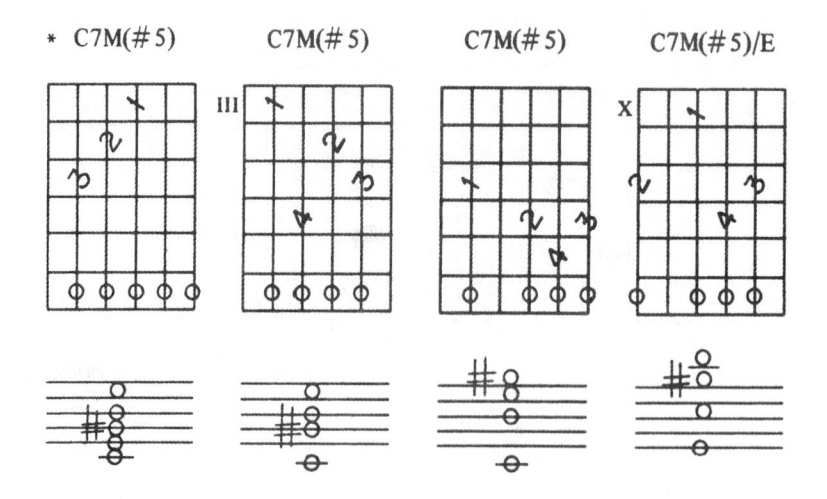

* Indica as posições mais usadas.

com 7ª maior e 6ª

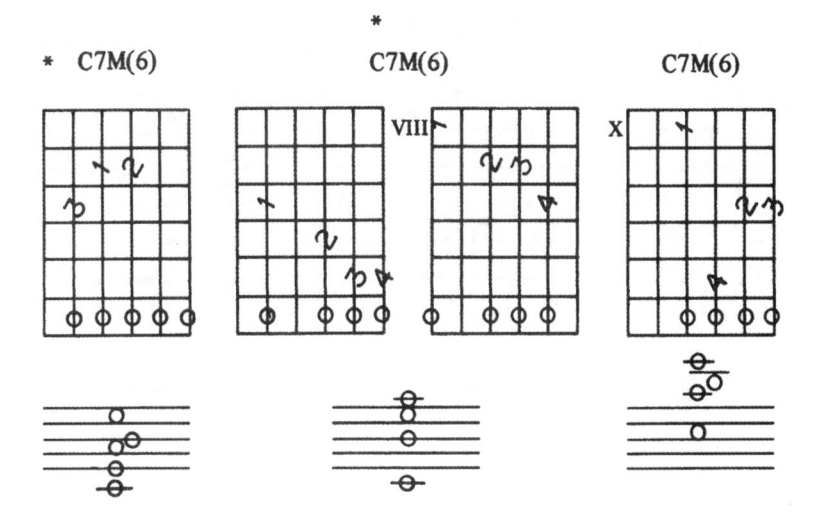

* C7M(6)   *C7M(6)   C7M(6)

com 7ª maior e 9ª

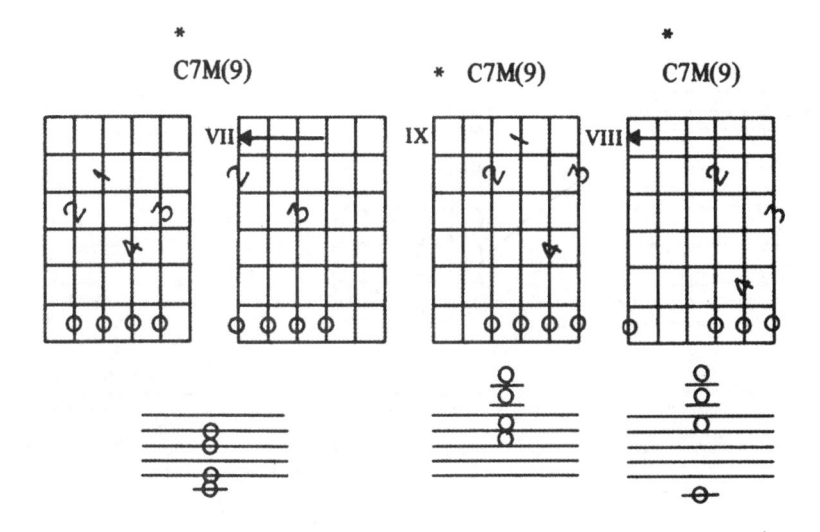

*C7M(9)   *C7M(9)   *C7M(9)

* Indica as posições mais usadas.

Dicionário de acordes • 65

C7M(9)

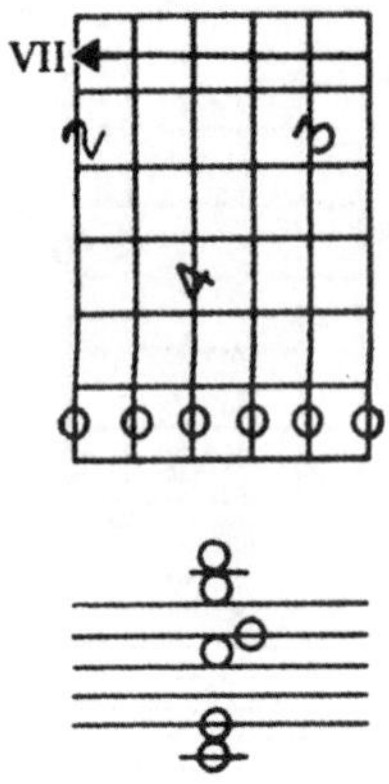

C7M(9)/G

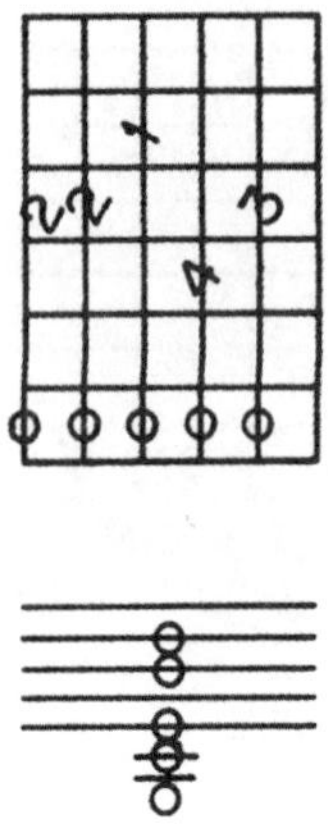

C7M(9)

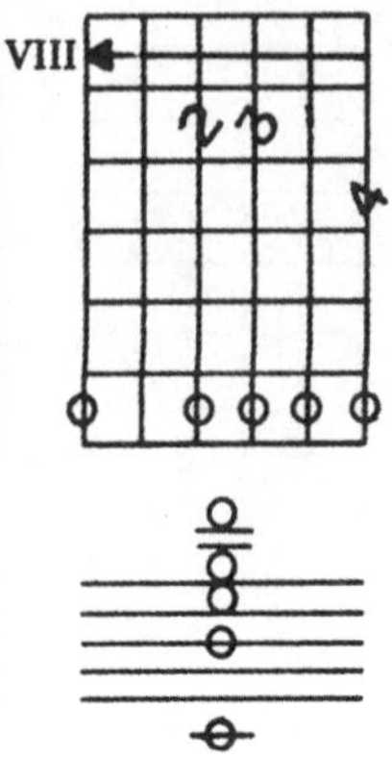

C7M(9)/E

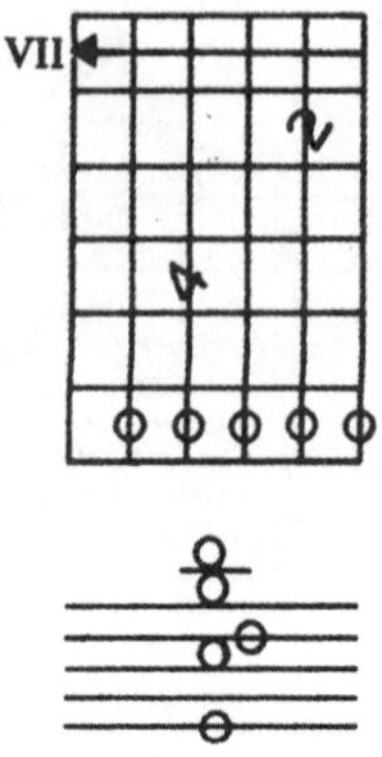

C7M ($^{6}_{9}$)

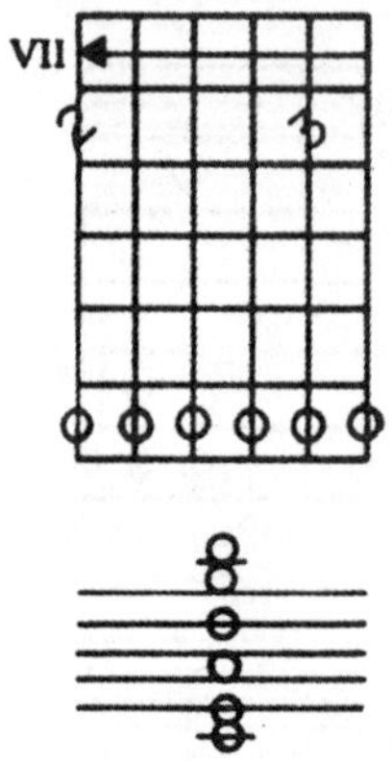

C7M(9)/B

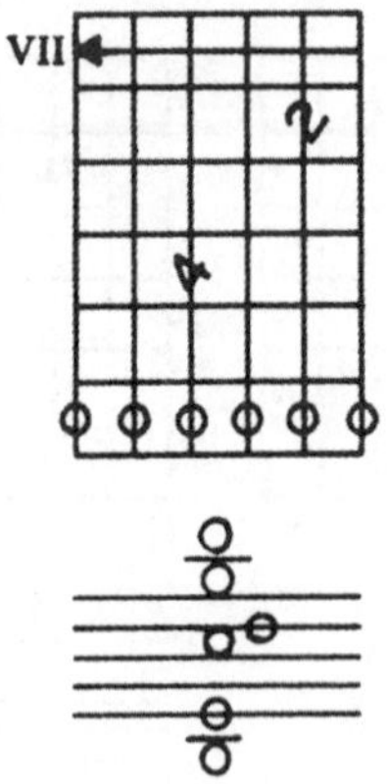

C7M(9)/G

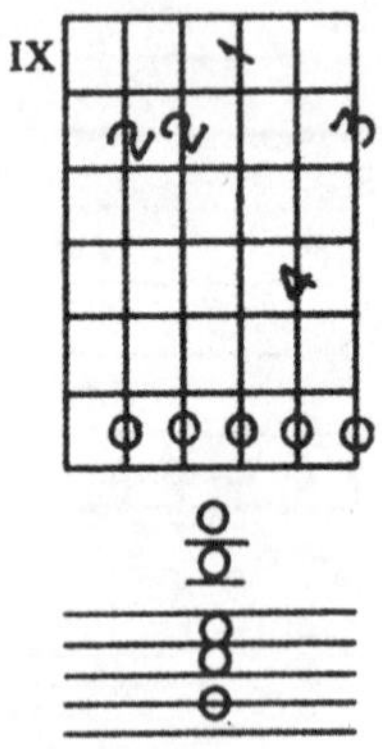

com 7ª maior e 11ª aumentada

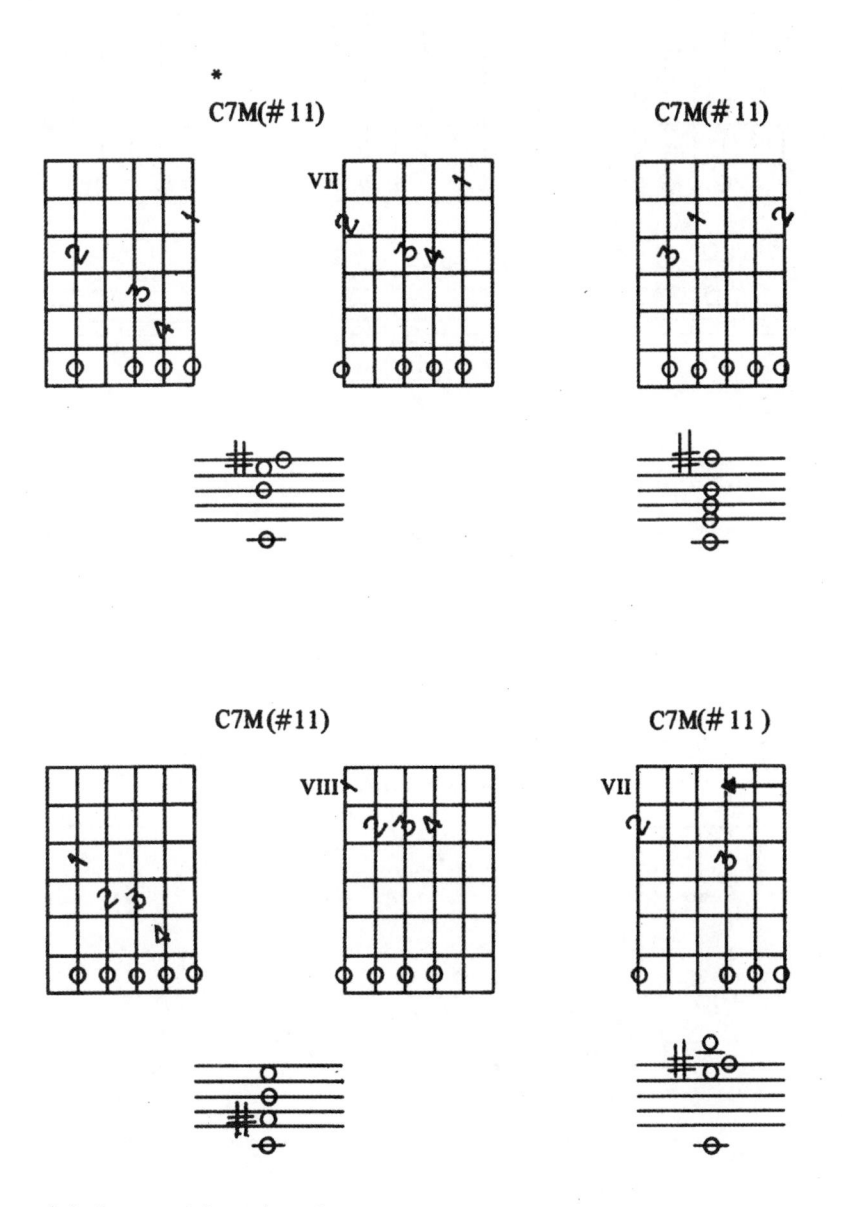

* C7M(#11)   C7M(#11)

C7M(#11)   C7M(#11)

* Indica as posições mais usadas.

C7M(#11)   C7M(#11)/G   C7M(#11)

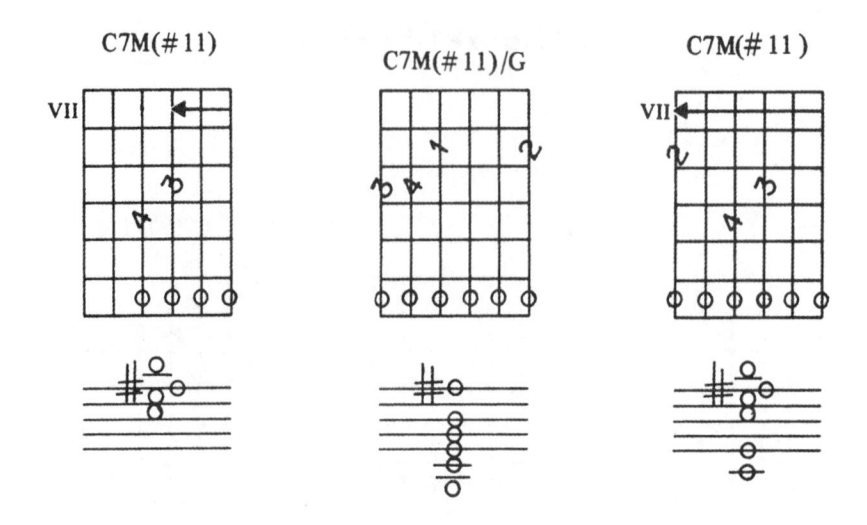

com 7ª maior, 9ª e 11ª aumentada

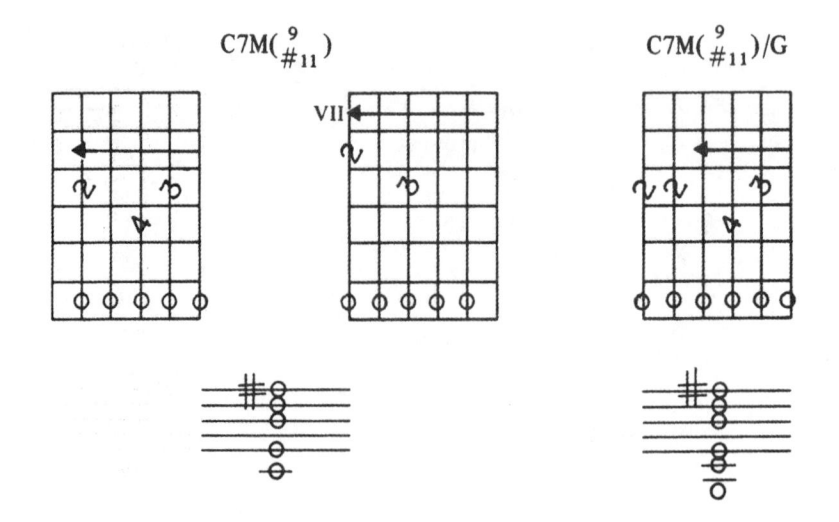

C7M($^9_{#11}$)   C7M($^9_{#11}$)/G

b) categoria menor

Tríade menor

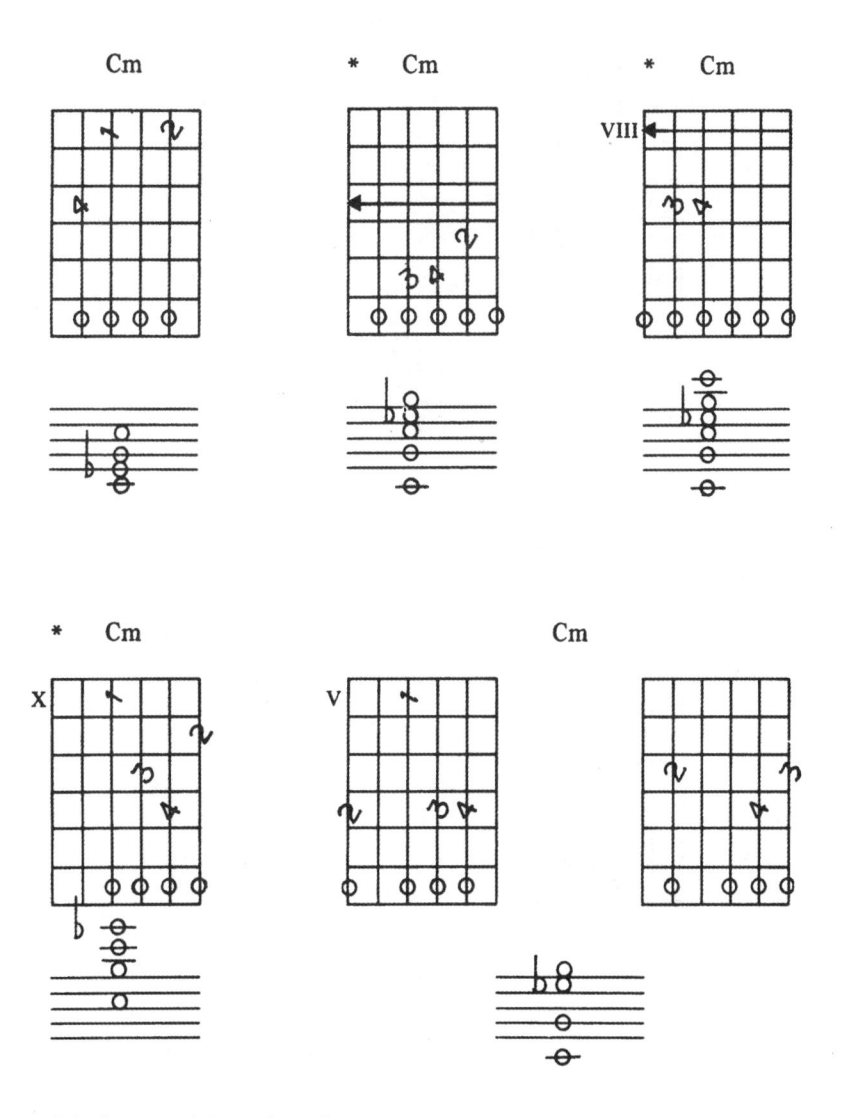

Cm   * Cm   * Cm

* Cm   Cm   Cm

* Indica as posições mais usadas.

Tríade menor com 3ª no baixo

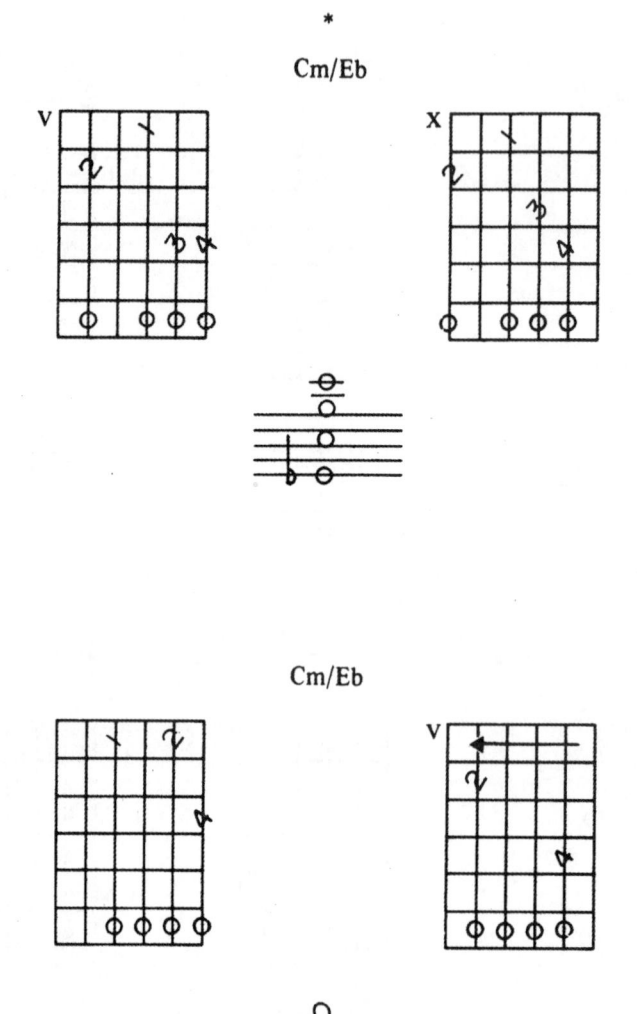

*
Cm/Eb

Cm/Eb

* Indica as posições mais usadas.

Tríade menor com 5ª no baixo

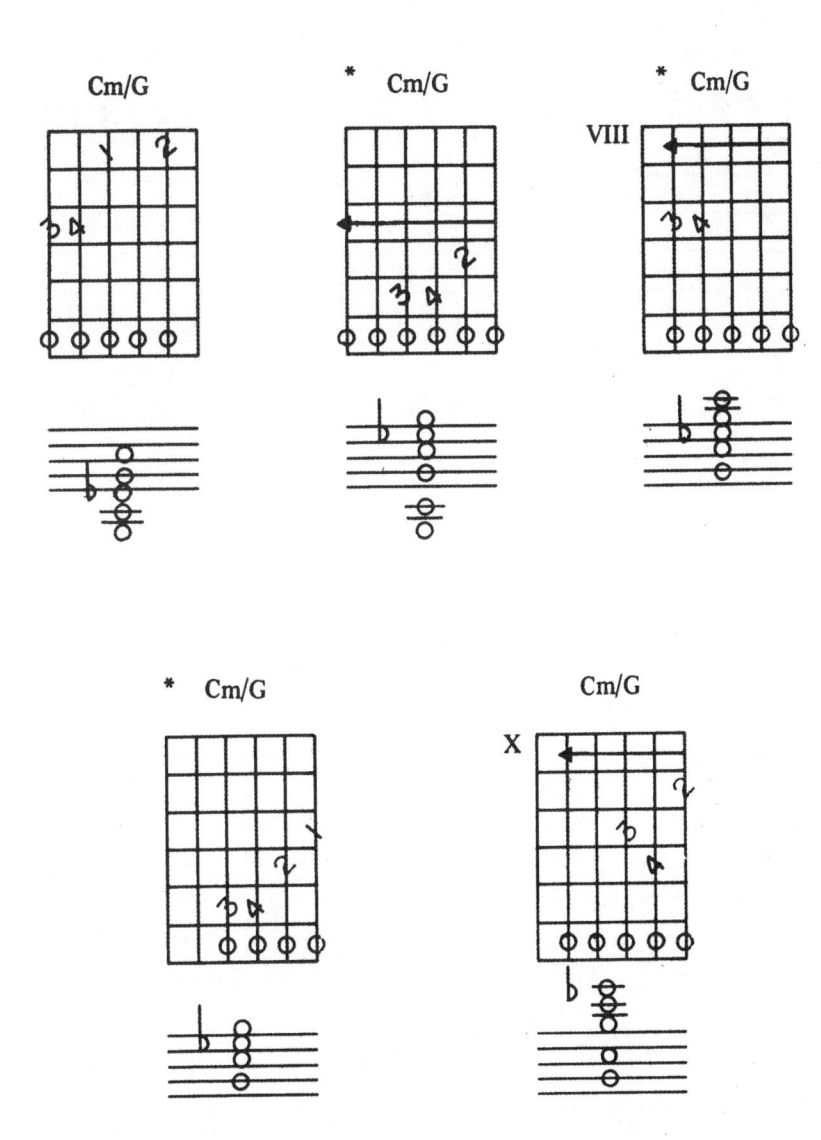

Cm/G

* Cm/G

* Cm/G — VIII

* Cm/G

Cm/G — X

* Indica as posições mais usadas.

menor com 9ª adicional

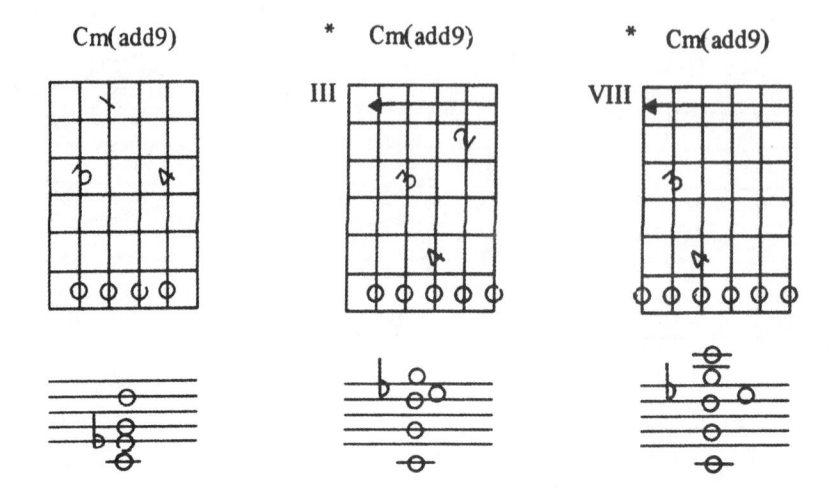

Cm(add9)   * Cm(add9)   * Cm(add9)

menor com 6ª

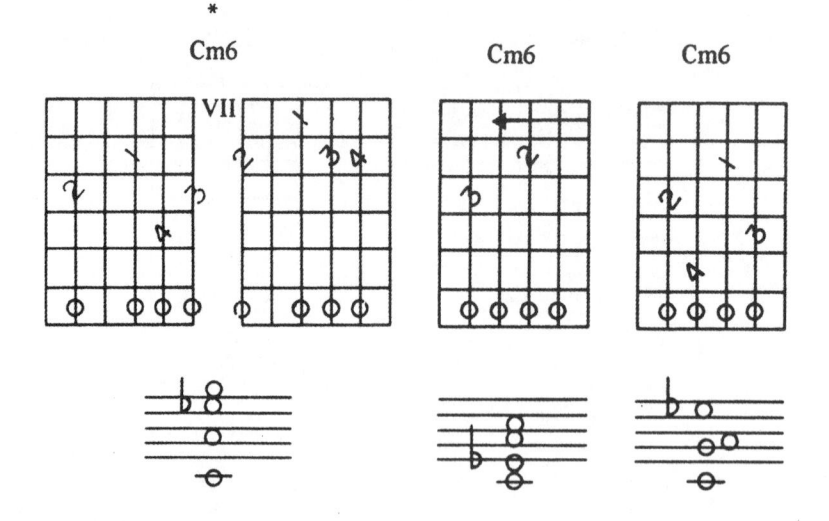

* Cm6   Cm6   Cm6

* Indica as posições mais usadas.

Cm6   Cm6/G   Cm6

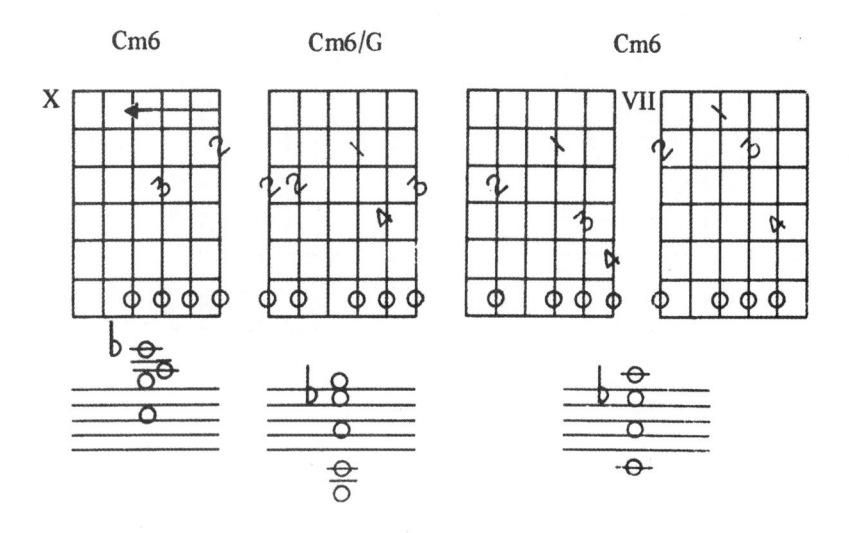

Cm6/G   Cm6/Eb

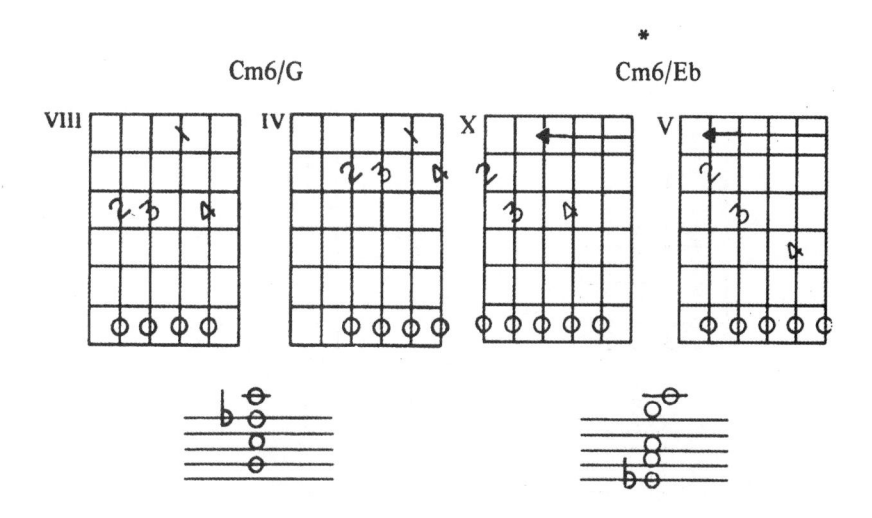

*Indica as posições mais usadas.

menor com 6ª e 9ª

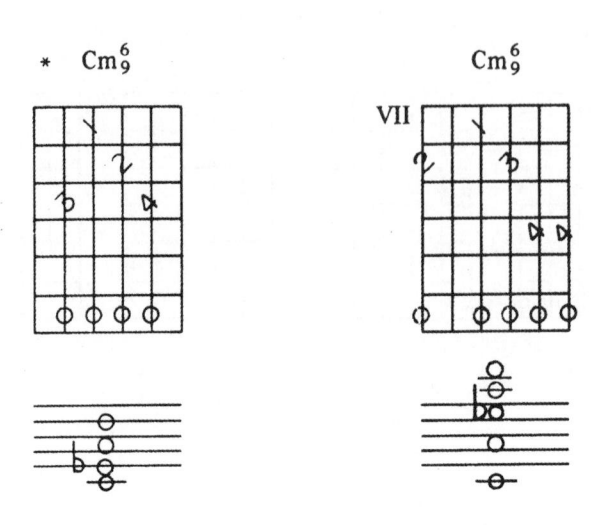

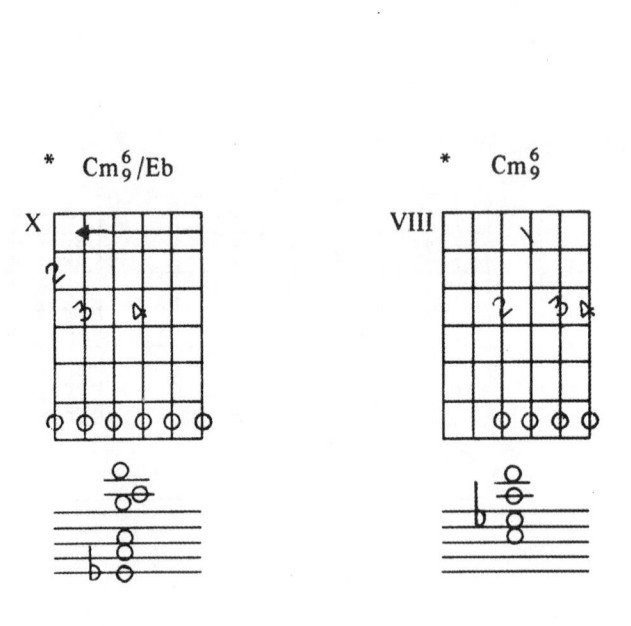

* Cm_9^6

Cm_9^6
VII

* Cm_9^6/Eb
X

* Cm_9^6
VIII

* Indica as posições mais usadas.

menor com 7ª

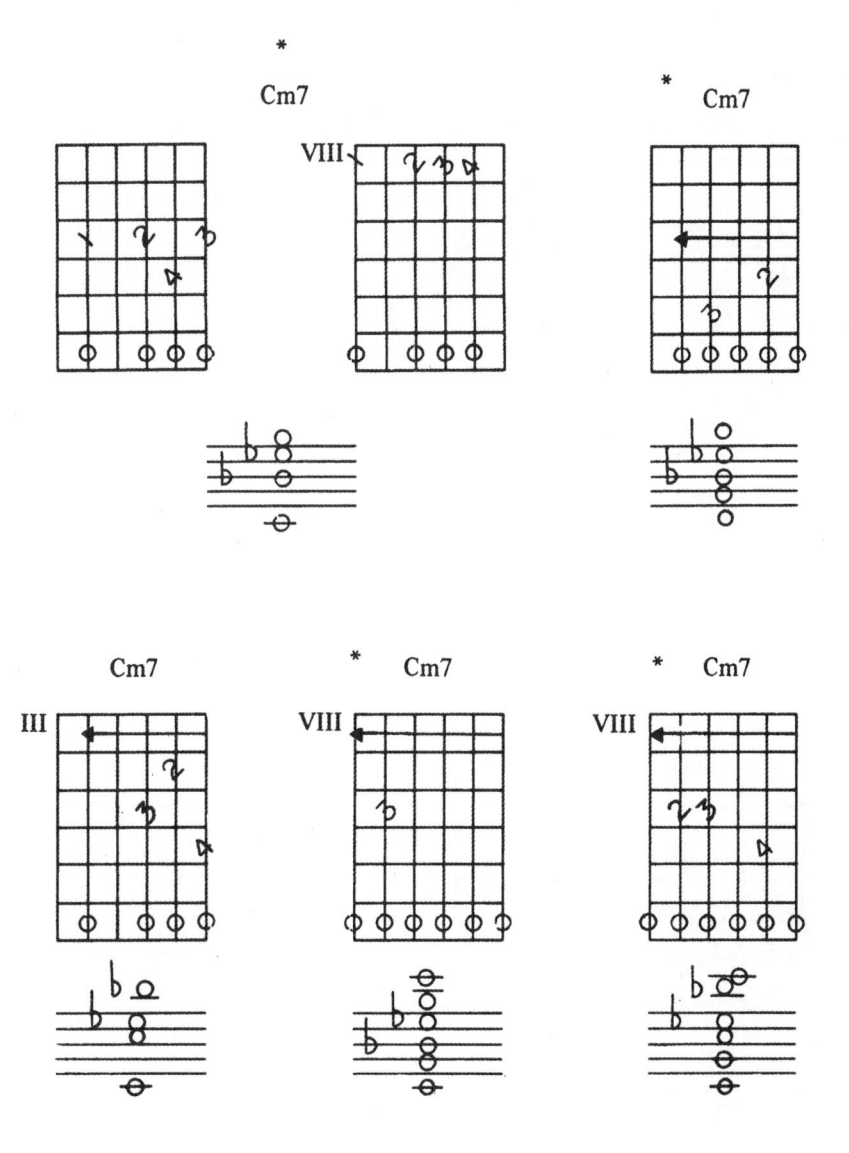

* Cm7 * Cm7
Cm7
* Cm7 * Cm7
Cm7

* Indica as posições mais usadas.

* Cm7　　　* Cm7　　　* Cm7/G　　Cm7/G

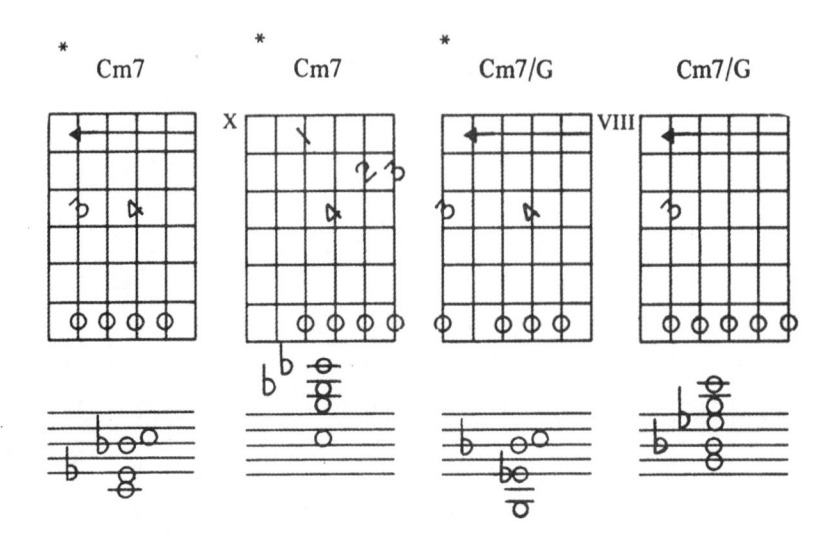

menor com 7ª no baixo

* Cm/Bb　　* Cm/Bb　　* Cm/Bb　　* Cm/Bb

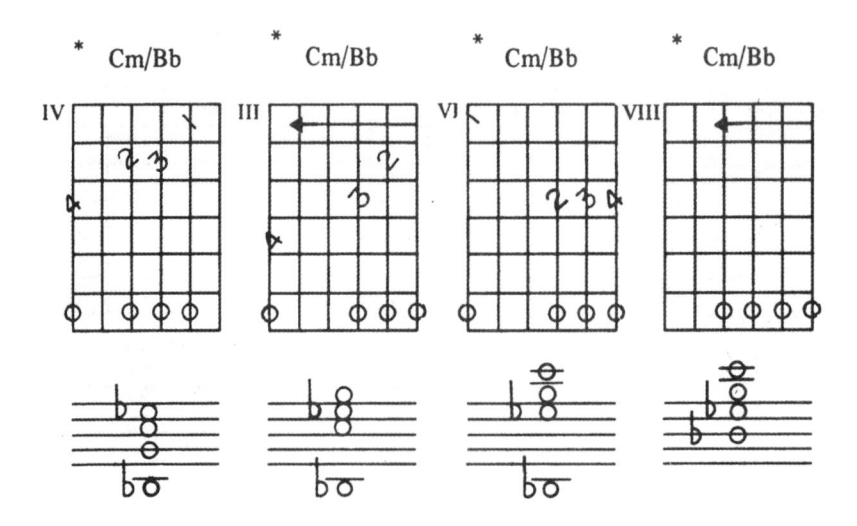

* Indica as posições mais usadas.

menor com 7ª e 9ª

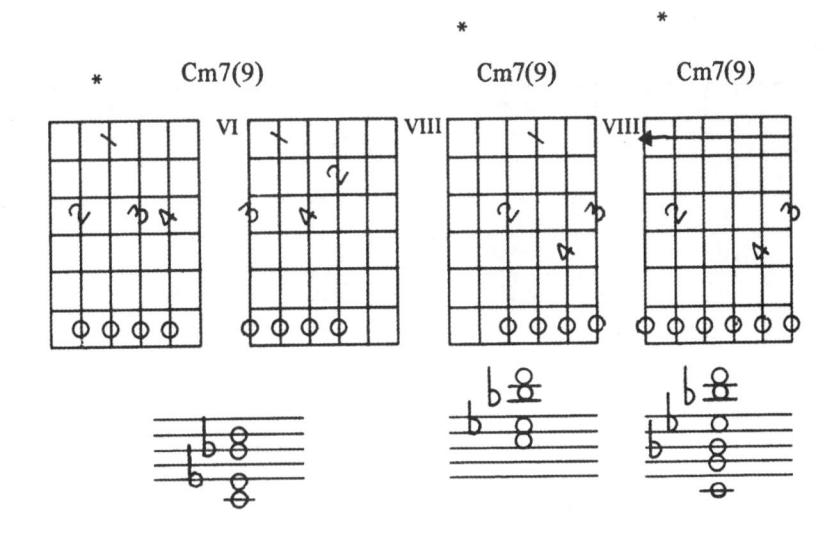

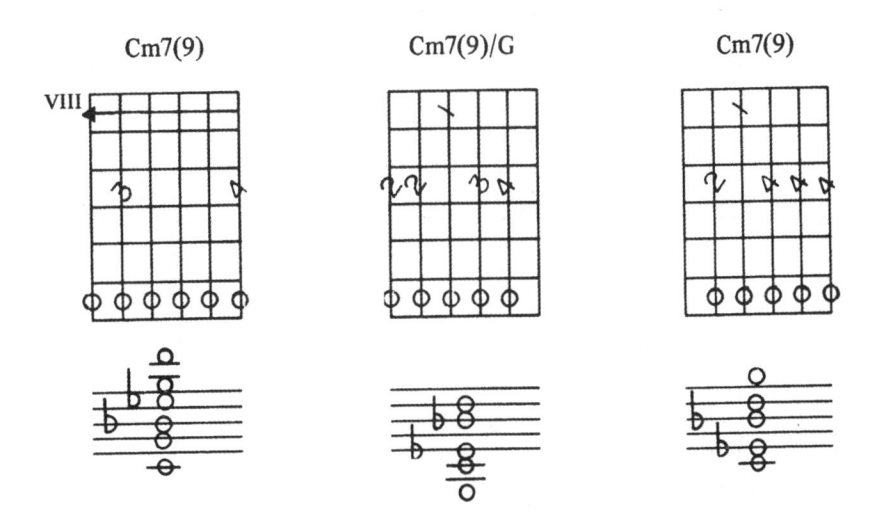

* Cm7(9)   Cm7(9) *   Cm7(9) *

Cm7(9)   Cm7(9)/G   Cm7(9)

* Indica as posições mais usadas.

menor com 7ª e 5ª diminuta

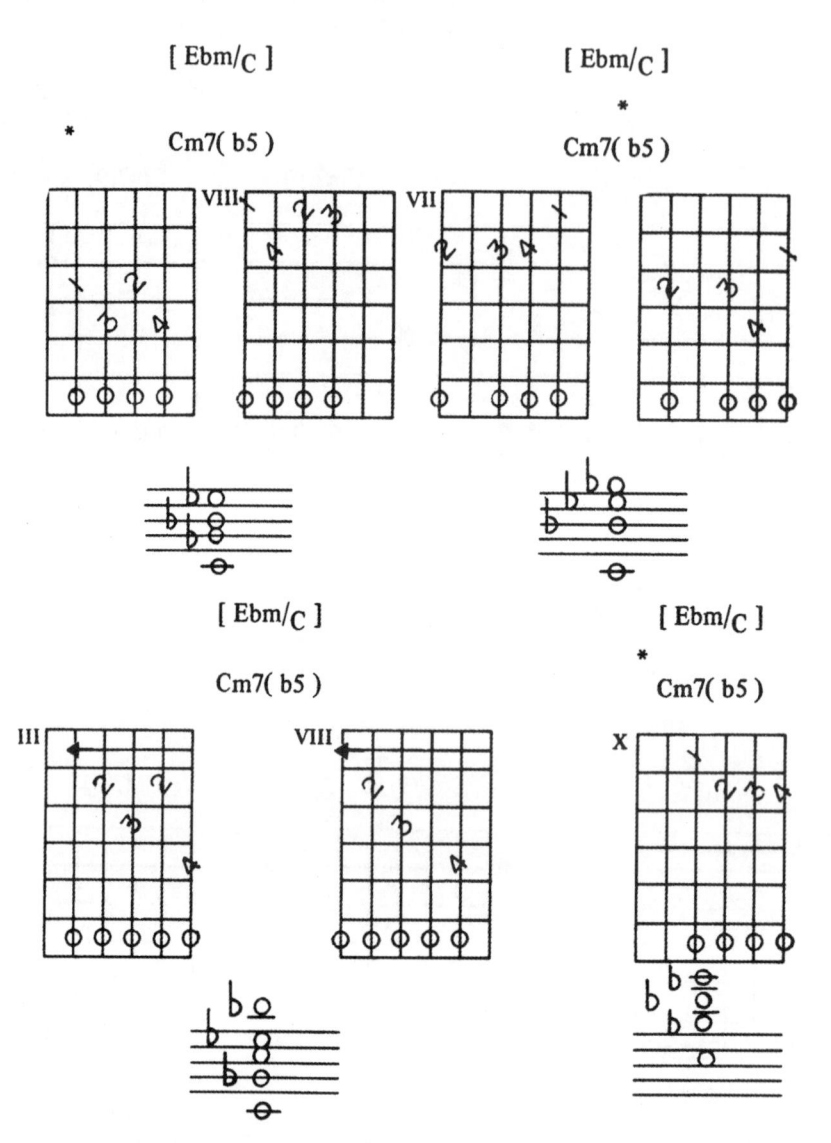

[Ebm/C]

Cm7(b5)

[Ebm/C]
*
Cm7(b5)

[Ebm/C]

Cm7(b5)

[Ebm/C]
*
Cm7(b5)

Obs. — *A cifra entre colchetes mostra uma segunda forma de anotar determinados acordes resultante do movimento do baixo (ver pág. 45, 96, 97, 99, 102, 104, 108 e 109).*

* **Indica as posições mais usadas.**

menor com 7ª e 11ª

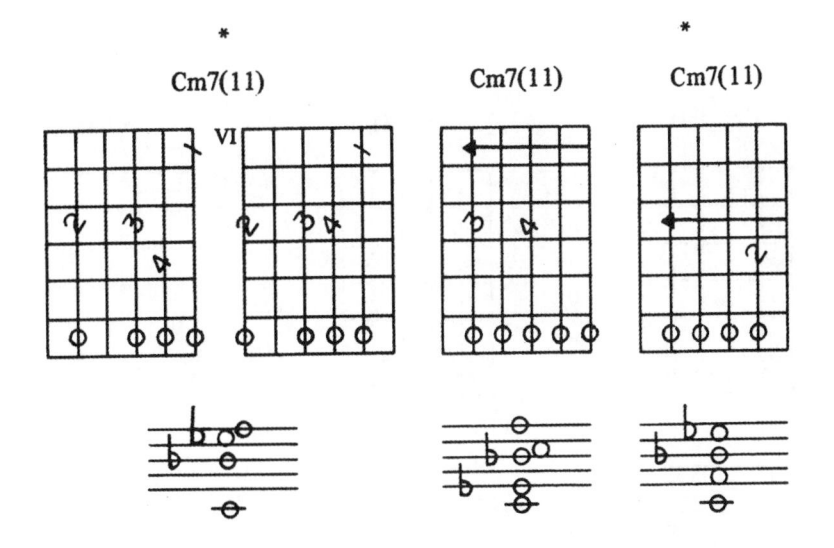

Cm7(11)   Cm7(11)   Cm7(11)

menor com 7ª, 9ª e a 11ª

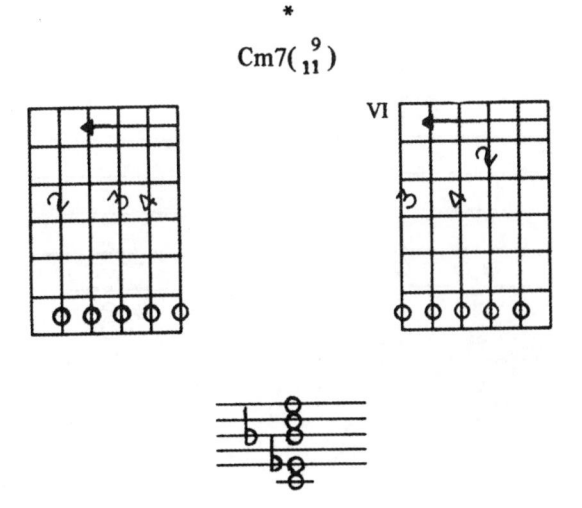

Cm7($^{9}_{11}$)

* Indica as posições mais usadas.

menor com 7ª maior

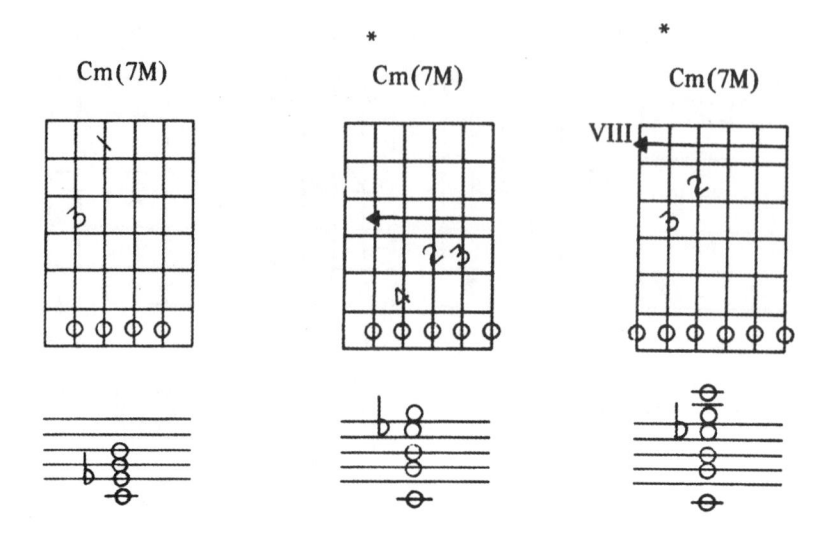

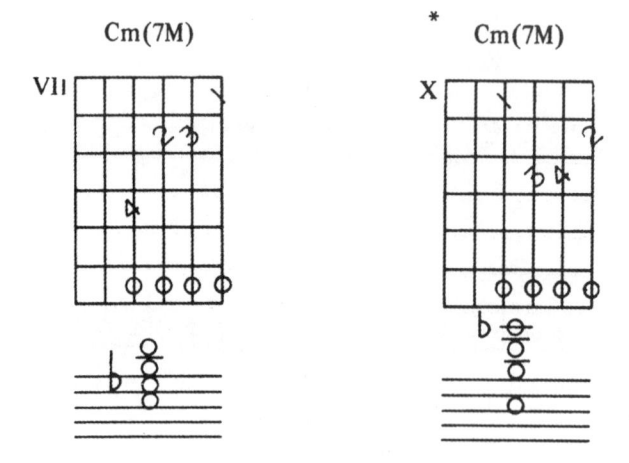

Cm(7M)   *Cm(7M)   *Cm(7M) VIII

Cm(7M) VII   *Cm(7M) X

* Indica as posições mais usadas.

menor com 7ª maior e 6ª

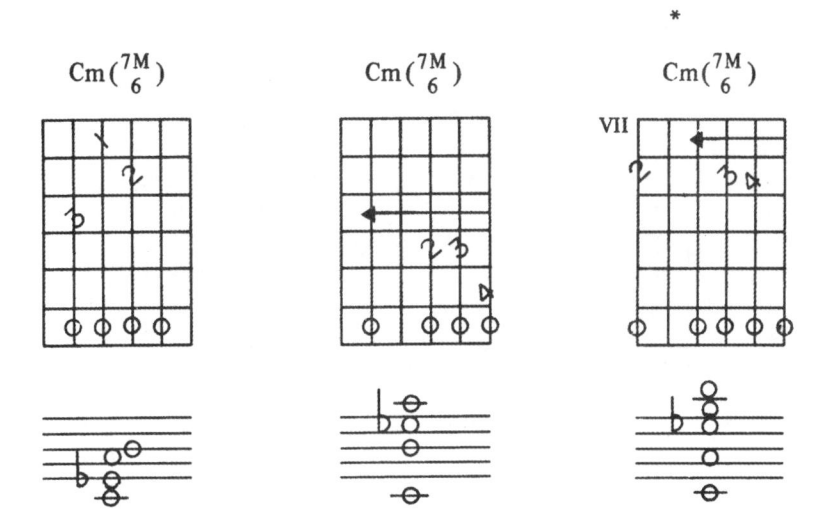

Cm($^{7M}_{6}$)   Cm($^{7M}_{6}$)   Cm($^{7M}_{6}$)

menor com 7ª maior e 9ª

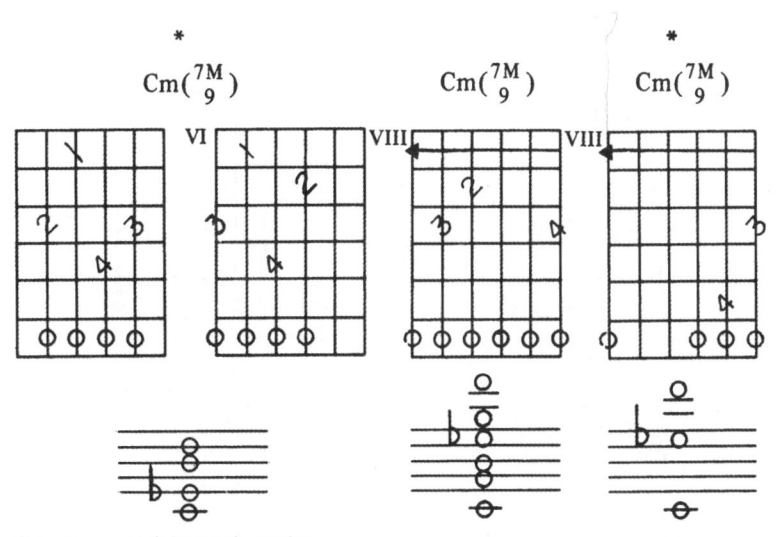

Cm($^{7M}_{9}$)   Cm($^{7M}_{9}$)   Cm($^{7M}_{9}$)   Cm($^{7M}_{9}$)

* Indica as posições mais usadas.

c) categoria tríade com quarta

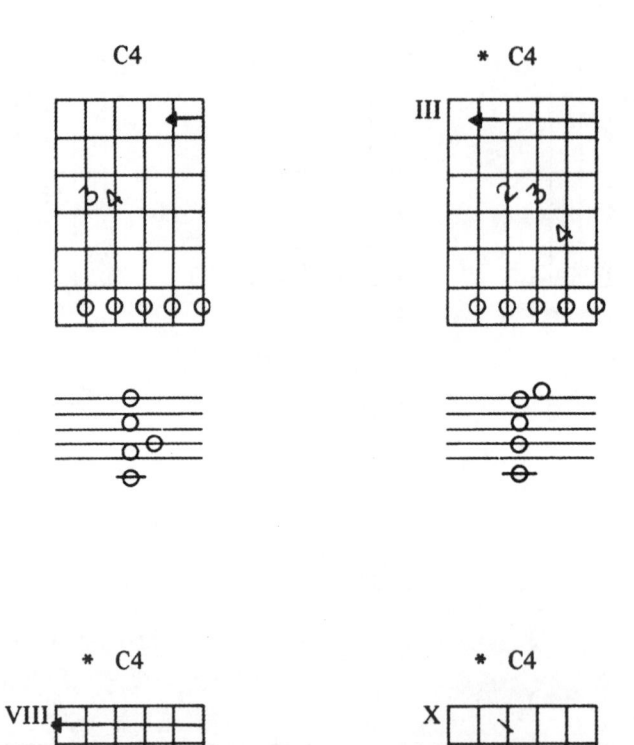

C4

* C4

* C4

* C4

* Indica as posições mais usadas.

d) categoria 7ª da dominante

sétima

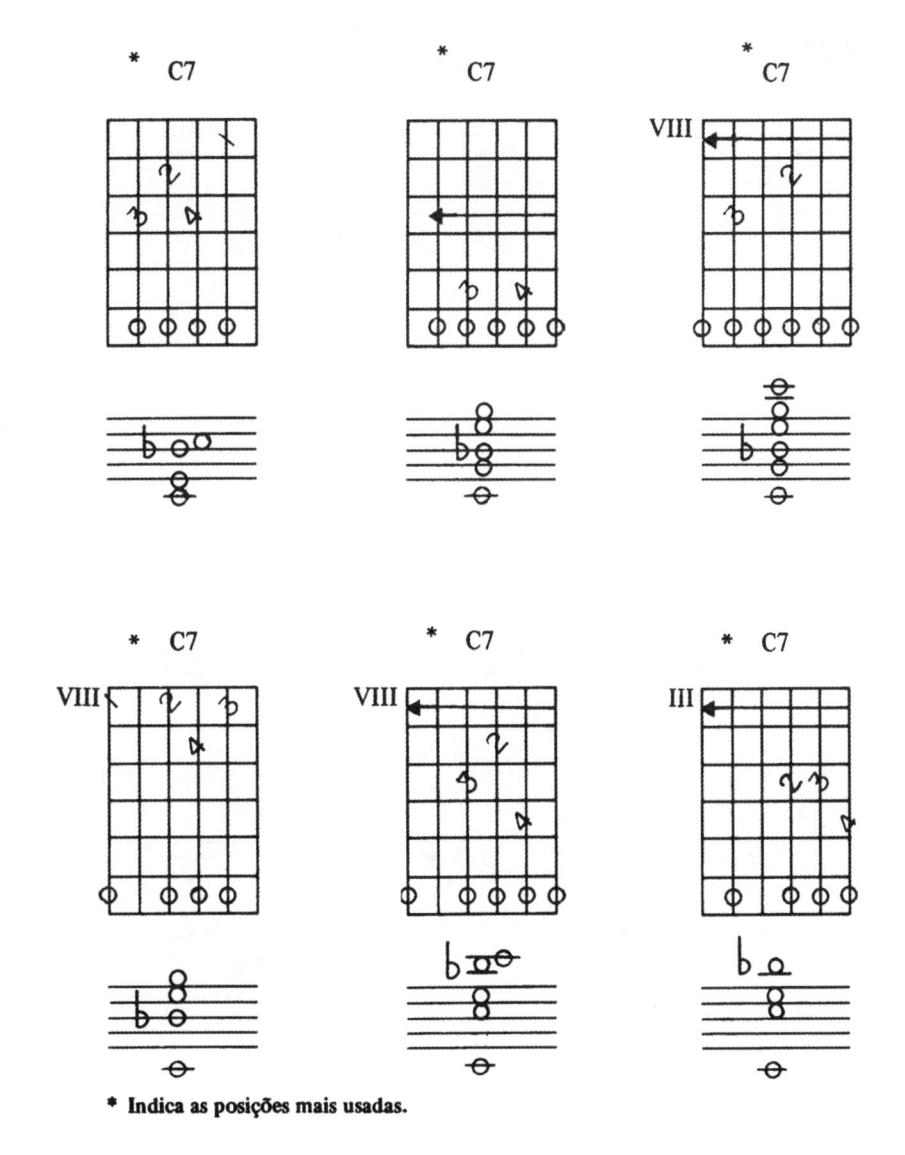

* C7   * C7   * C7

* C7   * C7   * C7

* Indica as posições mais usadas.

C7   C7   * C7

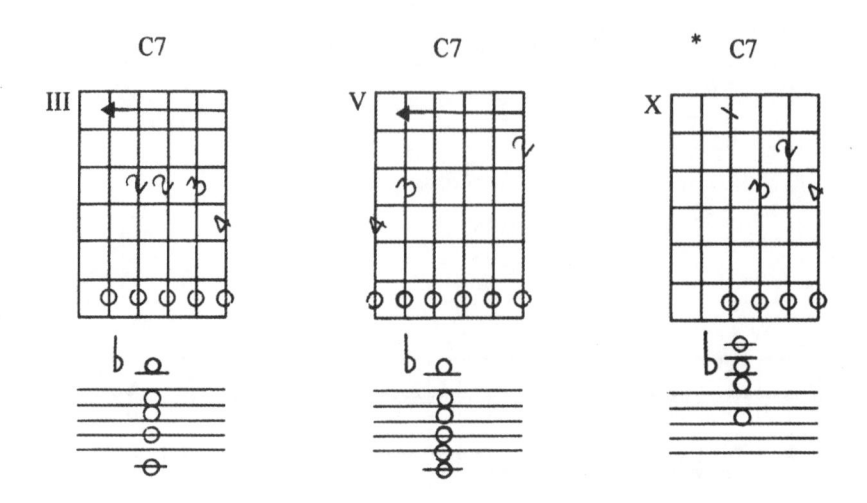

sétima com 3ª no baixo

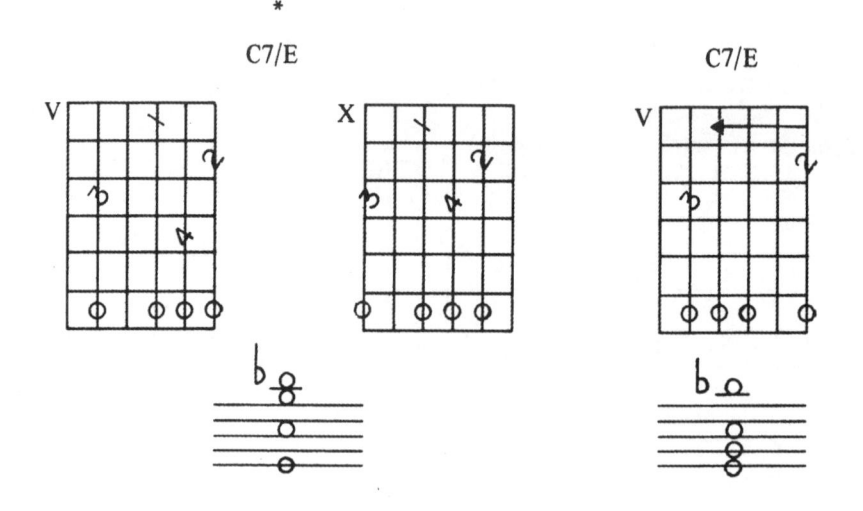

* C7/E   C7/E

* Indica as posições mais usadas.

* C7/E

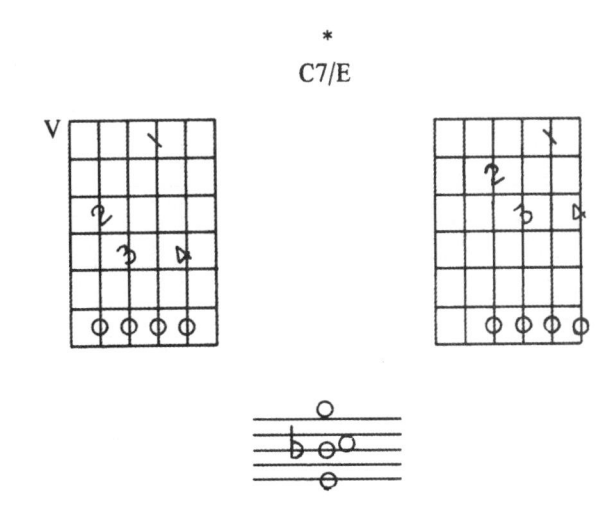

sétima com 5ª no baixo

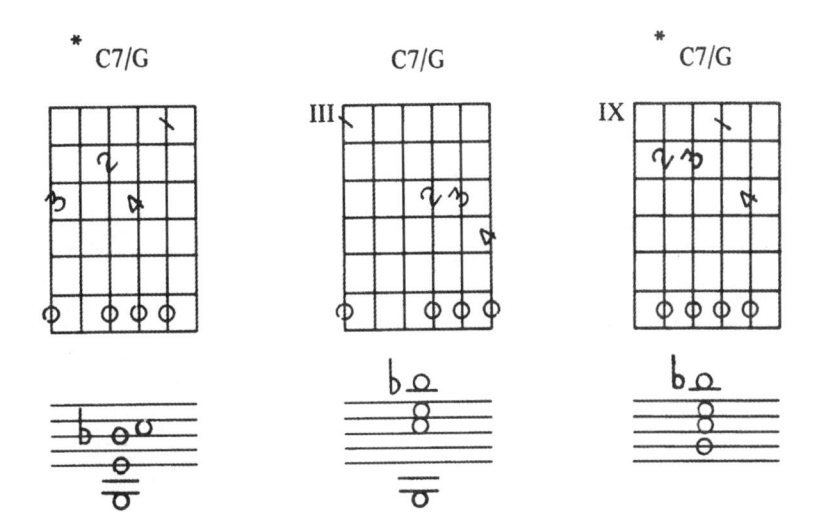

* C7/G   C7/G   * C7/G

* Indica as posições mais usadas.

Dicionário de acordes • 85

* C7/G　　　　　C7/G

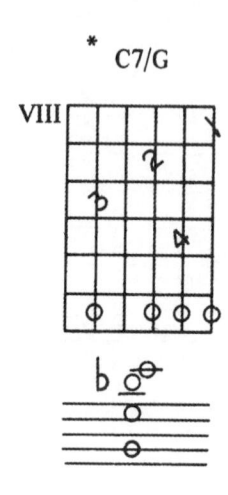

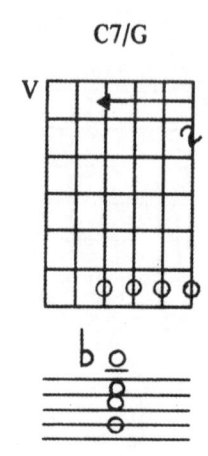

sétima com 7ª no baixo

* C/Bb　　　　　C/Bb

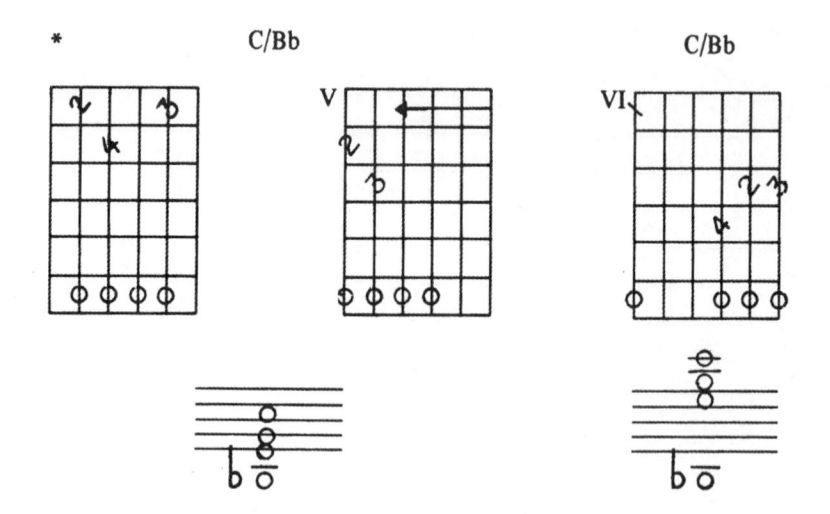

* Indica as posições mais usadas.

* C/Bb   * C/Bb

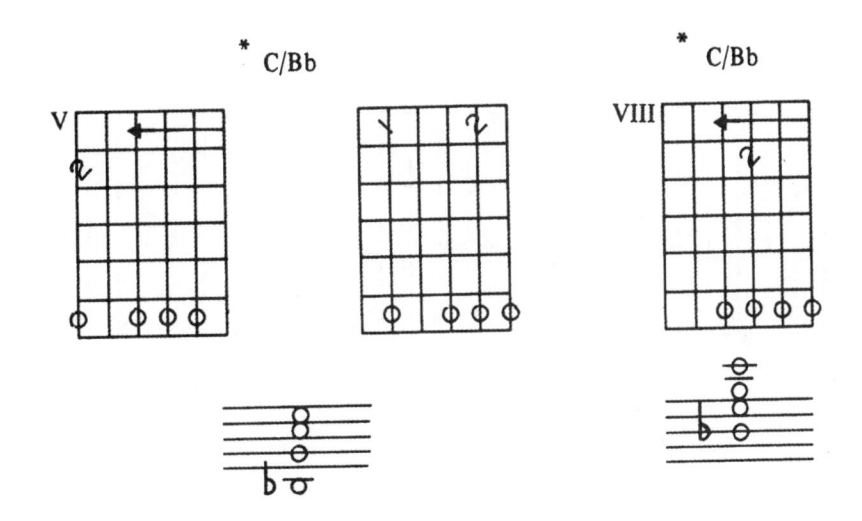

sétima com 5ª diminuta ou 11ª aumentada

* C7(b5) ou C7(#11)   C7(b5)

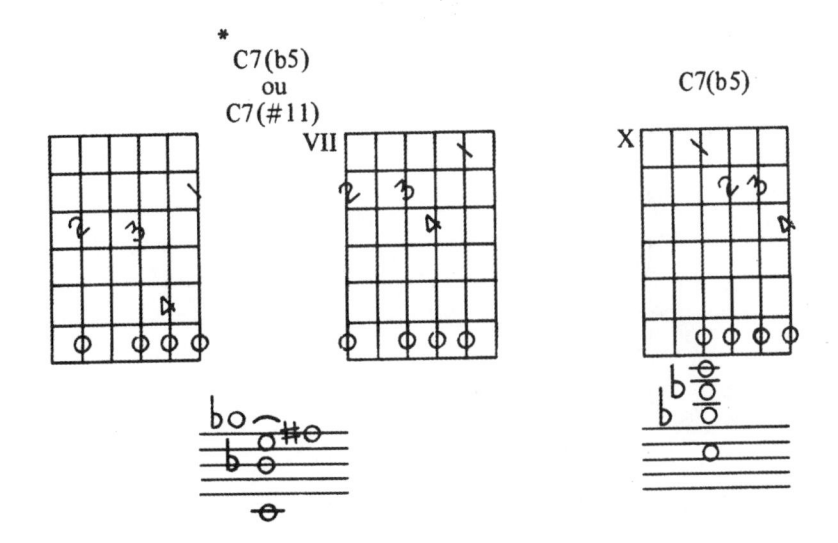

* Indica as posições mais usadas.

C7(b5)   C7(b5)/E

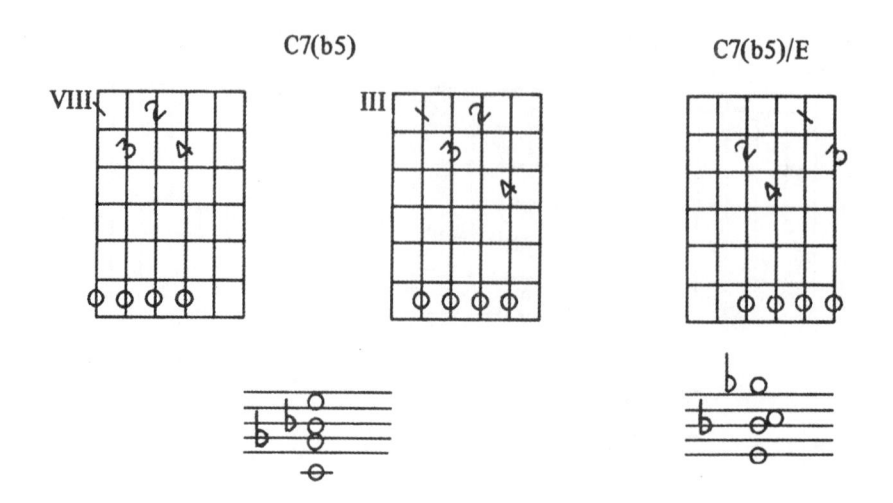

sétima com 9ª e 11ª aumentada

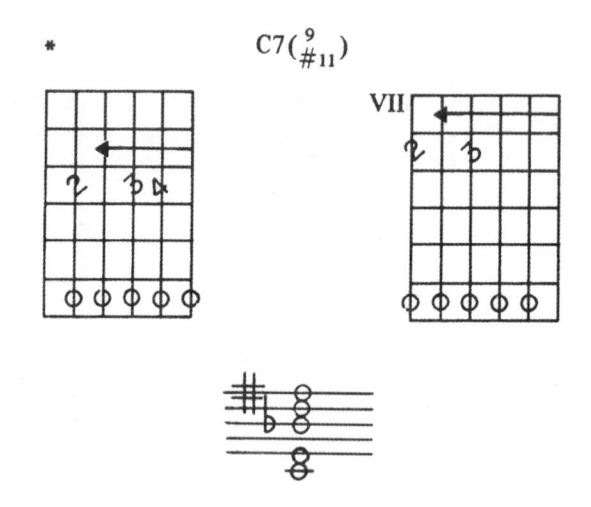

*   C7($^{9}_{\#11}$)

* Indica as posições mais usadas.

sétima com 11ª aumentada e 13ª

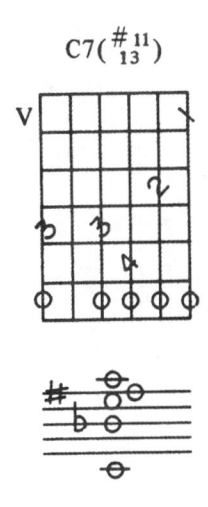

$C7(^{\#11}_{13})$

Obs. – *Esta posição é usada com freqüência quando a nota* **lá** *é a fundamental; neste caso pode-se usar a 5ª corda solta, excluindo assim o uso da pestana. Vejamos:*

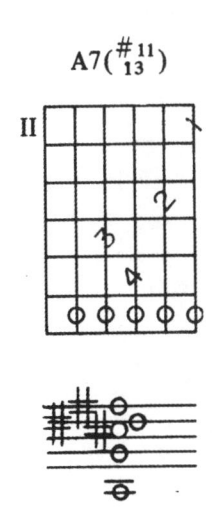

$A7(^{\#11}_{13})$

sétima com 5ª aumentada ou 13ª menor

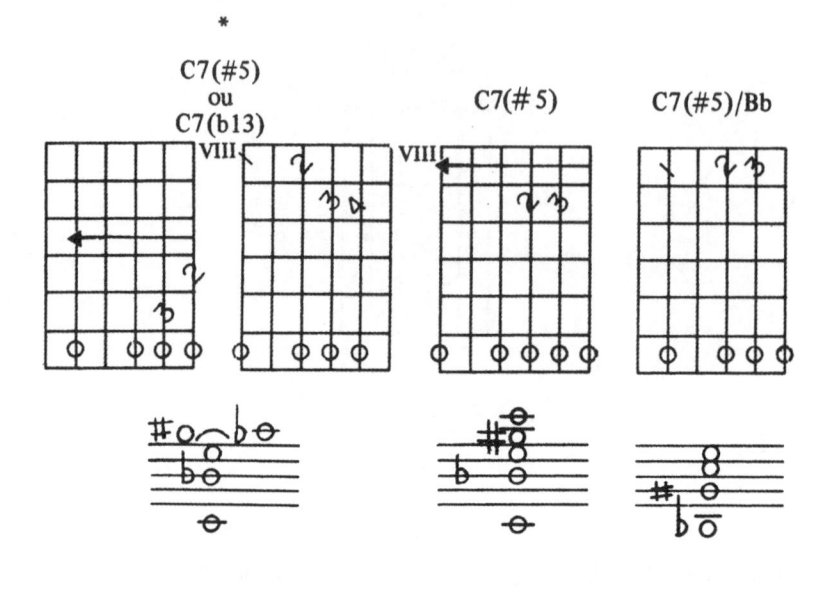

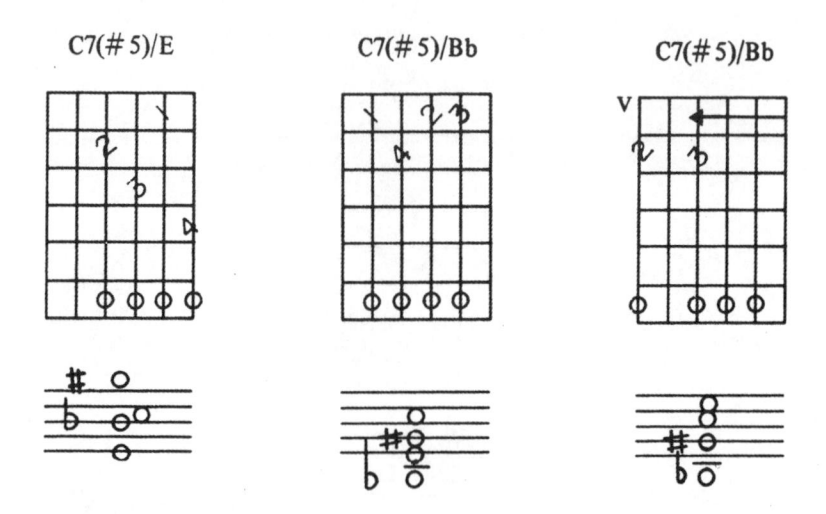

*
C7(#5)
ou
C7(b13)

C7(#5)

C7(#5)/Bb

C7(#5)/E

C7(#5)/Bb

C7(#5)/Bb

* Indica as posições mais usadas.

sétima com 5ª aumentada e 9ª

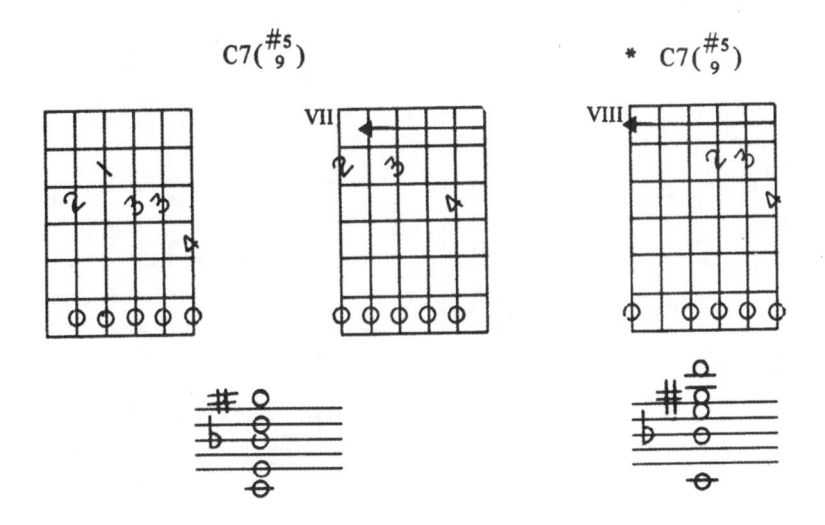

C7($^{\#5}_{9}$)   * C7($^{\#5}_{9}$)

sétima com 13ª

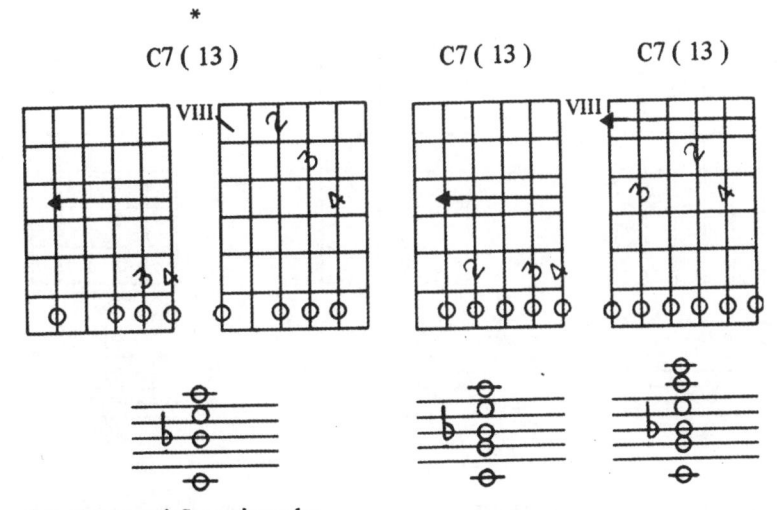

* C7(13)   C7(13)   C7(13)

_ * Indica as posições mais usadas.

sétima com 9ª

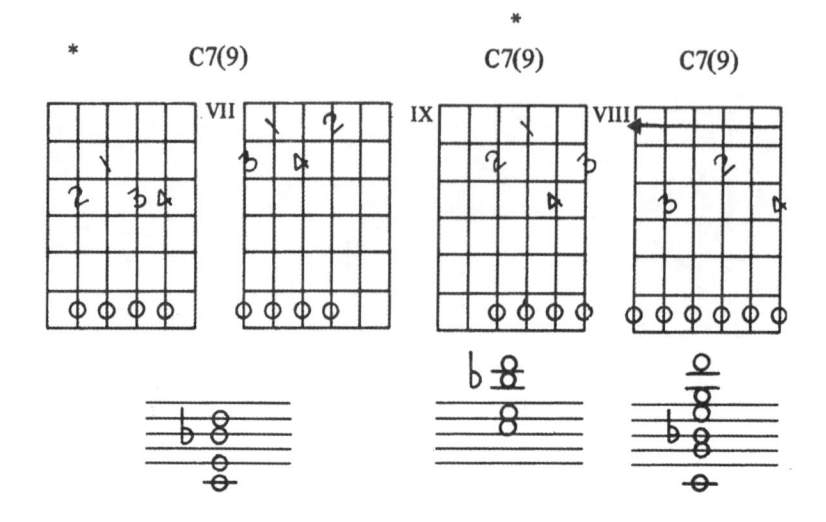

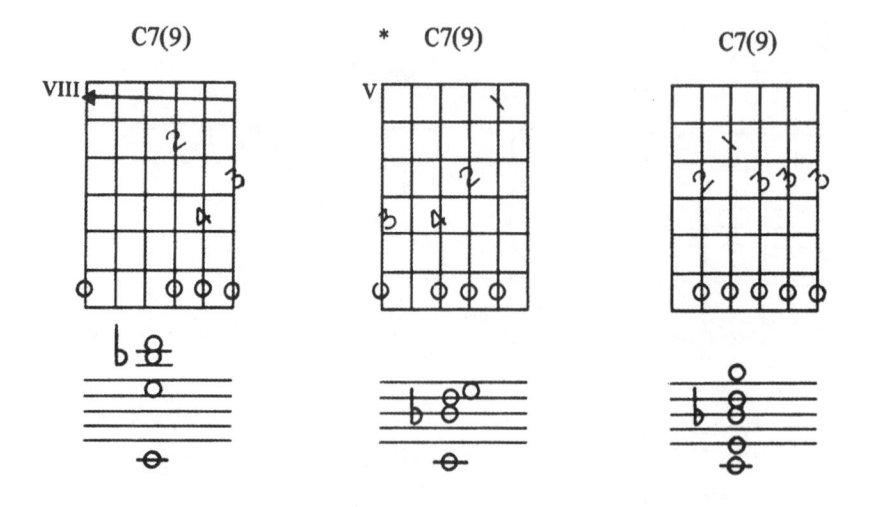

* C7(9)   C7(9)*   C7(9)

C7(9)   *C7(9)   C7(9)

* Indica as posições mais usadas.

sétima com 9ª e 13ª

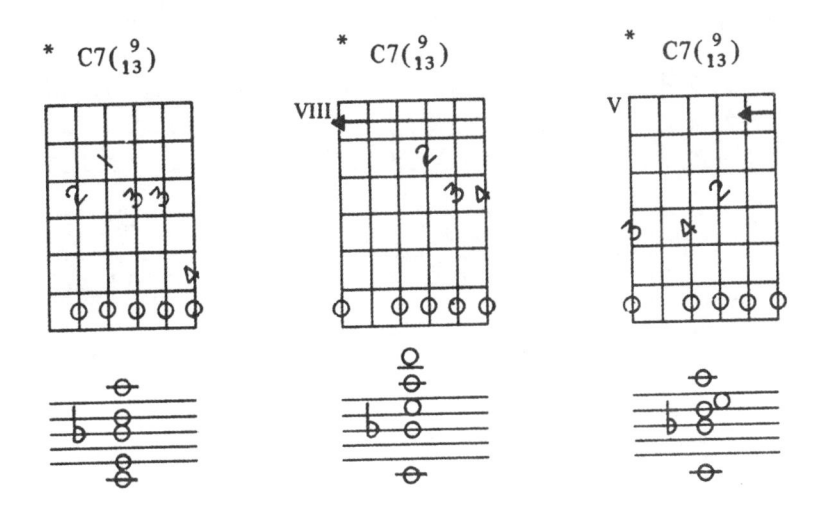

* C7($^9_{13}$)   * C7($^9_{13}$)   * C7($^9_{13}$)

sétima com 9ª menor

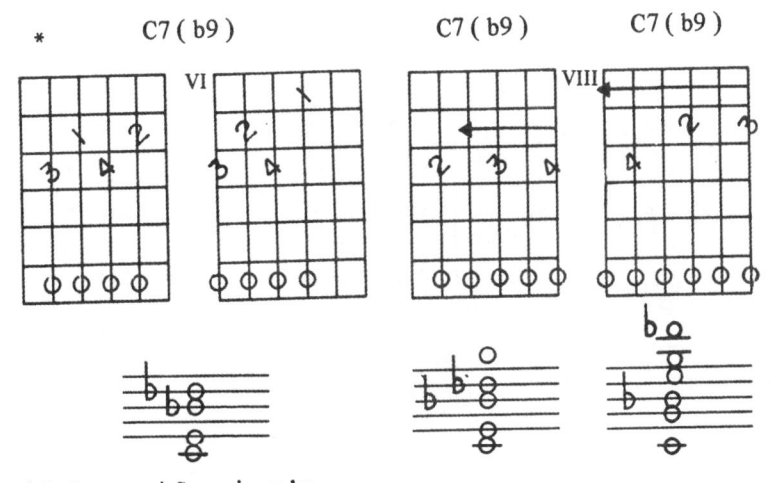

* C7(b9)   C7(b9)   C7(b9)

* Indica as posições mais usadas.

* C7(b9) * C7(b9) * C7(b9)

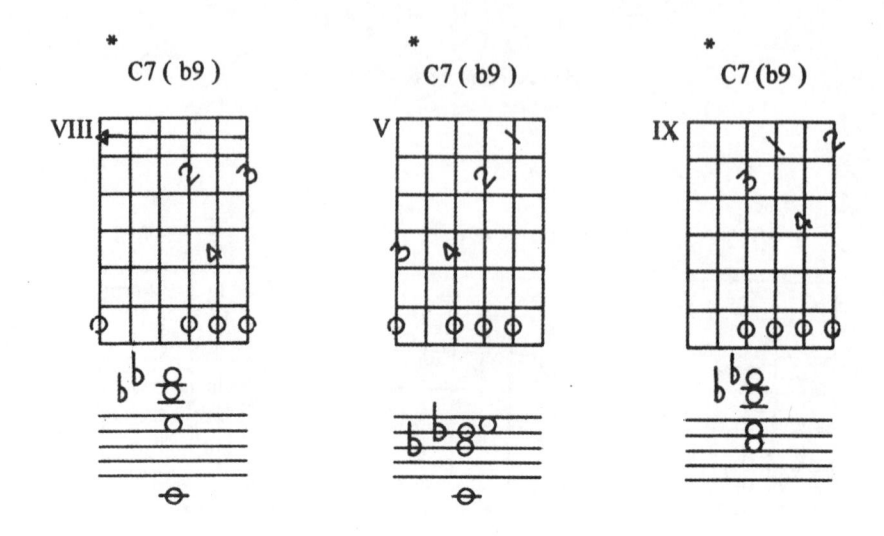

sétima com 5ª diminuta e 9ª menor ou sétima com 9ª menor e 11ª aumentada

$C7\binom{b5}{b9}$
ou
$C7\binom{b9}{\#11}$

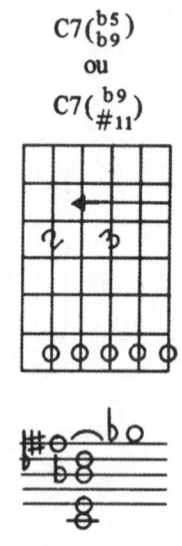

* Indica as posições mais usadas.

sétima com 5ª aumentada e 9ª menor, ou sétima
com 9ª menor e 13ª menor

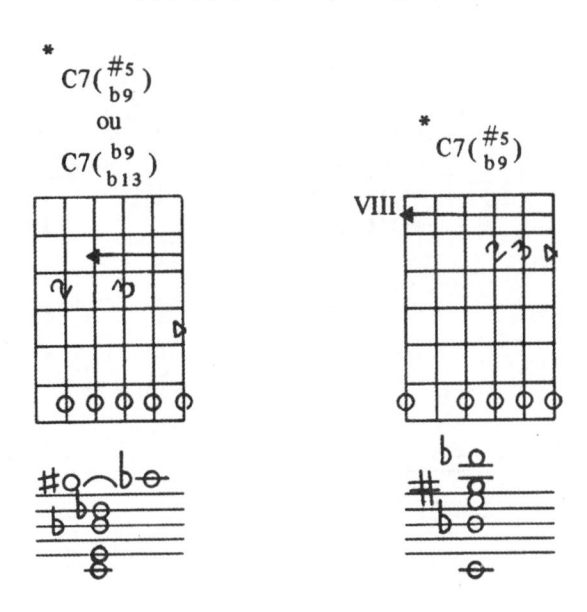

$C7\binom{\#5}{b9}$
ou
$C7\binom{b9}{b13}$

$C7\binom{\#5}{b9}$

sétima com 9ª menor e 13ª

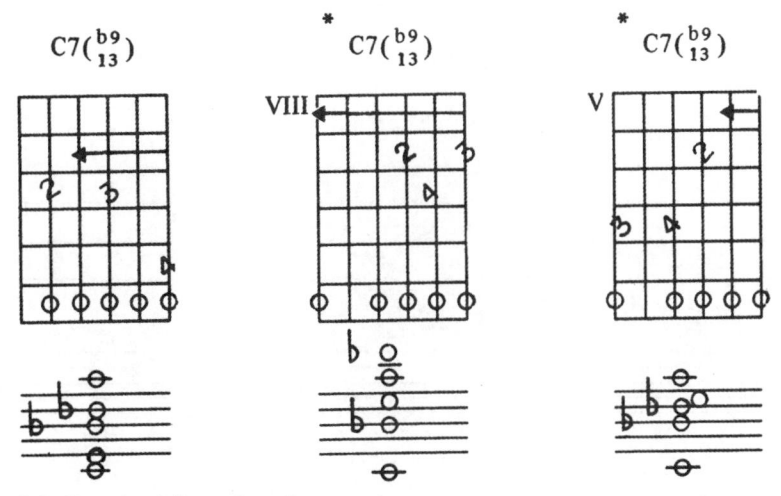

$C7\binom{b9}{13}$ $C7\binom{b9}{13}$ $C7\binom{b9}{13}$

* Indica as posições mais usadas.

sétima com 9ª aumentada

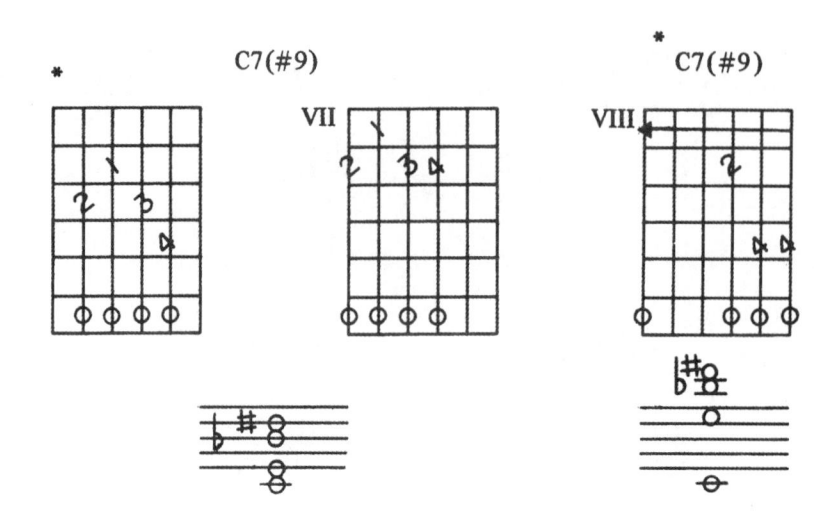

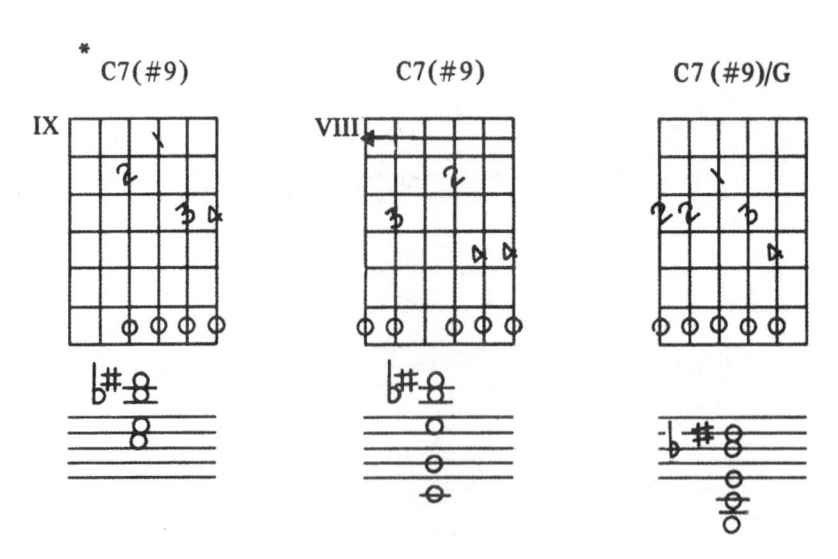

* Indica as posições mais usadas.

sétima com 5ª aumentada e 9ª aumentada

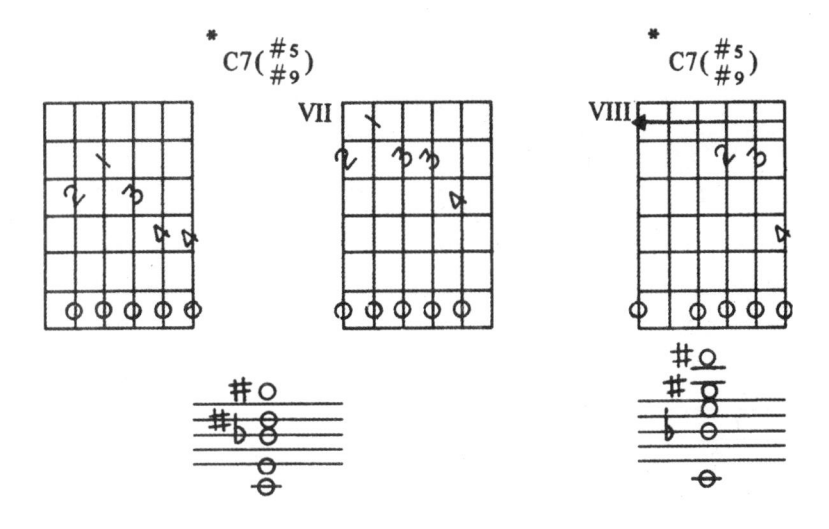

*C7($^{\#5}_{\#9}$)   *C7($^{\#5}_{\#9}$)

sétima com 9ª aumentada e 11ª aumentada, ou
sétima com 5ª diminuta e 9ª aumentada

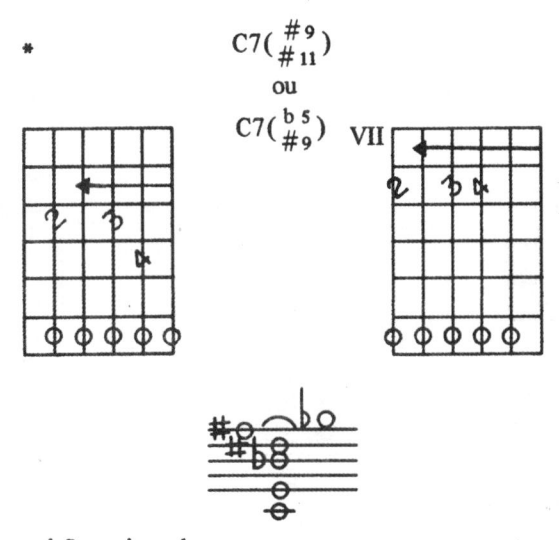

C7($^{\#9}_{\#11}$)
ou
C7($^{b5}_{\#9}$)

* Indica as posições mais usadas.

Dicionário de acordes • 97

sétima e 4ª

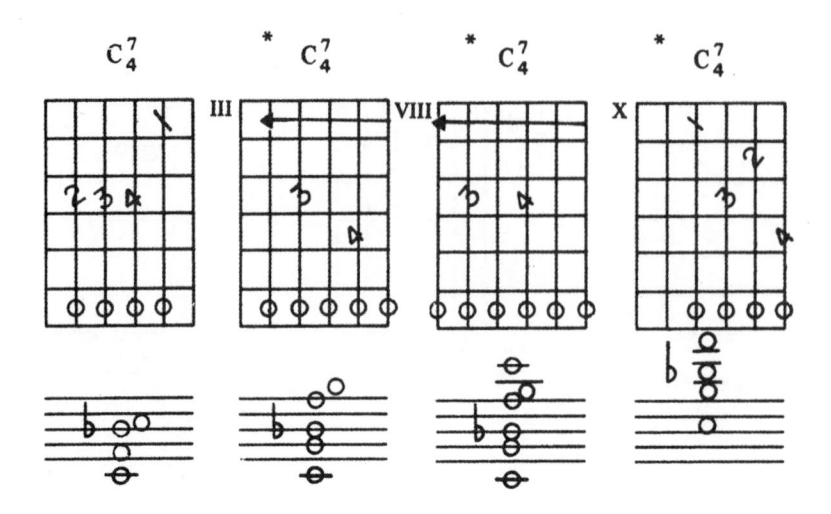

C_4^7 * C_4^7 * C_4^7 * C_4^7

sétima e 4ª com 9ª

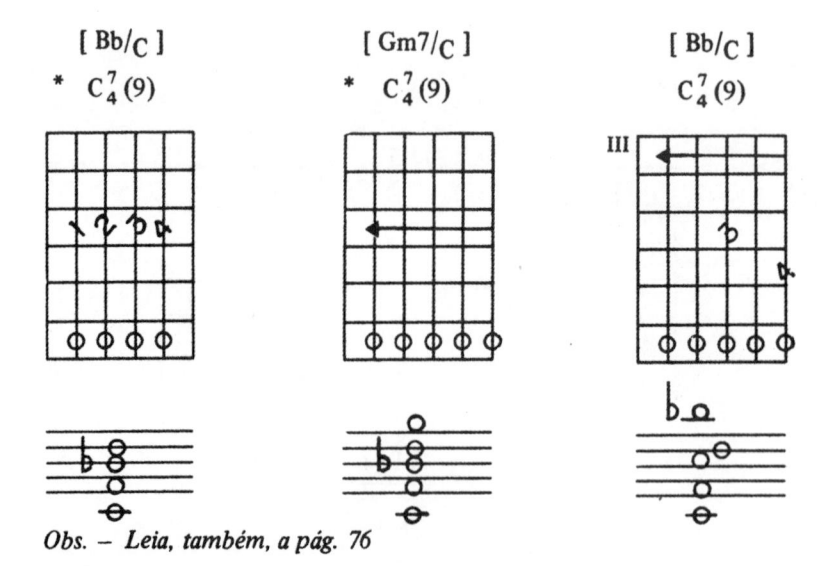

[Bb/C]   [Gm7/C]   [Bb/C]
* $C_4^7(9)$ * $C_4^7(9)$ $C_4^7(9)$

Obs. – Leia, também, a pág. 76

* Indica as posições mais usadas.

[Bb/C]
*
$C_4^7(9)$

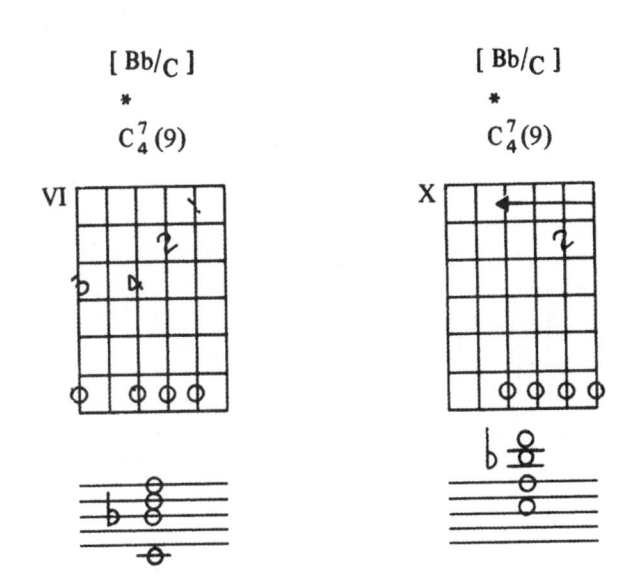

[Bb/C]
*
$C_4^7(9)$

sétima e 4ª com 13ª

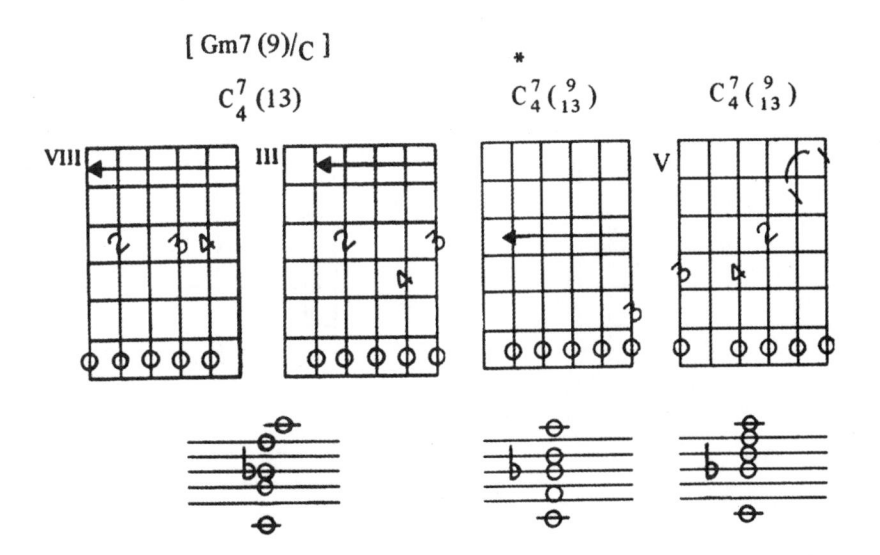

sétima e 4ª, com 9ª e 13ª

[Gm7 (9)/C]
$C_4^7(13)$

*
$C_4^7\binom{9}{13}$

$C_4^7\binom{9}{13}$

* Indica as posições mais usadas.

Dicionário de acordes • 99

sétima e 4ª, com 9ª menor

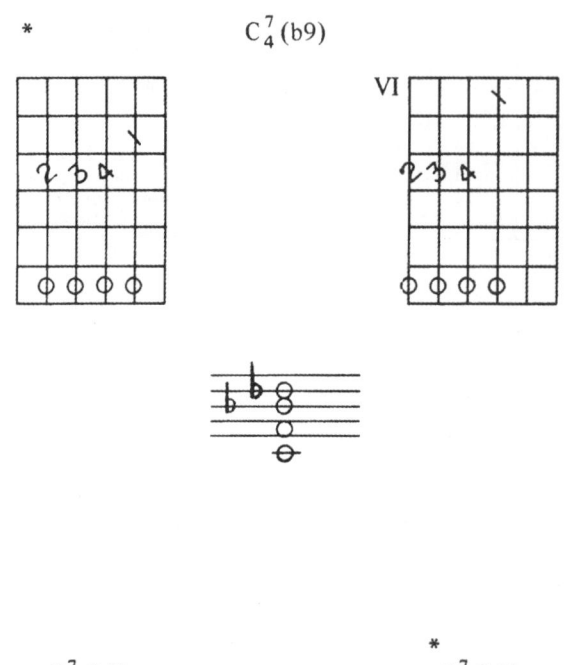

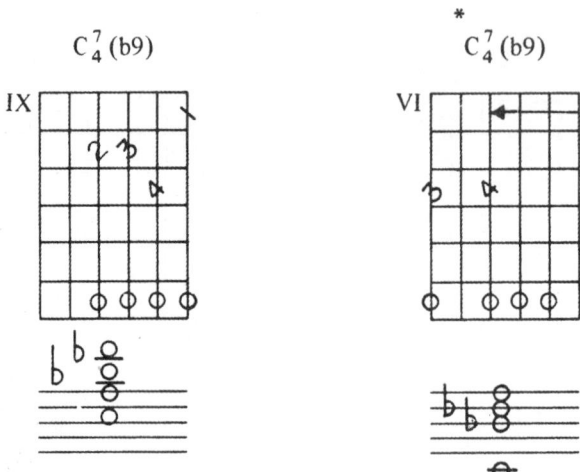

$C_4^7(b9)$

$C_4^7(b9)$

$C_4^7(b9)$

* Indica as posições mais usadas.

e) categoria 7ª diminuta

7ª diminuta

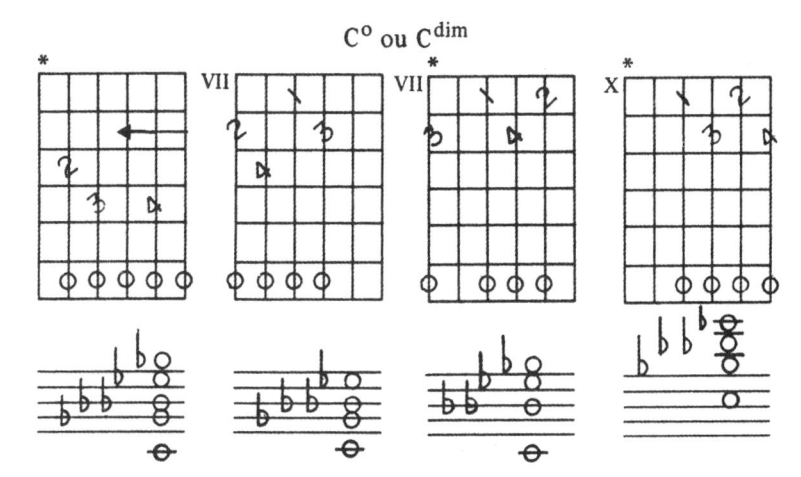

$C°$ ou C^{dim}

Mostramos abaixo o mesmo acorde com uma das notas alterada em um tom acima (diminuto alterado).

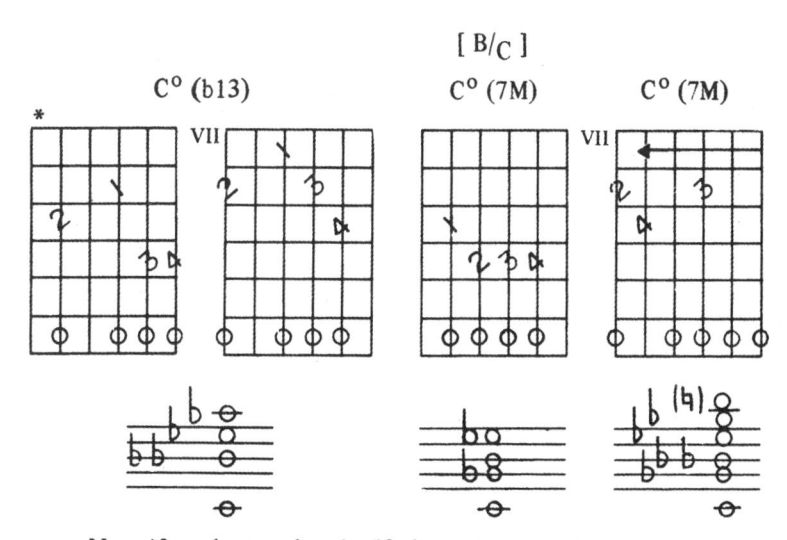

[B/C]

$C°$ (b13) $C°$ (7M) $C°$ (7M)

Nas cifras de acordes de 7ª diminuta, as notas acrescentadas não aparecem necessariamente

* Indica as posições mais usadas.

Dicionário de acordes • 101

Obs. – As dissonâncias disponíveis num acorde de 7ª diminuta são notas um tom acima ou um semitom abaixo de qualquer uma das 4 notas do acorde.

Na verdade existem 3 acordes de 7ª diminuta; os demais são inversões ou desdobramento dos mesmos, a saber:

1) C°, D#°, F#°, A°

2) Db°, E°, G°, Bb°

3) D°, F°, Ab°, B°

O círculo "o" na cifra do acorde de 7ª diminuta simboliza o círculo fechado resultante da superposição das 3 terças menores que constituem o acorde diminuto, fato pelo qual cada uma das 4 notas pode ser a fundamental de um novo acorde diminuto (usando os mesmos sons).

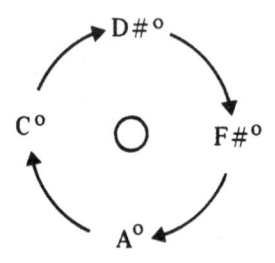

Ex.:

```
          D#°
    C°  O   F#°
          A°
```

III Acordes Especiais

a) acordes resultantes de notas de passagem

Estes acordes são encontrados normalmente em determinadas seqüências harmônicas, sendo que alguns levam cifragem especial.

Por exemplo, os acordes de F#m7 (b5) e F7M quando de passagem poderão ser cifrados também da seguinte maneira respectivamente; Am/F# e Am/F. Vejamos:

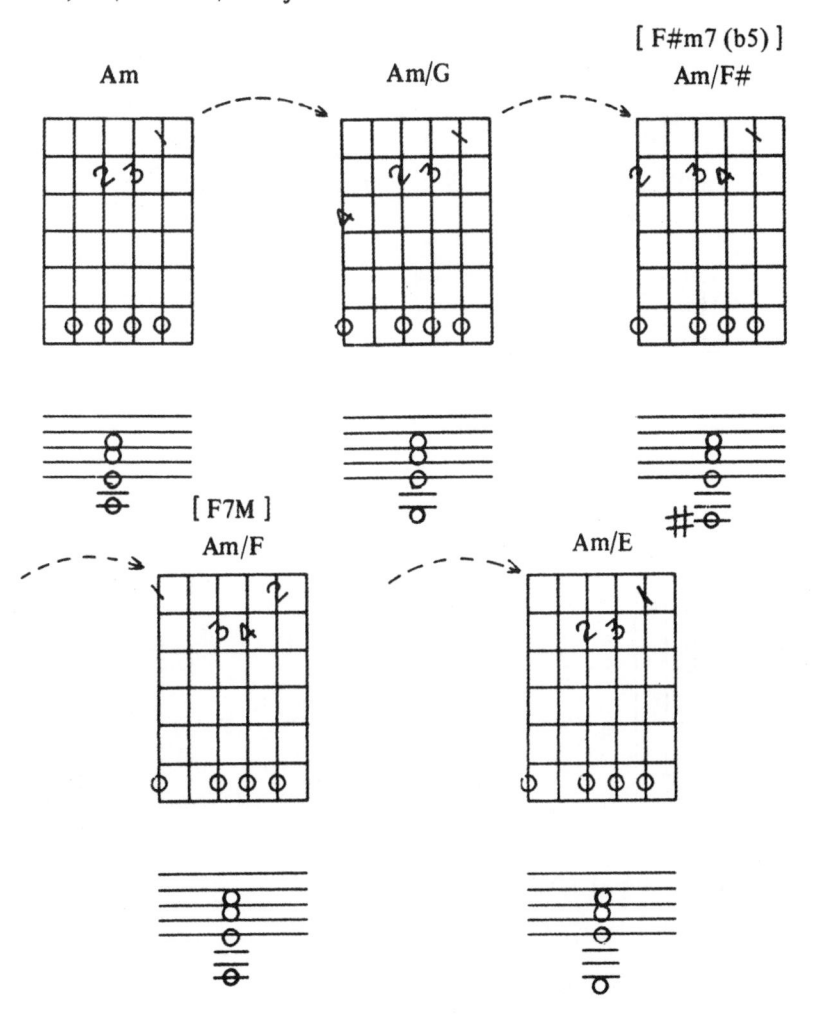

Am   Am/G   [F#m7 (b5)]
                                              Am/F#

[F7M]
Am/F   Am/E

Dicionário de acordes • 103

A seguir daremos mais alguns exemplos:

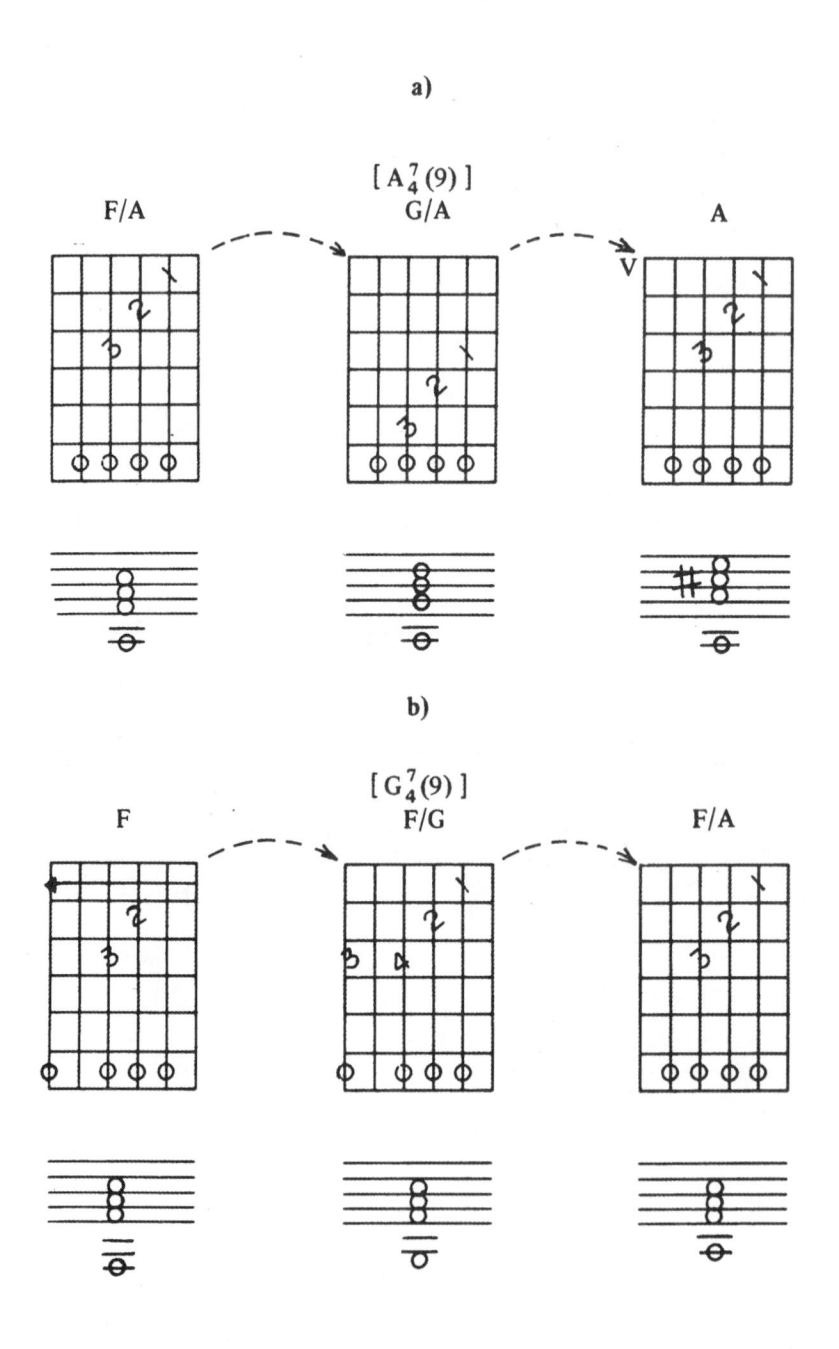

a)

F/A   [$A_4^7(9)$] G/A   A

b)

F   [$G_4^7(9)$] F/G   F/A

c)

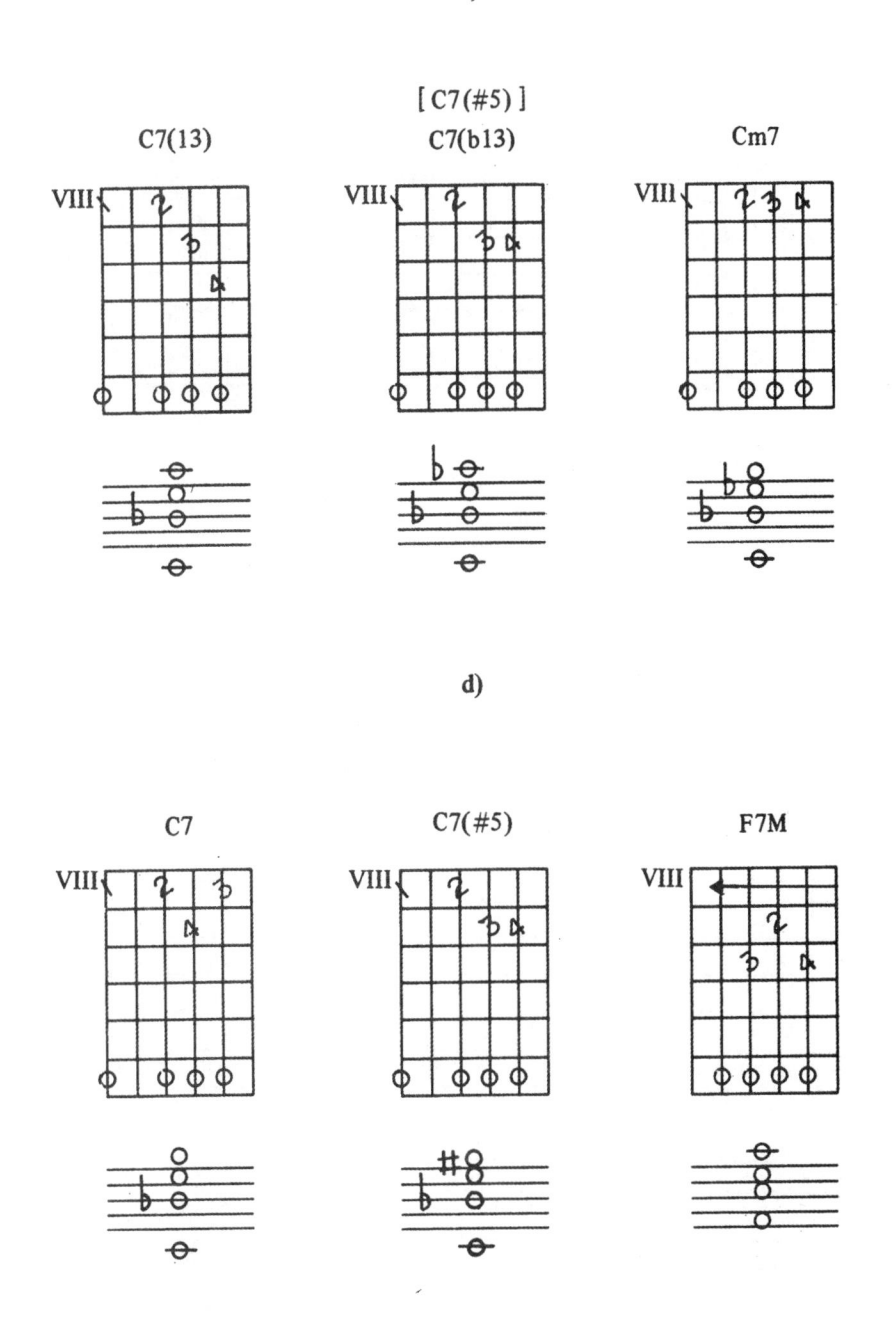

C7(13)   [C7(#5)]
          C7(b13)   Cm7

d)

C7   C7(#5)   F7M

e)

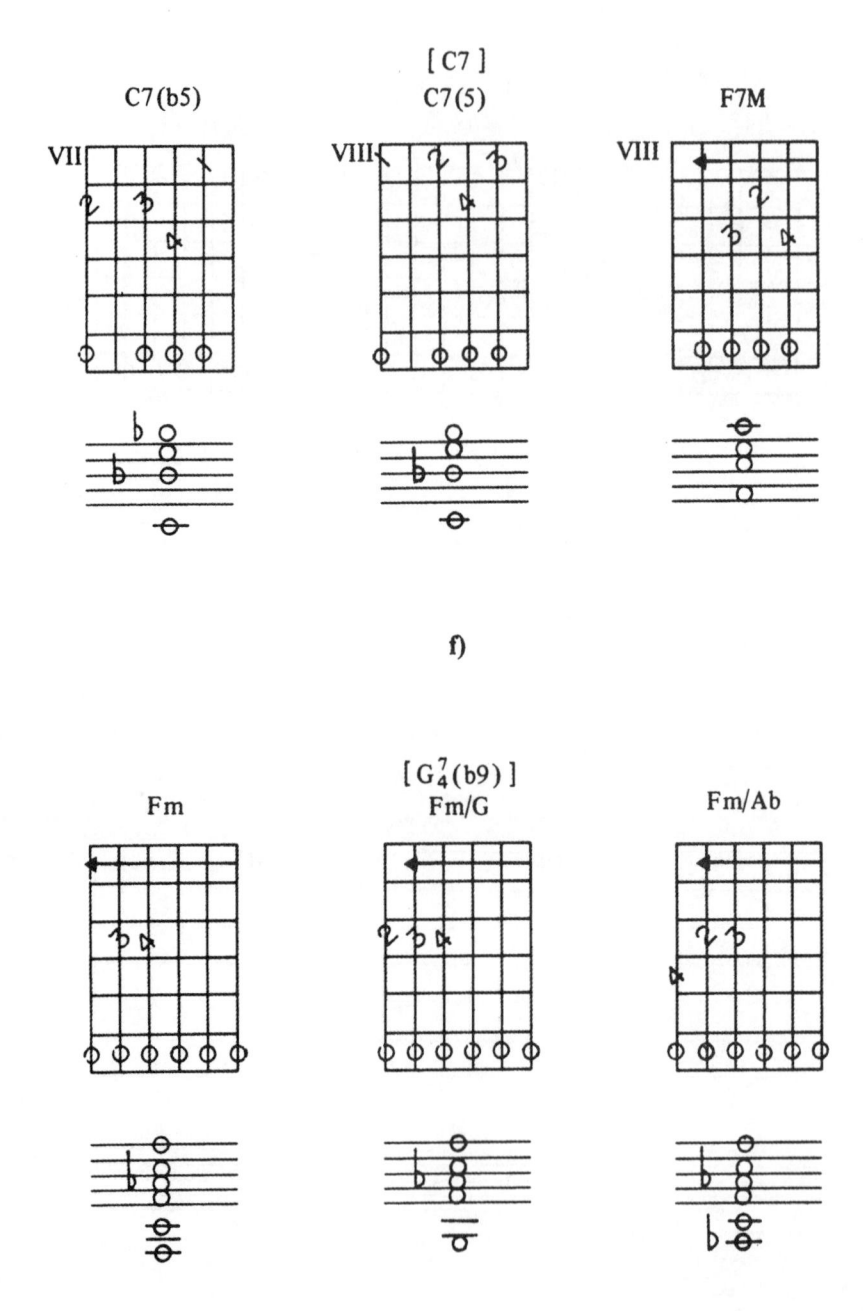

| C7(b5) | [C7]
C7(5) | F7M |

g)

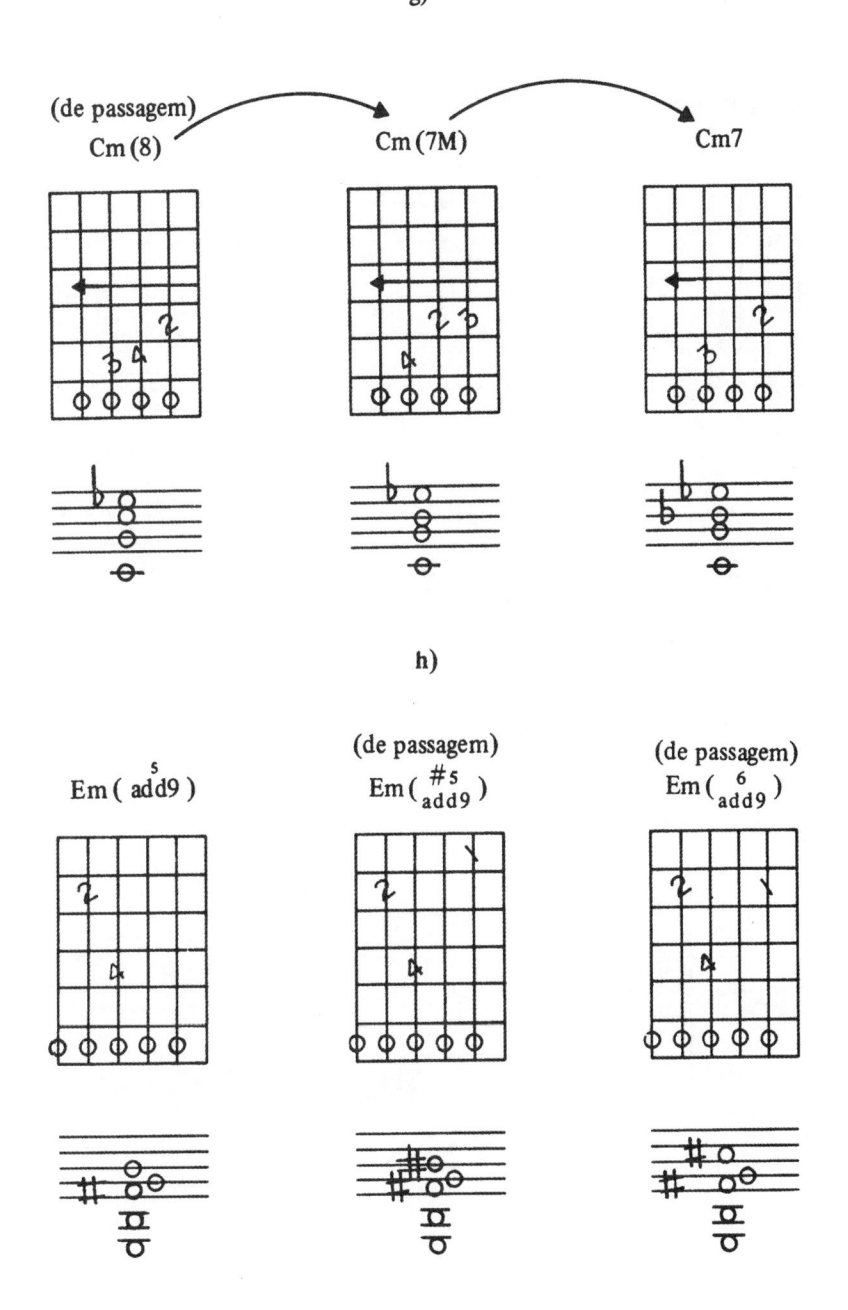

(de passagem)
Cm(8)   Cm(7M)   Cm7

h)

Em(add9 ^{5})   Em($^{\#5}_{add9}$) (de passagem)   Em($^{6}_{add9}$) (de passagem)

i)

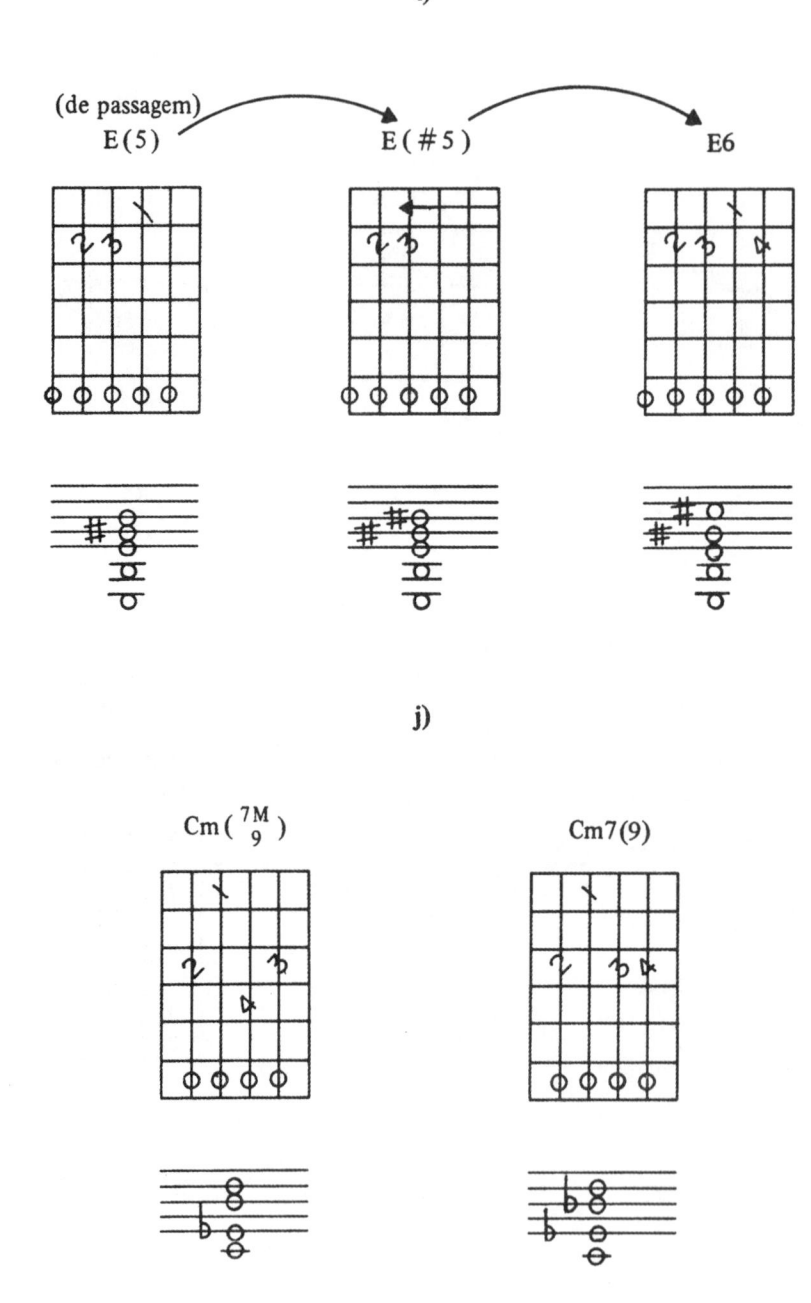

(de passagem)
E(5) → E(#5) → E6

j)

Cm($^{7M}_{9}$)   Cm7(9)

l)

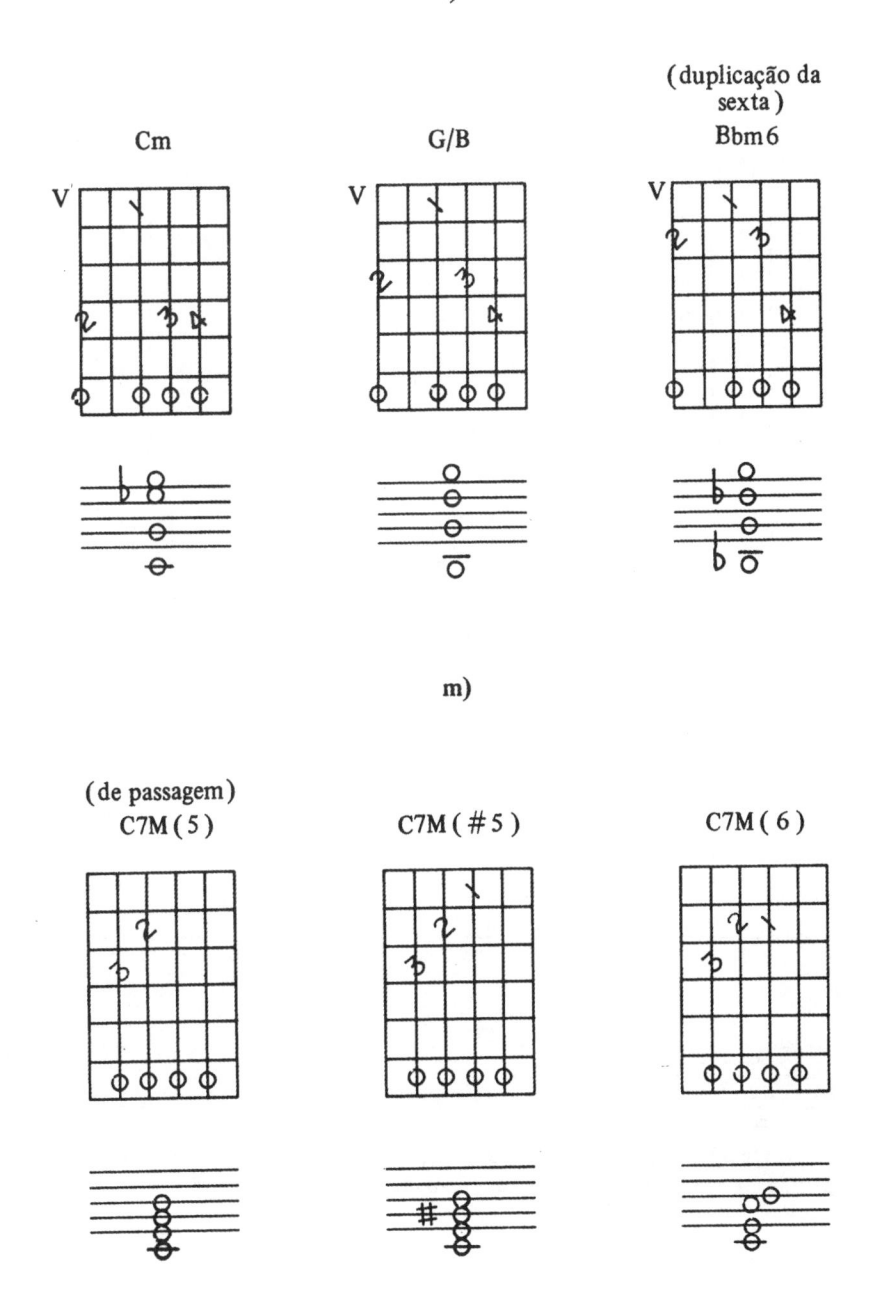

Cm　　　　　G/B　　　(duplicação da sexta)
　　　　　　　　　　　　　Bbm6

m)

(de passagem)
C7M(5)　　　C7M(#5)　　　C7M(6)

Dicionário de acordes • 109

n)

O acorde menor com a sexta menor é usado somente de passagem.

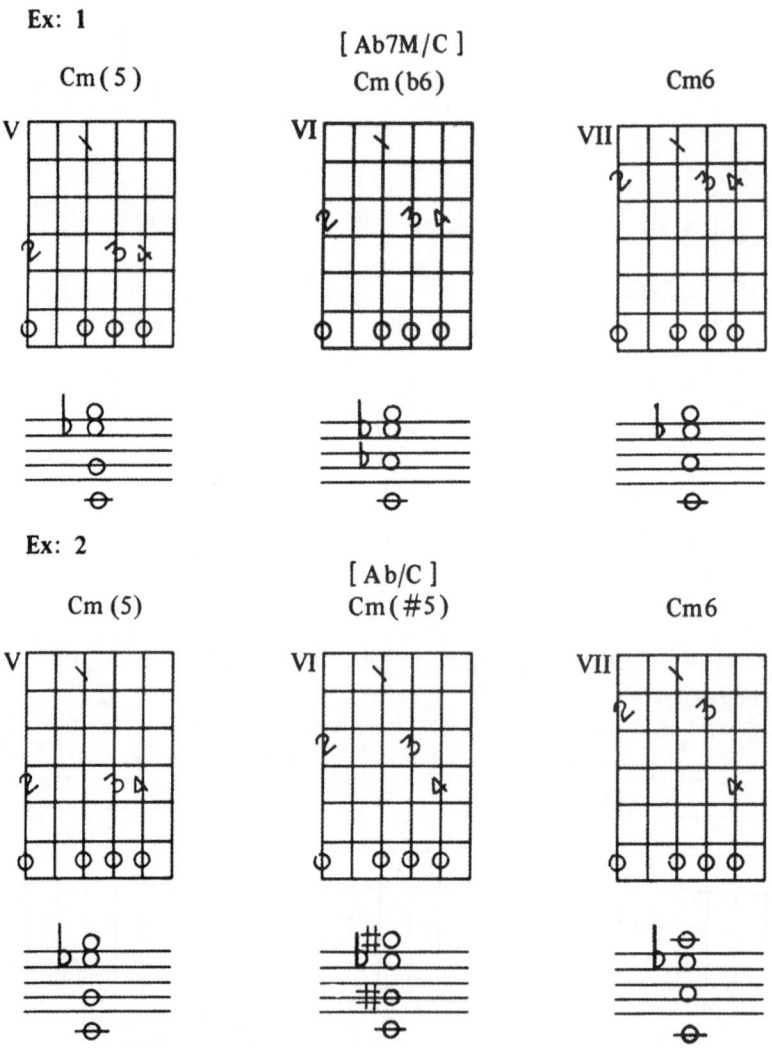

Ex: 1

Cm(5)   [Ab7M/C] Cm(b6)   Cm6

Ex: 2

Cm(5)   [Ab/C] Cm(#5)   Cm6

Quando o acorde menor com a sexta menor não está de passagem, é na verdade um acorde de 7ª maior na primeira inversão

Cm(b6) = Ab7M/C

o)

Acorde de C/B usado de passagem

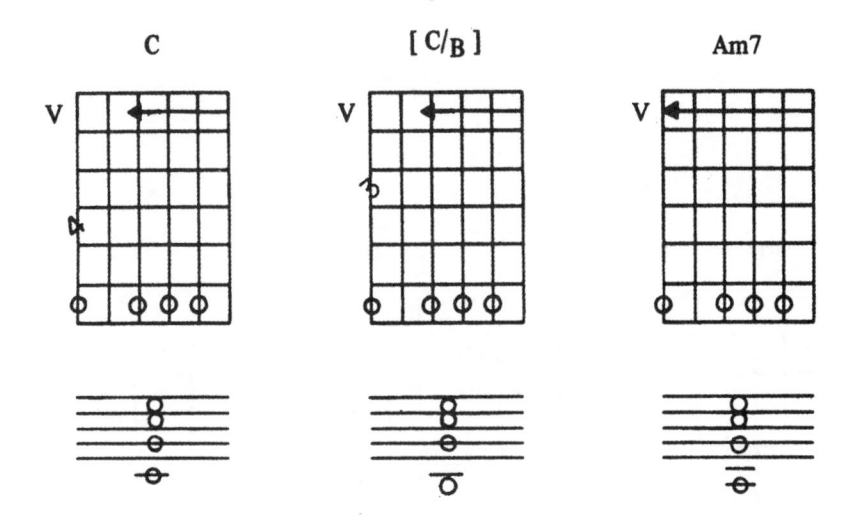

C [C/B] Am7

b) acordes híbridos

São acordes sem uma definição tonal clara, pois não possuem a terça.

Os acordes híbridos não levam cifragem.

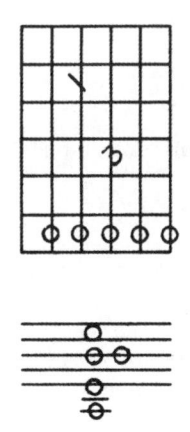

c) baixo pedal

Baixo pedal é quando um mesmo baixo serve para vários acordes sucessivos, sem necessariamente fazer parte dos mesmos. Vejamos:

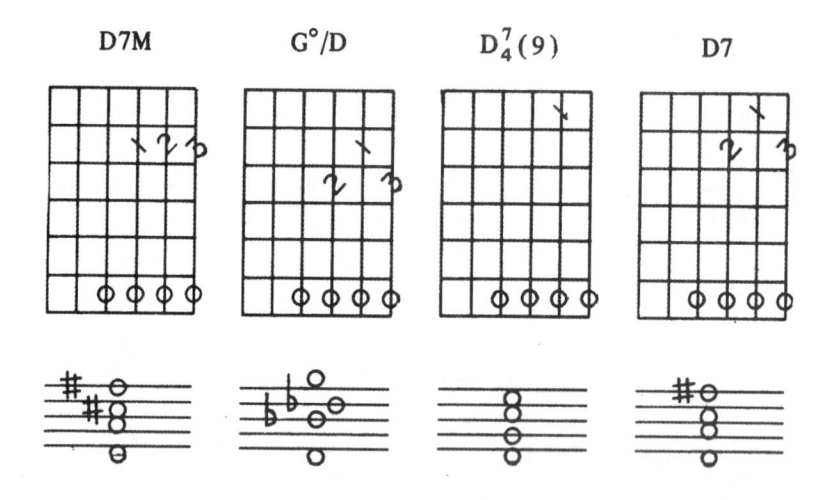

D7M   G°/D $D_4^7(9)$ D7

d) acorde pedal

Acorde pedal é quando um mesmo acorde serve para vários baixos sucessivos, sem os mesmos serem necessariamente comuns ao acorde, como já foi visto em alguns dos exemplos de acordes de passagem. (Vide págs. 101 e 104(f)).

IV Posições Especiais

São acordes armados em determinada parte do braço do violão, usando também cordas soltas e não podendo essa mesma posição, com algumas exceções, ser transportada como normalmente é possível com as demais.

Alguns desses acordes produzem um efeito sonoro diferente dos demais, isto é, sonoridade mais aberta (acordes violonísticos). Vejamos:

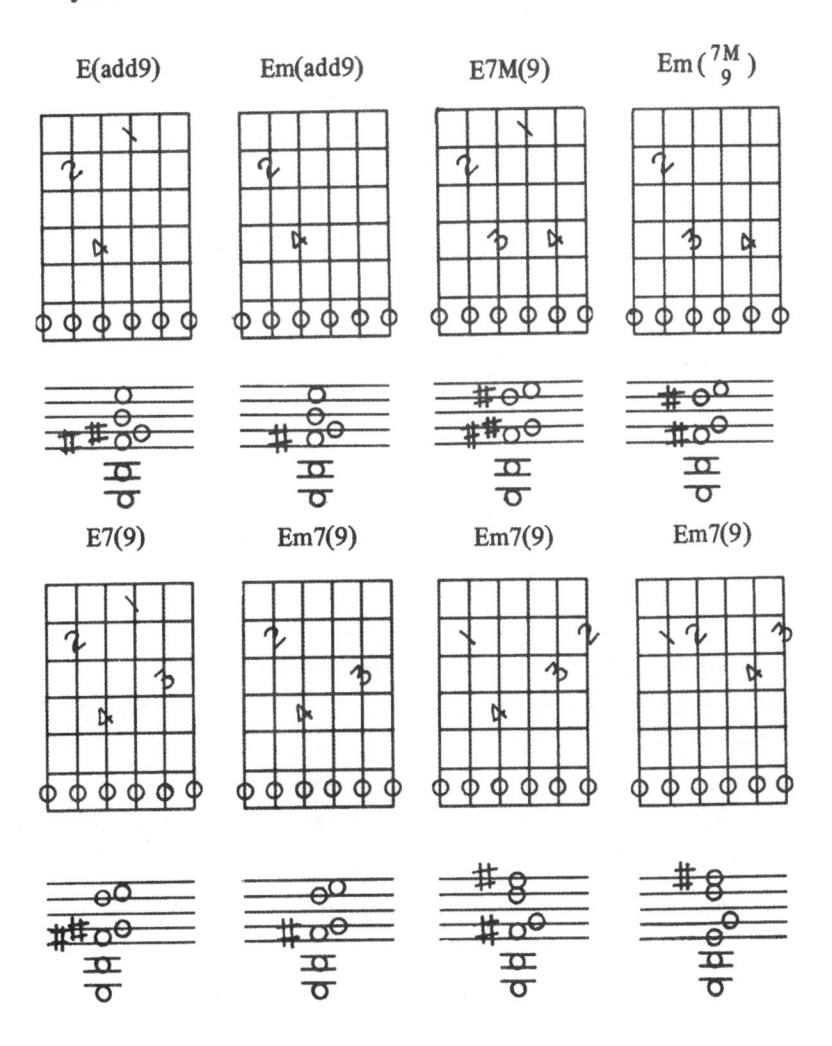

E(add9)   Em(add9)   E7M(9)   Em($^{7M}_{9}$)

E7(9)   Em7(9)   Em7(9)   Em7(9)

Dicionário de acordes • 113

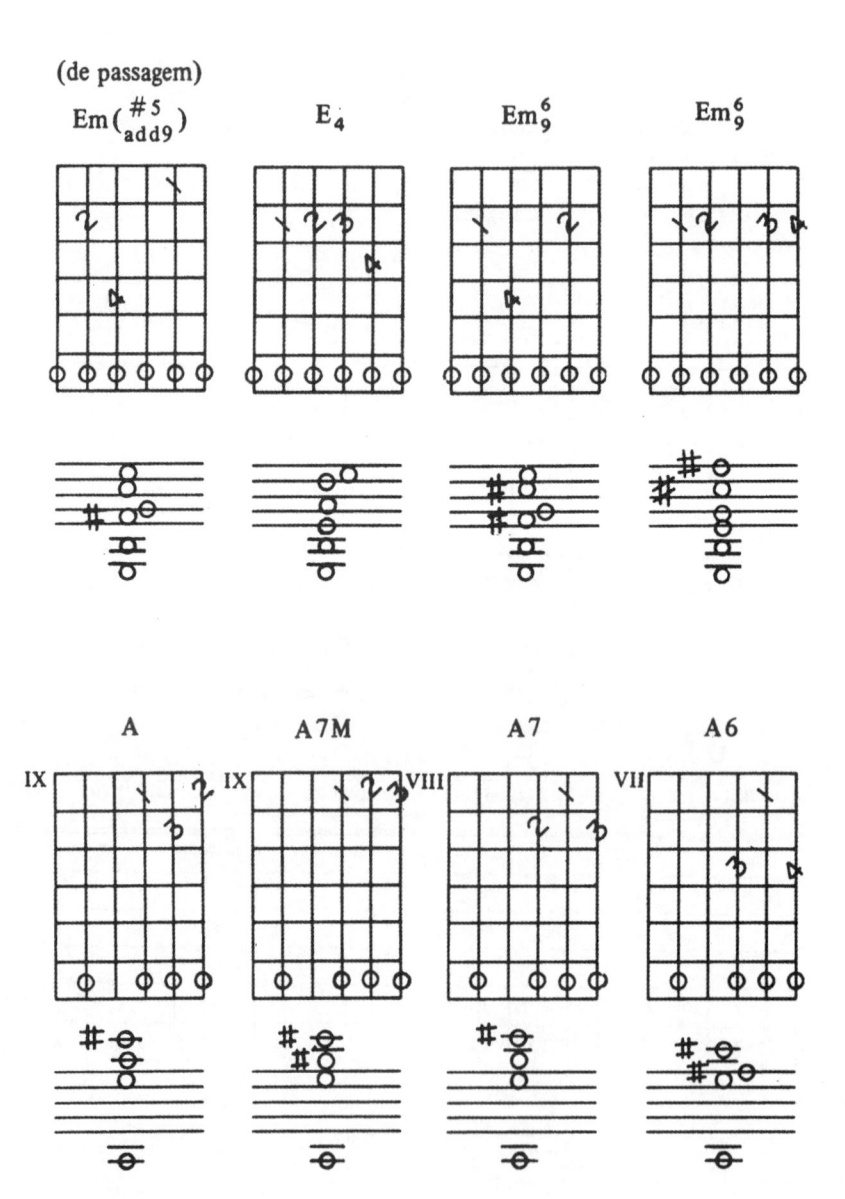

(de passagem)
Em($^{\#5}_{add9}$)   E$_4^.$ Em$_9^6$ Em$_9^6$

A   A7M   A7   A6

Am   Am(7M)   Am7   Am6

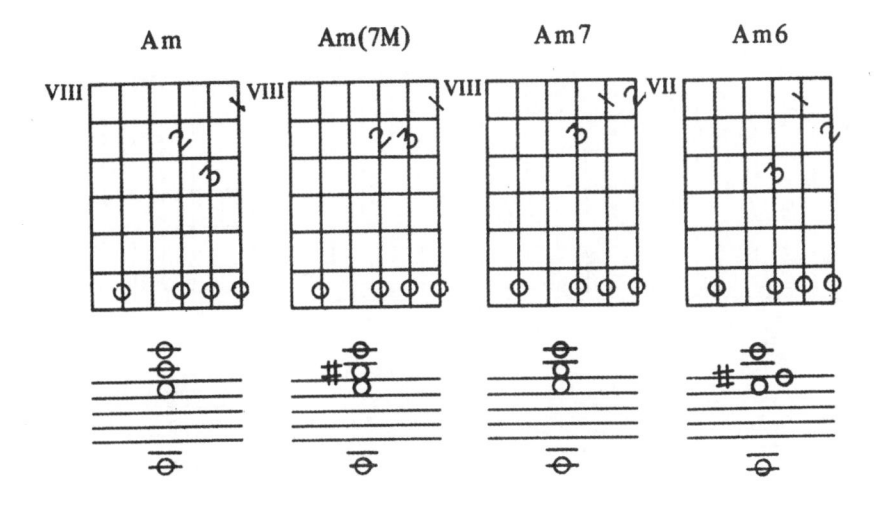

Am6   Am6   Am⁶₉   D⁶₉

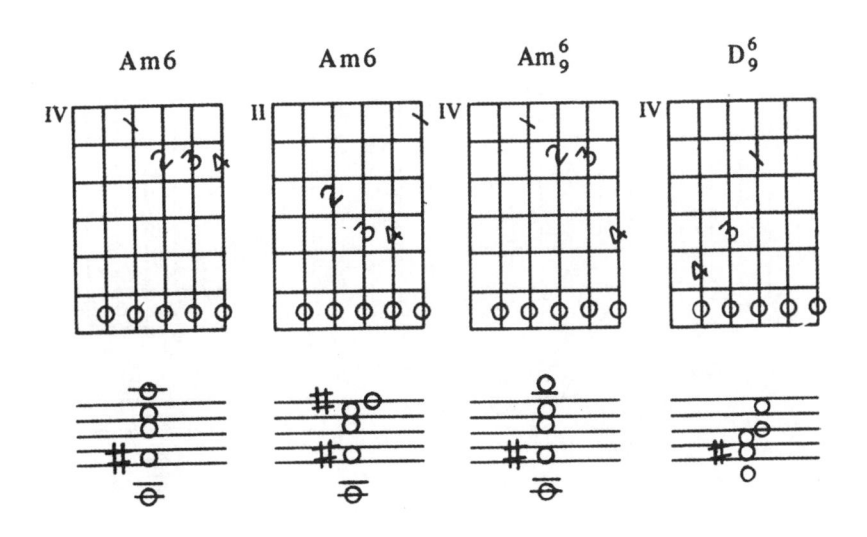

Dicionário de acordes • 115

Am6

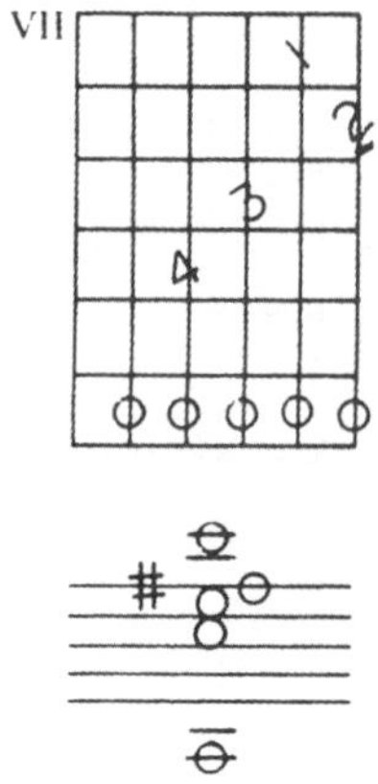

A(add9)

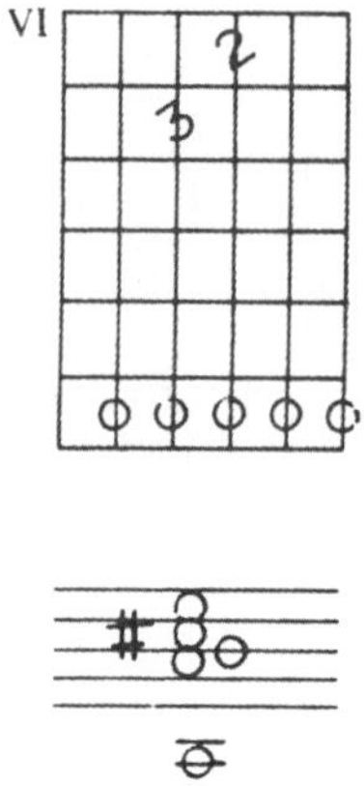

A(add9)

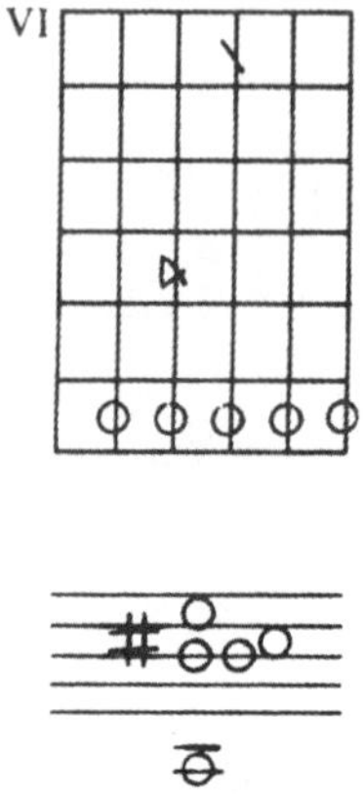

Am$^{6}_{9}$

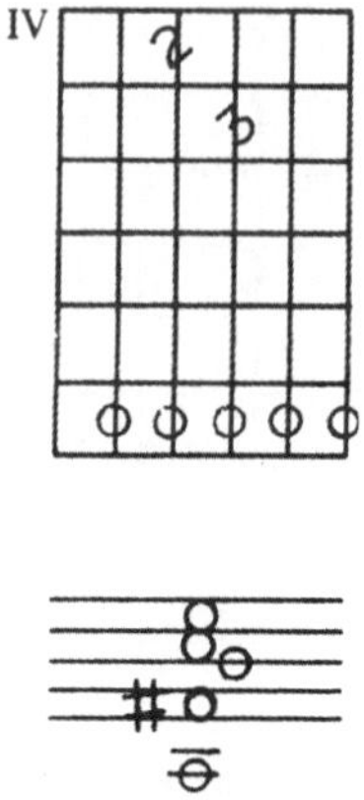

Am7(9)

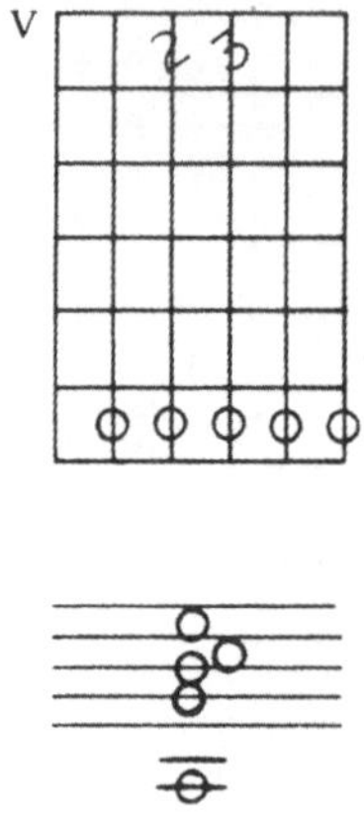

Am7(9)

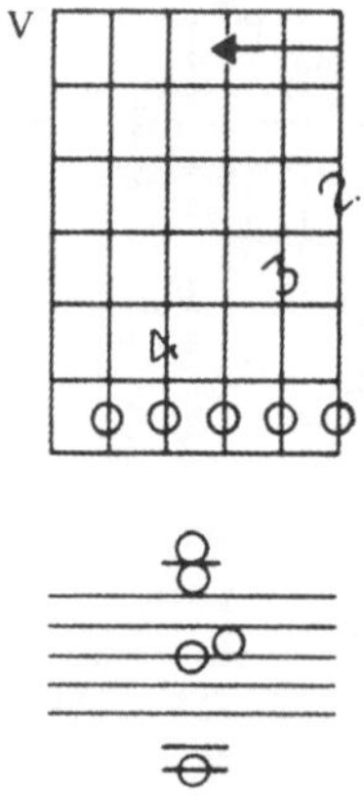

Am(add9)

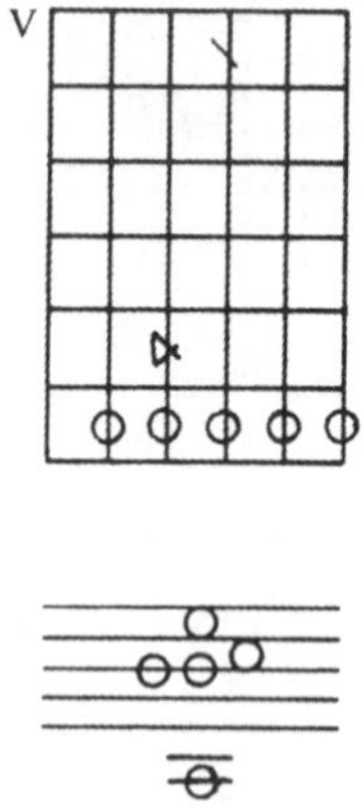

Am(add9)

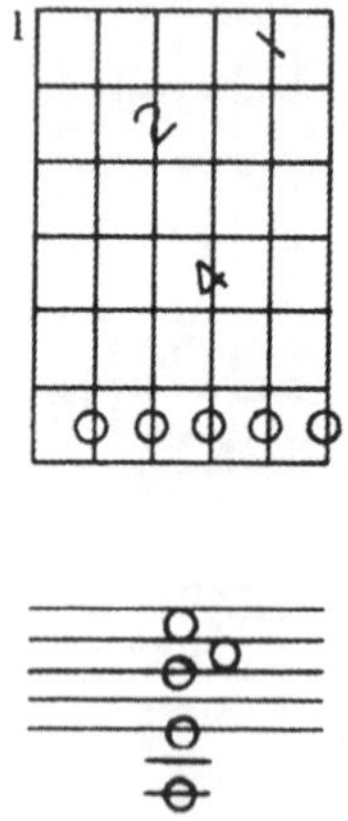

C7M/G
(de passagem)
Am(add9)/G   A(add9)   A7M(9)   A7M(9)

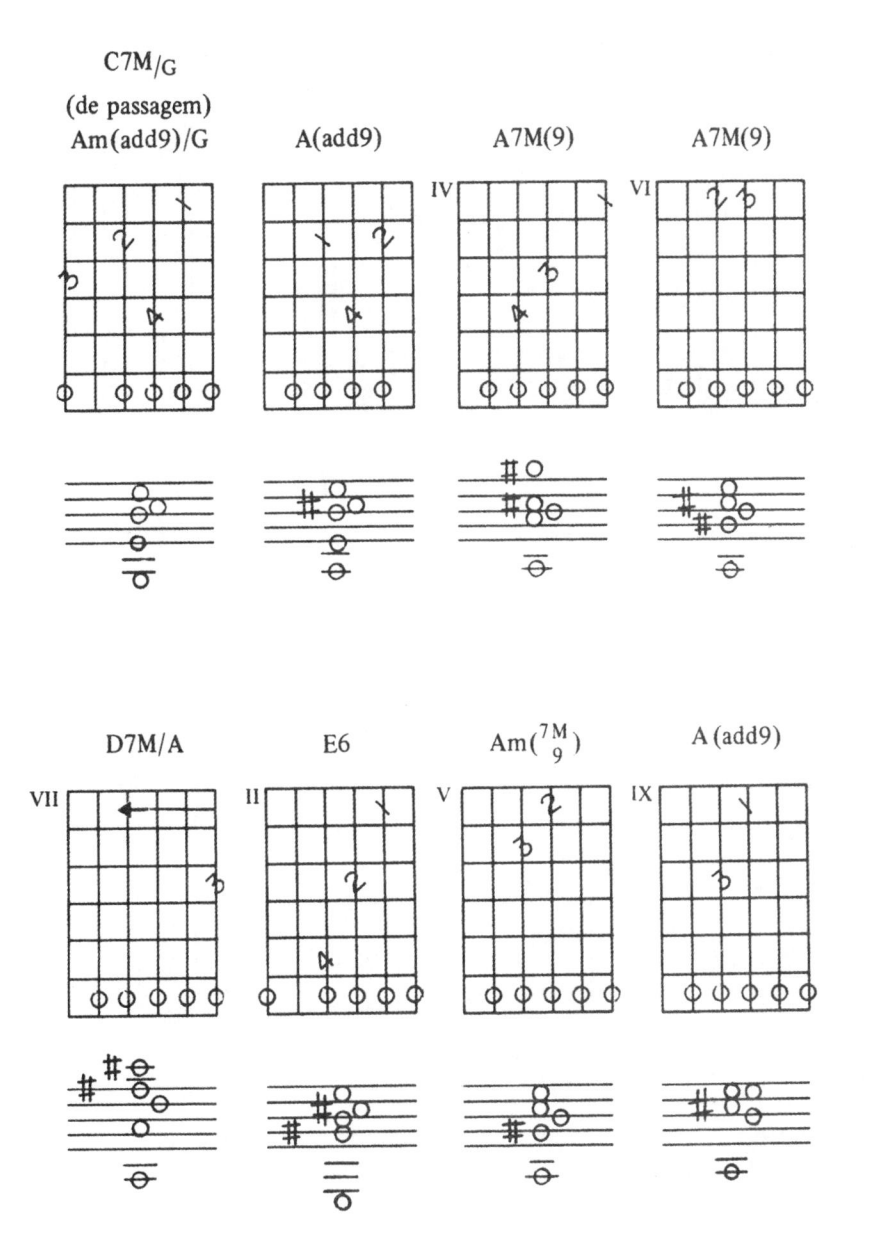

D7M/A   E6   Am($^{7M}_{9}$)   A(add9)

Dicionário de acordes • 117

$A7\binom{\#11}{13}$ $A7M\binom{6}{9}$ Am^{6}_{9} $G7M(9)$

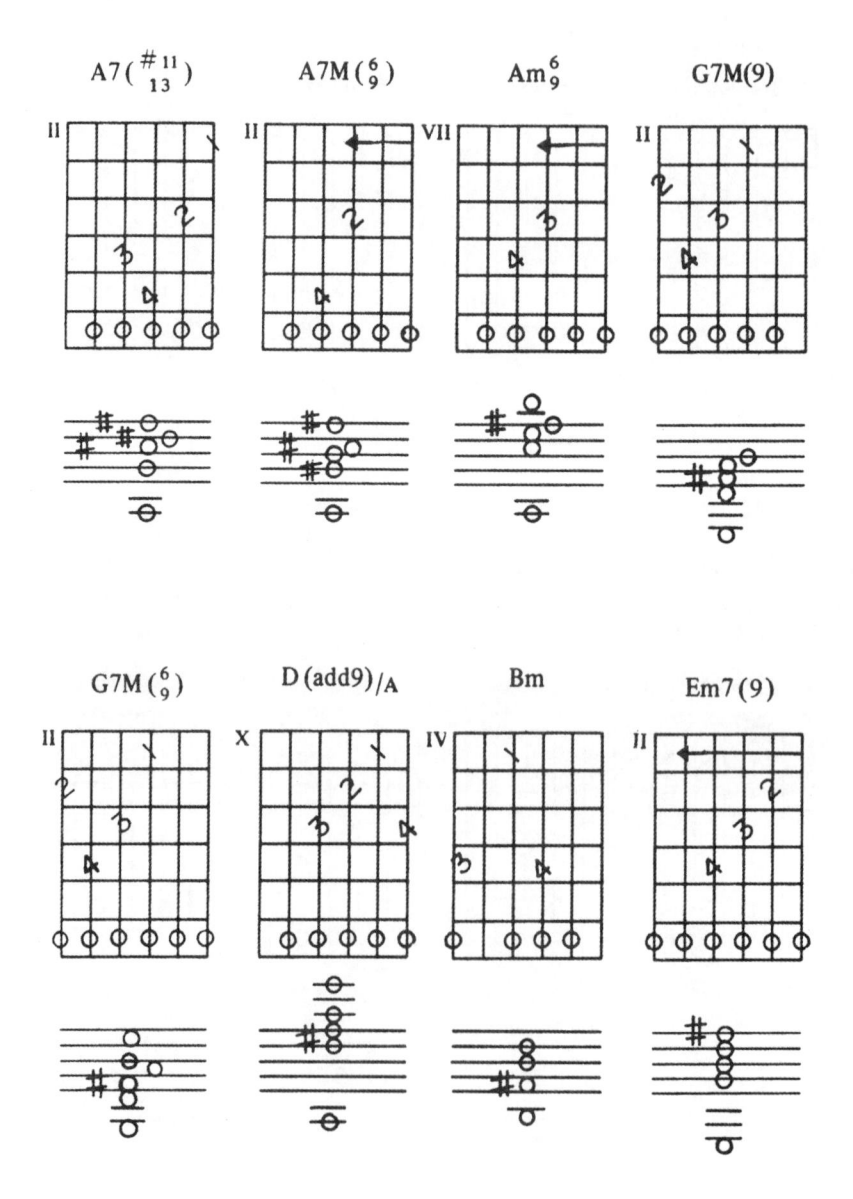

$G7M\binom{6}{9}$ $D(add9)/A$ Bm $Em7(9)$

Em7($^{b5}_9$)   Em7($^{b5}_9$)   Am($^{7M}_{\ 6}_{\ 9}$)   E7(b9)

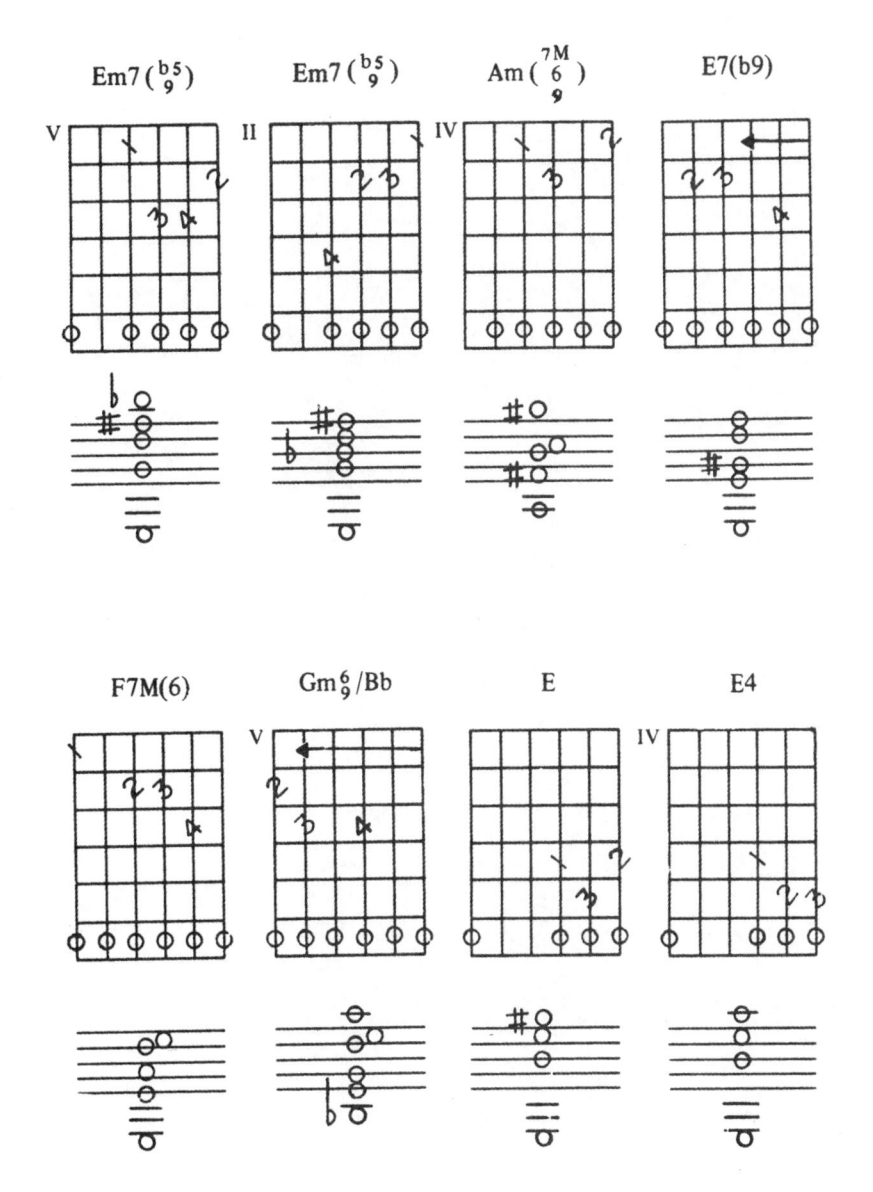

F7M(6)   Gm$^6_9$/Bb   E   E4

E/D   A/E   E4(9)   E(#5)

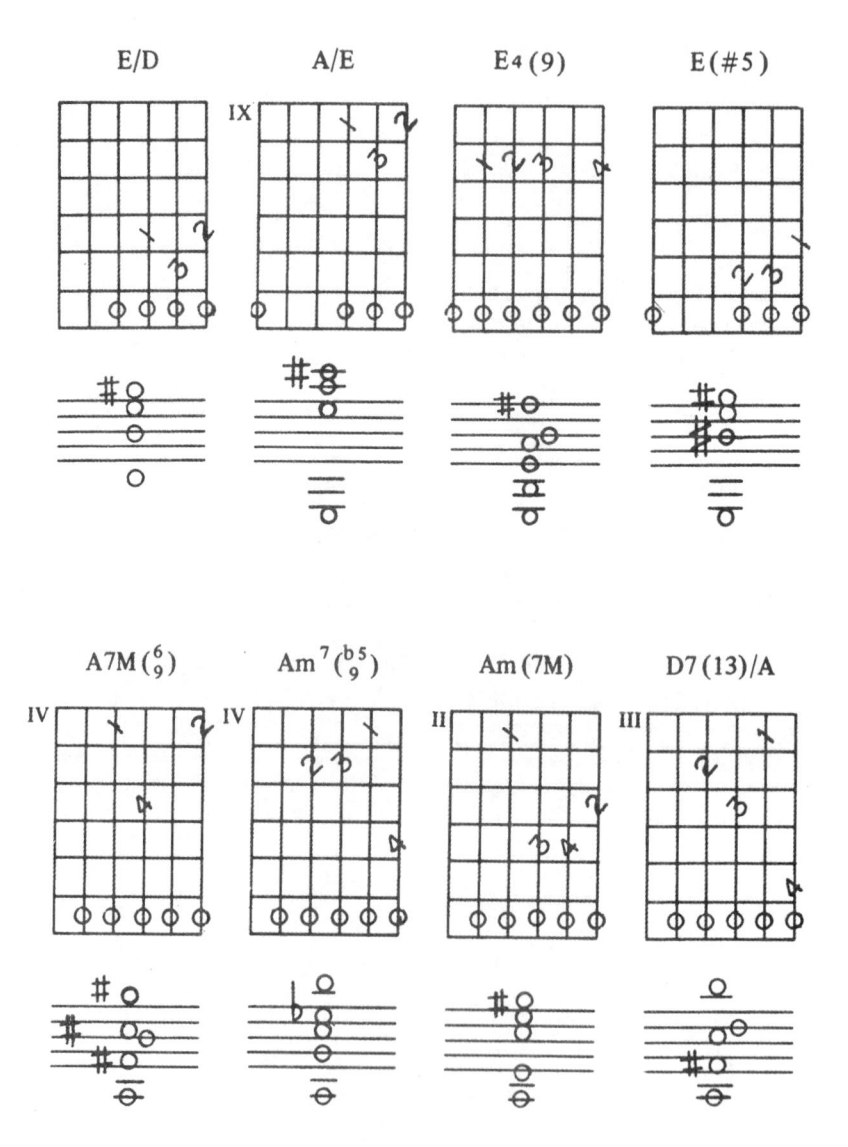

A7M(6/9)   Am7(b5/9)   Am(7M)   D7(13)/A

PARTE 3

EXERCÍCIOS DE PROGRESSÕES HARMÔNICAS

Daremos, a seguir, progressões de acordes obedecendo a alguns princípios de harmonia, que servirão de base para a harmonização de música popular, e também como demonstração para o emprego dos acordes dados neste dicionário.

I Progressões Modulantes Formadas por Acordes do Mesmo Tipo

Abaixo seguem progressões de acordes com movimentos de baixo em quartas ascendentes ou quintas descendentes. Trata-se de progressões de estrutura constante (modulante).

Deve-se observar que, conduzindo as vozes componentes do acorde pela menor distância, se obtém continuidade harmônica.

A sucessão de acordes de 7ª da dominante se processa na seqüência do ciclo das quintas:

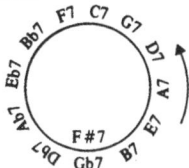

a) categoria maior

1) ‖: C | F | Bb | Eb | Ab | Db | Gb | B | E | A | D | G :‖

2) ‖: C (add9) | F (add9) | Bb (add9) | Eb (add9) | Ab (add9) | Db (add9) | F# (add9) | B (add9) | E (add9) | A (add9) | D (add9) | G (add9) :‖

3) ‖: C (#5) | F (#5) | Bb (#5) | Eb (#5) | Ab (#5) | Db (#5) | Gb (#5) | B (#5) | E (#5) | A (#5) | D (#5) | G (#5) :‖

4) ‖: C6 | F6 | Bb6 | Eb6 | Ab6 | Db6 | Gb6 | B6 | E6 | A6 | D6 | G6 :‖

5) ‖: C_9^6 | F_9^6 | Bb_9^6 | Eb_9^6 | Ab_9^6 | Db_9^6 | $F\#_9^6$ | B_9^6 | E_9^6 | A_9^6 | D_9^6 | G_9^6 :‖

6) ‖: C7M | F7M | Bb7M | Eb7M | Ab7M | Db7M | F#7M | B7M | E7M | A7M | D7M | G7M :‖

7) ‖: C7M (9) | F7M (9) | Bb7M (9) | Eb7M (9) | Ab7M (9) | Db7M (9) | Gb7M (9) | B7M (9) | E7M (9) | A7M (9) | D7M (9) | G7M (9) :‖

8) ‖: C7M (6) | F7M (6) | Bb7M (6) | Eb7M (6) | Ab7M (6) | Db7M (6) | Gb7M (6) | B7M (6) | E7M (6) | A7M (6) | D7M (6) | G7M (6) :‖

9) ‖: C7M (#11) | F7M (#11) | Bb7M (#11) | Eb7M (#11) | Ab7M (#11) | Db7M (#11) | Gb7M (#11) | B7M (#11) | E7M (#11) | A7M (#11) | D7M (#11) | G7M (#11) :‖

10) ‖: C7M ($^9_{\#11}$) | F7M ($^9_{\#11}$) | Bb7M ($^9_{\#11}$) | Eb7M ($^9_{\#11}$) | Ab7M ($^9_{\#11}$) | Db7M ($^9_{\#11}$) | Gb7M ($^9_{\#11}$) | B7M ($^9_{\#11}$) | E7M ($^9_{\#11}$) | A7M ($^9_{\#11}$) | D7M ($^9_{\#11}$) | G7M ($^9_{\#11}$) :‖

11) ‖: C7M (#5) | F7M (#5) | Bb7M (#5) | Eb7M (#5) | Ab7M (#5) | Db7M (#5) | Gb7M (#5) | B7M (#5) | E7M (#5) | A7M (#5) | D7M (#5) | G7M (#5) :‖

b) categoria menor

1) ‖: Cm | Fm | Bbm | Ebm | G#m | C#m | F#m | Bm | Em | Am | Dm | Gm :‖

2) ‖: Cm (add9) | Fm (add9) | Bbm (add9) | Ebm (add9) | G#m (add9) | C#m (add9) | F#m (add9) | Bm (add9) | Em (add9) | Am (add9) | Dm (add9) | Gm (add9) :‖

3) ‖: Cm6 | Fm6 | Bbm6 | Ebm6 | G#m6 | C#m6 | F#m6 | Bm6 | Em6 | Am6 | Dm6 | Gm6 :‖

4) ‖: Cm$^6_9$ | Fm$^6_9$ | Bbm$^6_9$ | Ebm$^6_9$ | G#m$^6_9$ | C#m$^6_9$ | F#m$^6_9$ | Bm$^6_9$ | Em$^6_9$ | Am$^6_9$ | Dm$^6_9$ | Gm$^6_9$:‖

5) ‖: Cm7 | Fm7 | Bbm7 | Ebm7 | G#m7 | C#m7 | F#m7 | Bm7 | Em7 | Am7 | Dm7 | Gm7 :‖

6) ‖: Cm7 (9) | Fm7 (9) | Bbm7 (9) | Ebm7 (9) | G#m7 (9) | C#m7 (9) | F#m7 (9) | Bm7 (9) | Em7 (9) | Am7 (9) | Dm7 (9) | Gm7 (9) :‖

7) ‖: Cm7 (11) | Fm7 (11) | Bbm7 (11) | Ebm7 (11) | G#m7 (11) | C#m7 (11) | F#m7 (11) | Bm7 (11) | Em7 (11) | Am7 (11) | Dm7 (11) | Gm7 (11) :‖

8) $\|: Cm7\binom{9}{11} \mid Fm7\binom{9}{11} \mid Bbm7\binom{9}{11} \mid Ebm7\binom{9}{11} \mid$
   $\mid G\#m7\binom{9}{11} \mid C\#m7\binom{9}{11} \mid F\#m7\binom{9}{11} \mid Bm7\binom{9}{11} \mid Em7\binom{9}{11} \mid$
   $\mid Am7\binom{9}{11} \mid Dm7\binom{9}{11} \mid Gm7\binom{9}{11} :\|$

9) $\|: Cm7\,(b5) \mid Fm7\,(b5) \mid Bbm7\,(b5) \mid Ebm7\,(b5) \mid$
   $\mid G\#m7\,(b5) \mid C\#m7\,(b5) \mid F\#m7\,(b5) \mid Bm7\,(b5) \mid$
   $\mid Em7\,(b5) \mid Am7\,(b5) \mid Dm7\,(b5) \mid Gm7\,(b5) :\|$

10) $\|: Cm\,(7M) \mid Fm\,(7M) \mid Bbm\,(7M)\; Ebm\,(7M) \mid G\#m\,(7M) \mid$
    $\mid C\#m\,(7M) \mid F\#m\,(7M) \mid Bm\,(7M) \mid Em\,(7M) \mid Am\,(7M) \mid$
    $\mid Dm\,(7M) \mid Gm\,(7M) :\|$

11) $\|: Cm\binom{7M}{6} \mid Fm\binom{7M}{6} \mid Bbm\binom{7M}{6} \mid Ebm\binom{7M}{6} \mid Abm\binom{7M}{6} \mid$
    $\mid C\#m\binom{7M}{6} \mid F\#m\binom{7M}{6} \mid Bm\binom{7M}{6} \mid Em\binom{7M}{6} \mid Am\binom{7M}{6} \mid$
    $\mid Dm\binom{7M}{6} \mid Gm\binom{7M}{6} :\|$

12) $\|: Cm\binom{7M}{9} \mid Fm\binom{7M}{9} \mid Bbm\binom{7M}{9} \mid Ebm\binom{7M}{9} \mid$
    $\mid G\#m\binom{7M}{9} \mid C\#m\binom{7M}{9} \mid F\#m\binom{7M}{9} \mid Bm\binom{7M}{9} \mid$
    $\mid Em\binom{7M}{9} \mid Am\binom{7M}{9} \mid Dm\binom{7M}{9} \mid Gm\binom{7M}{9} :\|$

c) categoria 7ª da dominante

   (Progressões formadas por dominantes consecutivos)

1) $\|: C7 \mid F7 \mid Bb7 \mid Eb7 \mid Ab7 \mid Db7 \mid Gb7 \mid B7 \mid E7 \mid A7 \mid$
   $\mid D7 \mid G7 :\|$

2) $\|: C7\,(9) \mid F7\,(9) \mid Bb7\,(9) \mid Eb7\,(9) \mid Ab7\,(9) \mid Db7\,(9) \mid$
   $\mid Gb7\,(9) \mid B7\,(9) \mid E7\,(9) \mid A7\,(9) \mid D7\,(9) \mid G7\,(9) :\|$

3) $\|: C7\,(13) \mid F7\,(13) \mid Bb7\,(13) \mid Eb7\,(13) \mid Ab7\,(13) \mid$
   $\mid Db7\,(13) \mid Gb7\,(13) \mid B7\,(13) \mid E7\,(13) \mid A7\,(13) \mid$
   $\mid D7\,(13) \mid G7\,(13) :\|$

4) $\|: C7\binom{9}{13} \mid F7\binom{9}{13} \mid Bb7\binom{9}{13} \mid Eb7\binom{9}{13} \mid Ab7\binom{9}{13} \mid$
   $\mid Db7\binom{9}{13} \mid Gb7\binom{9}{13} \mid B7\binom{9}{13} \mid E7\binom{9}{13} \mid A7\binom{9}{13} \mid$
   $\mid D7\binom{9}{13} \mid G7\binom{9}{13} :\|$

5) $\|: C7(b9) \mid F7(b9) \mid Bb7(b9) \mid Eb7(b9) \mid Ab7(b9) \mid$
   $\mid Db7(b9) \mid Gb7(b9) \mid B7(b9) \mid E7(b9) \mid A7(b9) \mid$
   $\mid D7(b9) \mid G7(b9) :\|$

6) $\|: C7\binom{b9}{b13} \mid F7\binom{b9}{b13} \mid Bb7\binom{b9}{b13} \mid Eb7\binom{b9}{b13} \mid Ab7\binom{b9}{b13} \mid$
   $\mid Db7\binom{b9}{b13} \mid Gb7\binom{b9}{b13} \mid B7\binom{b9}{b13} \mid E7\binom{b9}{b13} \mid A7\binom{b9}{b13} \mid$
   $\mid D7\binom{b9}{b13} \mid G7\binom{b9}{b13} :\|$

7) $\|: C7\binom{b9}{13} \mid F7\binom{b9}{13} \mid Bb7\binom{b9}{13} \mid Eb7\binom{b9}{13} \mid Ab7\binom{b9}{13} \mid$
   $\mid Db7\binom{b9}{13} \mid Gb7\binom{b9}{13} \mid B7\binom{b9}{13} \mid E7\binom{b9}{13} \mid A7\binom{b9}{13} \mid$
   $\mid D7\binom{b9}{13} \mid G7\binom{b9}{13} :\|$

8) $\|: C7(\#9) \mid F7(\#9) \mid Bb7(\#9) \mid Eb7(\#9) \mid Ab7(\#9) \mid$
   $\mid Db7(\#9) \mid Gb7(\#9) \mid B7(\#9) \mid E7(\#9) \mid A7(\#9) \mid$
   $\mid D7(\#9) \mid G7(\#9) :\|$

9) $\|: C7\binom{\#5}{\#9} \mid F7\binom{\#5}{\#9} \mid Bb7\binom{\#5}{\#9} \mid Eb7\binom{\#5}{\#9} \mid Ab7\binom{\#5}{\#9} \mid$
   $\mid Db7\binom{\#5}{\#9} \mid Gb7\binom{\#5}{\#9} \mid B7\binom{\#5}{\#9} \mid E7\binom{\#5}{\#9} \mid A7\binom{\#5}{\#9} \mid$
   $\mid D7\binom{\#5}{\#9} \mid G7\binom{\#5}{\#9} :\|$

10) $\|: C7\binom{\#9}{\#11} \mid F7\binom{\#9}{\#11} \mid Bb7\binom{\#9}{\#11} \mid Eb7\binom{\#9}{\#11} \mid Ab7\binom{\#9}{\#11} \mid$
    $\mid Db7\binom{\#9}{\#11} \mid Gb7\binom{\#9}{\#11} \mid B7\binom{\#9}{\#11} \mid E7\binom{\#9}{\#11} \mid A7\binom{\#9}{\#11} \mid$
    $\mid D7\binom{\#9}{\#11} \mid G7\binom{\#9}{\#11} :\|$

11) $\|: C7(b5) \mid F7(b5) \mid Bb7(b5) \mid Eb7(b5) \mid Ab7(b5) \mid$
    $\mid Db7(b5) \mid Gb7(b5) \mid B7(b5) \mid E7(b5) \mid A7(b5) \mid$
    $\mid D7(b5) \mid G7(b5) :\|$

12) $\|: C7\binom{b5}{b9} \mid F7\binom{b5}{b9} \mid Bb7\binom{b5}{b9} \mid Eb7\binom{b5}{b9} \mid Ab7\binom{b5}{b9} \mid$
    $\mid Db7\binom{b5}{b9} \mid Gb7\binom{b5}{b9} \mid B7\binom{b5}{b9} \mid E7\binom{b5}{b9} \mid A7\binom{b5}{b9} \mid$
    $\mid D7\binom{b5}{b9} \mid G7\binom{b5}{b9} :\|$

13) $\|: C_4^7 \mid F_4^7 \mid Bb_4^7 \mid Eb_4^7 \mid Ab_4^7 \mid Db_4^7 \mid Gb_4^7 \mid B_4^7 \mid$
    $\mid E_4^7 \mid A_4^7 \mid D_4^7 \mid G_4^7 :\|$

14) $\|: C_4^7(9) \mid F_4^7(9) \mid Bb_4^7(9) \mid Eb_4^7(9) \mid Ab_4^7(9) \mid Db_4^7(9) \mid$
   $\mid Gb_4^7(9) \mid B_4^7(9) \mid E_4^7(9) \mid A_4^7(9) \mid D_4^7(9) \mid G_4^7(9) :\|$

15) $\|: C_4^7\binom{9}{13} \mid F_4^7\binom{9}{13} \mid Bb_4^7\binom{9}{13} \mid Eb_4^7\binom{9}{13} \mid Ab_4^7\binom{9}{13} \mid$
   $\mid Db_4^7\binom{9}{13} \mid Gb_4^7\binom{9}{13} \mid B_4^7\binom{9}{13} \mid E_4^7\binom{9}{13} \mid A_4^7\binom{9}{13} \mid$
   $\mid D_4^7\binom{9}{13} \mid G_4^7\binom{9}{13} :\|$

16) $\|: C_4^7(b9) \mid F_4^7(b9) \mid Bb_4^7(b9) \mid Eb_4^7(b9) \mid Ab_4^7(b9) \mid$
   $\mid Db_4^7(b9) \mid Gb_4^7(b9) \mid B_4^7(b9) \mid E_4^7(b9) \mid A_4^7(b9) \mid$
   $\mid D_4^7(b9) \mid G_4^7(b9) :\|$

17) $\|: $ C4 | F4 | Bb4 | Eb4 | Ab4 | Db4 | Gb4 |
    | B4 | E4 | A4 | D4 | G4 $:\|$

d) progressões formadas por acordes invertidos

1) tríade maior com 3ª no baixo

   $\|: $ C/E | F/A | Bb/D | Eb/G | Ab/C | Db/F | Gb/Bb | B/D# |
   | E/G# | A/C# | D/F# | G/B $:\|$

2) 7ª maior com 3ª no baixo

   $\|: $ C7M/E | F7M/A | Bb7M/D | Eb7M/G | Ab7M/C |
   | Db7M/F | Gb7M/Bb | B7M/D# | E7M/G# | A7M/C# |
   | D7M/F# | G7M/B $:\|$

3) tríade maior com 5ª no baixo

   $\|: $ C/G | F/C | Bb/F | Eb/Bb | Ab/Eb | Db/Ab | Gb/Db |
   | B/F# | E/B | A/E | D/A | G/D $:\|$

4) 7ª maior com 5ª no baixo

   $\|: $ C7M/G | F7M/C | Bb7M/F | Eb7M/Bb | Ab7M/Eb |
   | Db7M/Ab | F#7M/C# | B7M/F# | E7M/B | A7M/E |
   | D7M/A | G7M/D $:\|$

5) tríade menor com 3ª no baixo

   $\|: $ Cm/Eb | Fm/Ab | Bbm/Db | Ebm/Gb | G#m/B | C#m/E |
   | F#m/A | Bm/D | Em/G | Am/C | Dm/F | Gm/Bb $:\|$

6) tríade menor com 5ª no baixo

‖: Cm/G | Fm/C | Bbm/F | Ebm/Bb | G#m/D# | C#m/G# |
| F#m/C# | Bm/F# | Em/B | Am/E | Dm/A | Gm/D :‖

7) menor com a 7ª com 5ª no baixo

‖: Cm7/G | Fm7/C | Bbm7/F | Ebm7/Bb | G#m7/D# |
| C#m7/G# | F#m7/C# | Bm7/F# | Em7/B | Am7/E |
| Dm7/A | Gm7/D :‖

8) menor com 7ª no baixo

‖: Cm/Bb | Fm/Eb | Bbm/Ab | Ebm/Db | G#m/F# | C#m/B |
| F#m/E | Bm/A | Em/D | Am/G | Dm/C | Gm/F :‖

9) sétima com 3ª no baixo

‖: C7/E | F7/A | Bb7/D | Eb7/G | Ab7/C | Db7/F | Gb7/Bb |
| B7/D# | E7/G# | A7/C# | D7/F# | G7/B :‖

10) sétima com 5ª no baixo

‖: C7/G | F7/C | Bb7/F | Eb7/Bb | Ab7/Eb | Db7/Ab |
| Gb7/Db | B7/F# | E7/B | A7/E | D7/A | G7/D :‖

11) sétima com 7ª no baixo

‖: C/Bb | F/Eb | Bb/Ab | Eb/Db | Ab/Gb | C#/B | F#/E |
| B/A | E/D | A/G | D/C | G/F :‖

e) categoria 7ª diminuta

1) ‖ C° | F° | Bb° | Eb° | G#° | C#° | F#° | B° |
| E° | A° | D° | G° :‖

2) ‖: C°(b13) | F°(b13) | Bb°(b13) | Eb°(b13) |
| Ab°(b13) | Db°(b13) | Gb°(b13) | B°(b13) |
| E°(b13) | A°(b13) | D°(b13) | G°(b13) :‖

II Pequenas Progressões em Todas as Tonalidades

OBSERVAÇÕES:

a) Os números romanos sobre os acordes indicam os graus da escala onde os mesmos são encontrados (cifra analítica usada em análise harmônica).

b) *Numa tonalidade, os acordes podem ser diatônicos e não diatônicos; diatônicos quando são formados por notas que pertencem à sua escala.*

c) *Relação dos acordes diatônicos tomando como exemplo a tonalidade de dó maior com suas RESPECTIVAS CIFRAS ANALÍTICAS. VEJAMOS:*

I7M	IIm7	IIIm7	IV7M	V_4^7	V7	VIm7	VIIm7 (b5)
C7M	Dm7	Em7	F7M	G_4^7	G7	Am7	Bm7 (b5)

Na progressão acima as funções são de tônica (resolução), dominante (preparação) e subdominante (meia-resolução). O acorde principal da função tônica é o I grau, podendo ser substituído pelo VI ou III grau. O acorde principal da função dominante é o V grau, podendo ser substituído pelo VII grau. O acorde principal da função subdominante é o IV grau, podendo ser substituído pelo II grau.

d) *O acorde não diatônico tem ao menos uma nota estranha à tonalidade (escala) onde ele se encontra.*
Acordes não diatônicos geralmente são acordes de empréstimo modal (isto é, emprestados da tonalidade homônima) ou dominantes individuais secundários, ou auxiliares, dominantes com notas alteradas.

e) *A tonalidade homônima (ou paralela) de dó maior é a de dó menor e vice-versa.*

f) *Relação dos acordes básicos na tonalidade de dó menor com suas RESPECTIVAS CIFRAS ANALÍTICAS:*

Im7	IIm7 (b5)	bIII7M	IVm7	V7	bVI7M	VII°
Cm7	Dm7 (b5)	Eb7M	Fm7	G7	Ab7M	B^o

Temos ainda o Vm7 e o bVII7 que são acordes diatônicos à tonalidade menor natural e o IV7, IIm7 e Im6 que são diatônicos à escala menor melódica.
Os acordes básicos da tonalidade menor são acordes construídos sobre os graus da escala menor harmônica, natural ou melódica.

g) *O* dominante do I grau *é chamado* primário, *o* dominante *dos demais acordes* diatônicos *é chamado* secundário *e o* dominante *dos acordes de empréstimo modal é chamado* auxiliar.

h) *Relação dos acordes complementares:* bII7M   bVII7M
                                            Db7M   Bb7M

Esses acordes são de empréstimo modal em ambas tonalidades.

Obs.: *O bII7M e o bVII7M são derivados do IIm7 (b5) e VIIm7 (b5), respectivamente, com a fundamental abaixada em um semitom.*

i) *Todo dominante individual pode vir precedido pelo II cadencial. (ver pág. 129)*

j) *A resolução de um acorde preparatório no decorrer de uma progressão harmônica é denominada de resolução passageira, com exceção do I grau, neste caso teremos uma resolução final.*

a) tonalidades maiores

1)

I 7M	V 7	I 7M
C7M	G7	C7M
F7M	C7	F7M
Bb7M	F7	Bb7M
Eb7M	Bb7	Eb7M
Ab7M	Eb7	Ab7M
Db7M	Ab7	Db7M
F#7M	C#7	F#7M
B7M	F#7	B7M
E7M	B7	E7M
A7M	E7	A7M
D7M	A7	D7M
G7M	D7	G7M

Obs. 1 — *Todos os exercícios no decorrer deste trabalho deverão, também, ser tocados em forma de tríade (sem a sétima), exceto dominantes (V7) e os m7 (b5).*

Obs. 2 — *Para garantir a boa condução de vozes, não se deve prescindir do uso de notas dissonantes naturais que não aparecem nas cifras (9 e 6 nos maiores e 9 e 11 nos menores e 9 e 13 nos de 7ª).*

Obs. 3 — *Os dominantes que preparam o I grau têm a denominação de dominantes primários (Sinalização analítica ⟶).*

2)

I 7M	II m7	V 7	I 7M
C7M	Dm7	G7	C7M
F7M	Gm7	C7	F7M
Bb7M	Cm7	F7	Bb7M
Eb7M	Fm7	Bb7	Eb7M
Ab7M	Bbm7	Eb7	Ab7M
C#7M	D#m7	G#7	C#7M
F#7M	G#m7	C#7	F#7M
B7M	C#m7	F#7	B7M
E7M	F#m7	B7	E7M
A7M	Bm7	E7	A7M
D7M	Em7	A7	D7M
G7M	Am7	D7	G7M

Obs. 1 — Por ser bastante comum o uso dos encadeamentos IIm7 V7 I ou IIm7(b5) V7 Im e para mostrar o vínculo entre os acordes usa-se o colchete e a seta (sinalização analítica).

Obs. 2 — É com bastante freqüência que o grau IV e principalmente o grau II precedem o grau V ou o SubV, logo, quando se tem o grau II antes do grau V ou SubV, o mesmo recebe a denominação de II cadencial.

3)

I 7M	IV 7M	V 7	I 7M
C7M	F7M	G7	C7M
F7M	Bb7M	C7	F7M
Bb7M	Eb7M	F7	Bb7M
Eb7M	Ab7M	Bb7	Eb7M
Ab7M	Db7M	Eb7	Ab7M
Db7M	Gb7M	Ab7	Db7M
F#7M	B7M	C#7	F#7M
B7M	E7M	F#7	B7M
E7M	A7M	B7	E7M
A7M	D7M	E7	A7M
D7M	G7M	A7	D7M
G7M	C7M	D7	G7M

4)

I 7M	II m7	I 7M
C7M	Dm7	C7M
F7M	Gm7	F7M
Bb7M	Cm7	Bb7M
Eb7M	Fm7	Eb7M
Ab7M	Bbm7	Ab7M
C#7M	D#m7	C#7M
F#7M	G#m7	F#7M
B7M	C#m7	B7M
E7M	F#m7	E7M
A7M	Bm7	A7M
D7M	Em7	D7M
G7M	Am7	G7M

5)

I 7M	IV 7M	I 7M
C7M	F7M	C7M
F7M	Bb7M	F7M
Bb7M	Eb7M	Bb7M
Eb7M	Ab7M	Eb7M
Ab7M	Db7M	Ab7M
Db7M	Gb7M	Db7M
F#7M	B7M	F#7M
B7M	E7M	B7M
E7M	A7M	E7M
A7M	D7M	A7M
D7M	G7M	D7M
G7M	C7M	G7M

6)

I 7M	VI m7	I 7M
C7M	Am7	C7M
F7M	Dm7	F7M
Bb7M	Gm7	Bb7M
Eb7M	Cm7	Eb7M
Ab7M	Fm7	Ab7M
Db7M	Bbm7	Db7M
F#7M	D#m7	F#7M
B7M	G#m7	B7M
E7M	C#m7	E7M
A7M	F#m7	A7M
D7M	Bm7	D7M
G7M	Em7	G7M

7)

I 7M	VI m7	V 7	I 7M
C7M	Am7	G7	C7M
F7M	Dm7	C7	F7M
Bb7M	Gm7	F7	Bb7M
Eb7M	Cm7	Bb7	Eb7M
Ab7M	Fm7	Eb7	Ab7M
Db7M	Bbm7	Ab7	Db7M
F#7M	D#m7	C#7	F#7M
B7M	G#m7	F#7	B7M
E7M	C#m7	B7	E7M
A7M	F#m7	E7	A7M
D7M	Bm7	A7	D7M
G7M	Em7	D7	G7M

8)

I 7M	VI m7	II m7	V 7	I 7M
C7M	Am7	Dm7	G7	C7M
F7M	Dm7	Gm7	C7	F7M
Bb7M	Gm7	Cm7	F7	Bb7M
Eb7M	Cm7	Fm7	Bb7	Eb7M
Ab7M	Fm7	Bbm7	Eb7	Ab7M
Db7M	Bbm7	Ebm7	Ab7	Db7M
F#7M	D#m7	G#m7	C#7	F#7M
B7M	G#m7	C#m7	F#7	B7M
E7M	C#m7	F#m7	B7	E7M
A7M	F#m7	Bm7	E7	A7M
D7M	Bm7	Em7	A7	D7M
G7M	Em7	Am7	D7	G7M

9)

I 7M	VI m7	IV 7M	V 7	I 7M
C7M	Am7	F7M	G7	C7M
F7M	Dm7	Bb7M	C7	F7M
Bb7M	Gm7	Eb7M	F7	Bb7M
Eb7M	Cm7	Ab7M	Bb7	Eb7M
Ab7M	Fm7	Db7M	Eb7	Ab7M
Db7M	Bbm7	Gb7M	Ab7	Db7M
F#7M	D#m7	B7M	C#7	F#7M
B7M	G#m7	E7M	F#7	B7M
E7M	C#m7	A7M	B7	E7M
A7M	F#m7	D7M	E7	A7M
D7M	Bm7	G7M	A7	D7M
G7M	Em7	C7M	D7	G7M

10)

I 7M	III m7	IV 7M	V 7	I 7M
C7M	Em7	F7M	G7	C7M
F7M	Am7	Bb7M	C7	F7M
Bb7M	Dm7	Eb7M	F7	Bb7M
Eb7M	Gm7	Ab7M	Bb7	Eb7M
Ab7M	Cm7	Db7M	Eb7	Ab7M
Db7M	Fm7	Gb7M	Ab7	Db7M
F#7M	A#m7	B7M	C#7	F#7M
B7M	D#m7	E7M	F#7	B7M
E7M	G#m7	A7M	B7	E7M
A7M	C#m7	D7M	E7	A7M
D7M	F#m7	G7M	A7	D7M
G7M	Bm7	C7M	D7	G7M

Exercícios de Progressões Harmônicas

11)

I 7M	III m7	I 7M
C7M	Em7	C7M
F7M	Am7	F7M
Bb7M	Dm7	Bb7M
Eb7M	Gm7	Eb7M
Ab7M	Cm7	Ab7M
Db7M	Fm7	Db7M
Gb7M	Bbm7	Gb7M
B7M	D#m7	B7M
E7M	G#m7	E7M
A7M	C#m7	A7M
D7M	F#m7	D7M
G7M	Bm7	G7M

12)

I 7M	III m7	V 7	I 7M
C7M	Em7	G7	C7M
F7M	Am7	C7	F7M
Bb7M	Dm7	F7	Bb7M
Eb7M	Gm7	Bb7	Eb7M
Ab7M	Cm7	Eb7	Ab7M
Db7M	Fm7	Ab7	Db7M
Gb7M	Bbm7	Db7	Gb7M
B7M	D#m7	F#7	B7M
E7M	G#m7	B7	E7M
A7M	C#m7	E7	A7M
D7M	F#m7	A7	D7M
G7M	Bm7	D7	G7M

13)

I 7M	III m7	VI m7	V 7	I 7M
C7M	Em7	Am7	G7	C7M
F7M	Am7	Dm7	C7	F7M
Bb7M	Dm7	Gm7	F7	Bb7M
Eb7M	Gm7	Cm7	Bb7	Eb7M
Ab7M	Cm7	Fm7	Eb7	Ab7M
Db7M	Fm7	Bbm7	Ab7	Db7M
F#7M	A#m7	D#m7	C#7	F#7M
B7M	D#m7	G#m7	F#7	B7M
E7M	G#m7	C#m7	B7	E7M
A7M	C#m7	F#m7	E7	A7M
D7M	F#m7	Bm7	A7	D7M
G7M	Bm7	Em7	D7	G7M

14)

I 7M	III m7	II m7	V 7	I 7M
C7M	Em7	Dm7	G7	C7M
F7M	Am7	Gm7	C7	F7M
Bb7M	Dm7	Cm7	F7	Bb7M
Eb7M	Gm7	Fm7	Bb7	Eb7M
Ab7M	Cm7	Bbm7	Eb7	Ab7M
Db7M	Fm7	Ebm7	Ab7	Db7M
F#7M	A#m7	G#m7	C#7	F#7M
B7M	D#m7	C#m7	F#7	B7M
E7M	G#m7	F#m7	B7	E7M
A7M	C#m7	Bm7	E7	A7M
D7M	F#m7	Em7	A7	D7M
G7M	Bm7	Am7	D7	G7M

15)

I	V	IV	I
C	G	F	C
F	C	Bb	F
Bb	F	Eb	Bb
Eb	Bb	Ab	Eb
Ab	Eb	Db	Ab
Db	Ab	Gb	Db
F#	C#	B	F#
B	F#	E	B
E	B	A	E
A	E	D	A
D	A	G	D
G	D	C	G

Obs. 1 — Tocar também

I7M Vm7 I7M   I7M bVII7M I7M   I7M bII7M I7M
(C7M Gm7 C7M),(C7M Bb7M C7M),(C7M Db7M C7M)

Obs. 2 — Essa progressão soa bem com o acorde de 7ª.

b) tonalidades menores

1)

I m7	V 7 (b9)	I m7
Cm7	G7 (b9)	Cm7
Fm7	C7 (b9)	Fm7
Bbm7	F7 (b9)	Bbm7
Ebm7	Bb7 (b9)	Ebm7
G#m7	D#7 (b9)	G#m7
C#m7	G#7 (b9)	C#m7
F#m7	C#7 (b9)	F#m7
Bm7	F#7 (b9)	Bm7
Em7	B7 (b9)	Em7
Am7	E7 (b9)	Am7
Dm7	A7 (b9)	Dm7
Gm7	D7 (b9)	Gm7

Obs. — Treinar também Im7, VII°, Im7.

2)

I m7	II m7 (b5)	I m7
Cm7	Dm7 (b5)	Cm7
Fm7	Gm7 (b5)	Fm7
Bbm7	Cm7 (b5)	Bbm7
Ebm7	Fm7 (b5)	Ebm7
G#m7	A#m7 (b5)	G#m7
C#m7	D#m7 (b5)	C#m7
F#m7	G#m7 (b5)	F#m7
Bm7	C#m7 (b5)	Bm7
Em7	F#m7 (b5)	Em7
Am7	Bm7 (b5)	Am7
Dm7	Em7 (b5)	Dm7
Gm7	Am7 (b5)	Gm7

3)

I m7	II m7 (b5)	V 7 (b9)	I m7
Cm7	Dm7 (b5)	G7 (b9)	Cm7
Fm7	Gm7 (b5)	C7 (b9)	Fm7
Bbm7	Cm7 (b5)	F7 (b9)	Bbm7
Ebm7	Fm7 (b5)	Bb7 (b9)	Ebm7
G#m7	A#m7 (b5)	D#7 (b9)	G#m7
C#m7	D#m7 (b5)	G#7 (b9)	C#m7
F#m7	G#m7 (b5)	C#7 (b9)	F#m7
Bm7	C#m7 (b5)	F#7 (b9)	Bm7
Em7	F#m7 (b5)	B7 (b9)	Em7
Am7	Bm7 (b5)	E7 (b9)	Am7
Dm7	Em7 (b5)	A7 (b9)	Dm7
Gm7	Am7 (b5)	D7 (69)	Gm7

Exercícios de Progressões Harmônicas

4)

I m7	*IV m7	I m7
Cm7	Fm7	Cm7
Fm7	Bbm7	Fm7
Bbm7	Ebm7	Bbm7
Ebm7	Abm7	Ebm7
G#m7	C#m7	G#m7
C#m7	F#m7	C#m7
F#m7	Bm7	F#m7
Bm7	Em7	Bm7
Em7	Am7	Em7
Am7	Dm7	Am7
Dm7	Gm7	Dm7
Gm7	Cm7	Gm7

* *O IV m soa bem com 6ª*

5)

I m7	IV m7	V 7 (b9)	I m7
Cm7	Fm7	G7 (b9)	Cm7
Fm7	Bbm7	C7 (b9)	Fm7
Bbm7	Ebm7	F7 (b9)	Bbm7
Ebm7	Abm7	Bb7 (b9)	Ebm7
G#m7	C#m7	D#7 (b9)	G#m7
C#m7	F#m7	G#7 (b9)	C#m7
F#m7	Bm7	C#7 (b9)	F#m7
Bm7	Em7	F#7 (b9)	Bm7
Em7	Am7	B7 (b9)	Em7
Am7	Dm7	E7 (b9)	Am7
Dm7	Gm7	A7 (b9)	Dm7
Gm7	Cm7	D7 (b9)	Gm7

6)

I m7	b VI 7M	I m7
Cm7	Ab7M	Cm7
Fm7	Db7M	Fm7
Bbm7	Gb7M	Bbm7
D#m7	B7M	D#m7
G#m7	E7M	G#m7
C#m7	A7M	C#m7
F#m7	D7M	F#m7
Bm7	G7M	Bm7
Em7	C7M	Em7
Am7	F7M	Am7
Dm7	Bb7M	Dm7
Gm7	Eb7M	Gm7

Obs. – 1: O bVI soa bem com 6ª
Obs. – 2: bVI (sexto grau abaixado)

7)

I m7	b VI 7M	V 7 (b9)	I m7
Cm7	Ab7M	G7 (b9)	Cm7
Fm7	Db7M	C7 (b9)	Fm7
Bbm7	Gb7M	F7 (b9)	Bbm7
D#m7	B7M	A#7 (b9)	D#m7
G#m7	E7M	D#7 (b9)	G#m7
C#m7	A7M	G#7 (b9)	C#m7
F#m7	D7M	C#7 (b9)	F#m7
Bm7	G7M	F#7 (b9)	Bm7
Em7	C7M	B7 (b9)	Em7
Am7	F7M	E7 (b9)	Am7
Dm7	Bb7M	A7 (b9)	Dm7
Gm7	Eb7M	D7 (b9)	Gm7

Obs. − O V7 soa bem com a (b13).

8)

I m7	b VI 7M	II m7(b5)	V 7(b9)	I m7
Cm7	Ab7M	Dm7(b5)	G7(b9)	Cm7
Fm7	Db7M	Gm7(b5)	C7(b9)	Fm7
Bbm7	Gb7M	Cm7(b5)	F7(b9)	Bbm7
D#m7	B7M	Fm7(b5)	A#7(b9)	D#m7
G#m7	E7M	A#m7(b5)	D#7(b9)	G#m7
C#m7	A7M	D#m7(b5)	G#7(b9)	C#m7
F#m7	D7M	G#m7(b5)	C#7(b9)	F#m7
Bm7	G7M	C#m7(b5)	F#7(b9)	Bm7
Em7	C7M	F#m7(b5)	B7(b9)	Em7
Am7	F7M	Bm7(b5)	E7(b9)	Am7
Dm7	Bb7M	Em7(b5)	A7(b9)	Dm7
Gm7	Eb7M	Am7(b5)	D7(b9)	Gm7

9)

I m7	b VI 7M	IV m6	V 7 (b9)	I m7
Cm7	Ab7M	Fm6	G7 (b9)	Cm7
Fm7	Db7M	Bbm6	C7 (b9)	Fm7
Bbm7	Gb7M	Ebm6	F7 (b9)	Bbm7
D#m7	B7M	G#m6	A#7 (b9)	D#m7
G#m7	E7M	C#m6	D#7 (b9)	G#m7
C#m7	A7M	F#m6	G#7 (b9)	C#m7
F#m7	D7M	Bm6	C#7 (b9)	F#m7
Bm7	G7M	Em6	F#7 (b9)	Bm7
Em7	C7M	Am6	B7 (b9)	Em7
Am7	F7M	Dm6	E7 (b9)	Am7
Dm7	Bb7M	Gm6	A7 (b9)	Dm7
Gm7	Eb7M	Cm6	D7 (b9)	Gm7

Obs. — O IVm6 possui as mesmas notas que o IIm7 (b5).

10)

I m7	b III 7M	I m7
Cm7	Eb7M	Cm7
Fm7	Ab7M	Fm7
Bbm7	Db7M	Bbm7
Ebm7	Gb7M	Ebm7
G#m7	B7M	G#m7
C#m7	E7M	C#m7
F#m7	A7M	F#m7
Bm7	D7M	Bm7
Em7	G7M	Em7
Am7	C7M	Am7
Dm7	F7M	Dm7
Gm7	Bb7M	Gm7

11)

I m7	b III 7M	V 7 (b9)	I m7
Cm7	Eb7M	G7 (b9)	Cm7
Fm7	Ab7M	C7 (b9)	Fm7
Bbm7	Db7M	F7 (b9)	Bbm7
Ebm7	Gb7M	Bb7 (b9)	Ebm7
G#m7	B7M	D#7 (b9)	G#m7
C#m7	E7M	G#7 (b9)	C#m7
F#m7	A7M	C#7 (b9)	F#m7
Bm7	D7M	F#7 (b9)	Bm7
Em7	G7M	B7 (b9)	Em7
Am7	C7M	E7 (b9)	Am7
Dm7	F7M	A7 (b9)	Dm7
Gm7	Bb7M	D7 (b9)	Gm7

12)

I m7	b III 7M	II m7(b5)	V 7(b9)	I m7
Cm7	Eb7M	Dm7(b5)	G7(b9)	Cm7
Fm7	Ab7M	Gm7(b5)	C7(b9)	Fm7
Bbm7	Db7M	Cm7(b5)	F7(b9)	Bbm7
Ebm7	Gb7M	Fm7(b5)	Bb7(b9)	Ebm7
G#m7	B7M	A#m7(b5)	D#(b9)	G#m7
C#m7	E7M	D#m7(b5)	G#7(b9)	C#m7
F#m7	A7M	G#m7(b5)	C#7(b9)	F#m7
Bm7	D7M	C#m7(b5)	F#7(b9)	Bm7
Em7	G7M	F#m7(b5)	B7(b9)	Em7
Am7	C7M	Bm7(b5)	E7(b9)	Am7
Dm7	F7M	Em7(b5)	A7(b9)	Dm7
Gm7	Bb7M	Am7(b5)	D7(b9)	Gm7

13)

I m7	b III 7M	IV m7	V 7 (b9)	I m7
Cm7	Eb7M	Fm7	G7 (b9)	Cm7
Fm7	Ab7M	Bbm7	C7 (b9)	Fm7
Bbm7	Db7M	Ebm7	F7 (b9)	Bbm7
Ebm7	Gb7M	Abm7	Bb7 (b9)	Ebm7
G#m7	B7M	C#m7	D#7 (b9)	G#m7
C#m7	E7M	F#m7	G#7 (b9)	C#m7
F#m7	A7M	Bm7	C#7 (b9)	F#m7
Bm7	D7M	Em7	F#7 (b9)	Bm7
Em7	G7M	Am7	B7 (b9)	Em7
Am7	C7M	Dm7	E7 (b9)	Am7
Dm7	F7M	Gm7	A7 (b9)	Dm7
Gm7	Bb7M	Cm7	D7 (b9)	Gm7

14)

I m7	b III 7M	b VI 7M	V 7 (b9)	I m7
Cm7	Eb7M	Ab7M	G7(b9)	Cm7
Fm7	Ab7M	Db7M	C7(b9)	Fm7
Bbm7	Db7M	Gb7M	F7(b9)	Bbm7
D#m7	F#7M	B7M	A#7(b9)	D#m7
G#m7	B7M	E7M	D#7(b9)	G#m7
C#m7	E7M	A7M	G#7(b9)	C#m7
F#m7	A7M	D7M	C#7(b9)	F#m7
Bm7	D7M	G7M	F#(b9)	Bm7
Em7	G7M	C7M	B7(b9)	Em7
Am7	C7M	F7M	E7(b9)	Am7
Dm7	F7M	Bb7M	A7(b9)	Dm7
Gm7	Bb7M	Eb7M	D7(b9)	Gm7

Exercitar também: I m7, b III 7M, b VI 7M, II m7 (b5), V 7(b9), I m7.

III Progressões Mostrando os Dominantes Individuais (Secundários)

a) tonalidades maiores

1)

I 7M	V 7	V 7	I 7M
C7M	D7	G7	C7M
F7M	G7	C7	F7M
Bb7M	C7	F7	Bb7M
Eb7M	F7	Bb7	Eb7M
Ab7M	Bb7	Eb7	Ab7M
Db7M	Eb7	Ab7	Db7M
F#7M	G#7	C#7	F#7M
B7M	C#7	F#7	B7M
E7M	F#7	B7	E7M
A7M	B7	E7	A7M
D7M	E7	A7	D7M
G7M	A7	D7	G7M

Obs. — *Os acordes de 7ª da dominante poderão ser tocados com 9ª e/ou 13ª.*

2)

I 7M	V 7 (b13)	II m7	V 7 (#5)	I 7M
C7M	A7(b13)	Dm7	G7 (#5)	C7M
F7M	D7(b13)	Gm7	C7 (#5)	F7M
Bb7M	G7(b13)	Cm7	F7 (#5)	Bb7M
Eb7M	C7(b13)	Fm7	Bb7 (#5)	Eb7M
Ab7M	F7(b13)	Bbm7	Eb7 (#5)	Ab7M
Db7M	Bb7(b13)	Ebm7	Ab7 (#5)	Db7M
F#7M	D#7(b13)	G#m7	C#7 (#5)	F#7M
B7M	G#7(b13)	C#m7	F#7 (#5)	B7M
E7M	C#7(b13)	F#m7	B7 (#5)	E7M
A7M	F#7(b13)	Bm7	E7 (#5)	A7M
D7M	B7 (b13)	Em7	A7 (#5)	D7M
G7M	E7 (b13)	Am7	D7 (#5)	G7M

Obs – *Os acordes de sétima e quinta aumentada ou sétima e décima terceira menor são enarmônicos, isto é, possuem as mesmas notas mas pertencem a diferentes escalas, razão pela qual na preparação de um acorde maior usa-se a sétima com a quinta aumentada, ex.: [G7(#5) C7M(9)] e de um menor usa-se a sétima com a décima terceira menor, ex.: [(G7(b13) Cm7]. O b13 só é usado em ambos os casos quando aparece de passagem.*

Ex.: [|| G7(13) G7(b13) || C7M(9) ||]

3)

I 7M	V 7	IV 7M	V 7	I 7M
C7M	C7	F7M	G7	C7M
F7M	F7	Bb7M	C7	F7M
Bb7M	Bb7	Eb7M	F7	Bb7M
Eb7M	Eb7	Ab7M	Bb7	Eb7M
Ab7M	Ab7	Db7M	Eb7	Ab7M
Db7M	Db7	Gb7M	Ab7	Db7M
F#7M	F#7	B7M	C#7	F#7M
B7M	B7	E7M	F#7	B7M
E7M	E7	A7M	B7	E7M
A7M	A7	D7M	E7	A7M
D7M	D7	G7M	A7	D7M
G7M	G7	C7M	D7	G7M

Obs. – Os acordes V7 e SubV (ver pág. 173) podem vir precedidos pelo II cadencial.

Ex.: I7M   IIm7   V7   IV7M   V7   I7M   IIm7   SubV   I7M
     C7M   Gm7   C7   F7M   G7   C7M   Dm7   Db7(#II)   C7M

4)

I 7M	V 7	VI m7	V 7	I 7M
C7M	E7	Am7	G7	C7M
F7M	A7	Dm7	C7	F7M
Bb7M	D7	Gm7	F7	Bb7M
Eb7M	G7	Cm7	Bb7	Eb7M
Ab7M	C7	Fm7	Eb7	Ab7M
Db7M	F7	Bbm7	Ab7	Db7M
F#7M	A#7	D#m7	C#7	F#7M
B7M	D#7	G#m7	F#7	B7M
E7M	G#7	C#m7	B7	E7M
A7M	C#7	F#m7	E7	A7M
D7M	F#7	Bm7	A7	D7M
G7M	B7	Em7	D7	G7M

Obs. – Toque também (I 7M   V 7   VI m7   II m7   V 7   I 6).

5)

I 7M	V 7	III m7	V 7	I 7M
C7M	B7	Em7	G7	C7M
F7M	E7	Am7	C7	F7M
Bb7M	A7	Dm7	F7	Bb7M
Eb7M	D7	Gm7	Bb7	Eb7M
Ab7M	G7	Cm7	Eb7	Ab7M
Db7M	C7	Fm7	Ab7	Db7M
Gb7M	F7	Bbm7	Db7	Gb7M
B7M	A#7	D#m7	F#7	B7M
E7M	D#7	G#m7	B7	E7M
A7M	G#7	C#m7	E7	A7M
D7M	C#7	F#m7	A7	D7M
G7M	F#7	Bm7	D7	G7M

Obs. — Toque também (I 7M V 7 III m7 VI m7 V 7 V 7 I 7M).

Exercícios de Progressões Harmônicas

6)

I 7M	V 7	b VII 7M	V 7	I 7M
C7M	F7	Bb7M	G7	C7M
F7M	Bb7	Eb7M	C7	F7M
Bb7M	Eb7	Ab7M	F7	Bb7M
Eb7M	Ab7	Db7M	Bb7	Eb7M
Ab7M	Db7	Gb7M	Eb7	Ab7M
C#7M	F#7	B7M	G#7	C#7M
F#7M	B7	E7M	C#7	F#7M
B7M	E7	A7M	F#7	B7M
E7M	A7	D7M	B7	E7M
A7M	D7	G7M	E7	A7M
D7M	G7	C7M	A7	D7M
G7M	C7	F7M	D7	G7M

b) tonalidades menores

1)

I m7	V 7 (b9)	IV m7	V 7 (b9)	I m7
Cm7	C7 (b9)	Fm7	G7 (b9)	Cm7
Fm7	F7 (b9)	Bbm7	C7 (b9)	Fm7
Bbm7	Bb7 (b9)	Ebm7	F7 (b9)	Bbm7
Ebm7	Eb7 (b9)	Abm7	Bb7 (b9)	Ebm7
G#m7	G#7 (b9)	C#m7	D#7 (b9)	G#m7
C#m7	C#7 (b9)	F#m7	G#7 (b9)	C#m7
F#m7	F#7 (b9)	Bm7	C#7 (b9)	F#m7
Bm7	B7 (b9)	Em7	F#7 (b9)	Bm7
Em7	E7 (b9)	Am7	B7 (b9)	Em7
Am7	A7 (b9)	Dm7	E7 (b9)	Am7
Dm7	D7 (b9)	Gm7	A7 (b9)	Dm7
Gm7	G7 (b9)	Cm7	D7 (b9)	Gm7

Obs.: Treinar, também, Im7 V7(b13) IIm7(b5) V7(b13) Im7
Cm7 A7(b13) Dm7(b5) G7(b13) Cm7

Exercícios de Progressões Harmônicas • 165

2)

I m7	V 7 (b13)	V 7 (b9)	I m7
Cm7	D 7 (b13)	G7 (b9)	Cm7
Fm7	G 7 (b13)	C7 (b9)	Fm7
Bbm7	C 7 (b13)	F7 (b9)	Bbm7
Ebm7	F 7 (b13)	Bb7 (b9)	Ebm7
G#m7	A#7 (b13)	D#7 (b9)	G#m7
C#m7	D#7 (b13)	G#7 (b9)	C#m7
F#m7	G#7 (b13)	C#7 (b9)	F#m7
Bm7	C#7 (b13)	F#7 (b9)	Bm7
Em7	F#7 (b13)	B7 (b9)	Em7
Am7	B 7 (b13)	E7 (b9)	Am7
Dm7	E 7 (b13)	A7 (b9)	Dm7
Gm7	A 7 (b13)	D7 (b9)	Gm7

3)

I m7	V 7	b II 7M	V 7 (b9)	I m7
Cm7	Ab7	Db7M	G7 (b9)	Cm7
Fm7	Db7	Gb7M	C7 (b9)	Fm7
Bbm7	Gb7	B7M	F7 (b9)	Bbm7
D#m7	B7	E7M	A#(b9)	D#m7
G#m7	E7	A7M	D#7 (b9)	G#m7
C#m7	A7	D7M	G#7 (b9)	C#m7
F#m7	D7	G7M	C#7 (b9)	F#m7
Bm7	G7	C7M	F#7 (b9)	Bm7
Em7	C7	F7M	B7 (b9)	Em7
Am7	F7	Bb7M	E7 (b9)	Am7
Dm7	Bb7	Eb7M	A7 (b9)	Dm7
Gm7	Eb7	Ab7M	D7 (b9)	Gm7

Obs. – *Dominante individual (auxiliar)*
V7 bII7M
Ab7 Db7M

4)

I m7	V 7	b VI 7M	V 7 (#9)	I m7
Cm7	Eb7	Ab7M	G7 (#9)	Cm7
Fm7	Ab7	Db7M	C7 (#9)	Fm7
Bbm7	Db7	Gb7M	F7 (#9)	Bbm7
D#m7	F#7	B7M	A#7 (#9)	D#m7
G#m7	B7	E7M	D#7 (#9)	G#m7
C#m7	E7	A7M	G#7 (#9)	C#m7
F#m7	A7	D7M	C#7 (#9)	F#m7
Bm7	D7	G7M	F#7 (#9)	Bm7
Em7	G7	C7M	B7 (#9)	Em7
Am7	C7	F7M	E7 (#9)	Am7
Dm7	F7	Bb7M	A7 (#9)	Dm7
Gm7	Bb7	Eb7M	D7 (#9)	Gm7

Obs. – Toque também
(I m7   V 7   b VI 7M   II m7(b5)   V 7 (#9) I m7

5)

I m7	V 7	b VII 7M	V 7 (b9)	I m7
Cm7	F7	Bb7M	G7 (b9)	Cm7
Fm7	Bb7	Eb7M	C7 (b9)	Fm7
Bbm7	Eb7	Ab7M	F7 (b9)	Bbm7
Ebm7	Ab7	Db7M	Bb7 (b9)	Ebm7
G#m7	C#7	F#7M	D#7 (b9)	G#m7
C#m7	F#7	B7M	G#7 (b9)	C#m7
F#m7	B7	E7M	C#7 (b9)	F#m7
Bm7	E7	A7M	F#7 (b9)	Bm7
Em7	A7	D7M	B7 (b9)	Em7
Am7	D7	G7M	E7 (b9)	Am7
Dm7	G7	C7M	A7 (b9)	Dm7
Gm7	C7	F7M	D7 (b9)	Gm7

Obs. – Dominante individual auxiliar

V7 bVII7M

6)

I m7	V 7	b III 7M	V 7 (b9)	I m7
Cm7	Bb7	Eb7M	G7 (b9)	Cm7
Fm7	Eb7	Ab7M	C7 (b9)	Fm7
Bbm7	Ab7	Db7M	F7 (b9)	Bbm7
Ebm7	Db7	Gb7M	Bb7 (b9)	Ebm7
G#m7	F#7	B7M	D#7 (b9)	G#m7
C#m7	B7	E7M	G#7 (b9)	C#m7
F#m7	E7	A7M	C#7 (b9)	F#m7
Bm7	A7	D7M	F#7 (b9)	Bm7
Em7	D7	G7M	B7 (b9)	Em7
Am7	G7	C7M	E7 (b9)	Am7
Dm7	C7	F7M	A7 (b9)	Dm7
Gm7	F7	Bb7M	D7 (b9)	Gm7

IV Acordes de Resolução com seus Respectivos Dominantes e os Acordes que os Precedem.

ACORDES		
que precedem o dominante		dominantes (V7)	tônica (I)
Dm7	IIm7	G7 *	maior
G^7_4	V^7_4		
F	IV		
D7	V7/V		C
G°	V°		
F#°	#IV°		
Abm6	bVIm6		
Ab7	bVI7		
Dm7	IIm7	Db7 (#11)	Sub V **
D7	V7/V		

* *com qualquer alteração.*

** *ver pág. 173.*

Acorde da *tônica* é o acorde encontrado sobre o I grau da escala; normalmente é também o acorde final de uma música ou frase musical.

		ACORDES		
que precedem o dominante		dominante (V7)		tônica (Im)
Dm7 (b5)	IIm7			menor
G$_4^7$ (b9)	V$_4^7$ (b9)	G7		
Fm7	IVm7			
Ab6	bVI6	* G7 (b9)		
Fm6	IVm6			
Fm6/Ab	IVm6			Cm
Ab7M	bVI7M			
Abm6	bVIm6			
Ab7	V7/bII			
Ab7	bVI7			
Db7M	bII7M			
		** B º	VIIº	
Dm7 (b5)	IIm7 (b5)	Db7 (#11)	Sub V	
D7	V7/V			

* *Quando o acorde de 7ª da dominante prepara um acorde de tônica menor, a nona menor é desejável, além de outras alterações eventuais.*
** *Os acordes de G7(b9) e Bº se equivalem.*

Todos os dominantes, além de se resolverem num acorde maior ou menor, podem também resolver-se em qualquer outro acorde, como de 7ª da dominante, m7 (b5), º., etc.

V Progressões Harmônicas com Acordes de 7ª da Dominante e seus Substitutos

1) Progressões harmônicas com acordes de 7ª da dominante

a) tonalidade maior

I 7M	V7(b9)	II m7	V7(b13)	III m7	V 7	IV 7M	V 7	V 7	V7(b9)	VI m7	V 7	bVII 7M	V 7	I 7M
C7M	A7(b9)	Dm7	B7(b13)	Em7	C7	F7M	D7	G7	E7(b9)	Am7	F7	Bb7M	G7	C7M
F7M	D7(b9)	Gm7	E7(b13)	Am7	F7	Bb7M	G7	C7	A7(b9)	Dm7	Bb7	Eb7M	C7	F7M
Bb7M	G7(b9)	Cm7	A7(b13)	Dm7	Bb7	Eb7M	C7	F7	D7(b9)	Gm7	Eb7	Ab7M	F7	Bb7M
Eb7M	C7(b9)	Fm7	D7(b13)	Gm7	Eb7	Ab7M	F7	Bb7	G7(b9)	Cm7	Ab7	Db7M	Bb7	Eb7M
Ab7M	F7(b9)	Bbm7	G7(b13)	Cm7	Ab7	Db7M	Bb7	Eb7	C7(b9)	Fm7	Db7	Gb7M	Eb7	Ab7M
Db7M	Bb7(b9)	Ebm7	C7(b13)	Fm7	Db7	Gb7M	Eb7	Ab7	F7(b9)	Bbm7	Gb7	B7M	Ab7	Db7M
F#7M	D#7(b9)	G#m7	F7(b13)	A#m7	F#7	B7M	G#7	C#7	A#7(b9)	D#m7	B7	E7M	C#7	F#7M
B7M	G#7(b9)	C#m7	A#7(b13)	D#m7	B7	E7M	C#7	F#7	D#7(b9)	G#m7	E7	A7M	F#7	B7M
E7M	C#7(b9)	F#m7	D#7(b13)	G#m7	E7	A7M	F#7	B7	G#7(b9)	C#m7	A7	D7M	B7	E7M
A7M	F#7(b9)	Bm7	G#7(b13)	C#m7	A7	D7M	B7	E7	C#7(b9)	F#m7	D7	G7M	E7	A7M
D7M	B7(b9)	Em7	C#7(b13)	F#m7	D7	G7M	E7	A7	F#7(b9)	Bm7	G7	C7M	A7	D7M
G7M	E7(b9)	Am7	F#7(b13)	Bm7	G7	C7M	A7	D7	B7(b9)	Em7	C7	F7M	D7	G7M

b) tonalidade menor

Im7	V7	bII7M	V7	bIII7M	V7(b9)	IVm7	V7(b13)	Vm7	V7	bVI7M	V7	bVII7	V7(b9)	Im7
Cm7	Ab7	Db7M	Bb7	Eb7M	C7(b9)	Fm7	D7(b13)	Gm7	Eb7	Ab7M	F7	Bb7	G7(b9)	Cm7
Fm7	Db7	Gb7M	Eb7	Ab7M	F7(b9)	Bbm7	G7(b13)	Cm7	Ab7	Db7M	Bb7	Eb7	C7(b9)	Fm7
Bbm7	Gb7	B7M	Ab7	Db7M	Bb7(b9)	Ebm7	C7(b13)	Fm7	Db7	Gb7M	Eb7	Ab7	F7(b9)	Bbm7
Ebm7	B7	E7M	Db7	Gb7M	Eb7(b9)	Abm7	F7(b13)	Bbm7	Gb7	B7M	Ab7	Db7	Bb7(b9)	Ebm7
G#m7	E7	A7M	F#7	B7M	G#7(b9)	C#m7	A#7(b13)	D#m7	B7	E7M	C#7	F#7	D#7(b9)	G#m7
C#m7	A7	D7M	B7	E7M	C#7(b9)	F#m7	D#7(b13)	G#m7	E7	A7M	F#7	B7	G#7(b9)	C#m7
F#m7	D7	G7M	E7	A7M	F#7(b9)	Bm7	G#7(b13)	C#m7	A7	D7M	B7	E7	C#7(b9)	F#m7
Bm7	G7	C7M	A7	D7M	B7(b9)	Em7	C#7(b13)	F#m7	D7	G7M	E7	A7	F#7(b9)	Bm7
Em7	C7	F7M	D7	G7M	E7(b9)	Am7	F#7(b13)	Bm7	G7	C7M	A7	D7	B7(b9)	Em7
Am7	F7	Bb7M	G7	C7M	A7(b9)	Dm7	B7(b13)	Em7	C7	F7M	D7	G7	E7(b9)	Am7
Dm7	Bb7	Eb7M	C7	F7M	D7(b9)	Gm7	E7(b13)	Am7	F7	Bb7M	G7	C7	A7(b9)	Dm7
Gm7	Eb7	Ab7M	F7	Bb7M	G7(b9)	Cm7	A7(b13)	Dm7	Bb7	Eb7M	C7	F7	D7(b9)	Gm7

2) Progressões harmônicas com acordes substitutos de 7ª da dominante. Os acordes substitutos, ou seja, sub V7, são acordes de 7ª com a fundamental 4ª aumentada abaixo.
Obs. – Este acorde soa bem e é aconselhável tocar a (#11) ou seja, sub V7 (#11). (━ ━ ━ ━ ▲)

a) tonalidade maior

I7M	sub V7(#11)	bVII7M	sub V7(#11)	VIm7	sub V7(#11)	V7	sub V7(#11)	IV7M	sub V7(#11)	IIIm7	sub V7(#11)	IIm7	sub V7(#11)	I7M
C7M	B7(#11)	Bb7M	Bb7(#11)	Am7	Ab7(#11)	G7	Gb7(#11)	F7M	F7(#11)	Em7	Eb7(#11)	Dm7	Db7(#11)	C7M
F7M	E7(#11)	Eb7M	Eb7(#11)	Dm7	Db7(#11)	C7	B7(#11)	Bb7M	Bb7(#11)	Am7	Ab7(#11)	Gm7	Gb7(#11)	F7M
Bb7M	A7(#11)	Ab7M	Ab7(#11)	Gm7	Gb7(#11)	F7	E7(#11)	Eb7M	Eb7(#11)	Dm7	Db7(#11)	Cm7	B7(#11)	Bb7M
Eb7M	D7(#11)	Db7M	Db7(#11)	Cm7	B7(#11)	Bb7	A7(#11)	Ab7M	Ab7(#11)	Gm7	Gb7(#11)	Fm7	E7(#11)	Eb7M
Ab7M	G7(#11)	Gb7M	Gb7(#11)	Fm7	E7(#11)	Eb7	D7(#11)	Db7M	Db7(#11)	Cm7	B7(#11)	Bbm7	A7(#11)	Ab7M
C#7M	C7(#11)	B7M	B7(#11)	A#m7	A7(#11)	G#7	G7(#11)	F#7M	F#7(#11)	E#m7	E7(#11)	D#m7	D7(#11)	C#7M
F#7M	F7(#11)	E7M	E7(#11)	D#m7	D7(#11)	C#7	C7(#11)	B7M	B7(#11)	A#m7	A7(#11)	G#m7	G7(#11)	F#7M
B7M	Bb7(#11)	A7M	A7(#11)	G#m7	G7(#11)	F#7	F7(#11)	E7M	E7(#11)	D#m7	D7(#11)	C#m7	C7(#11)	B7M
E7M	Eb7(#11)	D7M	D7(#11)	C#m7	C7(#11)	B7	Bb7(#11)	A7M	A7(#11)	G#m7	G7(#11)	F#m7	F7(#11)	E7M
A7M	Ab7(#11)	G7M	G7(#11)	F#m7	F7(#11)	E7	Eb7(#11)	D7M	D7(#11)	C#m7	C7(#11)	Bm7	Bb7(#11)	A7M
D7M	Db7(#11)	C7M	C7(#11)	Bm7	Bb7(#11)	A7	Ab7(#11)	G7M	G7(#11)	F#m7	F7(#11)	Em7	Eb7(#11)	D7M
G7M	Gb7(#11)	F7M	F7(#11)	Em7	Eb7(#11)	D7	Db7(#11)	C7M	C7(#11)	Bm7	Bb7(#11)	Am7	Ab7(#11)	G7M

Obs. 1 – O SubV7 (substituto do V7) é encontrado sobre o II grau abaixado (bII), isto é, um semitom acima do acorde onde vai se resolver.
Sinalização analítica: IIm7 bII7 (#11) I

Obs. 2 – O SubV7 quando prepara o I grau recebe a denominação de SubV7 primário; quando prepara os demais graus diatônicos de SubV7 secundário e os não diatônicos de SubV7 auxiliar.

b) tonalidade menor

Im7	sub V7(#11)	bVII7M	sub V7(#11)	bVI7M	sub V7(#11)	Vm7	sub V7(#11)	IVm7	sub V7(#11)	bIII7M	sub V7(#11)	bII7M	sub V7(#11)	Im7
Cm7	B7(#11)	Bb7M	A7(#11)	Ab7M	Ab7(#11)	Gm7	Gb7(#11)	Fm7	E7(#11)	Eb7M	D7(#11)	Db7M	Db7(#11)	Cm7
Fm7	E7(#11)	Eb7M	D7(#11)	Db7M	Db7(#11)	Cm7	B7(#11)	Bbm7	A7(#11)	Ab7M	G7(#11)	Gb7M	Gb7(#11)	Fm7
Bbm7	A7(#11)	Ab7M	G7(#11)	Gb7M	Gb7(#11)	Fm7	E7(#11)	Ebm7	D7(#11)	Db7M	C7(#11)	B7M	B7(#11)	Bbm7
Ebm7	D7(#11)	Db7M	C7(#11)	B7M	B7(#11)	Bbm7	A7(#11)	G#m7	G7(#11)	Gb7M	F7(#11)	E7M	E7(#11)	Ebm7
G#m7	G7(#11)	F#7M	F7(#11)	E7M	E7(#11)	D#m7	D7(#11)	C#m7	C7(#11)	B7M	A#7(#11)	A7M	A7(#11)	G#m7
C#m7	C7(#11)	B7M	A#7(#11)	A7M	A7(#11)	G#m7	G7(#11)	F#m7	F7(#11)	E7M	D#7(#11)	D7M	D7(#11)	C#m7
F#m7	F7(#11)	E7M	D#7(#11)	D7M	D7(#11)	C#m7	C7(#11)	Bm7	Bb7(#11)	A7M	G#7(#11)	G7M	G7(#11)	F#m7
Bm7	Bb7(#11)	A7M	Ab7(#11)	G7M	G7(#11)	F#m7	F7(#11)	Em7	Eb7(#11)	D7M	C#7(#11)	C7M	C7(#11)	Bm7
Em7	Eb7(#11)	D7M	Db7(#11)	C7M	C7(#11)	Bm7	Bb7(#11)	Am7	Ab7(#11)	G7M	F#7(#11)	F7M	F7(#11)	Em7
Am7	Ab7(#11)	G7M	Gb7(#11)	F7M	F7(#11)	Em7	Eb7(#11)	Dm7	Db7(#11)	C7M	B7(#11)	Bb7M	Bb7(#11)	Am7
Dm7	Db7(#11)	C7M	B7(#11)	Bb7M	Bb7(#11)	Am7	Ab7(#11)	Gm7	Gb7(#11)	F7M	E7(#11)	Eb7M	Eb7(#11)	Dm7
Gm7	Gb7(#11)	F7M	E7(#11)	Eb7M	Eb7(#11)	Dm7	Db7(#11)	Cm7	B7(#11)	Bb7M	A7(#11)	Ab7M	Ab7(#11)	Gm7

176 • Almir Chediak

3) Progressões harmônicas com acordes diminutos. Os acordes diminutos nas progressões abaixo, são derivados de acordes de 7ª da dominante.

Obs. – Esses acordes diminutos são denominados diminutos secundários ou de passagem (ver pág. 251).

I7M	#I°	IIm7	#II°	IIIm7	#IV°	V7	#V°	VIm7	VII°	I7M
C7M	C#°	Dm7	D#°	Em7	F#°	G7	G#°	Am7	B°	C7M
F7M	F#°	Gm7	G#°	Am7	B°	C7	C#°	Dm7	E°	F7M
Bb7M	B°	Cm7	C#°	Dm7	E°	F7	F#°	Gm7	A°	Bb7M
Eb7M	E°	Fm7	F#°	Gm7	A°	Bb7	B°	Cm7	D°	Eb7M
Ab7M	A°	Bbm7	B°	Cm7	D°	Eb7	E°	Fm7	G°	Ab7M
Db7M	D°	Ebm7	E°	Fm7	G°	Ab7	A°	Bbm7	C°	Db7M
F#7M	G°	G#m7	A°	A#m7	C°	C#7	D°	D#m7	F°	F#7M
B7M	C°	C#m7	D°	D#m7	F°	F#7	G°	G#m7	A#°	B7M
E7M	F°	F#m7	G°	G#m7	A#°	B7	C°	C#m7	D#°	E7M
A7M	A#°	Bm7	C°	C#m7	D#°	E7	F°	F#m7	G#°	A7M
D7M	D#°	Em7	F°	F#m7	G#°	A7	A#°	Bm7	C#°	D7M
G7M	G#°	Am7	A#°	Bm7	C#°	D7	D#°	Em7	F#°	G7M

VI Progressões por Marchas Harmônicas Modulantes

Marcha harmônica modulante é a repetição de clichês de acordes por intervalos regulares, passando por tonalidades diferentes.

Em cada progressão serão dados exemplos de como conduzir as vozes pelo menor caminho, obtendo-se, assim, continuidade harmônica. Nos exemplos, usaremos pelo menos a combinação de dois acordes em diferentes posições e no decorrer da progressão deve o aluno observar a continuidade harmônica, mesmo porque, de outra maneira, seria desagradável para o ouvido.

$$I7M \quad IIm7 \ V7 \quad I7M \quad IIm7 \ V7 \quad I7M$$

1) a) ‖ C7M ‖:Dm7 G7 | C7M | Cm7 F7 | Bb7M | Bbm7 Eb7 |

|Ab7M |G#m7 C#7 |F#7M | F#m7 B7 | E7M | Em7 A7 |

|D7M :‖

$$I7M \quad IIm7 \ V7 \quad I7M \quad IIm7 \ V7 \quad I7M$$

b) ‖ B7M ‖:C#m7 F#7 | B7M | Bm7 E7 | A7M | Am7 D7 |

| G7M | Gm7 C7 | F7M | Fm7 Bb7 | Eb7M | Ebm7 Ab7 |

| Db7M :‖

Obs. 1 – Quando um acorde de 7ª da dominante prepara um acorde maior pode-se acrescentar a nona (9) e/ou a décima terceira (13).

Obs. 2 – Ao acorde menor com a 7ª pode-se acrescentar a nona (9) e/ou a décima primeira (11).

Obs. 3 – Dentro de uma progressão, cada acorde deve ser associado com o grau em que se encontra, ou seja, cada cifra deve ser associada com a sua respectiva cifra analítica.

Obs. 4 – A seguir serão dados exemplos de como conduzir o II cadencial para V7.

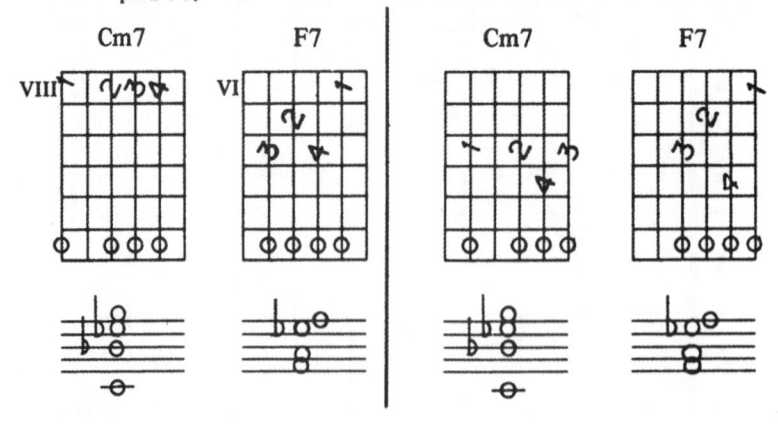

Exercícios de Progressões Harmônicas • 179

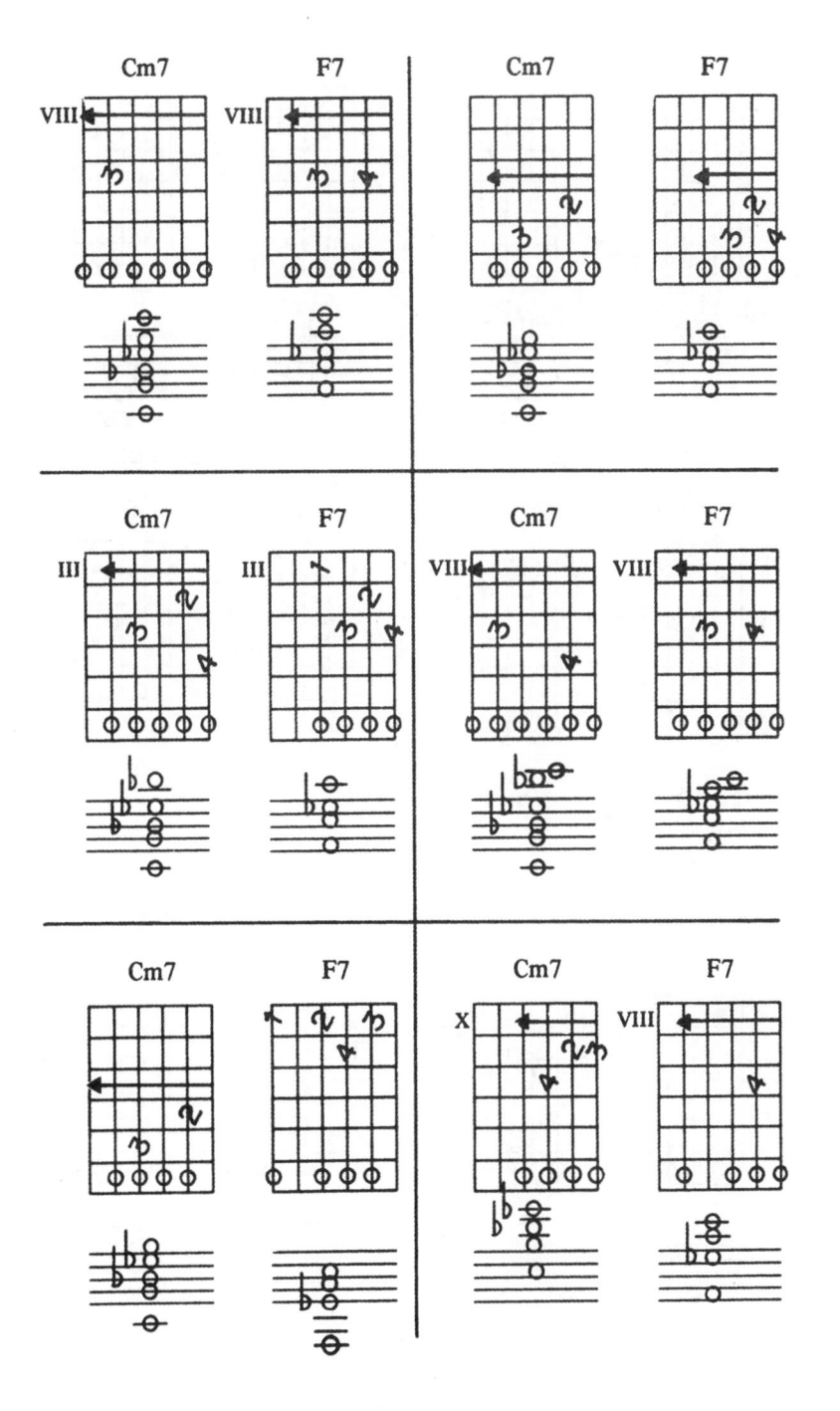

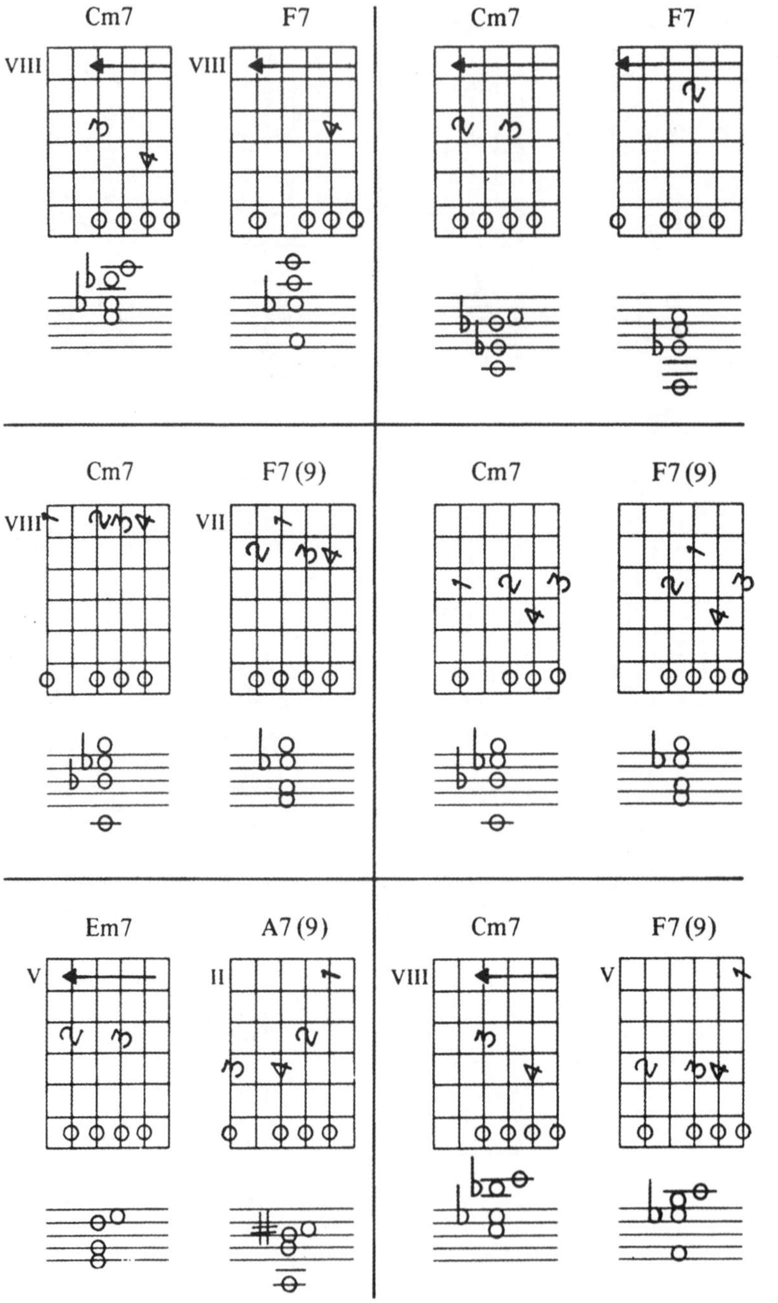
Cm7
F7
Cm7
F7
VIII
VIII
Cm7
F7 (9)
Cm7
F7 (9)
VIII
VII
Em7
A7 (9)
Cm7
F7 (9)
V
II
VIII
V

Exercícios de Progressões Harmônicas • 181

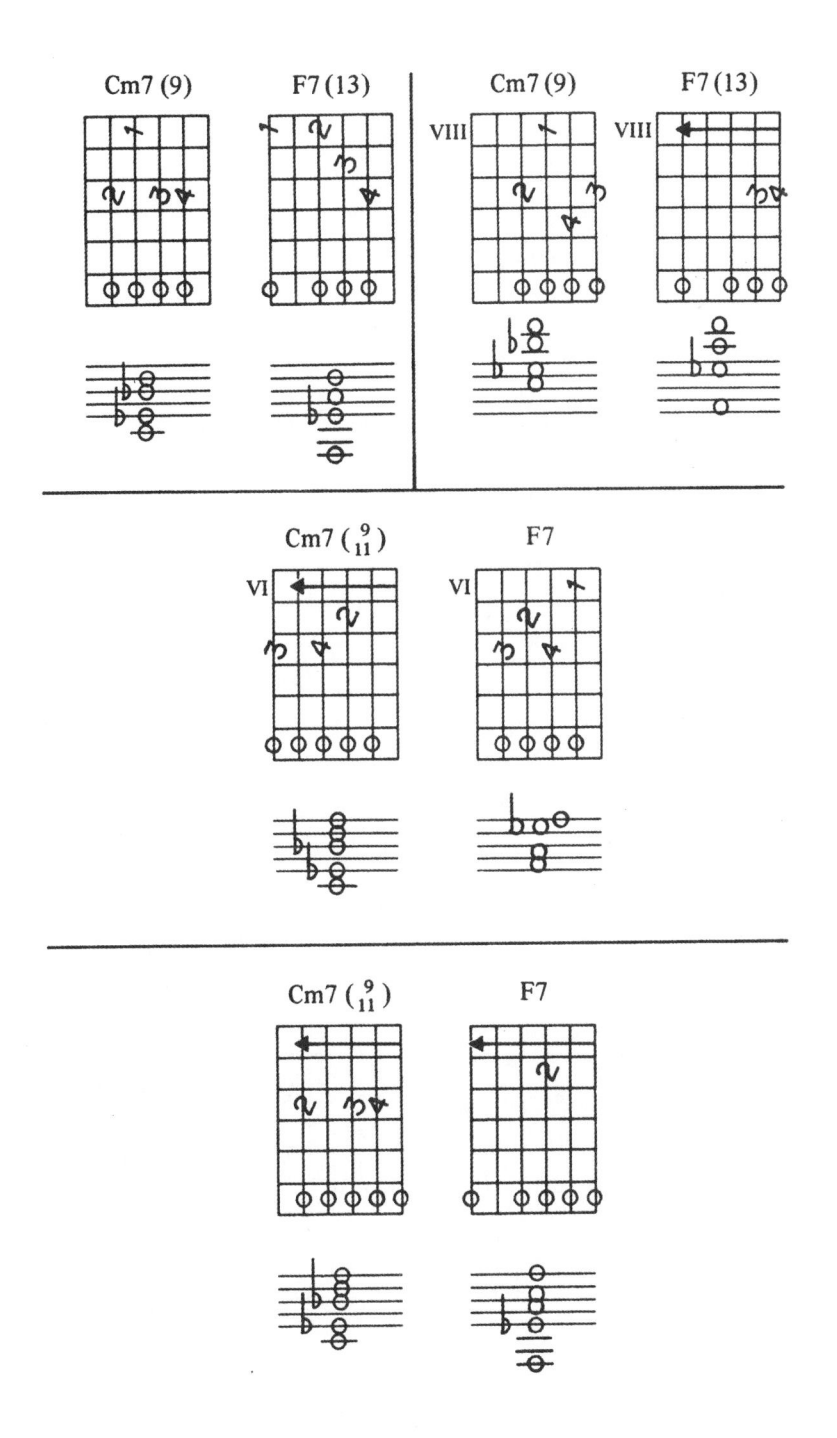

2) ‖ C7M ‖: G_4^7 G7 | C_4^7 C7 | F_4^7 F7 | Bb_4^7 Bb7 |
| Eb_4^7 Eb7 | Ab_4^7 Ab7 | Db_4^7 Db7 | Gb_4^7 Gb7 | B_4^7 B7 |
| E_4^7 E7 | A_4^7 A7 | D_4^7 D7 :‖

Obs. – O acorde G_4^7 (V_4^7) tem o sentido do II cadencial.

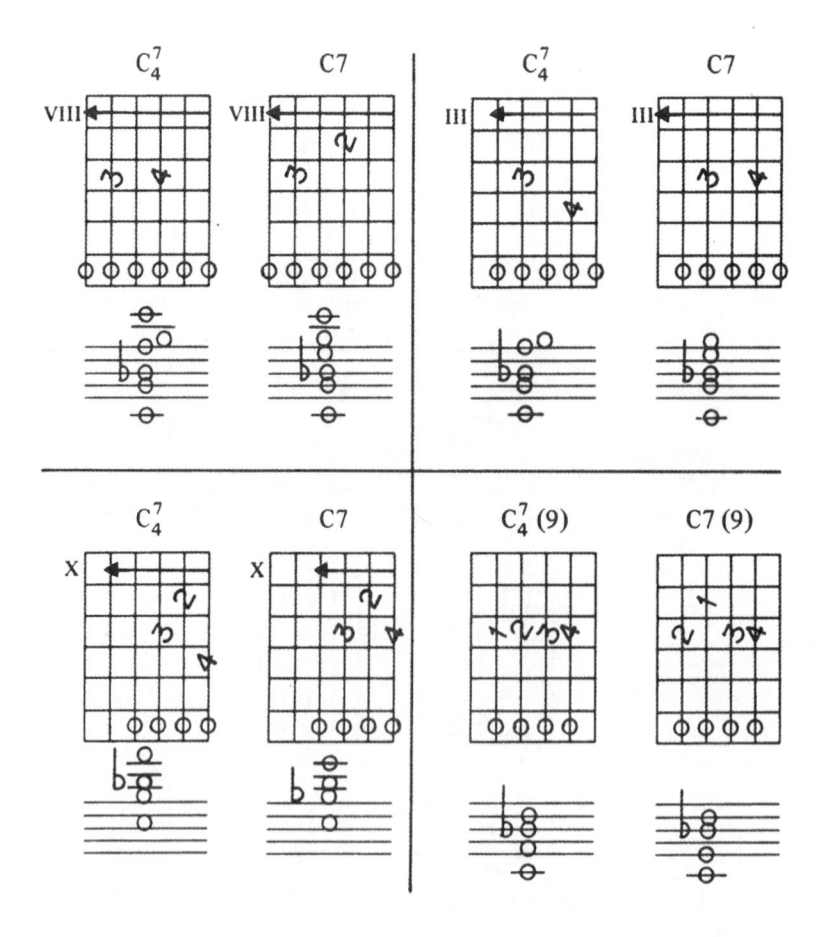

Exercícios de Progressões Harmônicas • 183

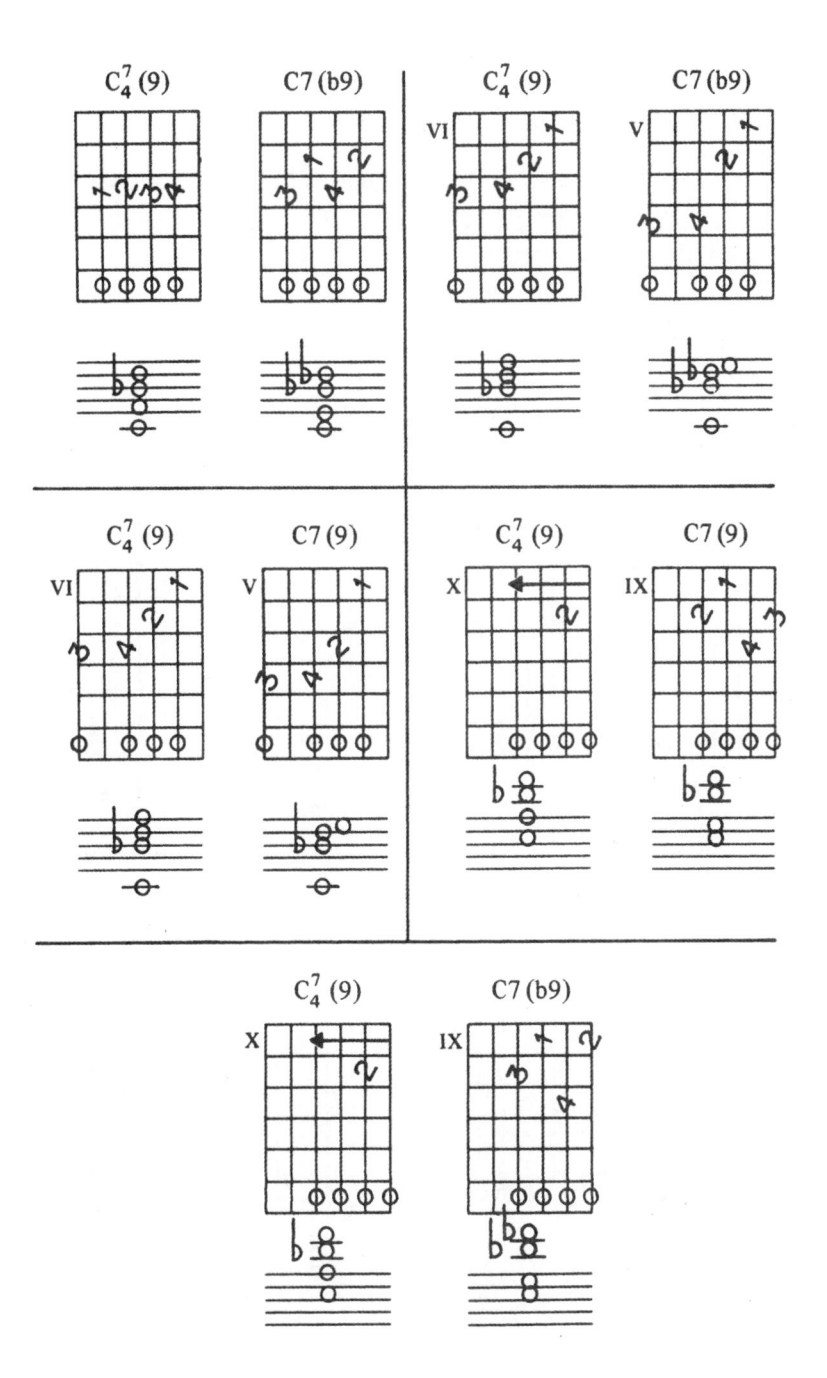

3) a) ‖ Cm7 ‖: Dm7 (b5) G7 | Cm7 (b5) F7 | Bbm7 (b5) Eb7 |
   | Abm7 (b5) Db7 | F#m7 (b5) B7 | Em7 (b5) A7 :‖

   b) ‖ Bm7 ‖: C#m7 (b5) F#7 | Bm7 (b5) E7 | Am7 (b5) D7 |
   | Gm7 (b5) C7 | Fm7 (b5) Bb7 | Ebm7 (b5) Ab7 :‖

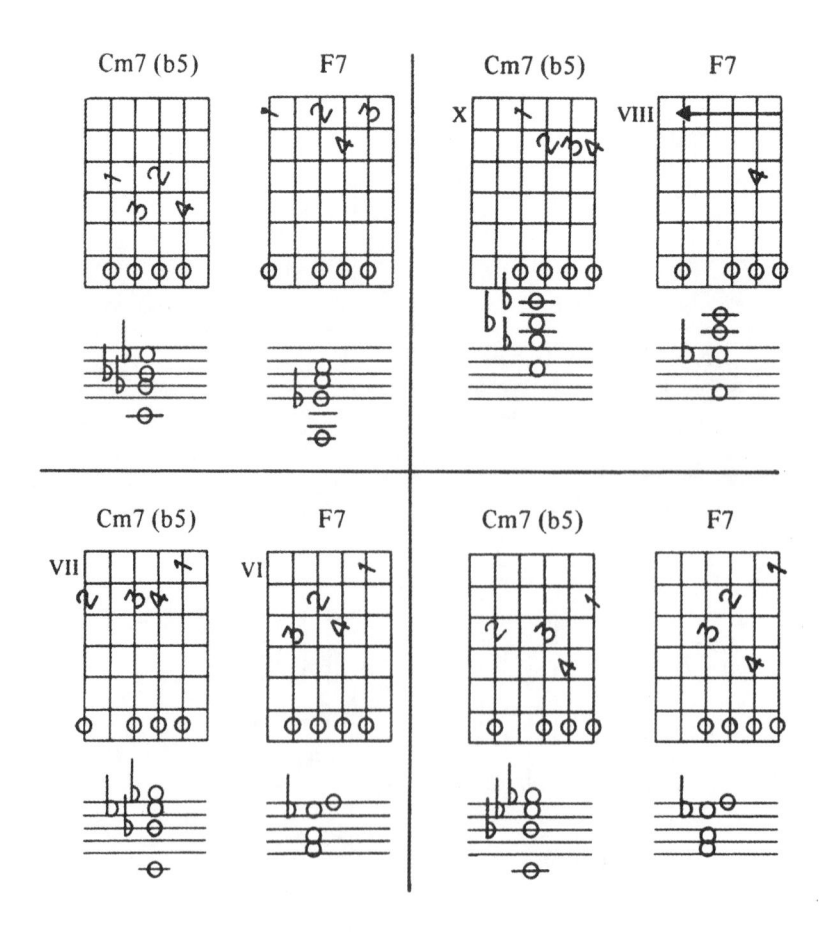

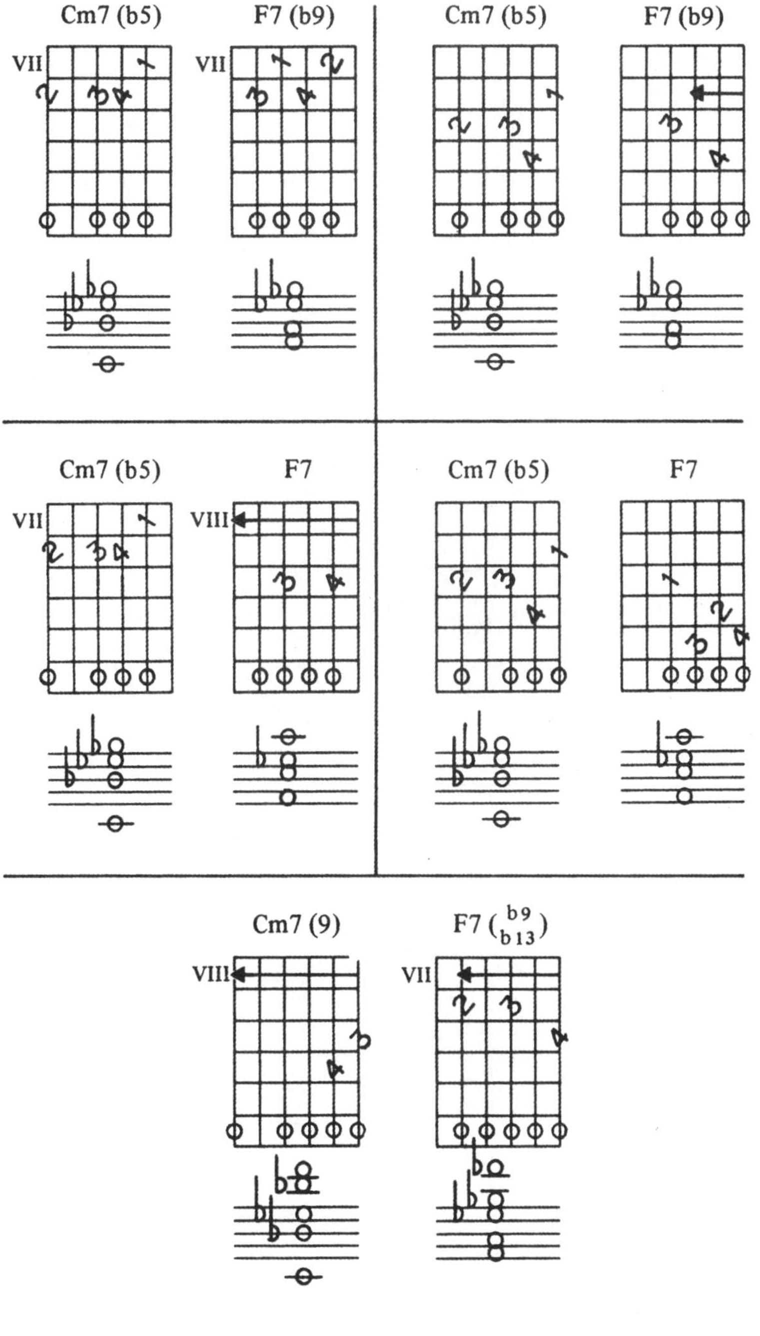
Cm7 (b5)
F7 (b9)
Cm7 (b5)
F7 (b9)
VII
VII
Cm7 (b5)
F7
Cm7 (b5)
F7
VII
VIII
Cm7 (9)
F7 (b9 b13)
VIII
VII

186 • Almir Chediak

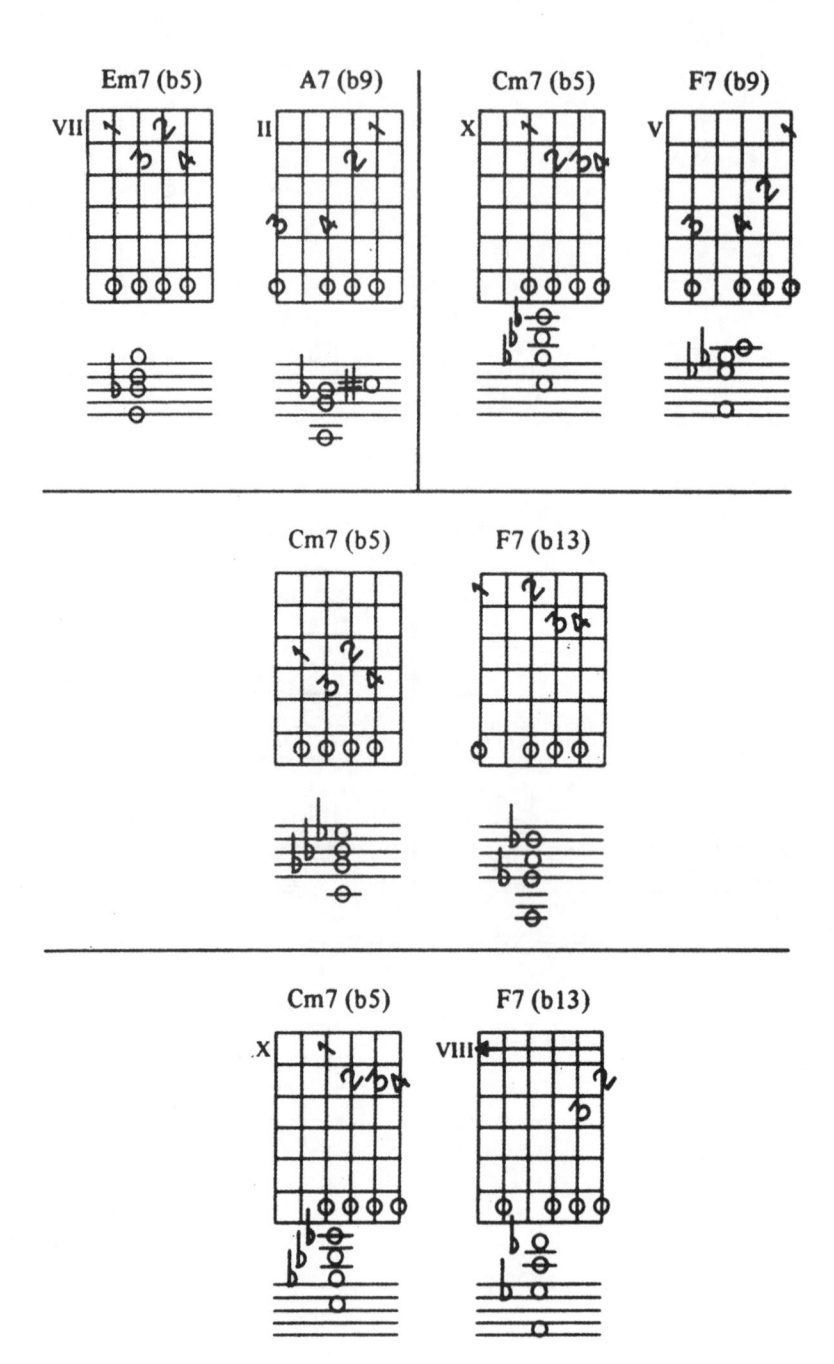

4) ‖Cm7‖: G_4^7 (b9) G7 (b9) | C_4^7 (b9) C7 (b9) | F_4^7 (b9) F7 (b9) |
| Bb_4^7 (b9) Bb7 (b9) | Eb_4^7 (b9) Eb7 (b9) | Ab_4^7 (b9) Ab7 (b9) |
| Db_4^7 (b9) Db7 (b9) | Gb_4^7 (b9) Gb7 (b9) | B_4^7 (b9) B7 (b9) |
| E_4^7 (b9) E7 (b9) | A_4^7 (b9) A7 (b9) | D_4^7 (b9) D7 (b9) :‖

Obs. – Na progressão acima o G_4^7 (b9) [V_4^7 (b9)] tem o sentido de II cadencial para uma tônica menor.

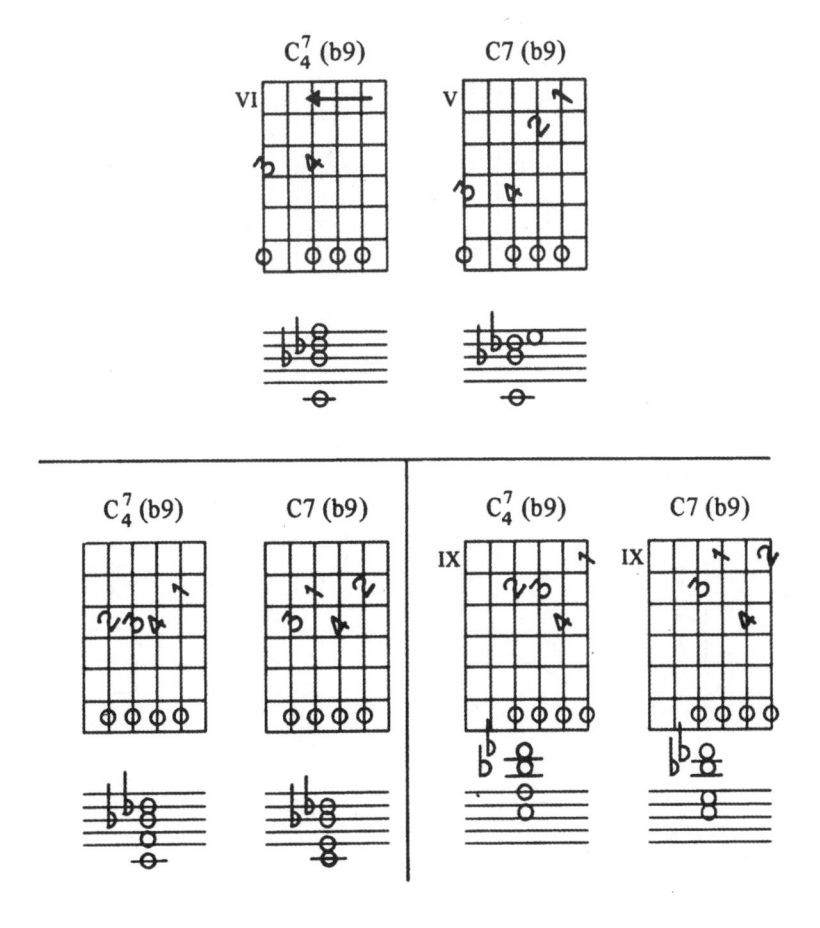

5) a) ‖: Dm7 G7 (b9) | Cm7 F7 (b9) | Bbm7 Eb7 (b9) |
   | G#m7 C#7 (b9) | F#m7 B7 (b9) | Em7 A7 (b9) :‖

b) ‖: C#m7 F#7 (b9) | Bm7 E7 (b9) | Am7 D7 (b9) |
   | Gm7 C7 (b9) | Fm7 B7 (b9) | D#m7 G#7 (b9) :‖

Obs. — Na preparação da tônica menor, o acorde V7 pode vir enriquecido por (b9) e/ou (b13) [V7 ($^{b9}_{b13}$)], pois essas notas são bem vindas por se encontrarem na escala do acorde de resolução. A nota (b5) no acorde IIm7(b5) cadencial também se encontra na escala do acorde de resolução.

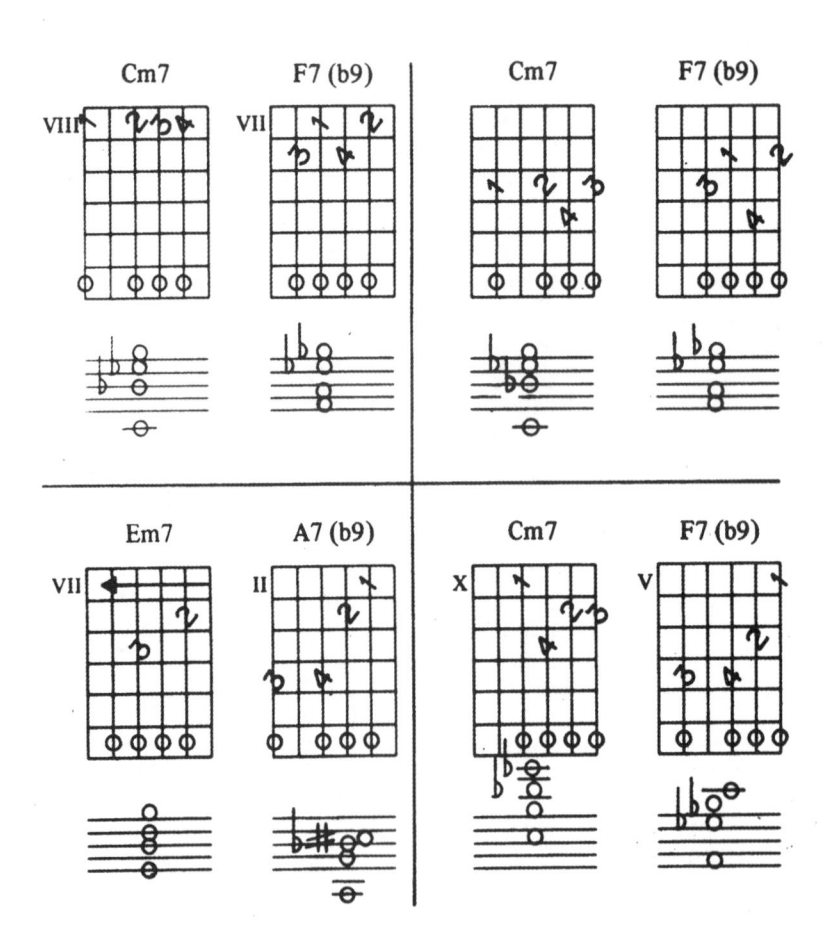

6) a) ‖: Dm7 G7 (#9) | Cm7 F7 (#9) | Bbm7 Eb7 (#9) |
     | G#m7 C#m7 (#9) | F#m7 B7 (#9) | Em7 A7 (#9) :‖

   b) ‖: C#m7 F#7 (#9) | Bm7 E7 (#9) | Am7 D7 (#9) |
     | Gm7 C7 (#9) | Fm7 Bb7 (#9) | D#m7 G#7 (#9) :‖

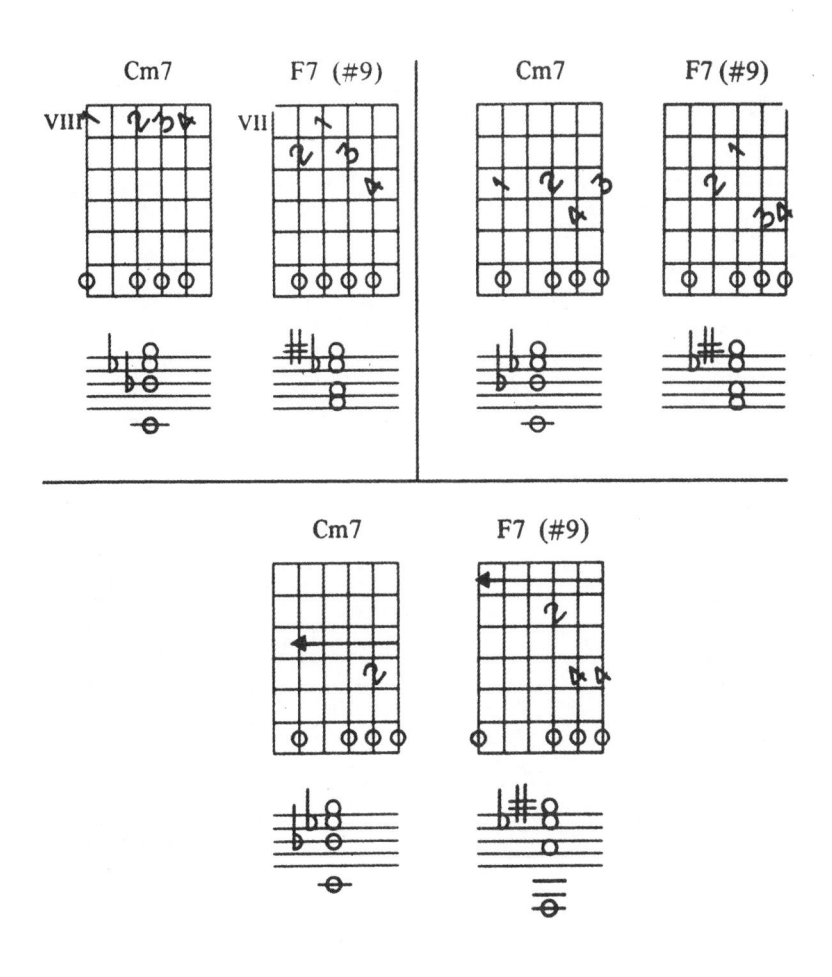

7) **a)** ‖: B o   Cm7 | C# o   Dm7 | D# o   Em7 | F o   F#m7 |
   | G o   G#m7 | A o   A#m7 :‖

   b) ‖: Bb o   Bm7 | C o   C#m7 | D o   D#m7 | E o   Fm7 |
   | F# o   Gm7 | G# o   Am7 :‖

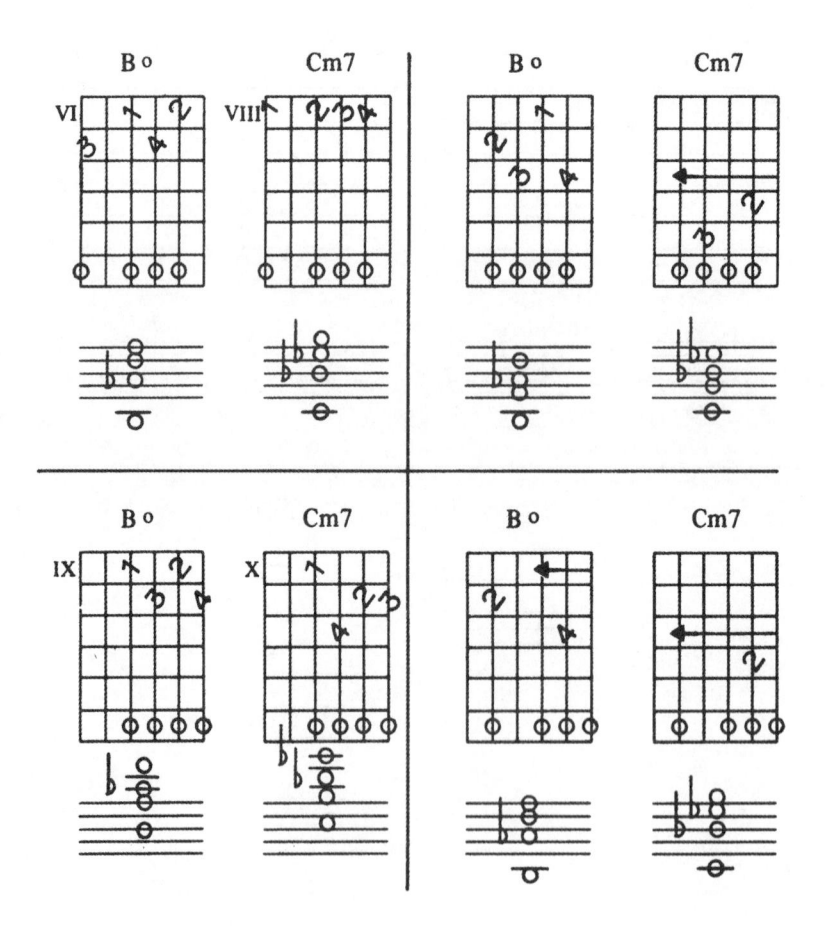

8) a) ‖ C7M ‖: Dm7 G7 (b5) | Cm7 F7 (b5) | Bbm7 Eb7 (b5) |
   | G#m7 C#7 (b5) | F#m7 B7 (b5) | Em7 A7 (b5) :‖

b) ‖ B7M ‖: C#m7 F#7 (b5) | Bm7 E7 (b5) | Am7 D7 (b5) |
   | Gm7 C7 (b5) | Fm7 Bb7 (b5) | Ebm7 Ab7 (b5) :‖

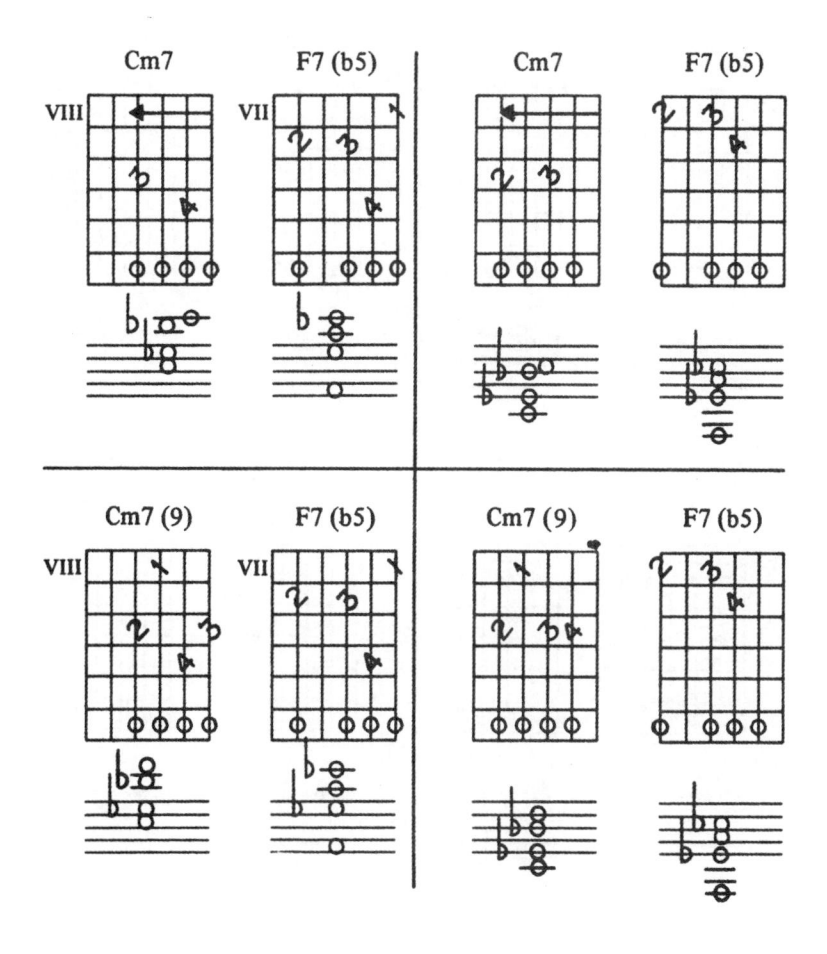

9) a) ‖: Db7 (#11) C7M | B7 (#11) Bb7M | A7 (#11) Ab7M |
| G7 (#11) Gb7M | F7 (#11) E7M | Eb7 (#11) D7M :‖

b) ‖: C7 (#11) B7M | Bb7 (#11) A7M | Ab7 (#11) G7M |
| Gb7 (#11) F7M | E7 (#11) Eb7M | D7 (#11) Db7M :‖

Obs. – O sub V7 (#11) soa bem com a nona (9) e/ou com a décima terceira (13). O sub V7 é usado também com a (9) e/ou (13) sem a (#11).

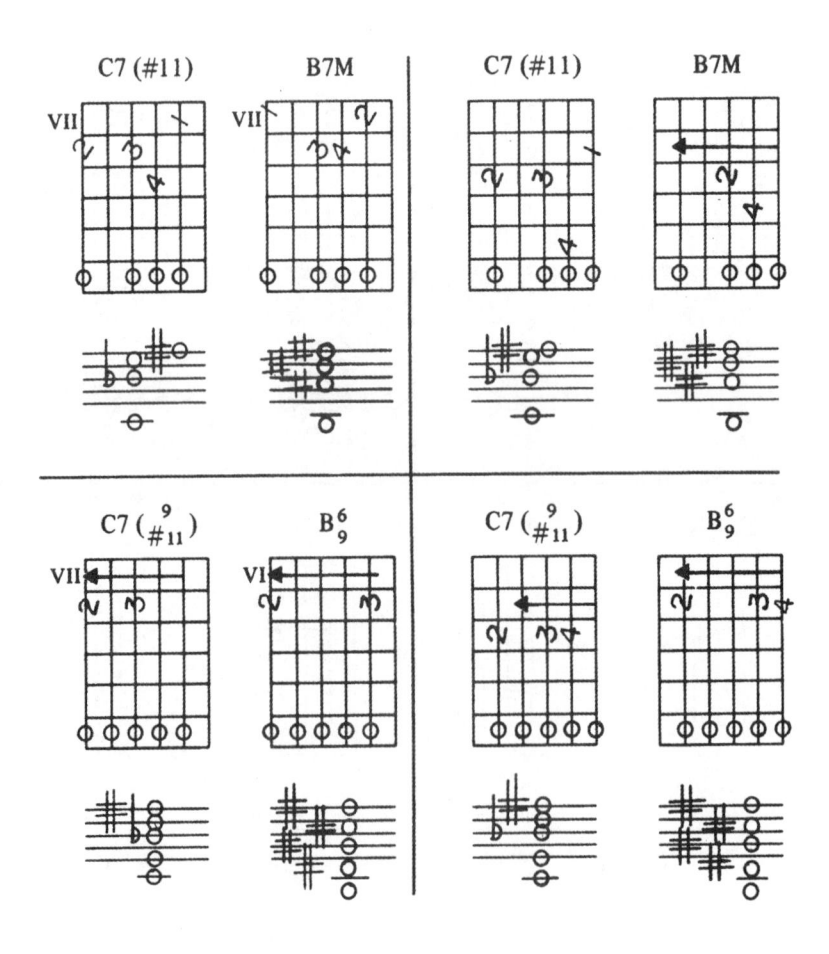

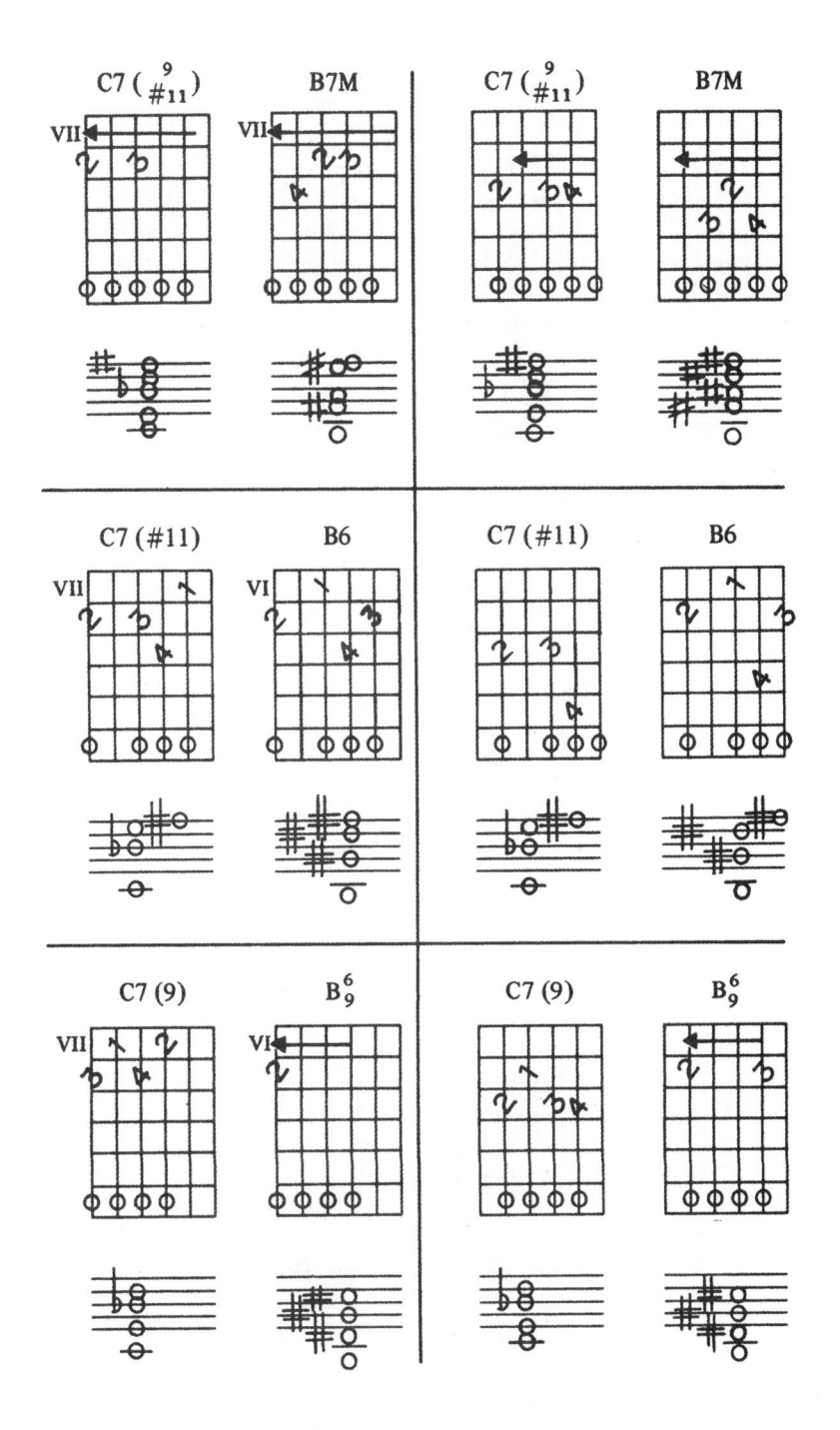

Exercícios de Progressões Harmônicas • 193

C7 (9)

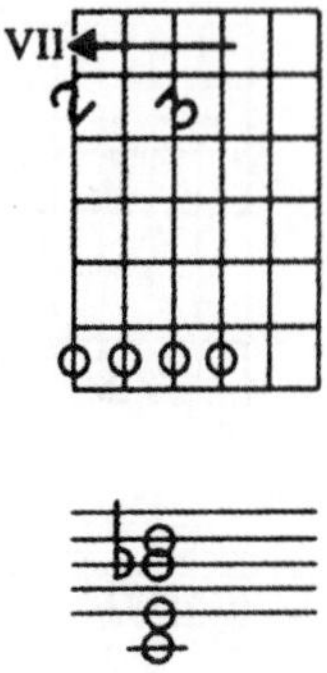

B7M (9)

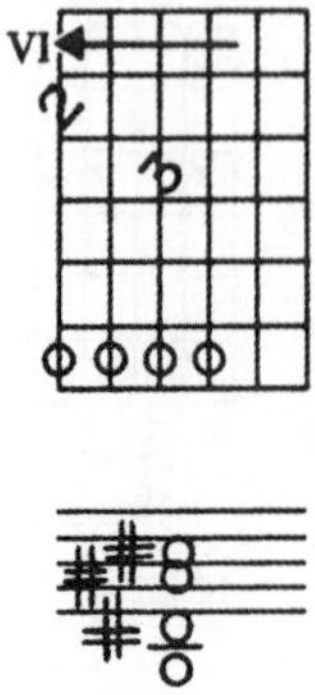

C7 (9)

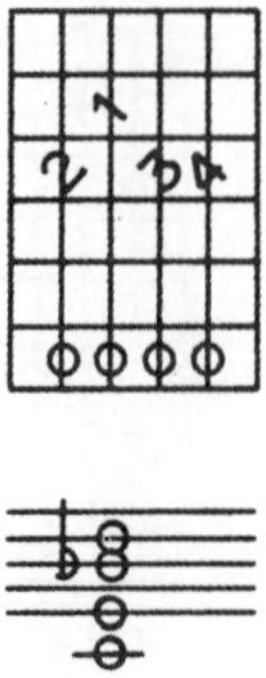

B7M (9)

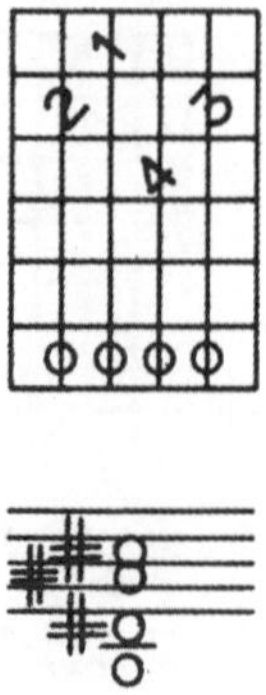

C7 (13)

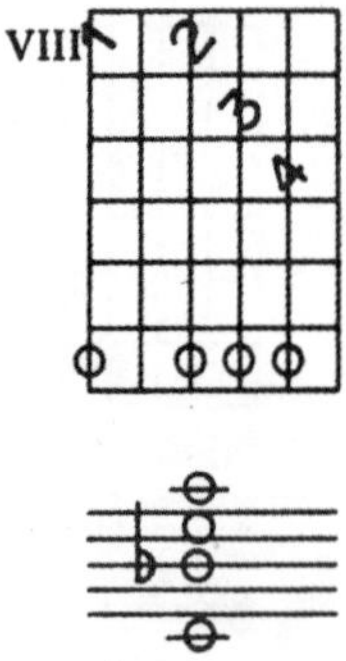

B7M

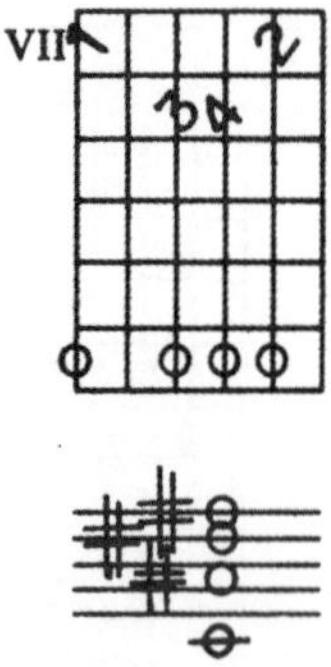

C7 (13)

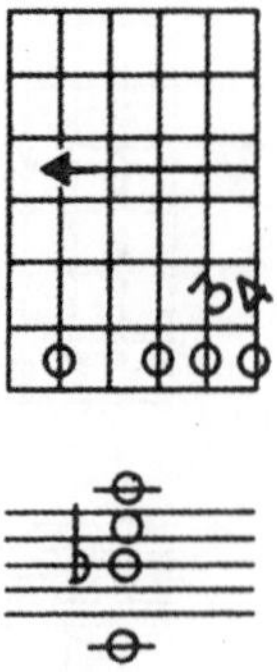

B7M

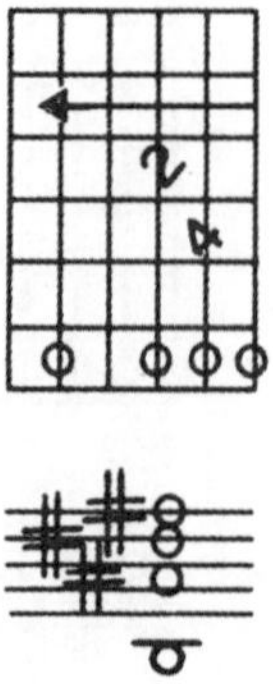

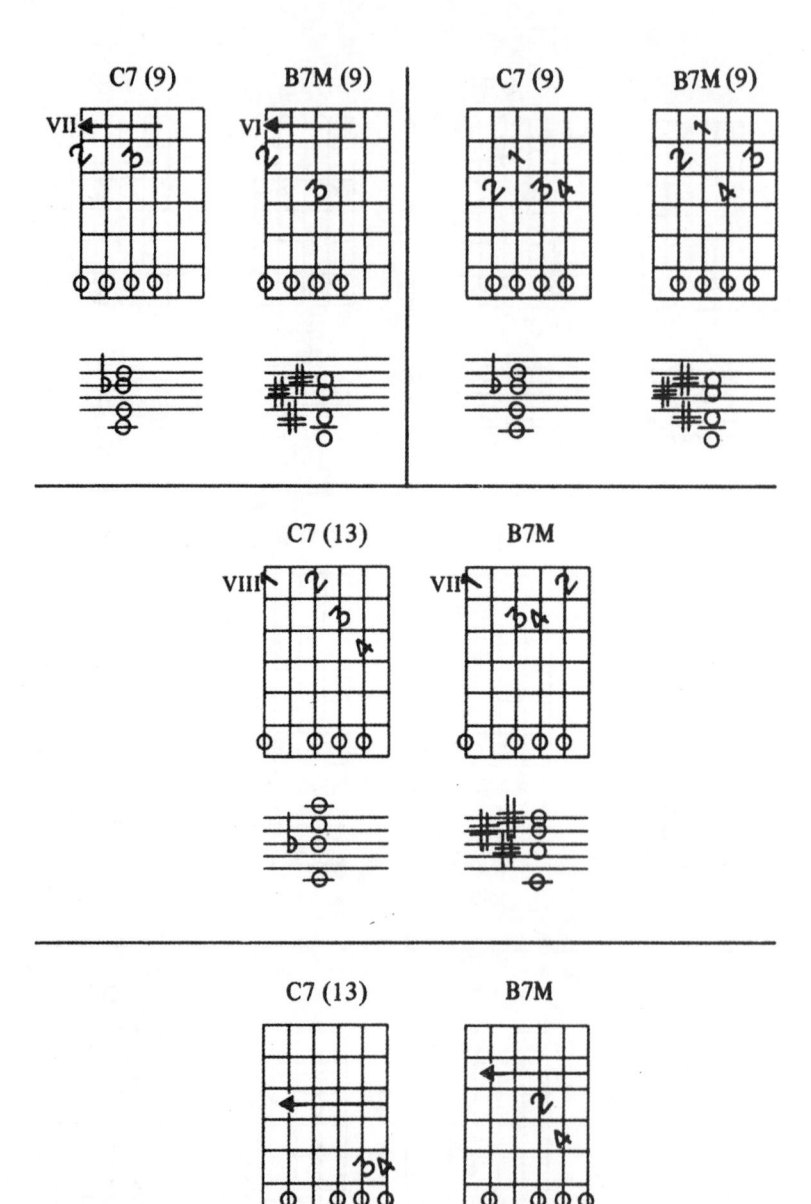

10) a) ‖: C7M C7 | F7M | Bb7M Bb7 | Eb7M | Ab7M Ab7 |
| Db7M | Gb7M Gb7 | B7M | E7M E7 | A7M | D7M D7 |
| G7M :‖

b) ‖: B7M B7 | E7M | A7M A7 | D7M | G7M G7 | C7M |
| F7M F7 | Bb7M | Eb7M Eb7 | Ab7M | Db7M Db7 |
| Gb7M :‖

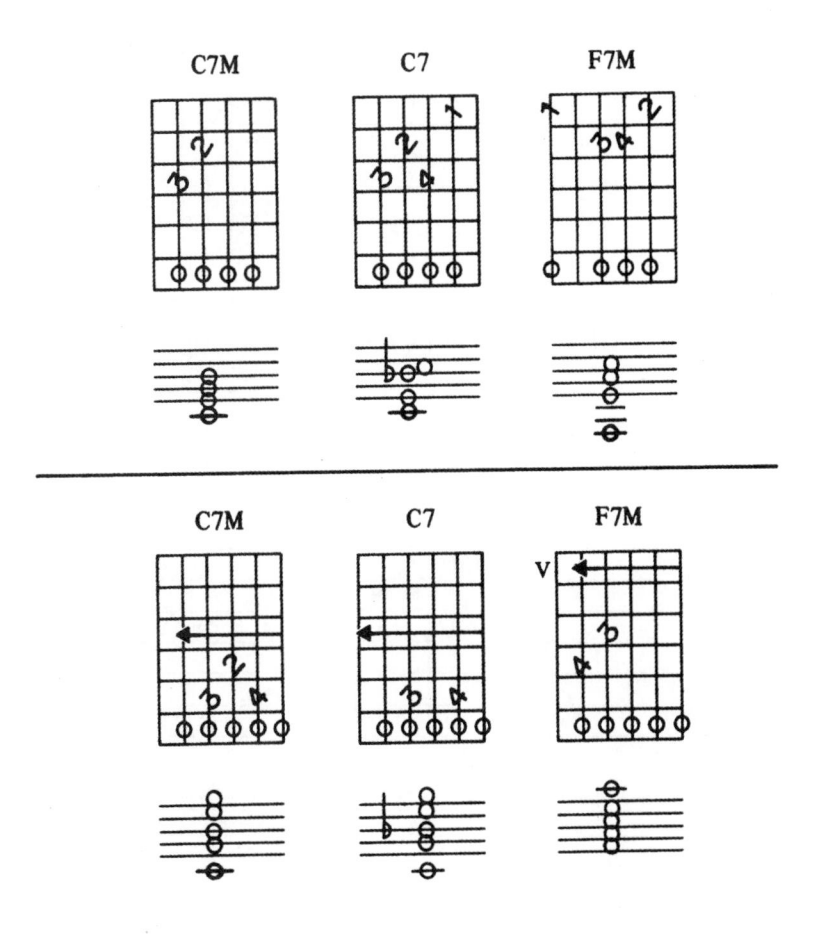

Exercícios de Progressões Harmônicas • 195

C7M C7 (#5) F7M

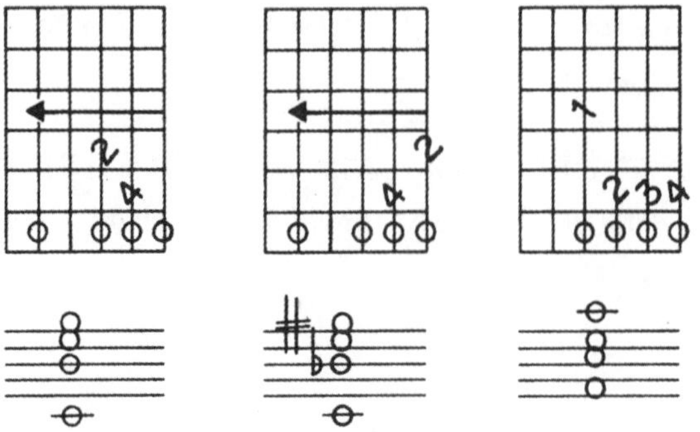

C7M C7 (#5) F7M

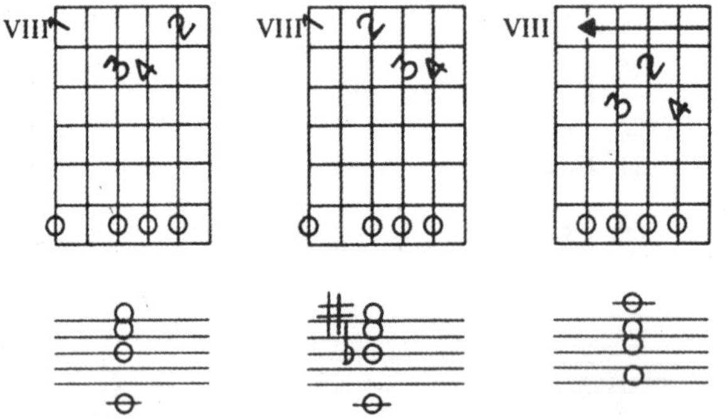

C7M C7 F7M

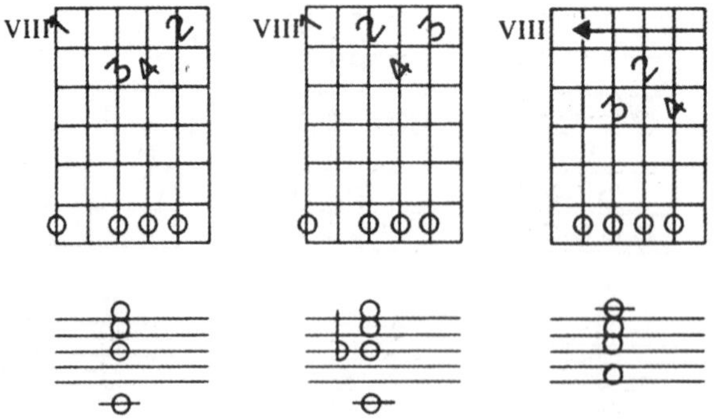

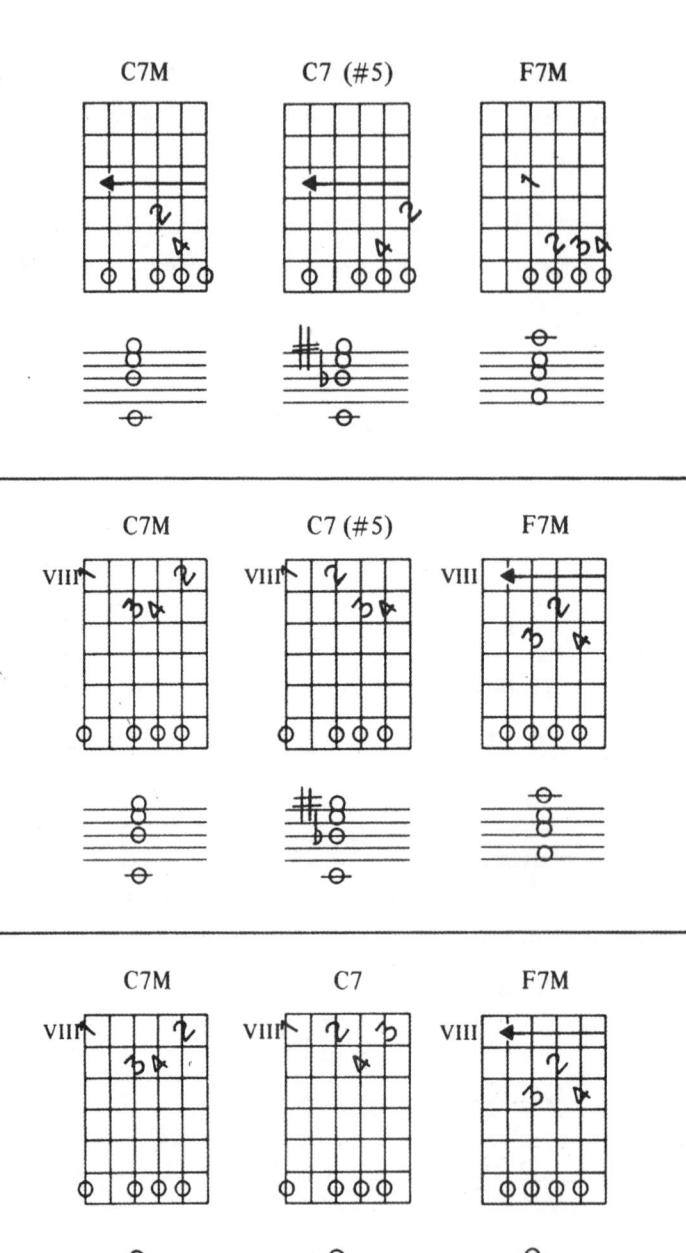

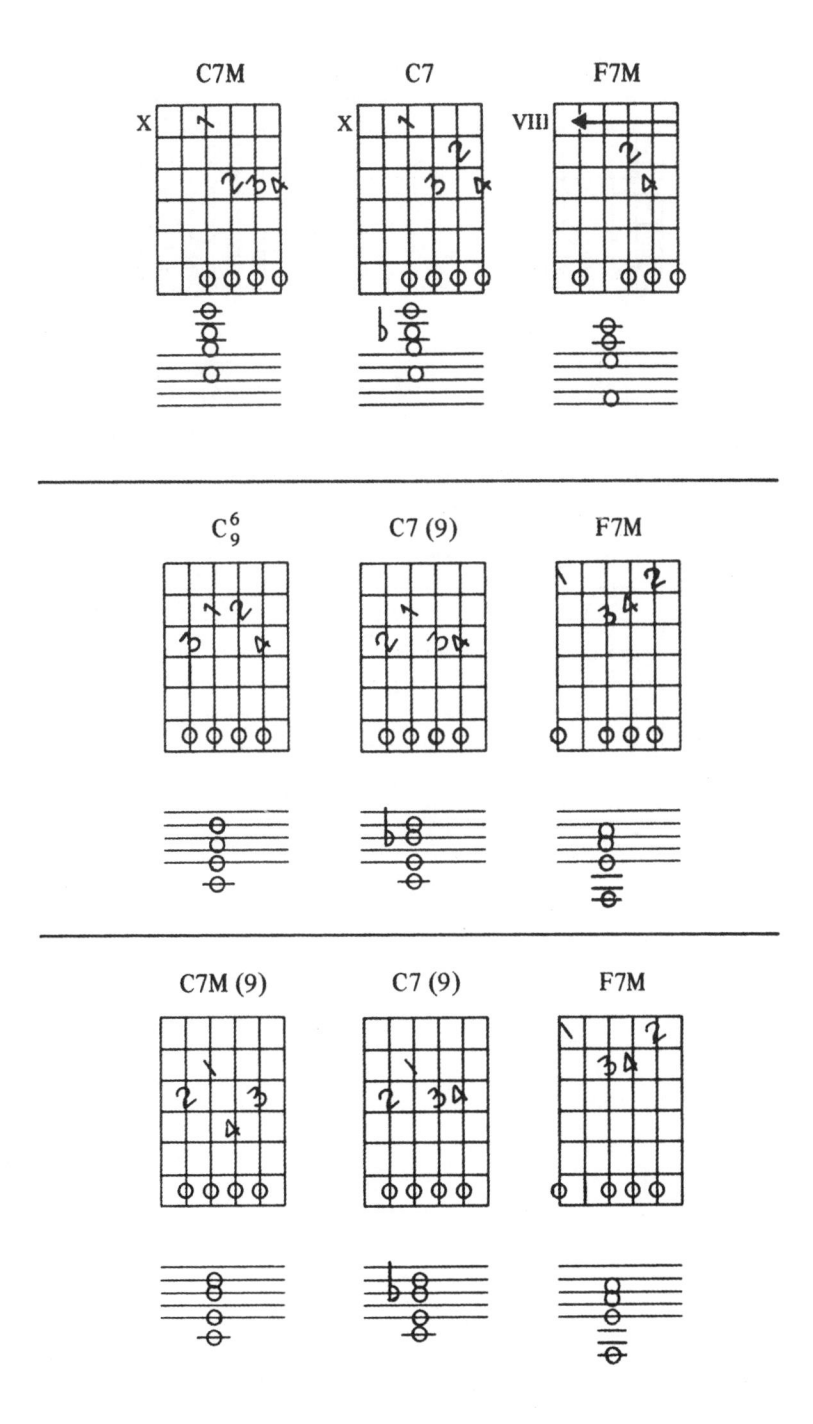

Exercícios de Progressões Harmônicas • 197

198 • Almir Chediak

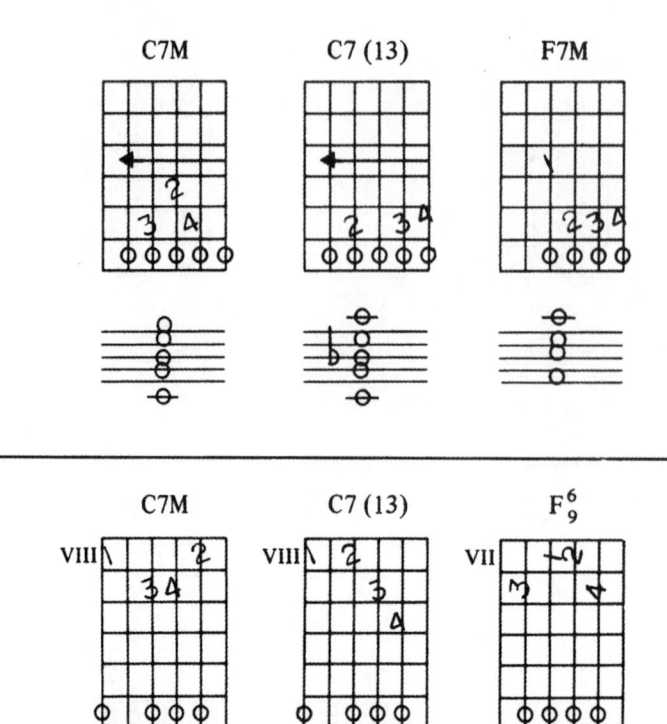

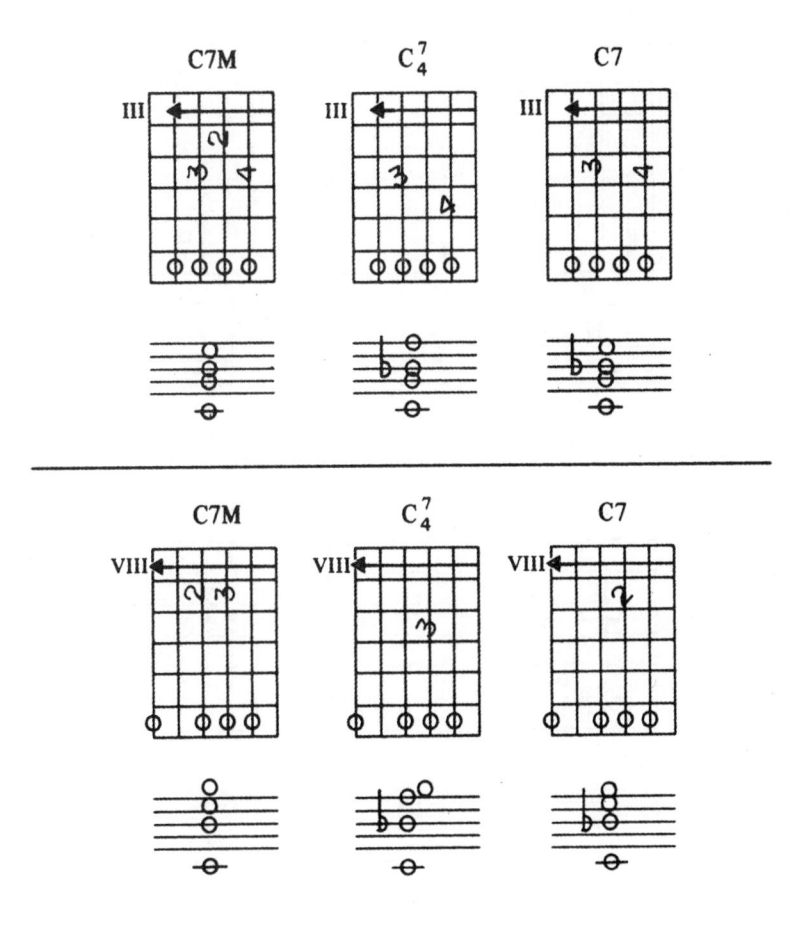

11) $\|: C7M \mid C_4^7 \ C7 \mid F7M \mid F_4^7 \ F7 \mid Bb7M \mid Bb_4^7 \ Bb7 \mid$
$\mid Eb7M \mid Eb_4^7 \ Eb^7 \mid Ab7M \mid Ab_4^7 \ Ab7 \mid Db7M \mid Db_4^7 \ Db7 \mid$
$\mid Gb7M \mid Gb_4^7 \ Gb7 \mid B7M \mid B_4^7 \ B7 \mid E7M \mid E_4^7 \ E7 \mid$
$\mid A7M \mid A_4^7 \ A7 \mid D7M \mid D_4^7 \ D7 \mid G7M \mid G_4^7 \ G7 :\|$

C7M	C_4^7 (9)	C7 (9)

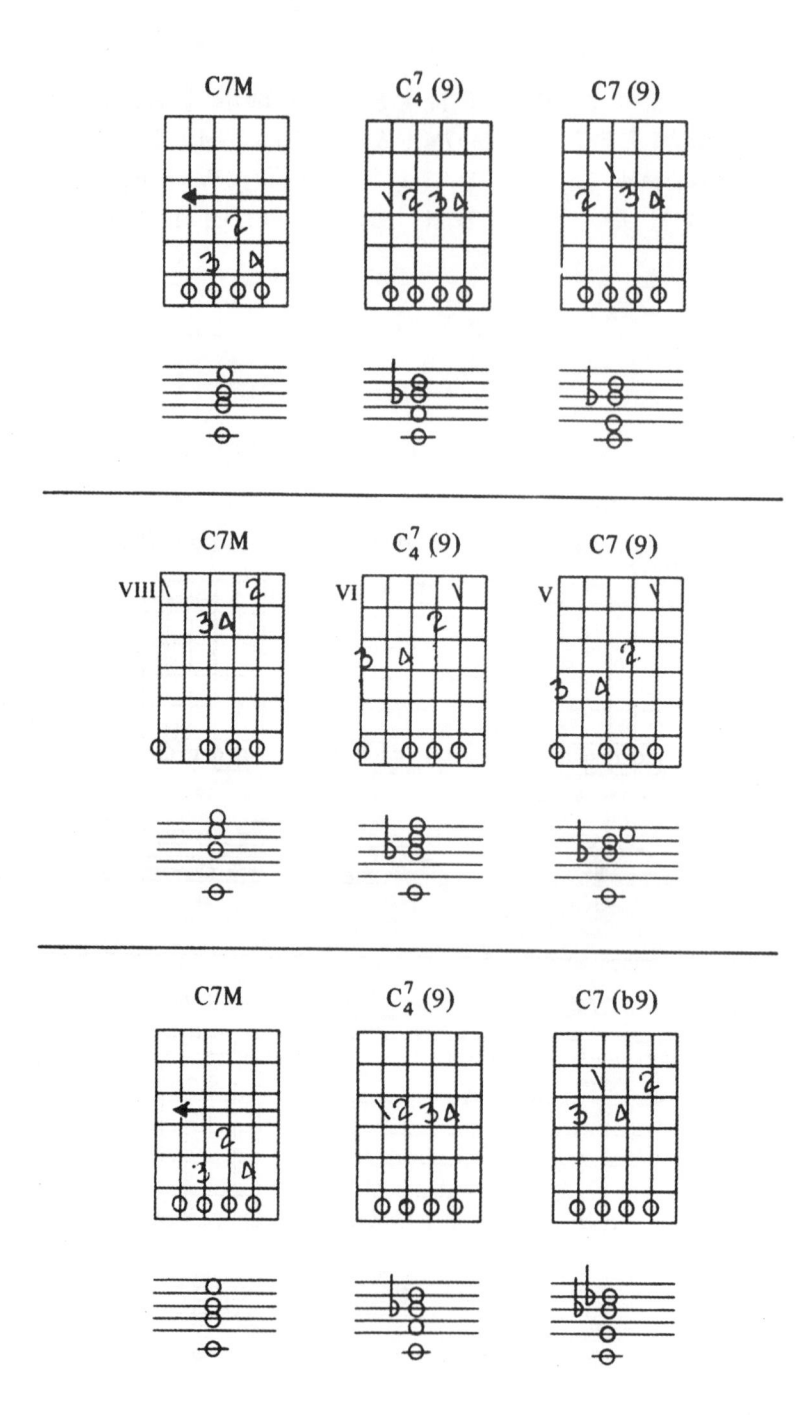

C7M	C_4^7 (9)	C7 (9)

C7M	C_4^7 (9)	C7 (b9)

Exercícios de Progressões Harmônicas • 201

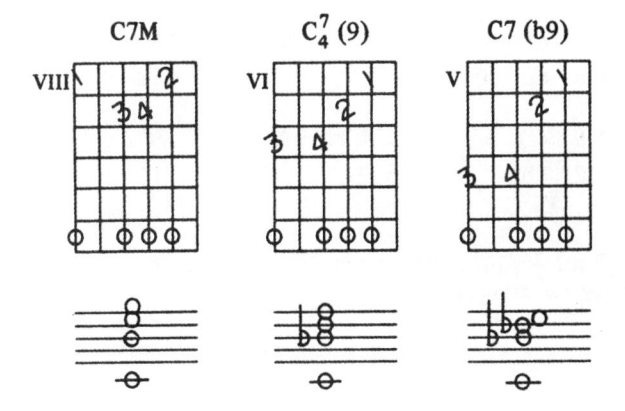

12) a) ‖ Cm7 ‖: Db7 Cm7 | B7 Bbm7 | A7 Abm7 | G7 Gbm7 |
    | F7 Em7 | Eb7 Dm7 :‖

b) ‖ Bm7 ‖: C7 Bm7 | Bb7 Am7 | Ab7 Gm7 | Gb7 Fm7 |
    | E7 Ebm7 | D7 Dbm7 :‖

Obs. – O sub V7 deve conter a (#11) ou a (9) ou a (13) ou qualquer uma dessas combinações.

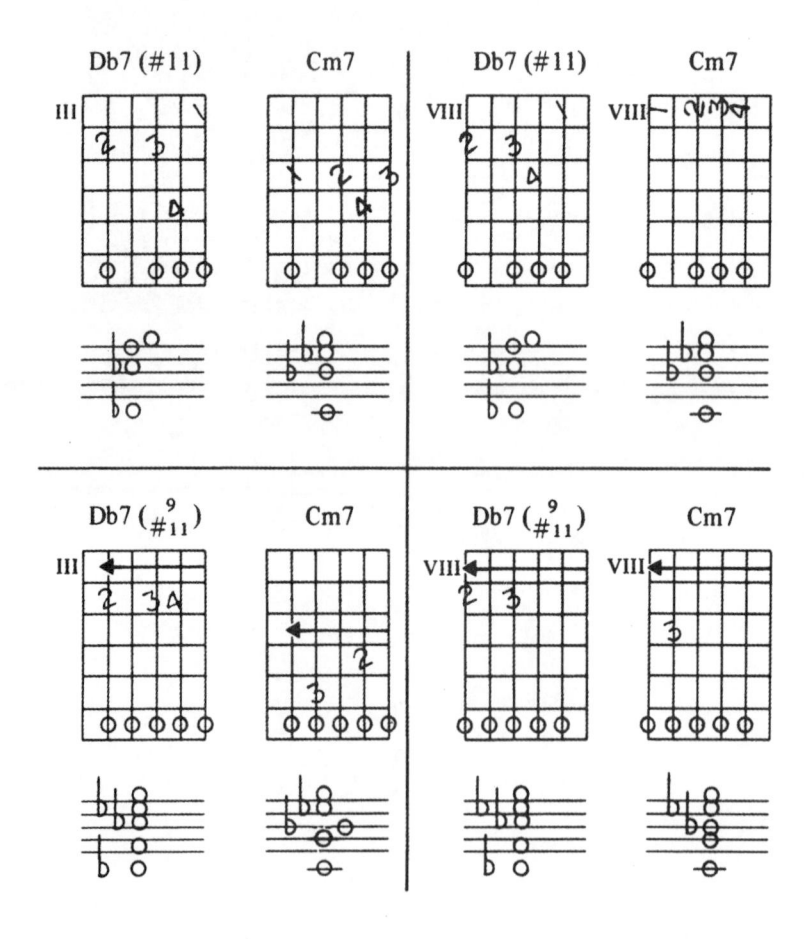

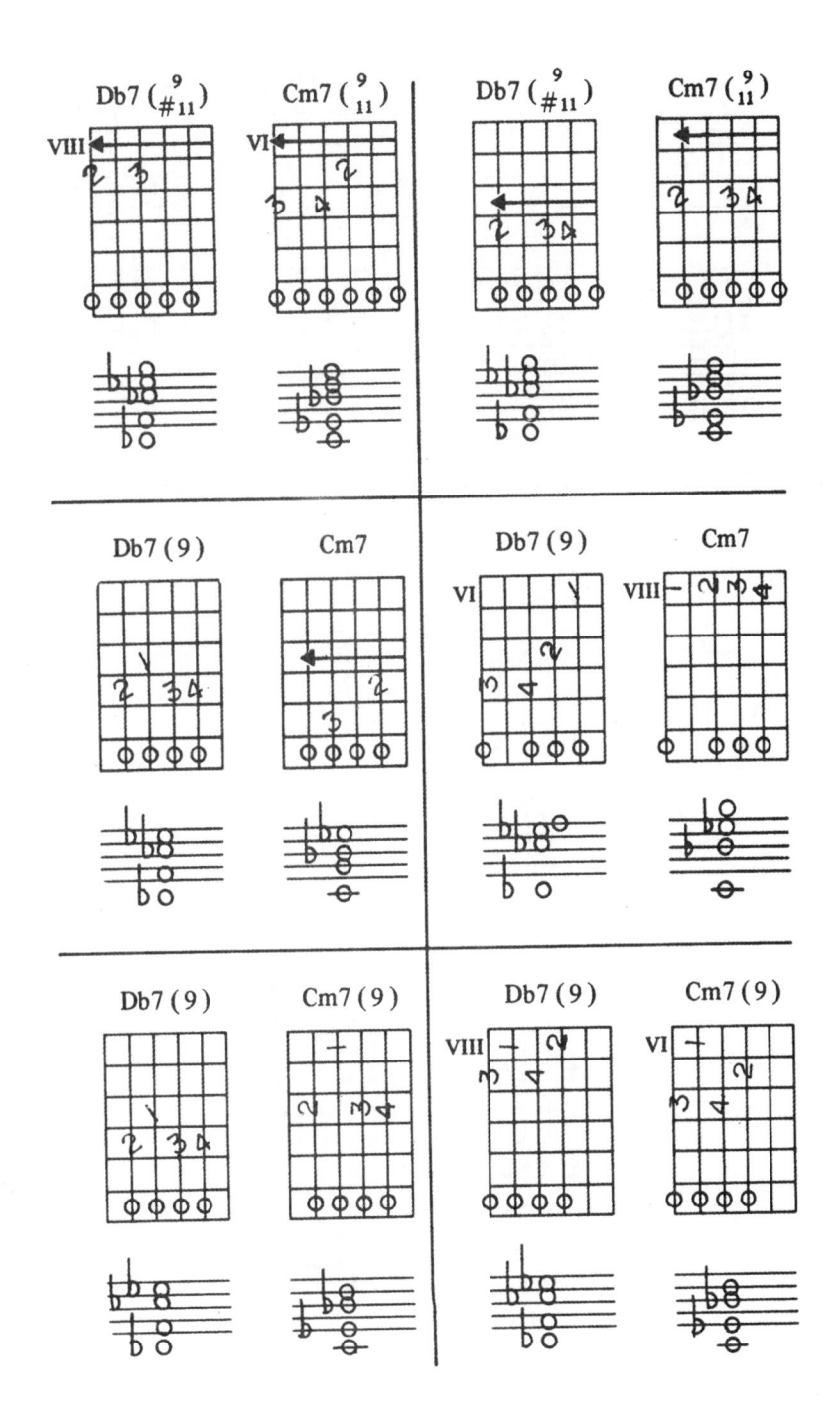

Exercícios de Progressões Harmônicas

204 • Almir Chediak

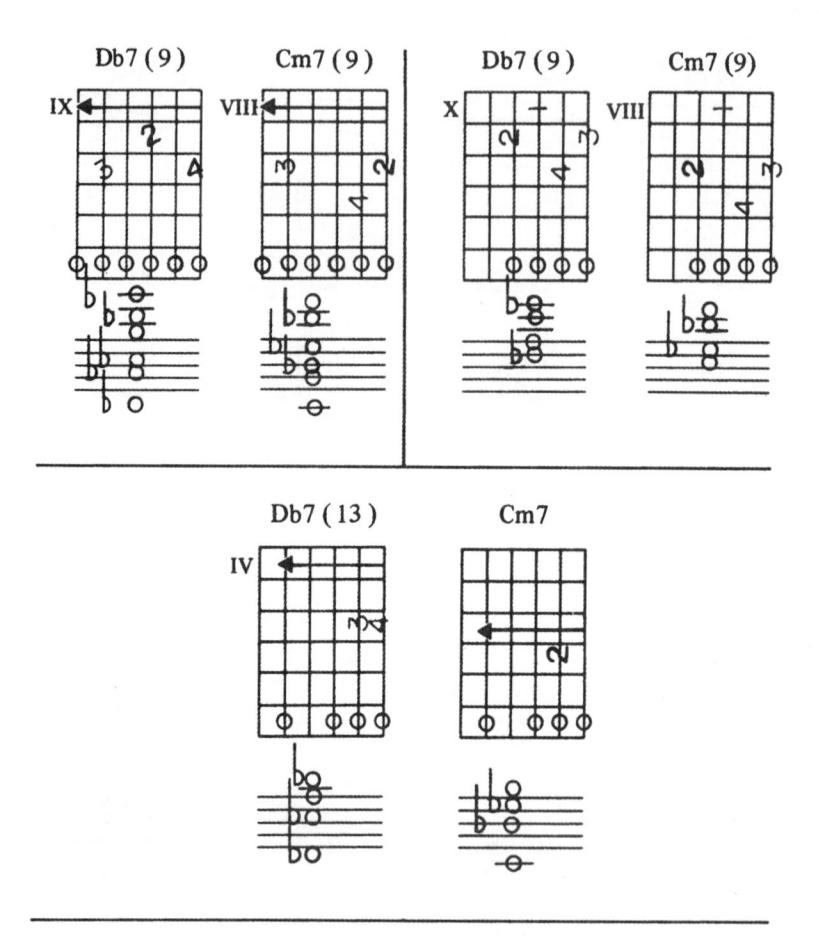

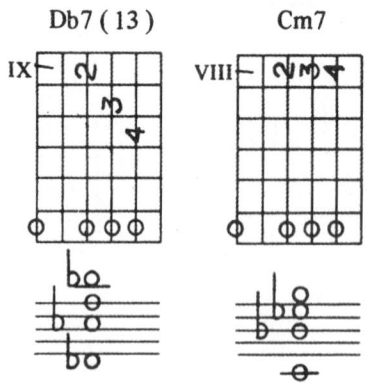

13) a) ‖: C7M F7 | Bb7M Eb7 | Ab7M Db7 | Gb7M B7 |
       | E7M A7 | D7M G7 :‖

   b) ‖: B7M E7 | A7M D7 | G7M C7 | F7M Bb7 |
       | Eb7M Ab7 | Db7M Gb7 :‖

Obs. – *Nesta progressão o acorde de 7ª da dominante soa bem com a nona (9) e/ou a décima terceira (13).*

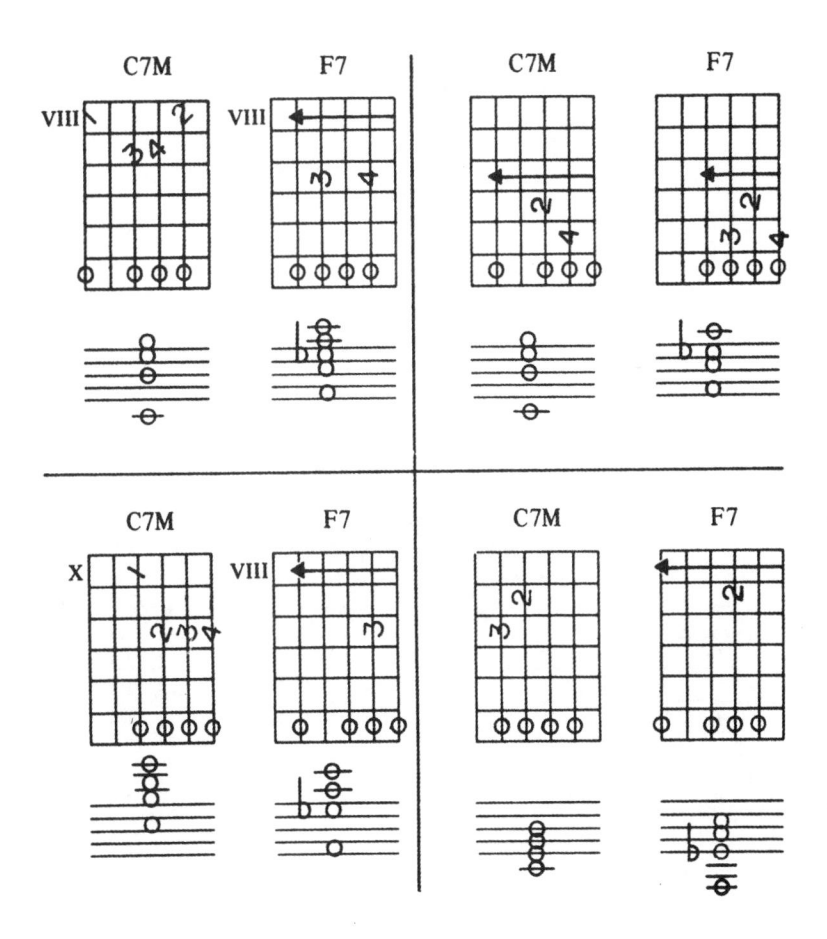

206 • Almir Chediak

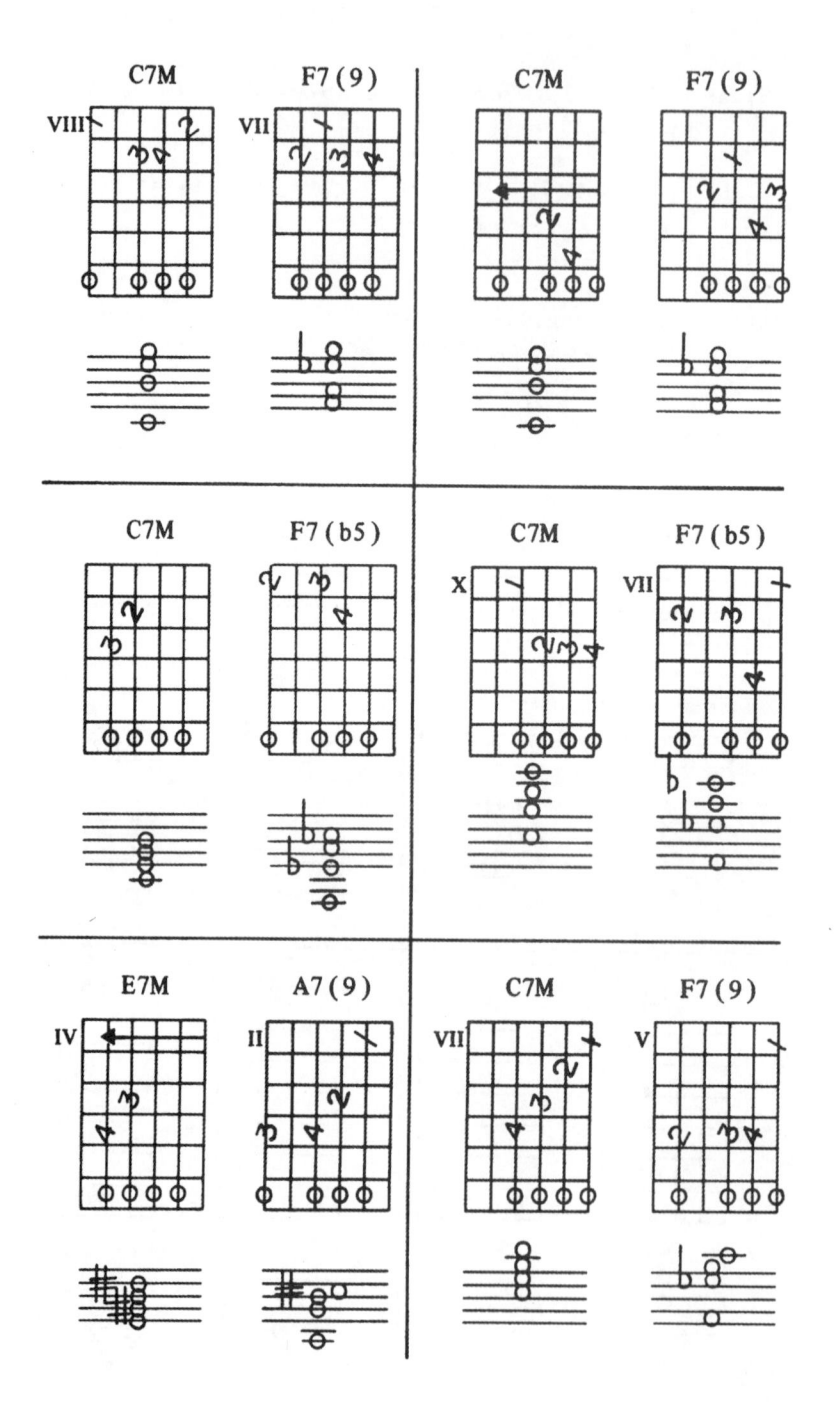

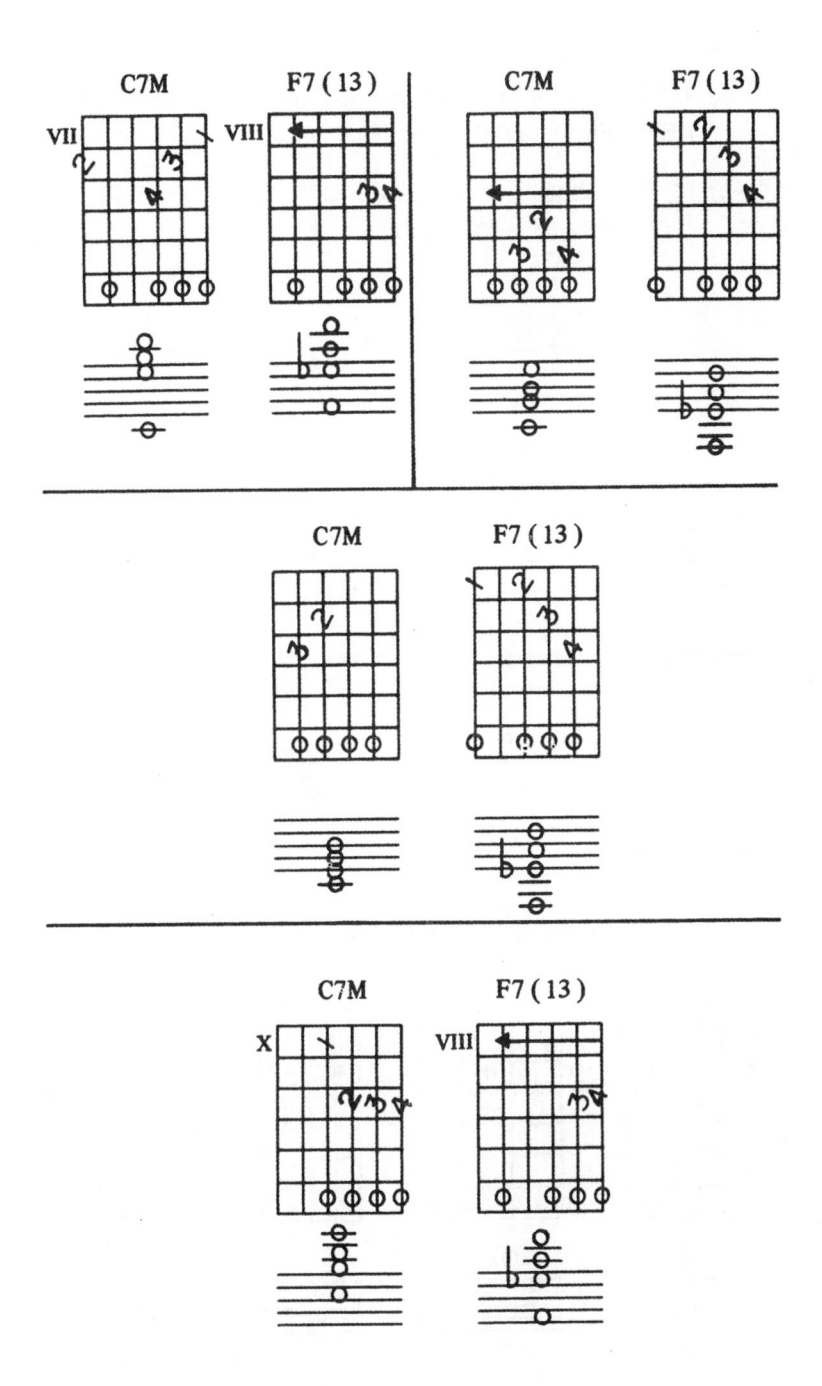

Exercícios de Progressões Harmônicas • 207

14) a) ‖: C7M Cm6 | Bb7M Bbm6 | Ab7M Abm6 | Gb7M Gbm6 |
       | E7M Em6 | D7M Dm6 :‖

   b) ‖: B7M Bm6 | A7M Am6 | G7M Gm6 | F7M Fm6 |
       | Eb7M Ebm6 | Db7M Dbm6 :‖

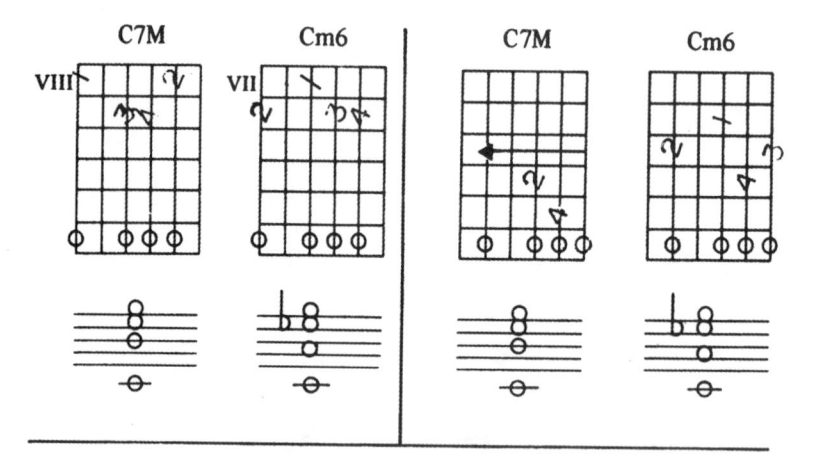

Obs. – A sétima maior soa bem no acorde de sexta e vice-versa.

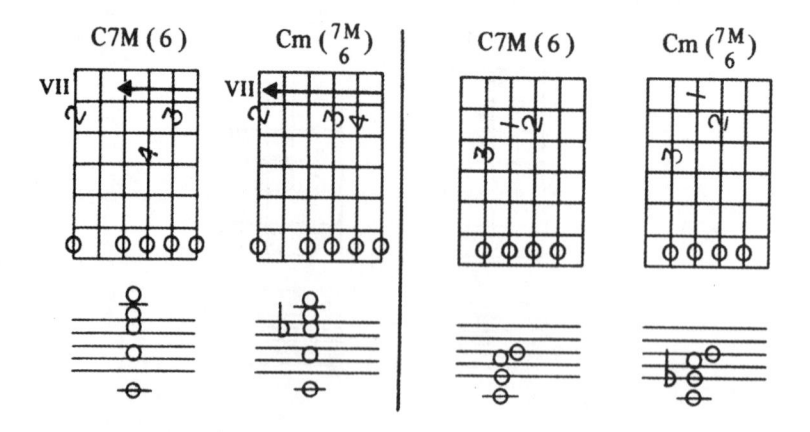

15) ‖: C7M F7 (#9) | B7M E7 (#9) | Bb7M Eb7 (#9) |
| A7M D7 (#9) | Ab7M Db7 (#9) | G7M C7 (#9) |
| Gb7M B7 (#9) | F7M Bb7 (#9) | E7M A7 (#9) |
| Eb7M Ab7 (#9) | D7M G7 (#9) :‖

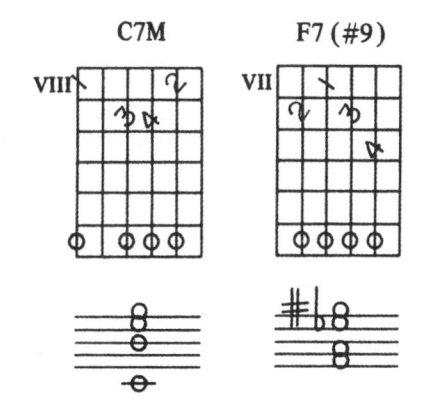

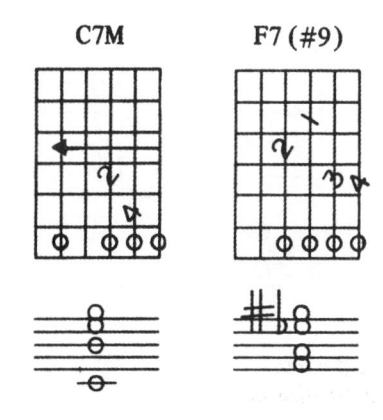

16) a) ‖: Cm6 B° | Bbm6 A° | Abm6 G° | Gbm6 F° |
       | Em6 Eb° | Dm6 Db° :‖

   b) ‖: Bm6 Bb° | Am6 Ab° | Gm6 Gb° | Fm6 E° |
       | Ebm6 D° | Dbm6 C° :‖

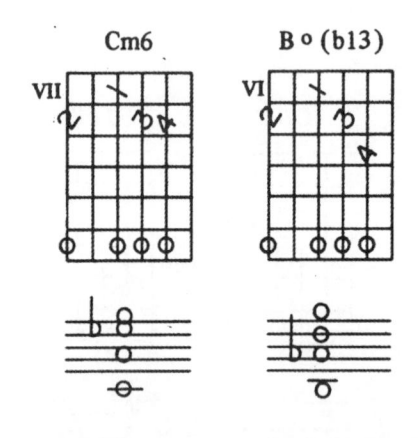

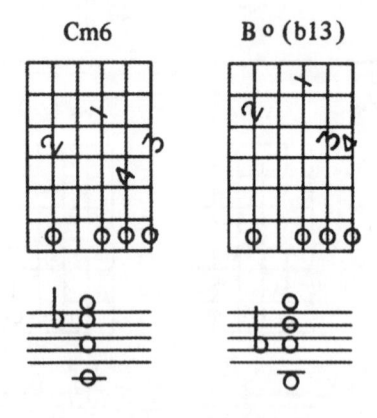

Cm6   B°(b13)

Cm6   B°(b13)

Obs. — *Nesta progressão, o acorde de 7ª diminuta soa melhor com a décima terceira menor (b13).*

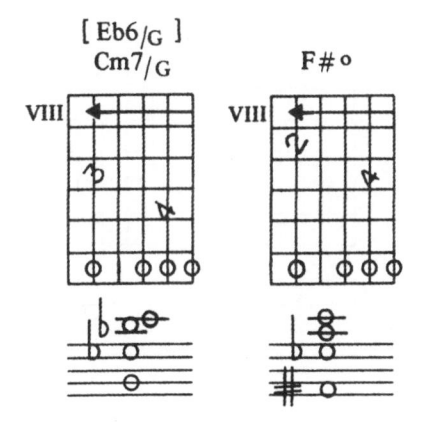

17) a) ‖: Cm7/G F#º | Bbm7/F Eº | G#m7/D# Dº |
       | F#m7/C# Cº | Em7/B Bbº | Dm7/A Abº   :‖

    b) ‖: Bm7/F# Fº | Am7/E Ebº | Gm7/D Dbº |
       | Fm7/C Bº | Ebm7/Bb Aº | Dbm7/Ab Gº :‖

ou

a) ‖: Eb6/G F#º | Db6/F Eº | etc.

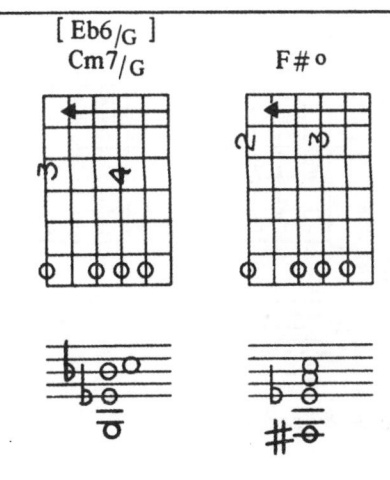

18) a) ‖: G7 (13) G7 (b13) | C7M C6 | F7 (13) F7 (b13) |
       | Bb7M Bb6 | Eb7 (13) Eb7 (b13) | Ab7M Ab6 |
       | Db7 (13) Db7 (b13) | Gb7M Gb6 | B7 (13) B7 (b13) |
       | E7M E6 | A7 (13) A7 (b13) | D7M D6 :‖

   b) ‖: F#7 (13) F#7 (b13) | B7M B6 | E7 (13) E7 (b13) |
       | A7M A6 | D7 (13) D7 (b13) | G7M G6 | C7 (13) C7 (b13) |
       | F7M F6 | Bb7 (13) Bb7 (b13) | Eb7M Eb6 |
       | Ab7 (13) Ab7 (b13) | Db7M Db6 :‖

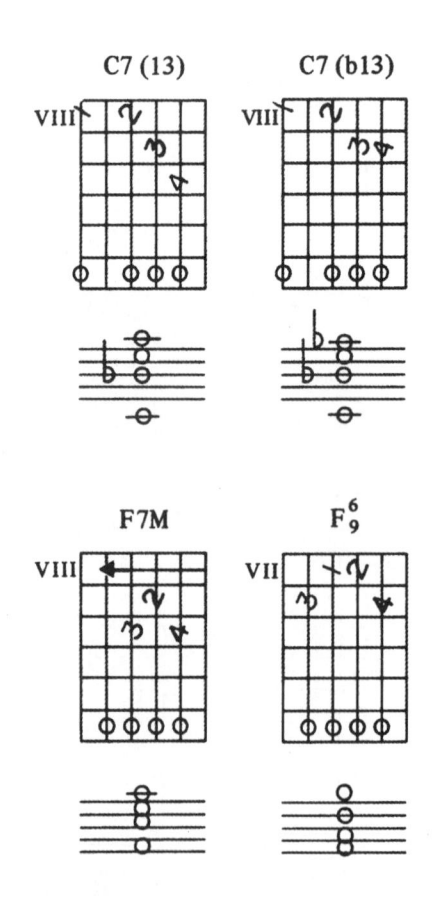

Obs. – O acorde de 6ª soa bem com 9ª.

Exercícios de Progressões Harmônicas • 213

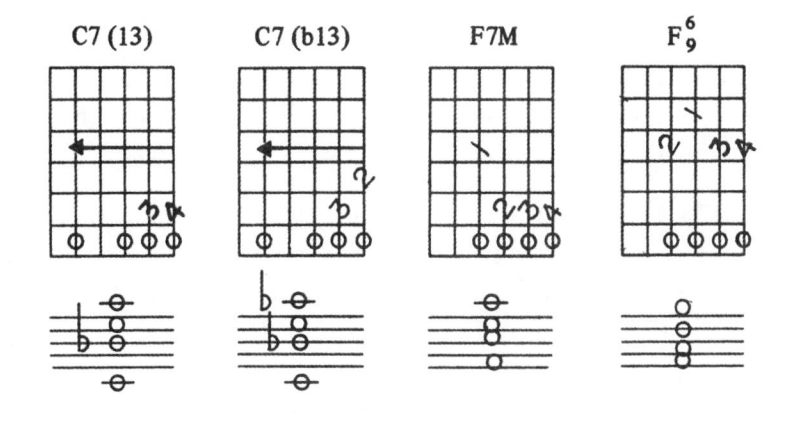

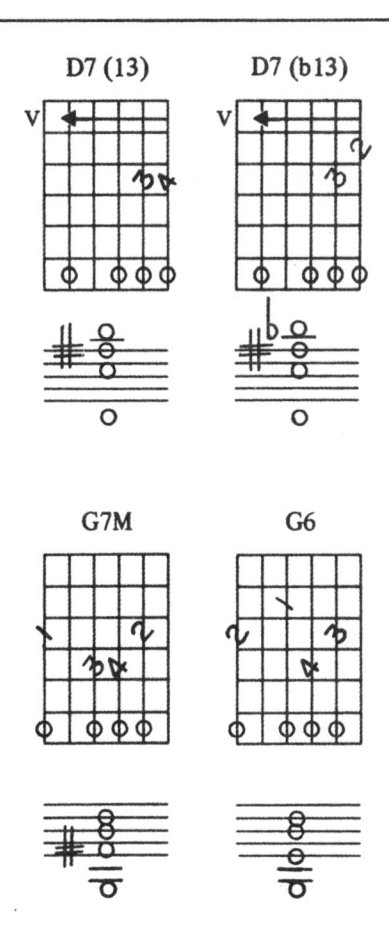

19) a) ‖: Dm7 (9) | G7 (13) G7 (b13) | Cm7 (9) | F7 (13) F7 (b13) |
  | Bbm7 (9) | Eb7 (13) Eb7 (b13) | Abm7 (9) |
  | Db7 (13) Db7 (b13) | Gbm7 (9) | B7 (13) B7 (b13) |
  | Em7 (9) | A7 (13) A7 (b13) :‖

b) ‖: C#m7 (9) | F#7 (13) F#7 (b13) | Bm7 (9) |
  | E7 (13) E7 (b13) | Am7 (9) | D7 (13) D7 (b13) |
  | Gm7 (9) | C7 (13) C7 (b13) | Fm7 (9) | Bb7 (13) Bb7 (b13) |
  | Ebm7 (9) | G#7 (13) G#7 (b13) :‖

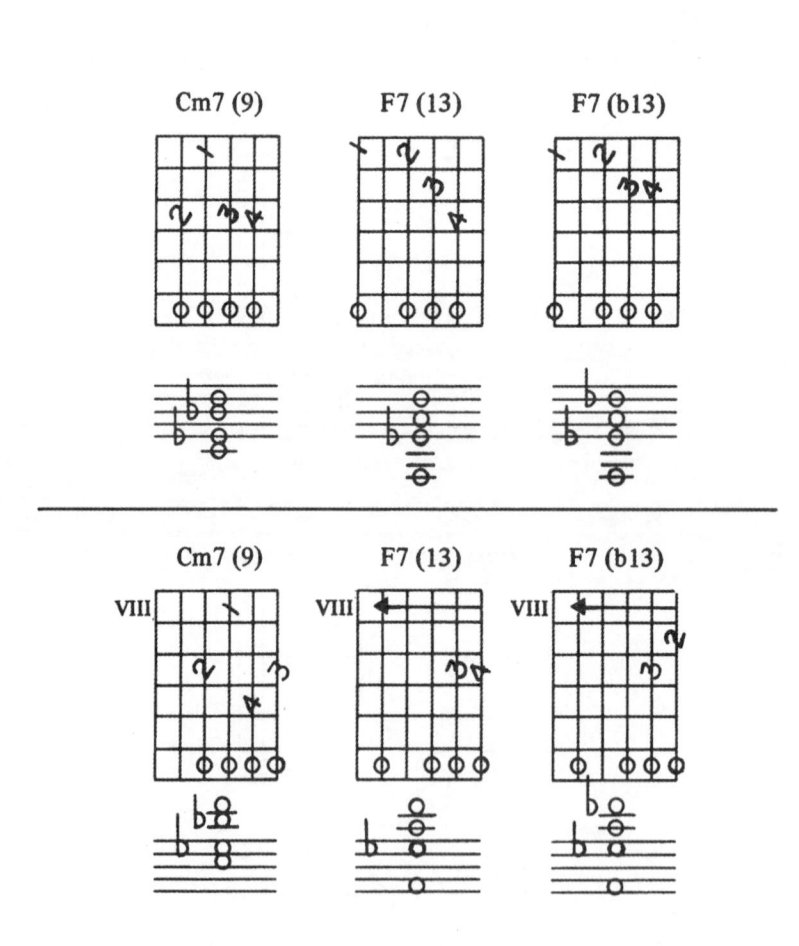

214 • Almir Chediak

20) a) ‖: C7 (13) C7 (b13) | Cm7 F7 (b9) | Bb7 (13) Bb7 (b13) |
| Bbm7 Eb7 (b9) | Ab7 (13) Ab7 (b13) | Abm7 Db7 (b9) |
| F#7 (13) F#7 (b13) | F#m7 B7 (b9) | E7 (13) E7 (b13) |
| Em7 A7 (b9) | D7 (13) D7 (b13) | Dm7 G7 (b9) :‖

b) ‖: B7 (13) B7 (b13) | Bm7 E7 (b9) | A7 (13) A7 (b13) |
| Am7 D7 (b9) | G7 (13) G7 (b13) | Gm7 C7 (b9) |
| F7 (13) F7 (b13) | Fm7 Bb7 (b9) | Eb7 (13) Eb7 (b13) |
| Ebm7 Ab7 (b9) | Db7 (13) Db7 (b13) | Dbm7 Gb7 (b9) :‖

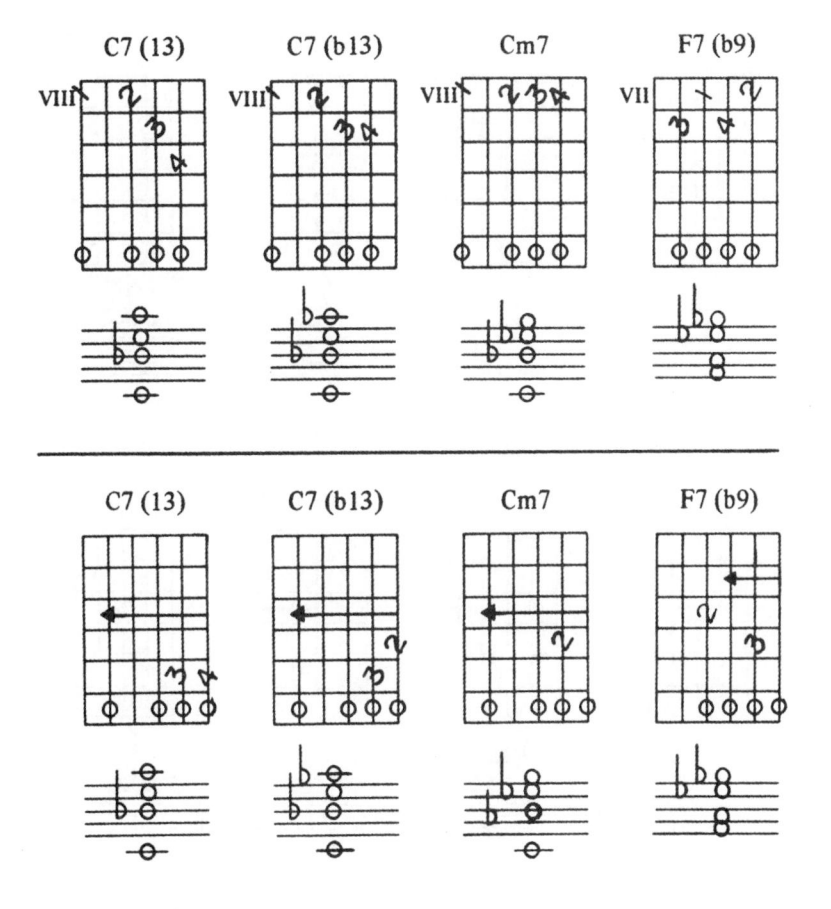

Exercícios de Progressões Harmônicas • 215

21) a) ‖: C7 (13) C7 (b13) | F_4^7 (9) F7 (b9) | Bb7 (13) Bb7 (b13) |
| Eb_4^7 (9) Eb7 (b9) | Ab7 (13) Ab7 (b13) | Db_4^7 (9) Db7 (b9) |
| F#7 (13) F#7 (b13) | B_4^7 (9) B7 (b9) | E7 (13) E7 (b13) |
| A_4^7 (9) A7 (b9) | D7 (13) D7 (b13) | G_4^7 (9) G7 (b9) :‖

b) ‖: B7 (13) B7 (b13) | E_4^7 (9) E7 (b9) | A7 (13) A7 (b13) |
| D_4^7 (9) D7 (b9) | G7 (13) G7 (b13) | C_4^7 (9) C7 (b9) |
| F7 (13) F7 (b13) | Bb_4^7 (9) Bb7 (b9) | Eb7 (13) Eb7 (b13) |
| Ab_4^7 (9) Ab7 (b9) | Db7 (13) Db7 (b13) | Gb_4^7 (9) Gb7 (b9) :‖

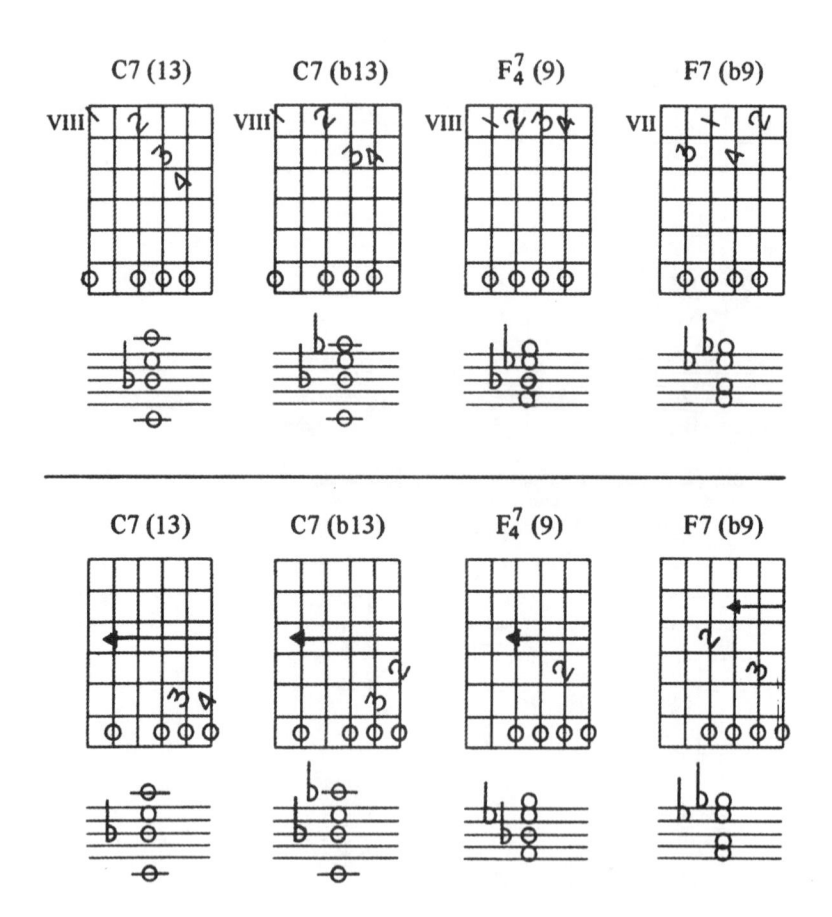

22) a) $\|: Cm^{(8)}$ Cm (7M) | Cm7 Cm6 | Bbm$^{(8)}$ Bbm (7M) |
      | Bbm7 Bbm6 | G#m$^{(8)}$ G#m (7M) | G#m7 G#m6 |
      | F#m$^{(8)}$ F#m (7M) | F#m7 F#m6 | Em$^{(8)}$ Em (7M) |
      | Em7 Em6 | Dm$^{(8)}$ Dm (7M) | Dm7 Dm6 :$\|$

   b) $\|: Bm^{(8)}$ Bm (7M) | Bm7 Bm6 | Am$^{(8)}$ Am (7M) |
      | Am7 Am6 | Gm$^{(8)}$ Gm (7M) | Gm7 Gm6 |
      | Fm$^{(8)}$ Fm (7M) | Fm7 Fm6 | Ebm$^{(8)}$ Ebm (7M) |
      | Ebm7 Ebm6 | C#m$^{(8)}$ C#m (7M) | C#m7 C#m6 :$\|$

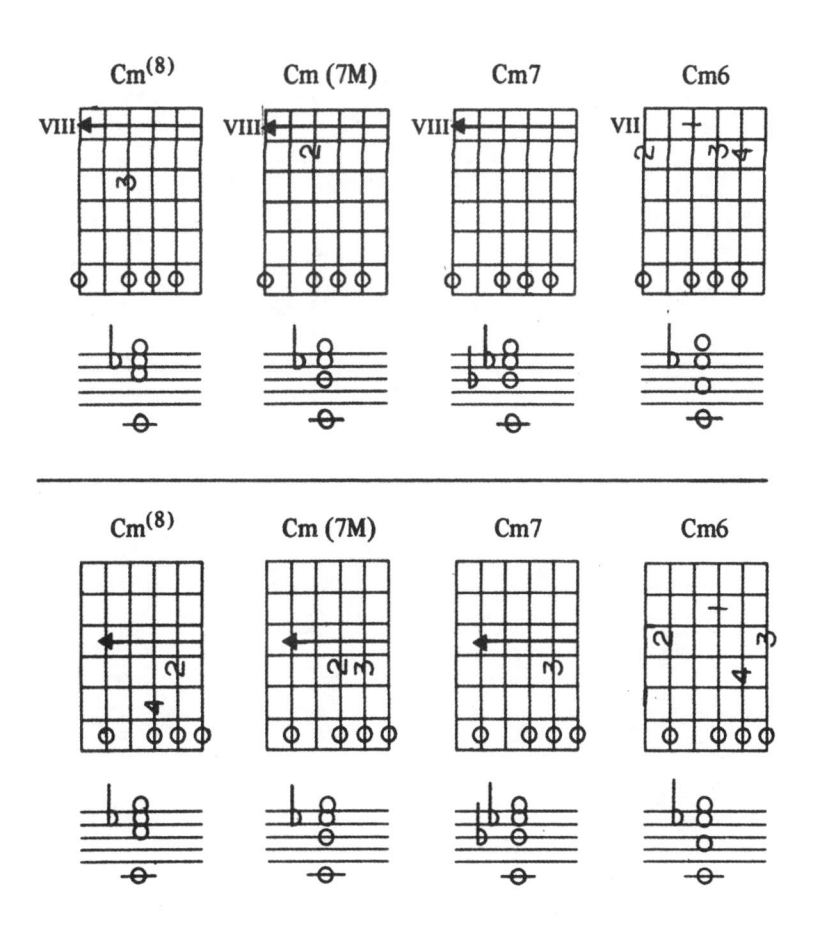

Exercícios de Progressões Harmônicas

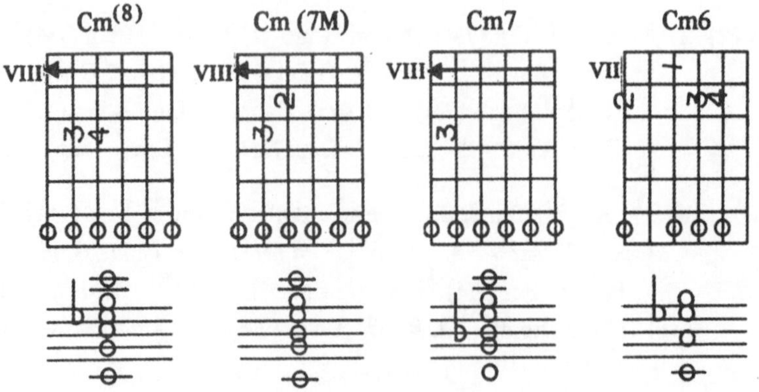
Cm(8)
Cm (7M)
Cm7
Cm6
VIII
VIII
VIII
VII

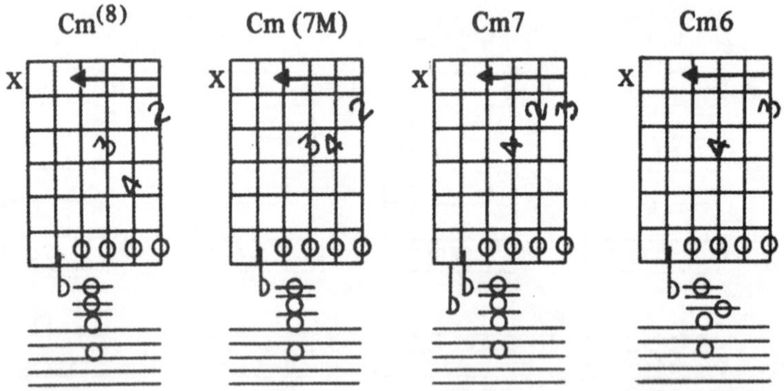
Cm(8)
Cm (7M)
Cm7
Cm6
X
X
X
X

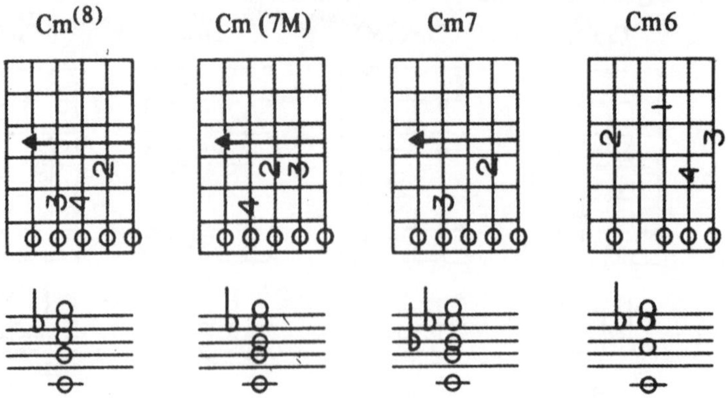
Cm(8)
Cm (7M)
Cm7
Cm6

Cm⁽⁸⁾ Cm (7M) Cm7 Cm6

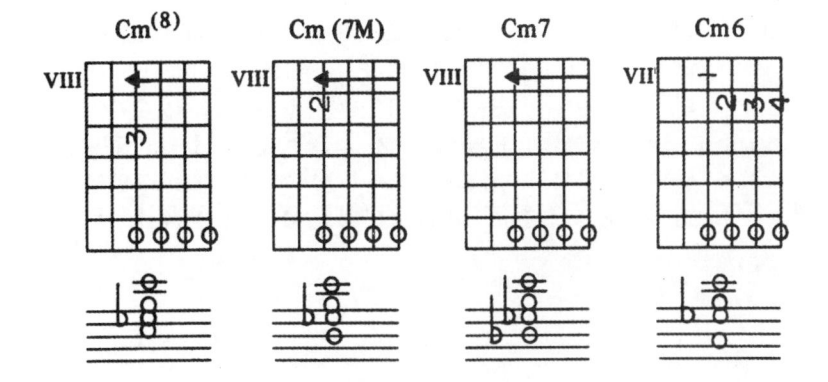

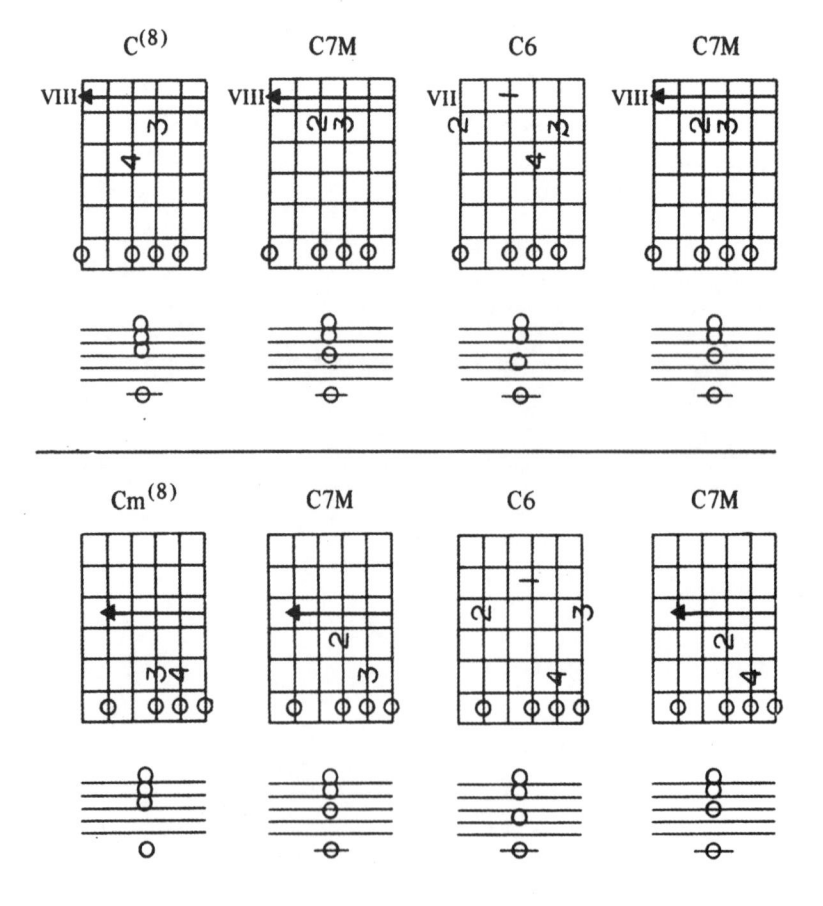

23) $\|: C^{(8)}\ C7M\ |\ C6\ C7M\ |\ Db^{(8)}\ Db7M\ |\ Db6\ Db7M\ |$
$|\ D^{(8)}\ D7M\ |\ D6\ D7M\ |\ Eb^{(8)}\ Eb7M\ |\ Eb6\ Eb7M\ |$
$|\ E^{(8)}\ E7M\ |\ E6\ E7M\ |\ F^{(8)}\ F7M\ |\ F6\ F7M\ |$
$|\ F\#^{(8)}\ F\#7M\ |\ F\#6\ F\#7M\ |\ G^{(8)}\ G7M\ |\ G6\ G7M\ |$
$|\ Ab^{(8)}\ Ab7M\ |\ Ab6\ Ab7M\ |\ A^{(8)}\ A7M\ |\ A6\ A7M\ |$
$|\ Bb^{(8)}\ Bb7M\ |\ Bb6\ Bb7M\ |\ B^{(8)}\ B7M\ |\ B6\ B7M :\|$

Cm⁽⁸⁾   C7M   C6   C7M

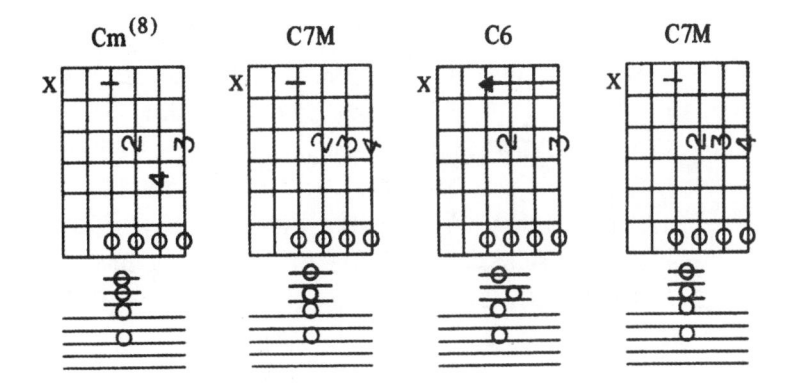

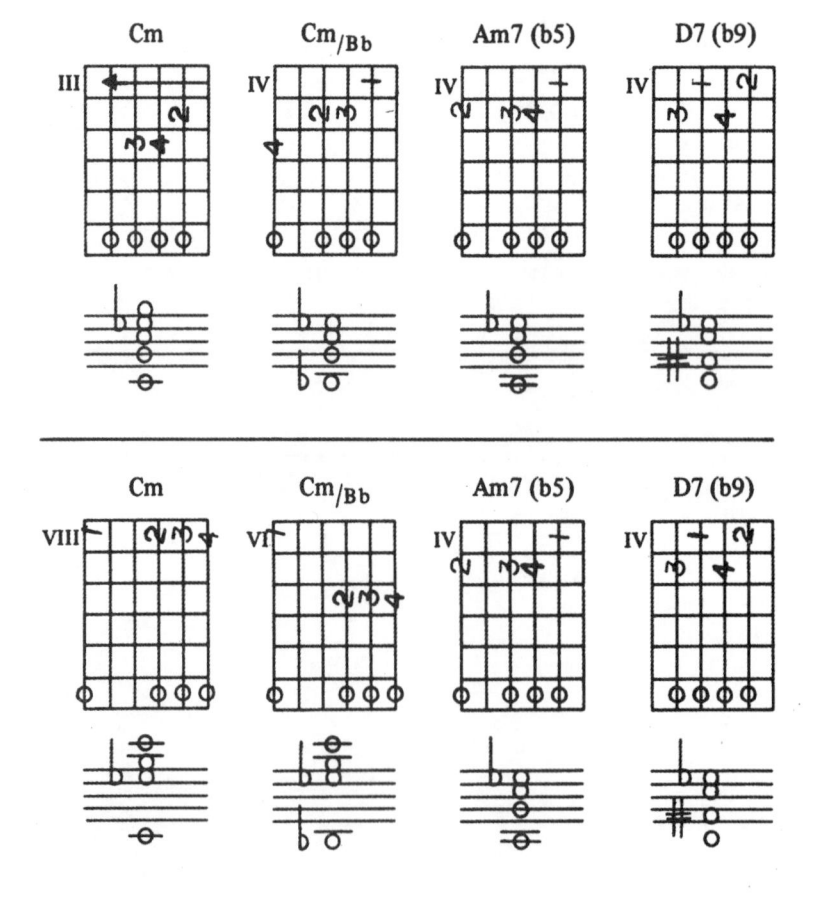

24) ‖: Cm Cm/Bb | Am7(b5) D7(b9) | Gm Gm/F |
Em7(b5) A7(b9)	Dm Dm/C	Bm7(b5) E7(b9)
Am Am/G	F#m7(b5) B7(b9)	Em Em/D
C#m7(b5) F#7(b9)	Bm Bm/A	G#m7(b5) C#7(b9)
F#m F#m/E	D#m7(b5) G#7(b9)	C#m C#m/B
A#m7(b5) D#7(b9)	G#m G#m/F#	E#m7(b5) A#7(b9)
D#m D#m/C#	Cm7(b5) F7(b9)	Bbm Bbm/Ab
Gm7(b5) C7(b9)	Fm Fm/Eb	Dm7(b5) G7(b9) :‖

Exercícios de Progressões Harmônicas • 223

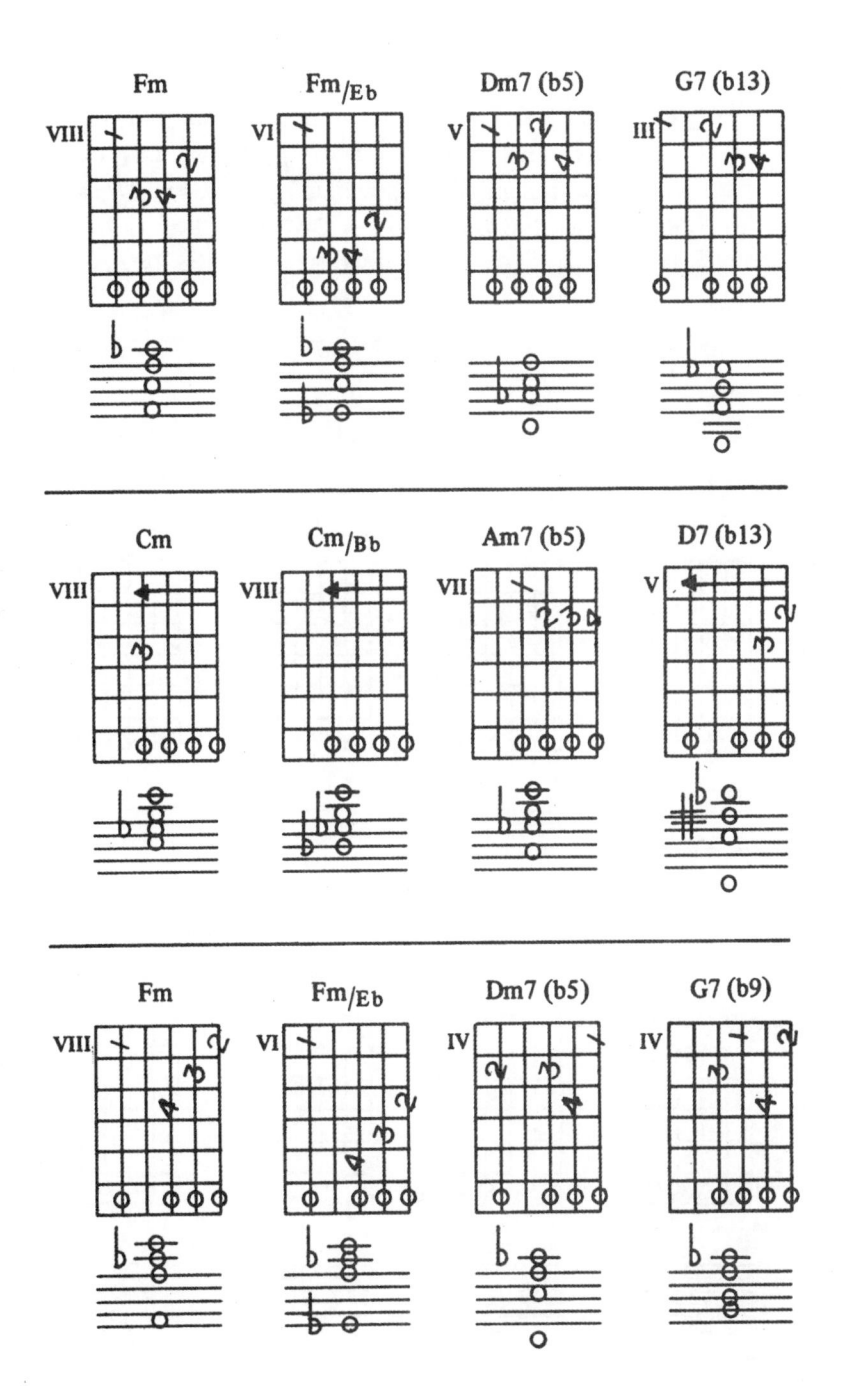

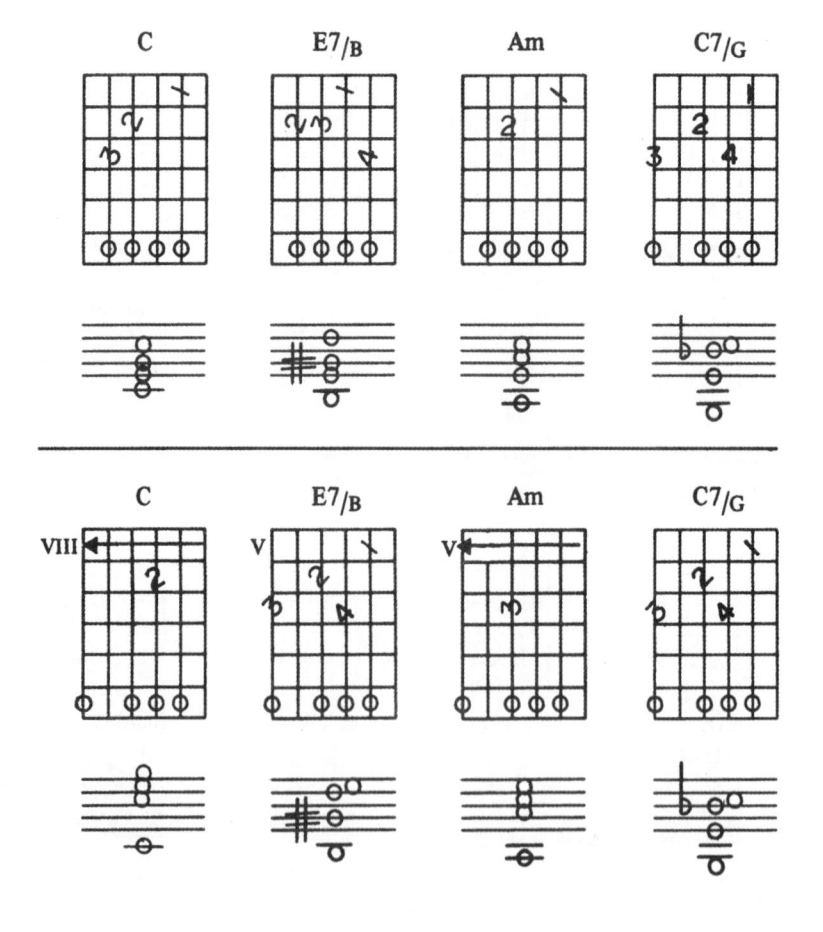

25) ‖: C E7/B | Am C7/G | F A7/E | Dm F7/C |
Bb D7/A	Gm Bb7/F	Eb G7/D	Cm Eb7/Bb
Ab C7/G	Fm Ab7/Eb	Db F7/C	Bbm Db7/Ab
Gb Bb7/F	Ebm Gb7/Db	B D#7/A#	G#m B7/F#
E G#7/D#	C#m E7/B	A C#7/G#	F#m A7/E
D F#7/C#	Bm D7/A	G B7/F#	Em G7/D :‖

Exercícios de Progressões Harmônicas

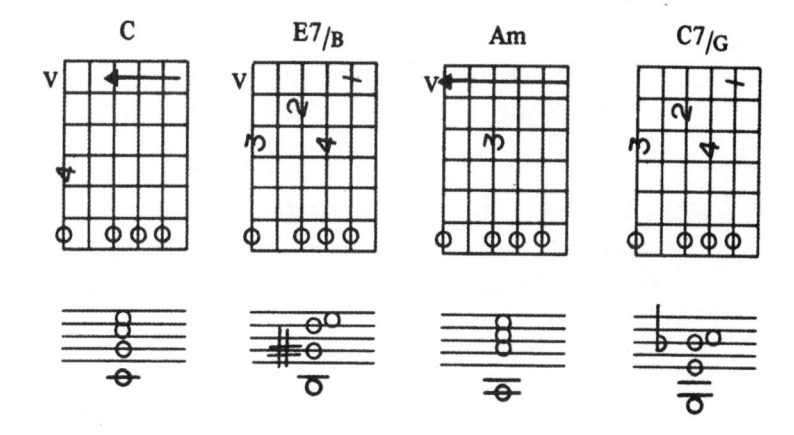

26) a) ‖: C7M C6 | Cm7 F7(9) | Bb7M Bb6 | Bbm7 Eb7(9) |
   | Ab7M Ab6 | Abm7 Db7(9) | F#7M F#6 |
   | F#m7 B7(9) | E7M E6 | Em7 A7(9) | D7M D6 |
   | Dm7 G7(9) :‖

b) ‖: B7M B6 | Bm7 E7(9) | A7M A6 | Am7 D7(9) |
   | G7M G6 | Gm7 C7(9) | F7M F6 | Fm7 Bb7(9) |
   | Eb7M Eb6 | Ebm7 Ab7(9) | C#7M C#6 | C#m7 F#7(9) :‖

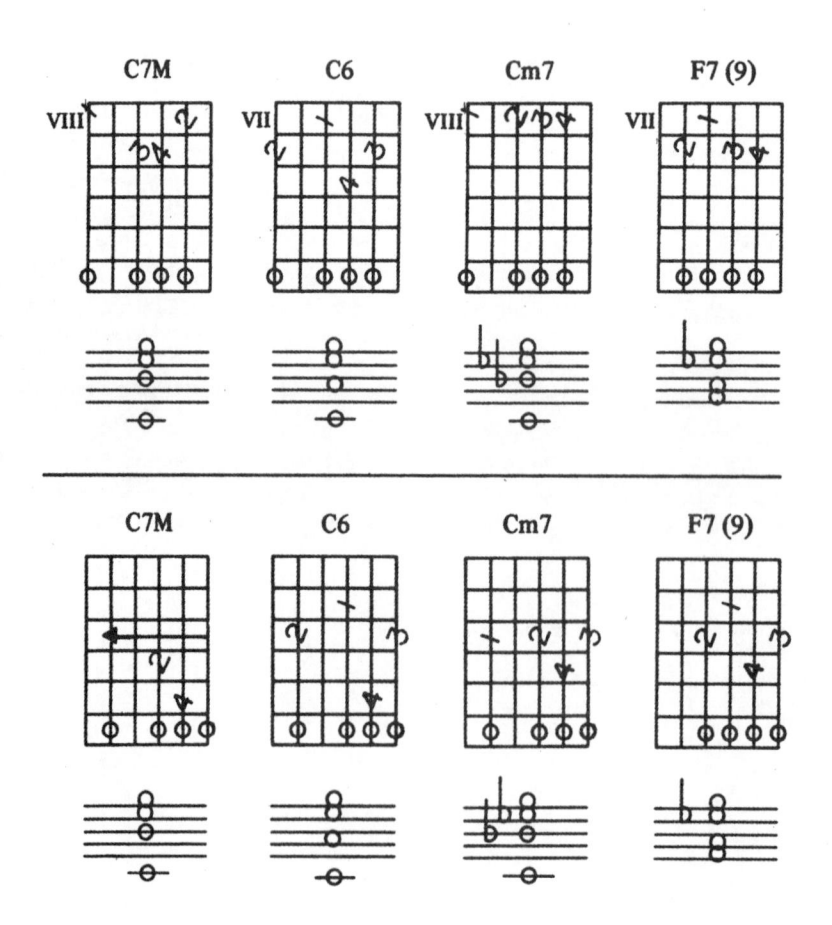

27) a) ‖: C7M C6 | Dm7 G7 (9) | Eb7M Eb6 | Fm7 Bb7 (9) |
       | Gb7M Gb6 | Abm7 Db7 (9) | A7M A6 | Bm7 E7 (9) :‖

   b) ‖: B7M B6 | C#m7 F#7 (9) | D7M D6 | Em7 A7 (9) |
       | F7M F6 | Gm7 C7 (9) | Ab7M Ab6 | Bbm7 Eb7 (9) :‖

   c) ‖: Bb7M Bb6 | Cm7 F7 (9) | Db7M Db6 | Ebm7 Ab7 (9) |
       | E7M E6 | F#m7 B7 (9) | G7M G6 | Am7 D7 (9) :‖

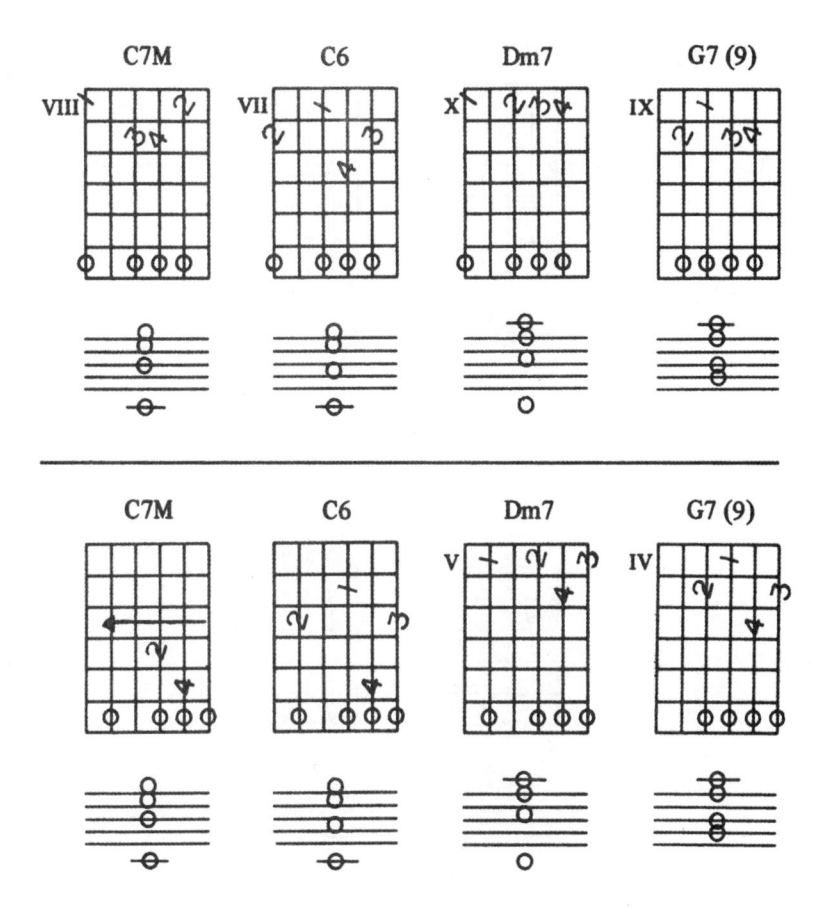

Exercícios de Progressões Harmônicas • 227

28) a) ‖: C7M/E Eb° | Bb7M/D Db° | Ab7M/C B° |
       | Gb7M/Bb A° | E7M/G# G° | D7M/F# F°   :‖

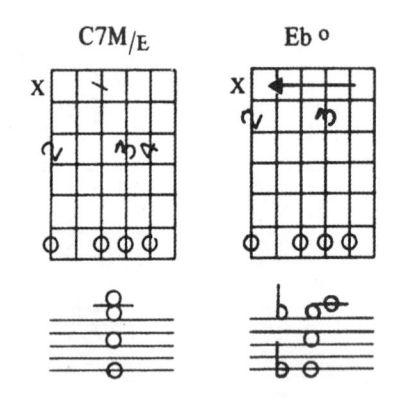

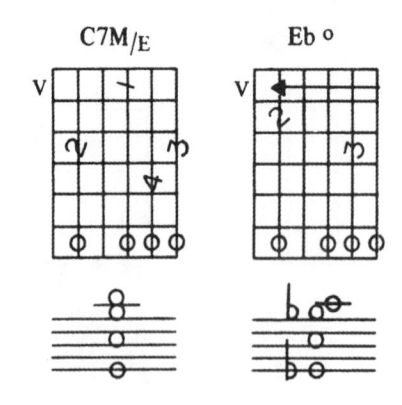

    b) ‖: B7M/D# D° | A7M/C# C° | G7M/B Bb° |
       | F7M/A Ab° | Eb7/G Gb° | Db7/F E°   :‖

29) a) ‖: C/E Eb° | Dm7 Db7 (#11) | Ab/C B° |
       | Bbm7 A7 (#11) | E/G# G° | F#m7 F7 (#11) :‖

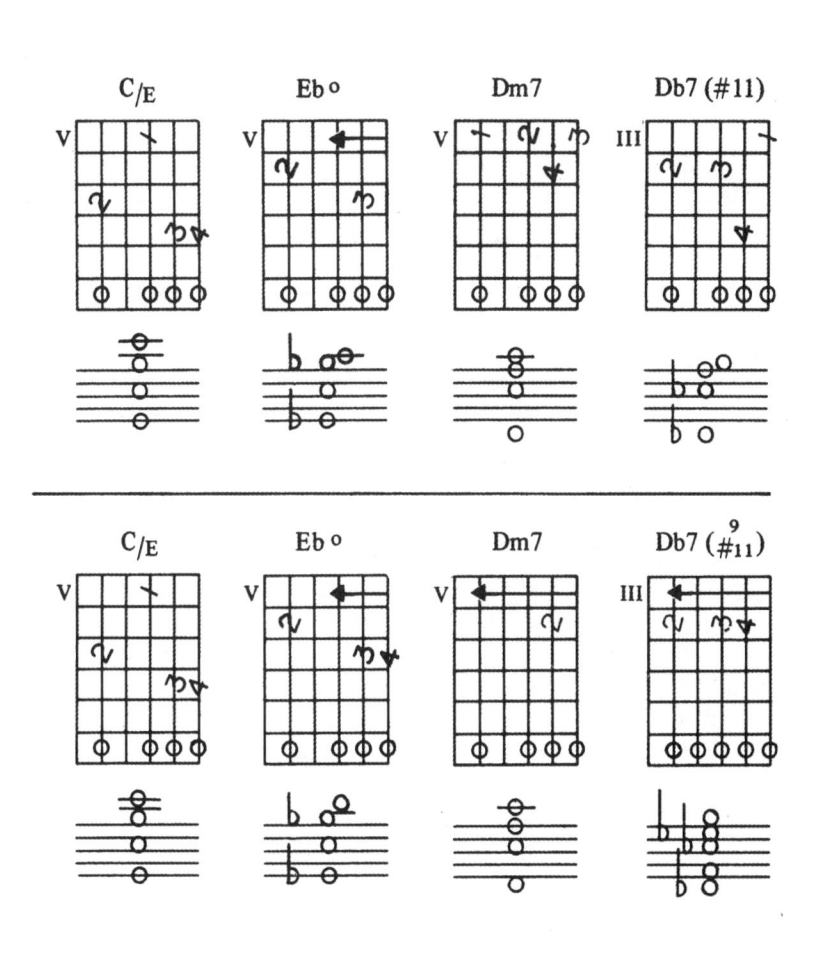

   b) ‖: B/D# D° | C#m7 C7 (#11) | G/B Bb° |
       | Am7 Ab7 (#11) | Eb/G Gb° | Fm7 E7 (#11) :‖

   c) ‖: Bb/D Db° | Cm7 B7 (#11) | Gb/Bb A° |
       | Abm7 G7 (#11) | D/F# F° | Em7 Eb7 (#11) :‖

   d) ‖: A/C# C° | Bm7 Bb7 (#11) | F/A Ab° |
       | Gm7 Gb7 (#11) | Db/F E° | Ebm7 D7 (#11) :‖

Exercícios de Progressões Harmônicas • 229

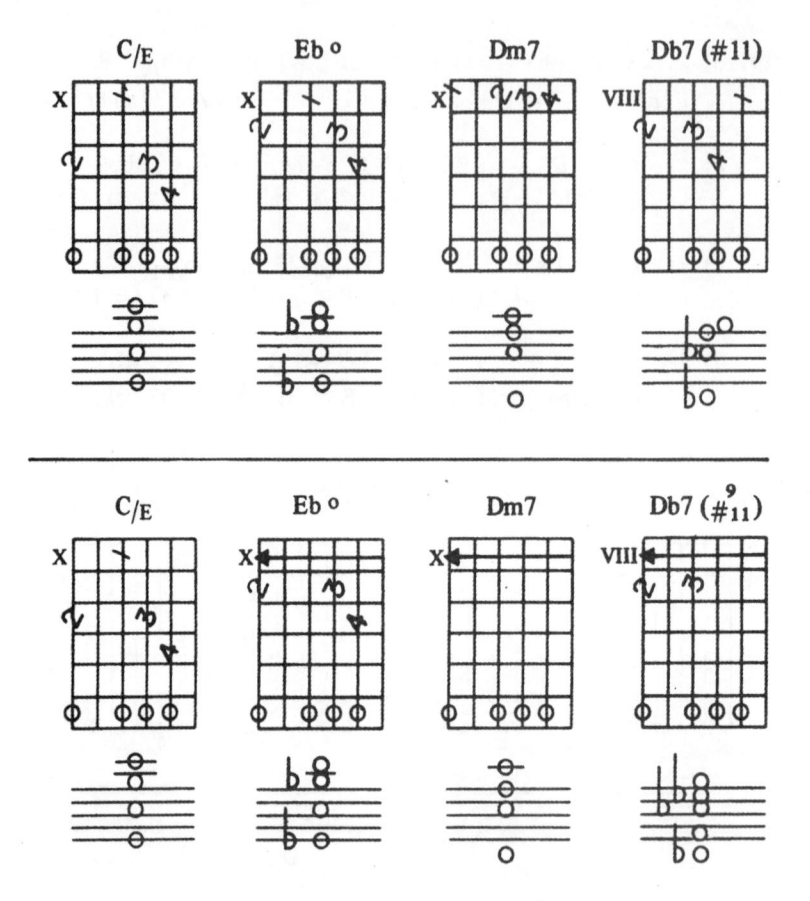

C/E   Eb°   Dm7   Db7(#11)

C/E   Eb°   Dm7   Db7($\substack{9\\ \#11}$)

30) a) ‖: C7/G F#m6 | Bb7/F Em6 | Ab7/Eb Dm6 |
    | Gb7/Db Cm6 | E7/B Bbm6 | D7/A G#m6 :‖

b) ‖: B7/F# Fm6 | A7/E Ebm6 | G7/D C#m6 |
    | F7/C Bm6 | Eb7/Bb Am6 | Db7/Ab Gm6 :‖

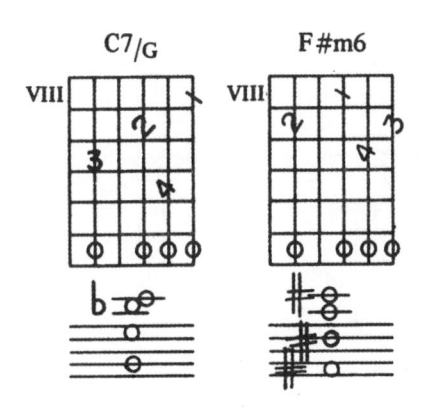

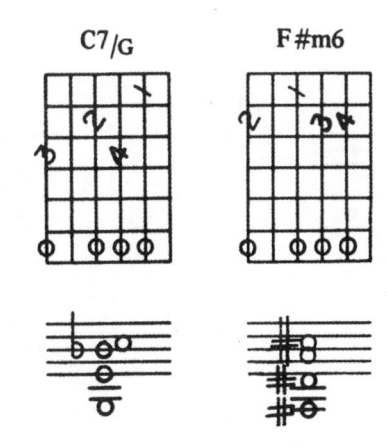

31) a) ‖: C7M | F#m7 B7 | E7M | Bbm7 Eb7 |
       | Ab7M | Dm7 G7 :‖

   b) ‖: B7M | Fm7 Bb7 | Eb7M | Am7 D7 |
       | G7M | C#m7 F#7 :‖

   c) ‖: Bb7M | Em7 A7 | D7M | G#m7 C#7 |
       | F#7M | Cm7 F7 :‖

   d) ‖: A7M | D#m7 G#7 | C#7M | Gm7 C7 |
       | F7M | Bm7 E7 :‖

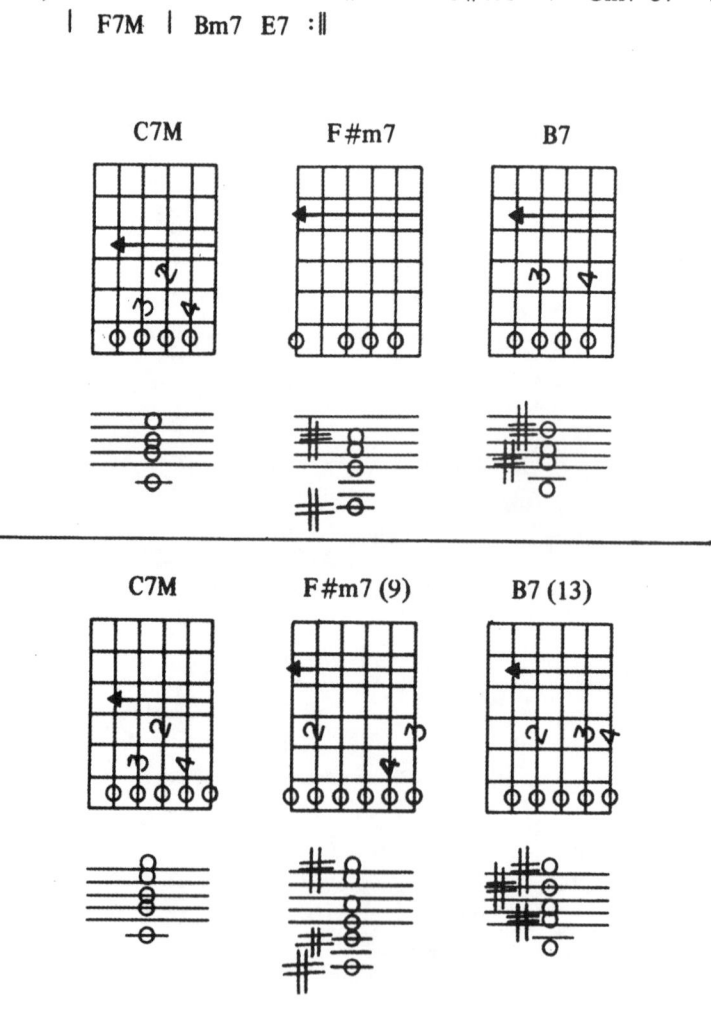

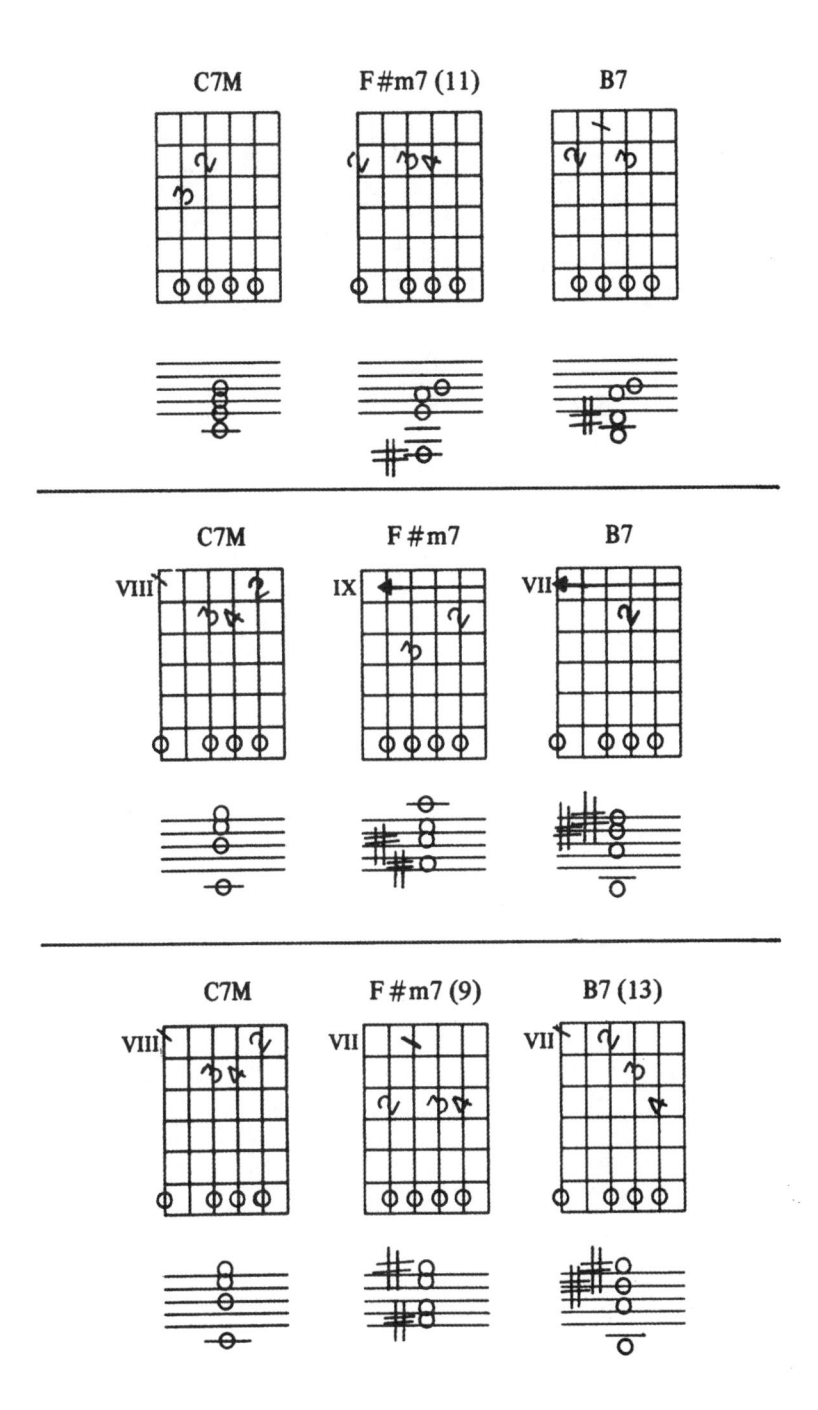

Exercícios de Progressões Harmônicas • 233

C^6_9 F#m7 (9)   B7 (b13)

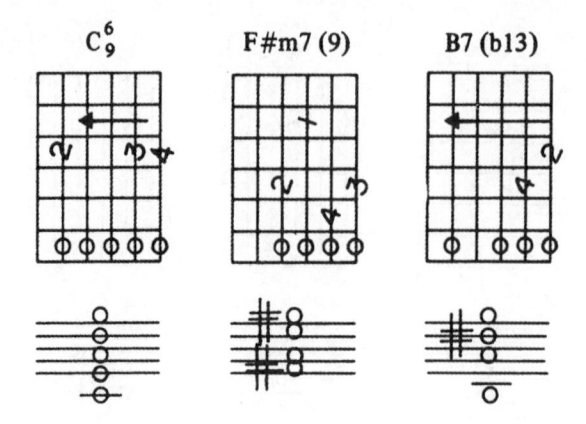

32) a) ‖: C7M | F#m7 (b5) B7 (b9) | E7M | Bbm7 (b5) Eb7 (b9)|
| Ab7M | Dm7 (b5) G7 (b9) :‖

b) ‖: B7M | Fm7 (b5) Bb7 (b9) | Eb7M | Am7 (b5) D7 (b9) |
| G7M | C#m7 (b5) F#7 (b9) :‖

c) ‖: Bb7M | Em7 (b5) A7 (b9) | D7M | G#m7 (b5) C#7 (b9) |
| F#7M | Cm7 (b5) F7 (b9) :‖

d) ‖: A7M | D#m7 (b5) G#7 (b9) | C#7M |
| Gm7 (b5) C7 (b9) | F7M | Bm7 (b5) E7 (b9) :‖

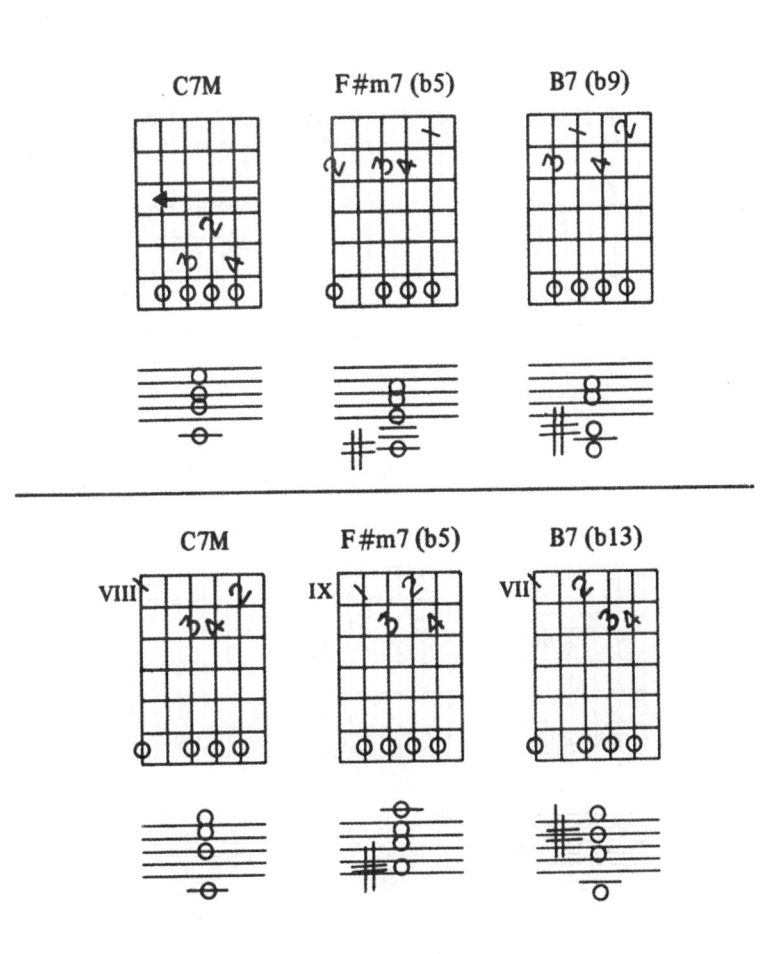

Exercícios de Progressões Harmônicas • 235

33) a) ‖: C7M | Bm7(b5) E7 | A7M | G#m7(b5) C#7 |
    | F#7M | Fm7(b5) Bb7 | Eb7M | Dm7(b5) G7 :‖

b) ‖: B7M | A#m7(b5) D#7 | G#7M | Gm7(b5) C7 |
   | F7M | Em7(b5) A7 | D7M | C#m7(b5) F#7 :‖

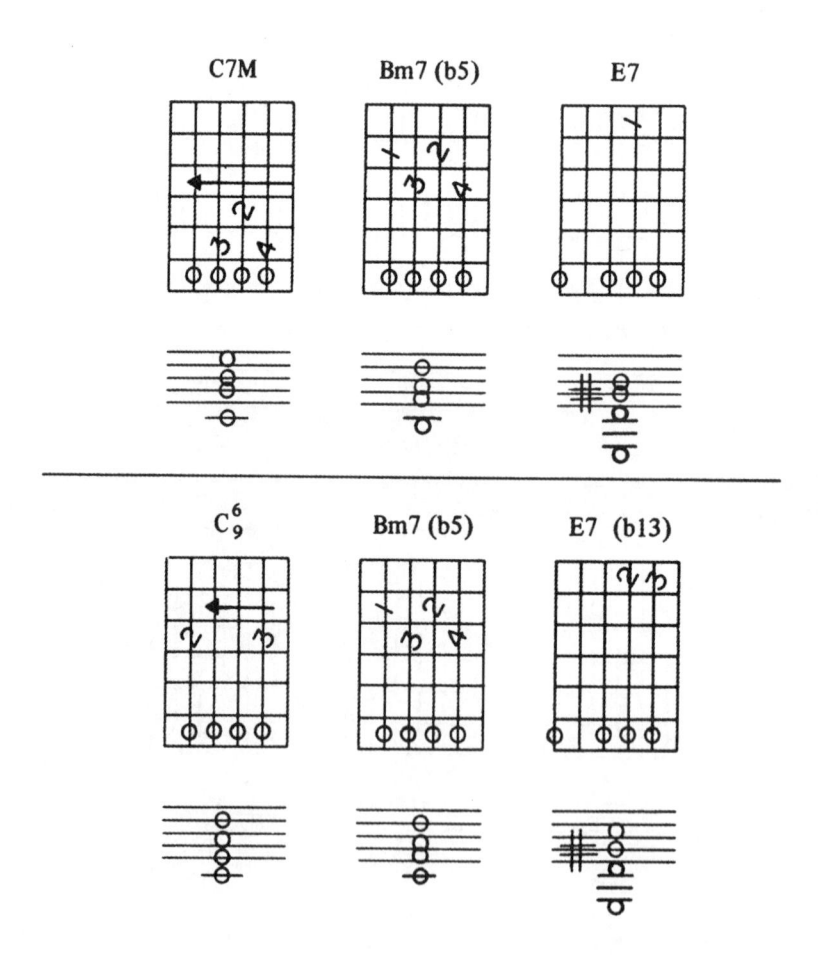

C7M   Bm7(b5)   E7

C_9^6 Bm7(b5)   E7(b13)

Exercícios de Progressões Harmônicas • 237

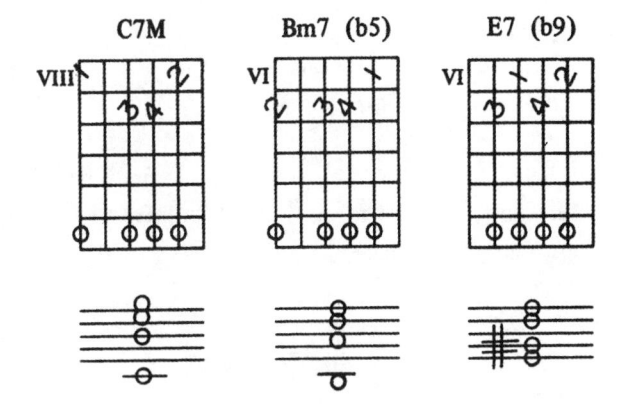

34) a) ‖: C Em/B | Am Am/G | F#m7 (b5) B7 | E G#m/D# |
  | C#m C#m/B | Bbm7 (b5) Eb7 | Ab Cm/G |
  | Fm Fm/Eb | Dm7 (b5) G7 :‖

b) ‖: B D#m/A# | G#m G#m/F# | Fm7 (b5) Bb7 |
  | Eb Gm/D | Cm Cm/Bb | Am7 (b5) D7 | G Bm/F# |
  | Em Em/D | C#m7 (b5) F#7 :‖

c) ‖: Bb Dm/A | Gm Gm/F | Em7 (b5) A7 | D F#m/C# |
  | Bm Bm/A | G#m7 (b5) C#7 | Gb Bbm/F |
  | Ebm Ebm/Db | Cm7 (b5) F7 :‖

d) ‖: A C#m/G# | F#m F#m/E | Ebm7 (b5) Ab7 |
  | Db Fm/C | Bbm Bbm/Ab | Gm7 (b5) C7 | F Am/E |
  | Dm Dm/C | Bm7 (b5) E7 :‖

C   Em/B   Am   Am/G

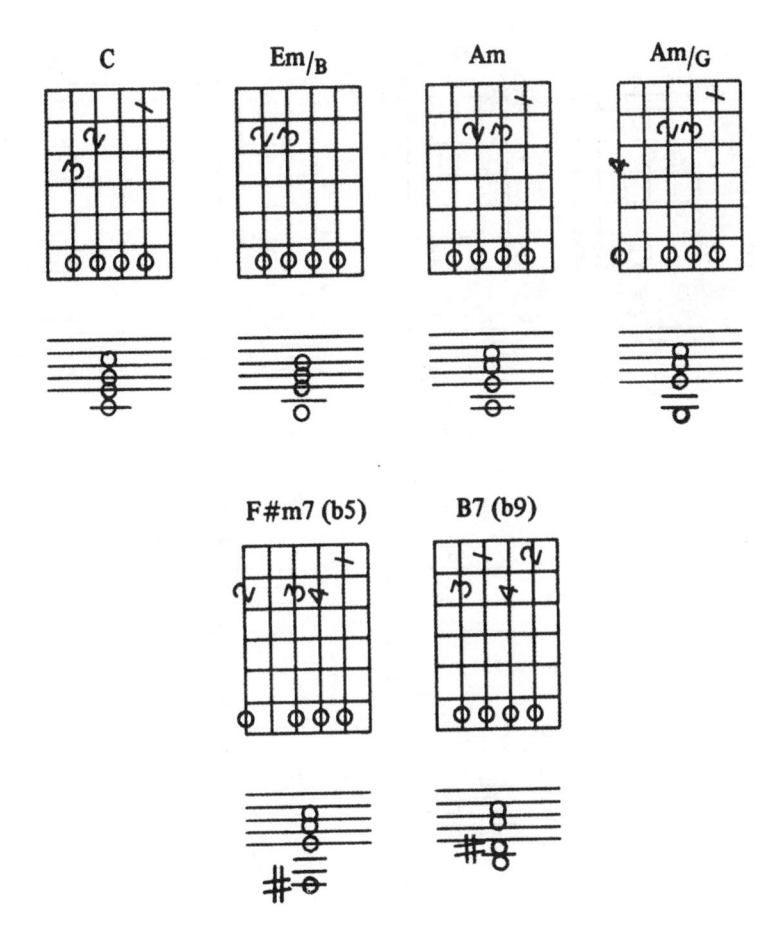

F#m7 (b5)   B7 (b9)

C

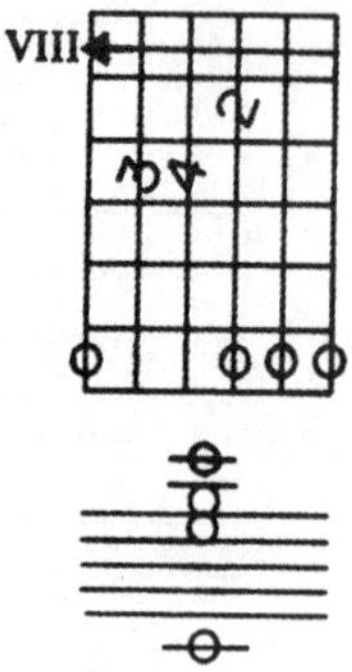

Em/B

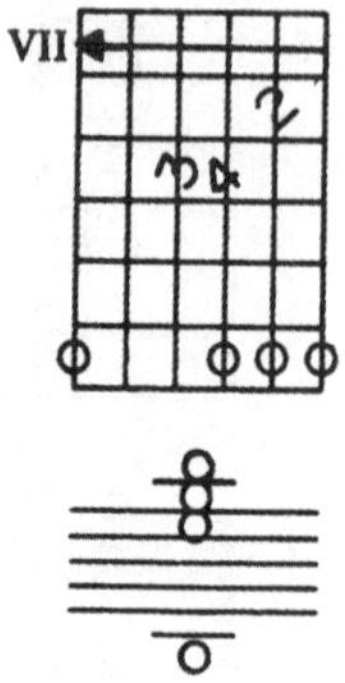

Am

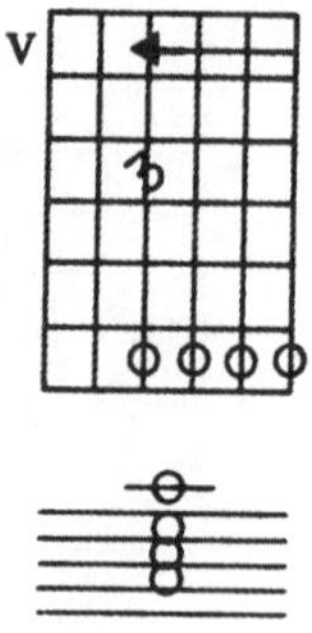

Am/G

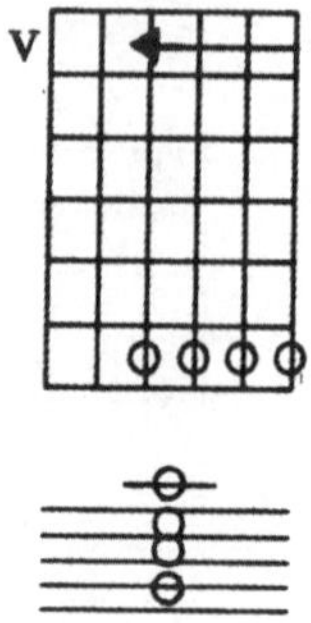

F#m7 (b5)

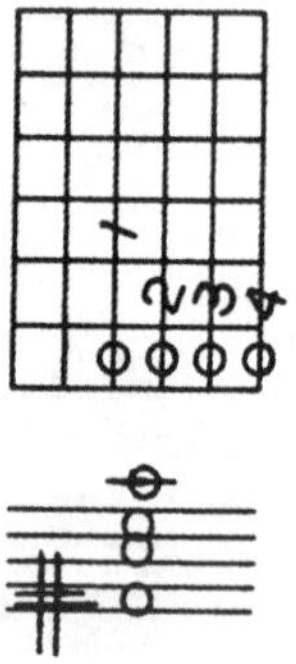

B7 (b13)

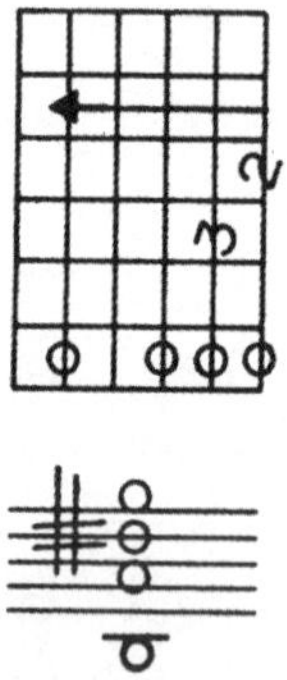

35) ‖: C7M | F#m7 (b5) B7 | Em Em/D | C#m7 (b5) F#7 |
B7M	Fm7 (b5) Bb7	Ebm Ebm/Db	Cm7 (b5) F7
Bb7M	Em7 (b5) A7	Dm Dm/C	Bm7 (b5) E7	A7M
D#m7 (b5) G#7	C#m C#m/B	Bbm7 (b5) Eb7
Ab7M	Dm7 (b5) G7	Cm Cm/Bb	Am7 (b5) D7
G7M	C#m7 (b5) F#7	Bm Bm/A	G#m7 (b5) C#7
F#7M	Cm7 (b5) F7	Bbm Bbm/Ab	Gm7 (b5) C7
F7M	Bm7 (b5) E7	Am Am/G	F#m7 (b5) B7
E7M	A#m7 (b5) D#7	G#m G#m/F#	Fm7 (b5) Bb7
Eb7M	Am7 (b5) D7	Gm Gm/F	Em7 (b5) A7
D7M	G#m7 (b5) C#7	F#m F#m/E	Ebm7 (b5) Ab7
Db7M	Gm7 (b5) C7	Fm Fm/Eb	Dm7 (b5) G7 :‖

C7M

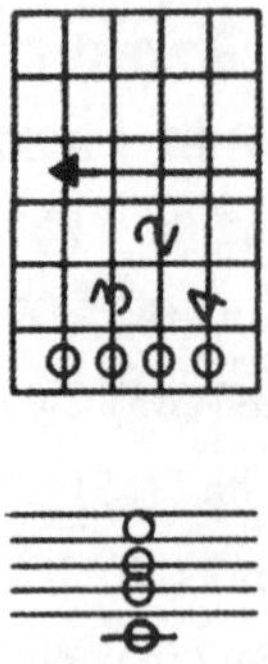

F#m7 (b5)

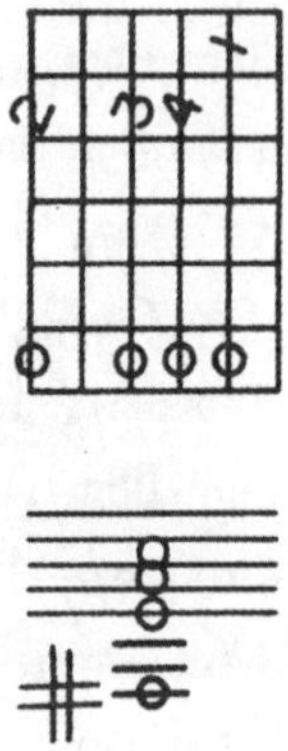

B7 (b9)

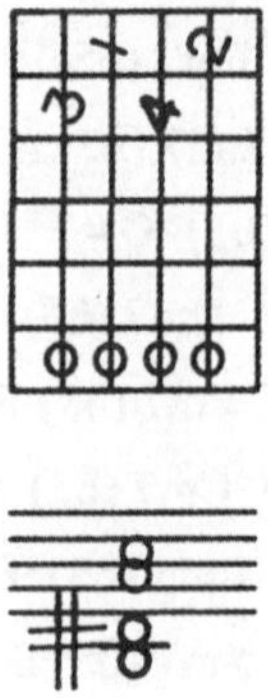

Em

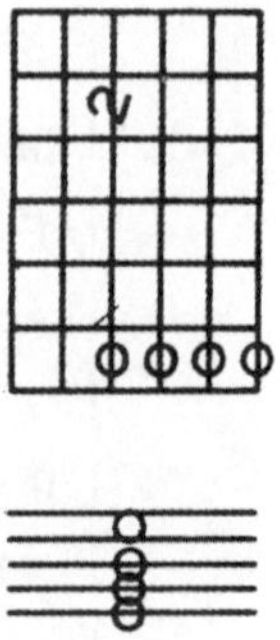

Em/D

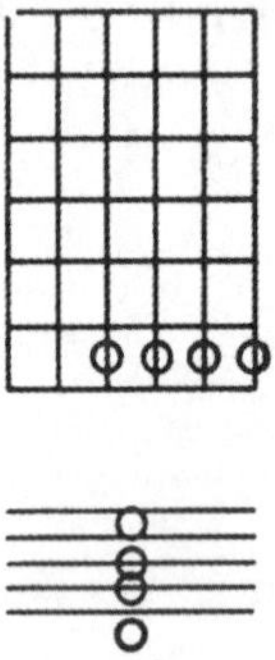

C#m7 (b5)

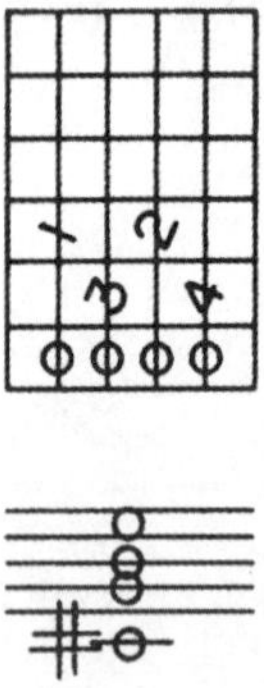

F#7 (b13)

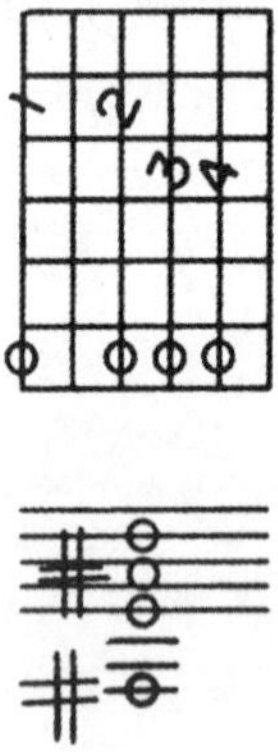

Exercícios de Progressões Harmônicas • 243

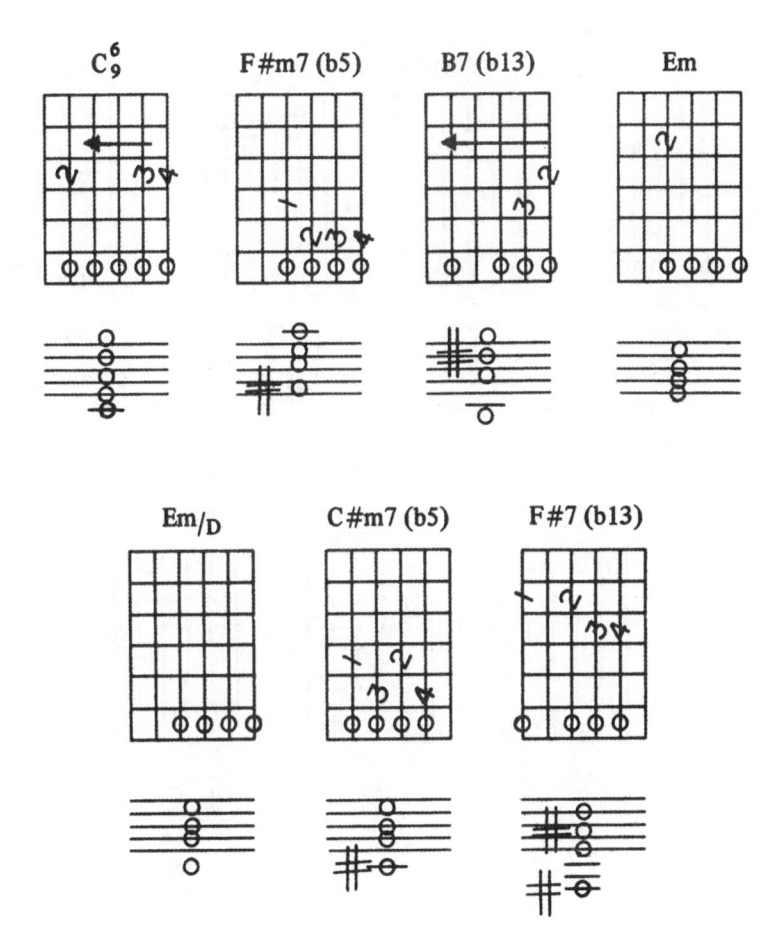

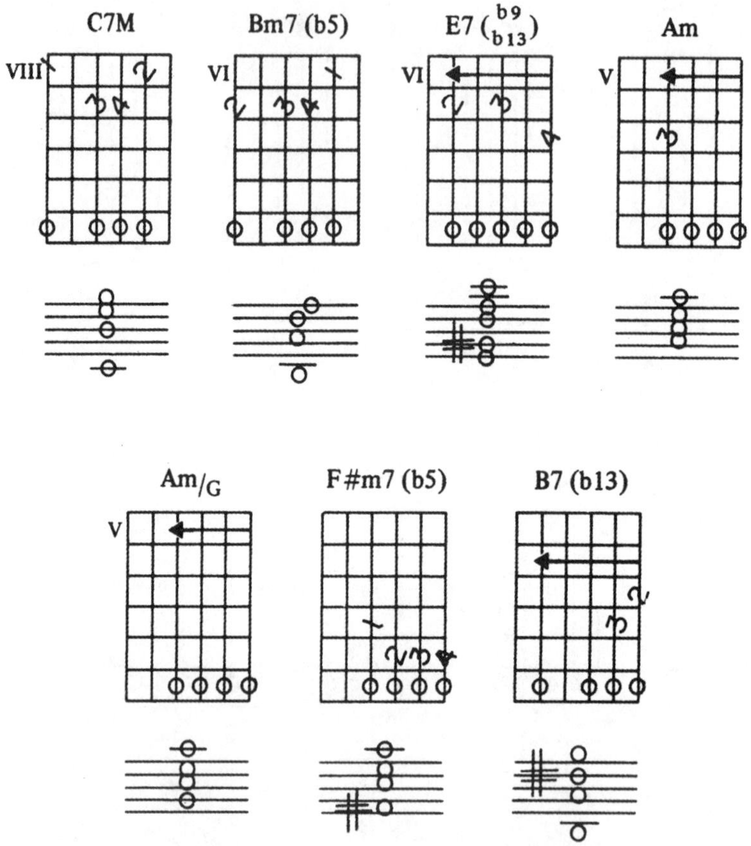
C7M
VIII
Bm7 (b5)
VI
E7 (b9 b13)
VI
Am
V
Am/G
V
F#m7 (b5)
B7 (b13)

36) a) ‖: C7 (#9) Gb7 (13) | F7 (13) B7 (9) | Bb7 (#9) E7 (13) |
| Eb7 (13) A7 (9) | Ab7 (#9) D7 (13) | Db7 (13) G7 (9) |
| Gb7 (#9) C7 (13) | B7 (13) F7 (9) | E7 (#9) Bb7 (13) |
| A7 (13) Eb7 (9) | D7 (#9) Ab7 (13) | G7 (13) Db7 (9) :‖

b) ‖: B7 (#9) F7 (13) | E7 (13) Bb7 (9) | A7 (#9) Eb7 (13) |
| D7 (13) Ab7 (9) | G7 (#9) Db7 (13) | C7 (13) Gb7 (9) |
| F7 (#9) B7 (13) | Bb7 (13) E7 (9) | Eb7 (#9) A7 (13) |
| Ab7 (13) D7 (9) | C7 (#9) G7 (13) | Gb7 (13) Gb7 (b13) :‖

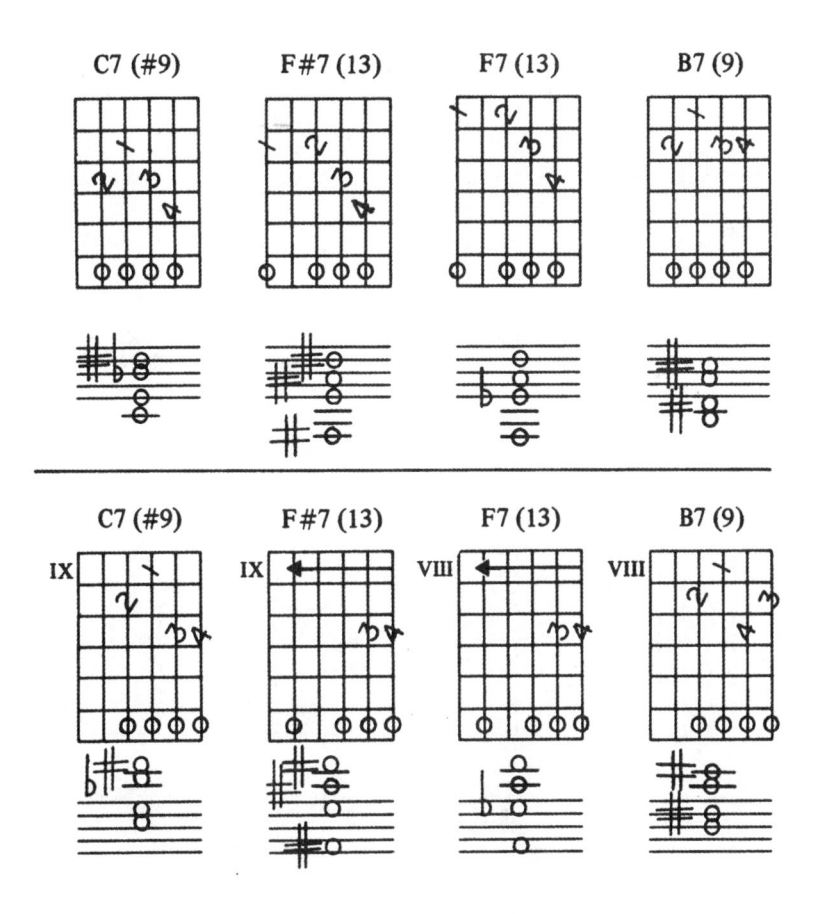

Exercícios de Progressões Harmônicas

37) a) $\|: C7\,(13)\ \ F\#7\,(9)\ \ |\ \ F^7_4\,(9)\ \ B7\ \ |\ \ Bb7\,(13)\ \ E7\,(9)\ \ |$
$|\ \ Eb^7_4\,(9)\ \ A7\ \ |\ \ Ab7\,(13)\ \ D7\,(9)\ \ |\ \ Db^7_4\,(9)\ \ G7\ \ |$
$|\ \ Gb7\,(13)\ \ C7\,(9)\ \ |\ \ B^7_4\,(9)\ \ F7\ \ |\ \ E7\,(13)\ \ Bb7\,(9)\ \ |$
$|\ \ A^7_4\,(9)\ \ Eb7\ \ |\ \ D7\,(13)\ \ Ab7\,(9)\ \ |\ \ G^7_4\,(9)\ \ Db7\ :\|$

b) $\|: B7\,(13)\ \ F7\,(9)\ \ |\ \ E^7_4\,(9)\ \ Bb7\ \ |\ \ A7\,(13)\ \ Eb7\,(9)\ \ |$
$|\ \ D^7_4\,(9)\ \ Ab7\ \ |\ \ G7\,(13)\ \ Db7\,(9)\ \ |\ \ C^7_4\,(9)\ \ Gb7\ \ |$
$|\ \ F7\,(13)\ \ B7\,(9)\ \ |\ \ Bb^7_4\,(9)\ \ E7\ \ |\ \ Eb7\,(13)\ \ A7\,(9)\ \ |$
$|\ \ Ab^7_4\,(9)\ \ D7\ \ |\ \ Db7\,(13)\ \ G7\,(9)\ \ |\ \ Gb^7_4\,(9)\ \ C7\ :\|$

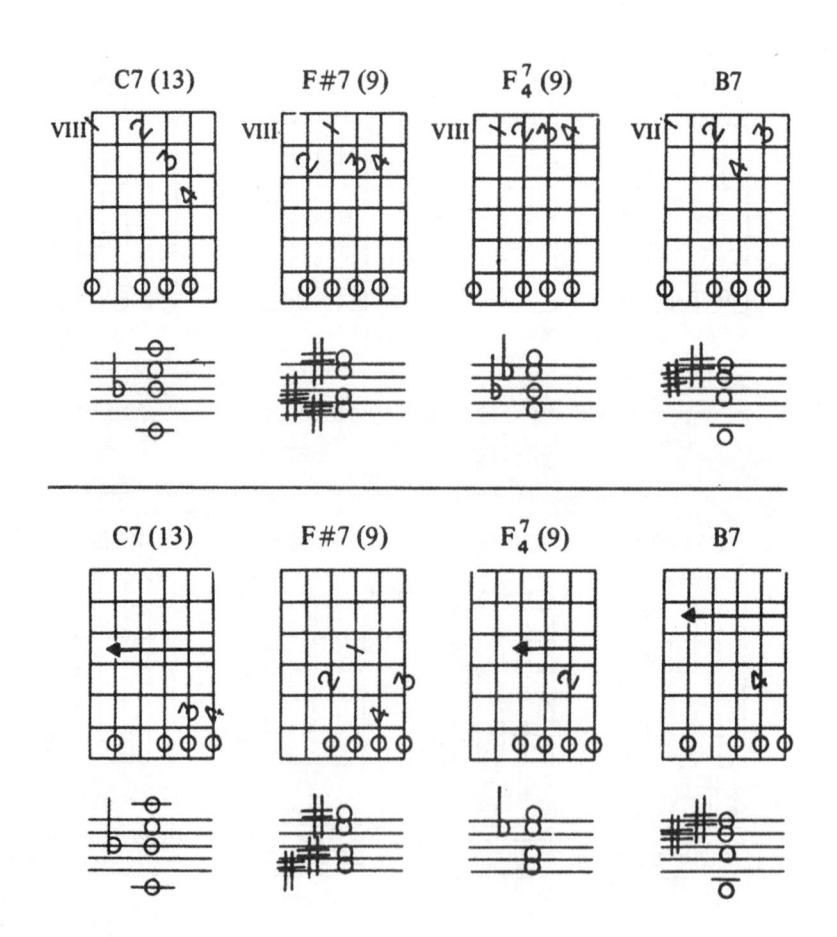

38) a) ‖: C/E Ebm6 | Bb/D Dbm6 | Ab/C Bm6 | Gb/Bb Am6 |
    | E/G# Gm6 | D/F# Fm6 :‖

b) ‖: B/D# Dm6 | A/C# Cm6 | G/B Bbm6 | F/A Abm6 |
    | Eb/G Gbm6 | Db/F Em6 :‖

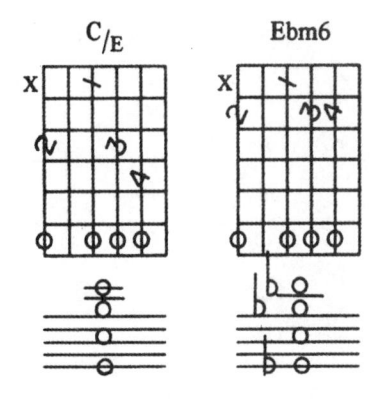

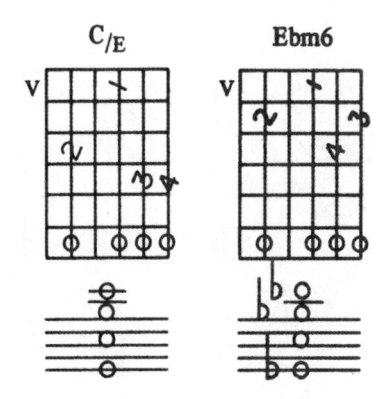

Exercícios de Progressões Harmônicas • 247

39) a) ‖: C/E Cm/Eb | Bb/D Bbm/Db | Ab/C Abm/Cb |
    | F#/A# F#m/A | E/G# Em/G | D/F# Dm/F :‖

   b) ‖:   B/D# Bm/D | A/C# Am/C | G/B Gm/Bb |
    | F/A   Fm/Ab | Eb/G Ebm/Gb | Db/F Dbm/E :‖

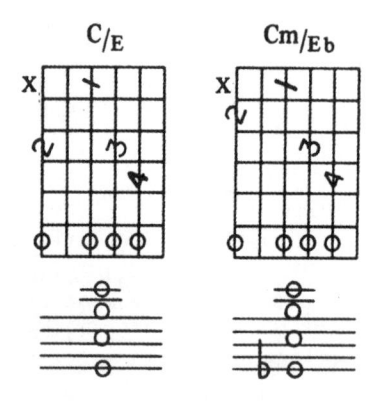

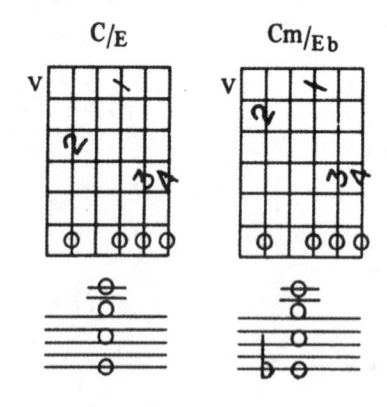

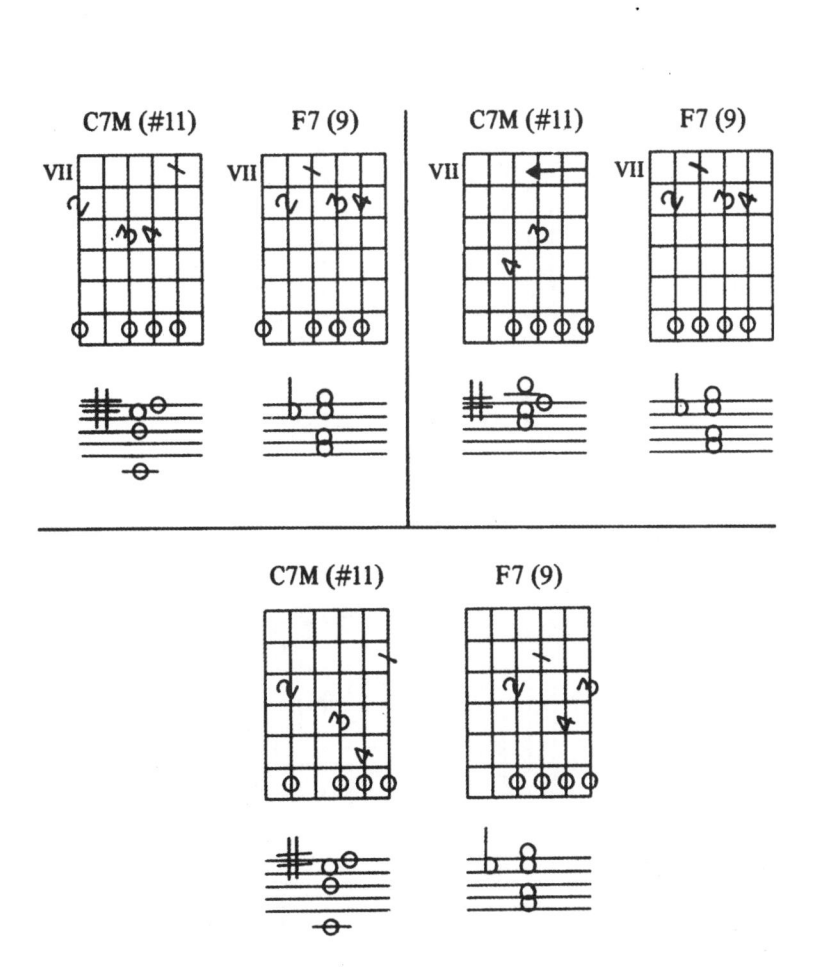

40) a) ‖: C7M (#11) | F7 (9) | Bb7M (#11) | Eb7 (9) |
| Ab7M (#11) | Db7 (9) | Gb7M (#11) | B7 (9) |
| E7M (#11) | A7 (9) | D7M (#11) | G7 (9) :‖

b) ‖: B7M (#11) | E7 (9) | A7M (#11) | D7 (9) |
| G7M (#11) | C7 (9) | F7M (#11) | Bb7 (9) |
| Eb7M (#11) | Ab7 (9) | Db7M (#11) | F#7 (9) :‖

41) a) ‖: Cm6/Eb D7 | Bbm6/Db C7 | G#m6/B | Bb7 |
       | F#m6/A G#7 | Em6/G Gb7 | Dm6/F E7 :‖

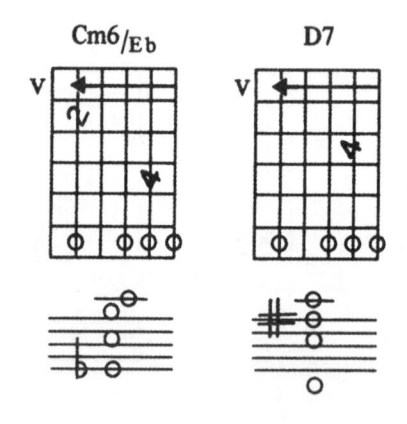

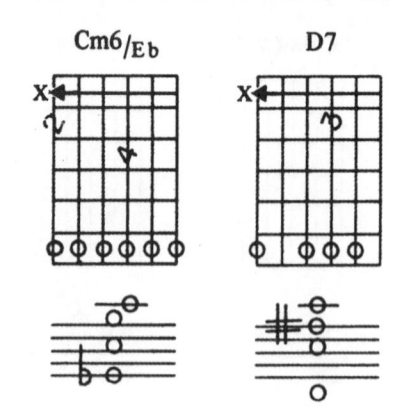

   b) ‖: Bm6/D Db7 | Am6/C B7 | Gm6/Bb A7 |
       | Fm6/Ab G7 | Ebm6/Gb F7 | C#m6/E Eb7 :‖

42) a) ‖: G7/B C | A7/C# D | B7/D# E | Db7/F Gb |
       | Eb7/G Ab | F7/A Bb :‖

   b) ‖: F#7/A# B | Ab7/C Db | Bb7/D Eb | C7/E F |
       | D7/F# G | E7/G# A :‖

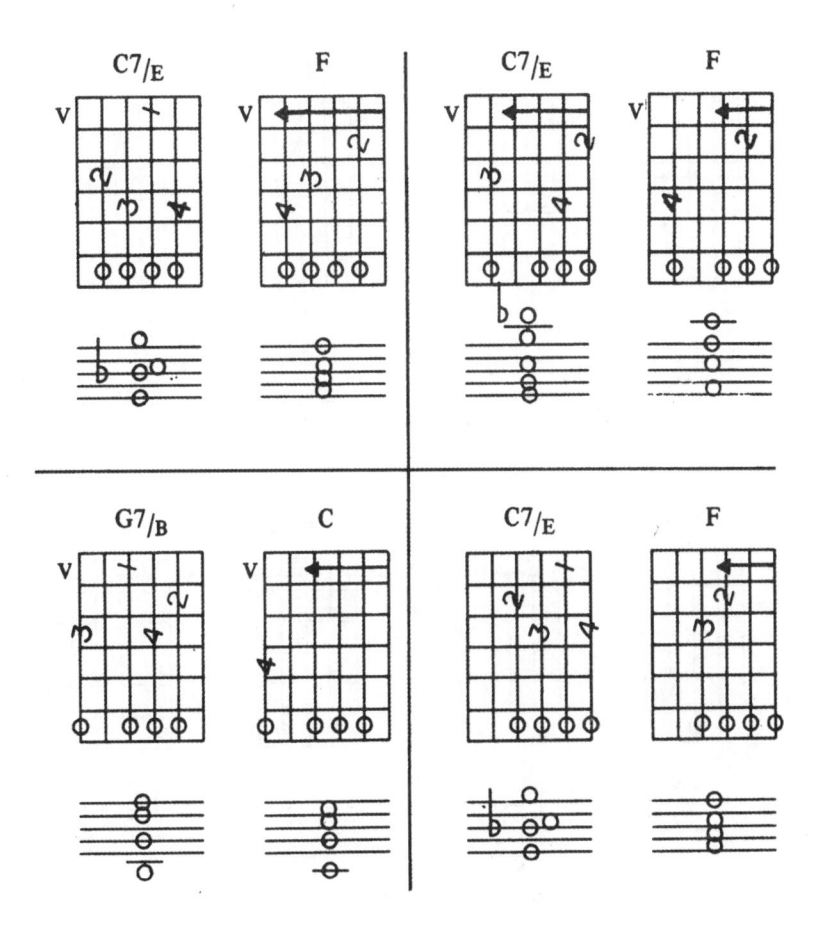

Exercícios de Progressões Harmônicas • 251

43) ‖: C7M Ab7 | Db7M A7 | D7M Bb7 | Eb7M B7 |
   | E7M C7 | F7M Db7 | Gb7M D7 | G7M Eb7 |
   | Ab7M E7 | A7M F7 | Bb7M F#7 | B7M G7 :‖

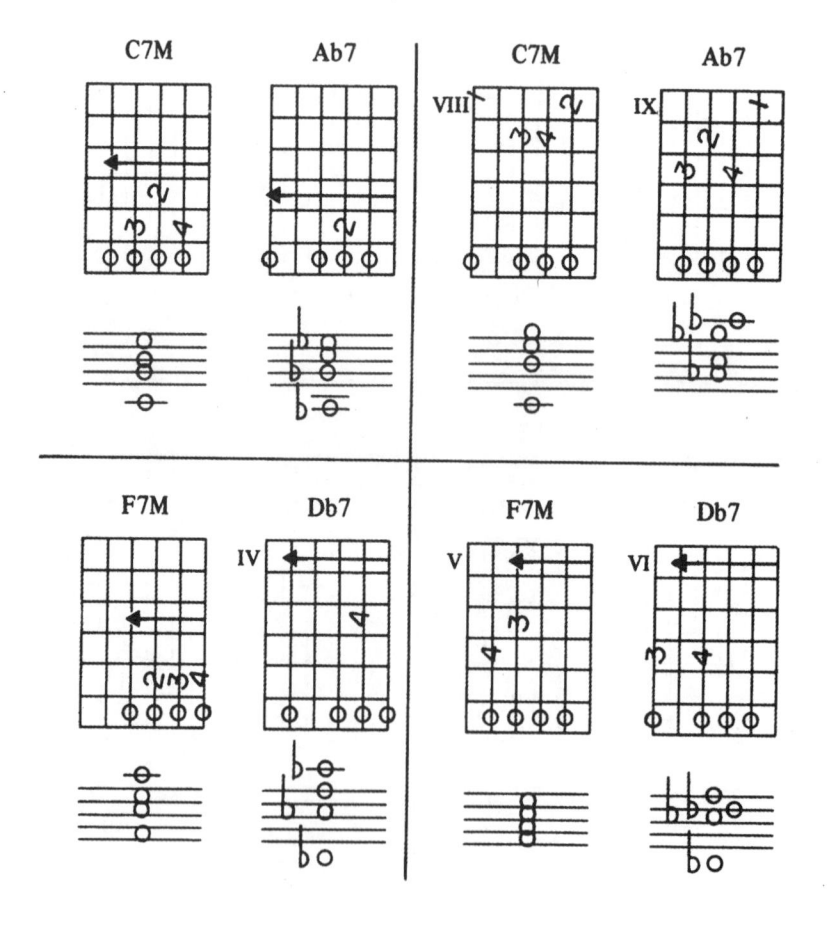

VII Progressões Diversas

As progressões serão dadas nas tonalidades de dó maior e dó menor e deverão ser transpostas para as demais tonalidades, o que é possível, desde que se tenha algum conhecimento da aplicação dos intervalos.

O transporte para as demais tonalidades é fundamental para o esperado aproveitamento deste estudo.

a) acordes de 7ª construídos sobre cada nota
   da escala maior (progressão diatônica)

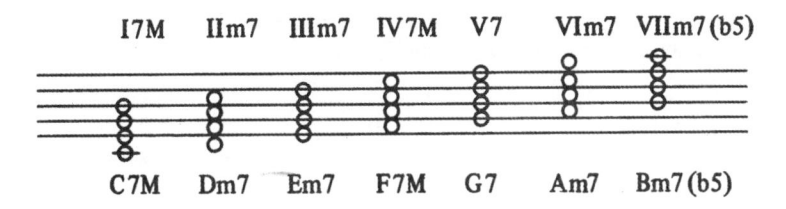

I7M   IIm7   IIIm7   IV7M   V7   VIm7   VIIm7(b5)

C7M   Dm7   Em7   F7M   G7   Am7   Bm7(b5)

Eis os mesmos acordes precedidos, na progressão, por seus dominantes individuais:

‖: G7 C7M | A7 Dm7 | B7 Em7 | C7 F | D7 G7 | E7 Am :‖

Obs. – O acorde de Bm7(b5) não está na seqüência por não resolver satisfatoriamente o dominante que o prepara.

b) progressões formadas por dominantes
   consecutivos (progressão modulante)

‖: G7 | C7 | F7 | Bb7 | Eb7 | Ab7 | Db7 | F#7 | B7 | E7 |
| A7 | D7 :‖

c) progressões formadas por acordes diminutos de
   passagem ascendentes e descendentes

Ascendentes:

‖: C C#º | Dm7 D#º | Em7 F#º | G G#º | Am7 Bº :‖

Descendentes:

‖: C | Am7 Ab° | G7 C/E | Eb° | Dm7 G7 :‖

Diminuto auxiliar

1) ‖: C | C° :‖

2) ‖: G7 | G° :‖

d) progressão contendo diminutos de passagem ascendentes, descendentes e auxiliares

‖: C7M C#° | Dm7 D#° | Em7 F7M | F#° C/G |
| G#° Am7 | Eb° Dm7 | G7 G° | G7 | C7M C° :‖

e) progressões com acordes dominantes e suas resoluções na tonalidade maior

‖ C G7 | C A7 | Dm G7 | C C7 | F G7 | C B7 |
| Em E7 | Am A7 | Dm D7 | G7 C | C7 F7 |
| Bb Bb7 | Eb Eb7 | Ab Ab7 | Db G7 | C ‖

f) progressões usando acordes invertidos (tonalidade maior)

É aconselhado observar se os acordes invertidos estão com 3ª, 5ª ou 7ª no baixo.

1) ‖: C C/Bb | G7/B G7 :‖

2) ‖ C C/Bb | F/A Fm/Ab | C/G G$_4^7$ | G/F Em7 |
| A7 Dm7 | G7 C ‖

3) ‖ C E7/B | C/Bb F/A | D/F# A7/E | Dm7 G7 | C ‖

4) ‖ C Em/B | Am Am/G | Dm/F A7/E | Dm G7 | C ‖

5) ‖ C G/B | Am Am/G | D/F# D7/F# | G7 | C ‖

6) ‖: C Em/B | Gm6/Bb A7 | Dm Dm/C | G7/B G7 :‖

7) ‖ C G7 | G/F | Em7 A7 | Dm G7 | F/C C ‖

8) ‖: C C/Bb | F/A Fm/Ab | C/G E7/G# | Am Am/G |
   | D7/F# G/F | A7/E Dm | Dm/C G7/B :‖

9) ‖: C Em/B | Bb7 A7 | Dm Dm/C | G/B G7 :‖

10) ‖ C/E Eb° | Dm7 Db7(#11) | C$^6_9$ ‖

11) ‖ C | C$^7_4$(9) C7(9) | F7M Fm6 | Em A7 | D7 G7 | C ‖

12) ‖ C | C$^7_4$(9) C7(9) | F G/F | Em7 Am7 | Dm7 G7 | C ‖

13) ‖ C B° | Am Am/G | F#° G7 | C ‖

g) progressões de acordes com dominantes e
   suas resoluções na tonalidade menor

Obs. – Dó maior e dó menor são tonalidades homônimas.

1) ‖ Cm7 G7 | Cm7 C7 | F7 Bb7 | Eb7M G7 |
   | Cm7 D7 | Gm7 Ab7M | G7 Cm7 | Eb7 Ab7 |
   | G7 Cm7 ‖

2) ‖ Cm7 Ab7 | Db7M Bb7 | Eb7M C7 | Fm7 D7 |
   | Gm7 Eb7 | Ab7M F7 | Bb7M G7 | Cm ‖

h) progressões com acordes invertidos:

1) ‖ Cm Cm/Bb | Fm/Ab G7 (b9) | Cm ‖

2) ‖ Cm Cm/Bb | A° Ab6 | Abm6 | Cm7 ‖

3) ‖: Cm G7/B | Bbm6 C7 | Fm Fm/Ab | Dm7 (b5) G7 (b9) :‖

4) ‖ Cm G/B | Bbm6 F/A | Fm/Ab | G7 | Cm ‖

5) ‖ Cm Cm/Bb | A° Fm6/Ab | Cm ‖

6) ‖ Cm Cm/Bb | A° Ab° | C7/G Gb7 (#11) |
   | Fm7 G7 | Cm$_9^6$ ‖

7) ‖ Cm C7 (#5) | Fm7 Bb7 (9) | Eb7M Ab7M |
   | Dm7 (9) G7 ($_{b13}^{b9}$) | Cm (7M) ‖

8) ‖ Cm/Eb | Dm7 (b5) G7 (b9) | Cm7 ‖

VIII Definições:

a) tonalidade

Tonalidade é um sistema de sons, produto não da natureza mas da convenção existente em tempos e países diferentes. É o conjunto de notas que fornecem o material sonoro básico para uma música convencional.

b) harmonia

A harmonia estuda a estrutura dos acordes (suas notas componentes e posição) assim como seu emprego em progressões.

c) modulação

Pode ocorrer na harmonia de uma música a passagem de uma tonalidade para outra. A esse processo dá-se o nome de modulação, e são inúmeras as possibilidades para se modular.

PARTE 4

RELACIONAMENTO MELODIA/HARMONIA

Apesar de haver uma grande variedade de acordes em uma *mesma categoria*, a opção é livre entre eles, sendo um dos principais critérios combinar os acordes com a melodia dada, evitando choques desagradáveis. Assim sendo, segue abaixo a tabela que indica os 4 grupos, dentre os quais, as referidas opções são possíveis.

Categoria	Acordes equivalentes
MAIOR	C, C6, C$_9^6$, C7M, C7M (9), C7M (6)
	C7M (#11), C7M ($^9_{\#11}$)
	C (#5), C7M (#5)
	C (add9)
	Acordes invertidos C/E, C/G, C7M/E, C7M/G, C$_9^6$/E
MENOR	Cm, Cm7, Cm7 (9), Cm7 ($^9_{11}$), Cm7 (11)
	Cm7 (b5), Cm7 ($^{b5}_9$), Cm7 ($^{b5}_{11}$)
	Cm6, Cm$_9^6$, Cm(7M), Cm ($^{7M}_9$), Cm ($^{7M}_6$)
	Cm (add9)
	Acordes invertidos Cm/Eb, Cm/G, Cm7/G, Cm/Bb, Cm6/Eb

Categoria	Acordes equivalentes
7ª DA DOMINANTE	C7, C7 (9), C7 (13), C7 ($^{\,9}_{13}$)
	C^7_4, C^7_4 (9)
	C^7_4 (b9)
	C7 (b9), C7 (#9), C7 ($^{b9}_{13}$), C7 ($^{b9}_{\#11}$) C7 ($^{b9}_{\#11\,13}$), C7 ($^{\#9}_{\#11}$)
	C7 (b5), C7 (#5), C7 ($^{\#5}_{9}$)
	C7 (#11), C7 ($^{\#11}_{9}$), C7 ($^{\#11}_{13}$)
	C7 ($^{b9}_{b13}$)
	C (alt), C7 ($^{b5}_{b9}$), C7 ($^{\#5}_{\#9}$), C7 ($^{\#5}_{b9}$), C7 ($^{b5}_{\#9}$)
	Acordes invertidos
	C7/E, C7/G, C/Bb
DIMINUTO	C°, C° (b13), C° (7M), C° (9), C° (11)

Os choques desagradáveis já referidos, entre melodia e acorde, freqüentemente provêm de a nota melódica estar um semitom acima, algumas vezes um semitom abaixo, de uma das notas do acorde que a acompanha.

Pode-se dizer também que, quando a nota da melodia for uma nota natural do acorde que a acompanha, a mesma nota não pode vir alterada no acorde ou vice-versa. Por exemplo, a quinta justa na melodia e a quinta aumentada no acorde ou nona maior na melodia e nona aumentada no acorde.

APÊNDICE
ANÁLISE HARMÔNICA

Análise harmônica (por graus, funções e algumas propriedades).

O acorde não deve ser observado isoladamente e sim, dentro da progressão em que ele se encontra, relacionada com os acordes vizinhos e com a tonalidade. Para isso serve a análise harmônica com seus números romanos. Por exemplo: C7M Am7 Dm7 G7 C7M será representado por I7M VIm7 IIm7 V7 I7M que por sua vez, pode ser colocado em qualquer altura:

```
      I7M   VIm7   IIm7   V7   I7M
      G7M   Em7    Am7    D7   G7M
   ou D7M   Bm7    Em7    A7   D7M
```

I – Análise harmônica de uma progressão de acordes na tonalidade de Dó maior:
A seguir será mostrada a análise harmônica de uma progressão de acordes na tonalidade de dó maior.

DÓ MAIOR

1	2	3
I7M	#I°	IIm7
$\frac{2}{4}$ C7M	C#°	Dm7
tônica (determina a tonalidade)	diminuto de passagem ascendente	resolução passageira II cadencial

4	5	6
V7	I	bIII°
G7(13)	C/E	Eb°
preparação (dominante primário)	tônica (resolução)	diminuto de passagem descendente

7	8	9
IIm7	SubV7	I$^6_9$
Dm7	Db7 (#11)	C$^6_9$
II cadencial	substituto do V7 (SubV7 primário)	tônica (resolução)

10	11	12
IIm7	V7	IIIm
Dm7	G7	Em7
II cadencial	7ª da dominante	função tônica

13 VIIm7(b5) V7	14 VIm7	15 V7
Bm7(b5)　　E7(b13)	Am7	D7
II cadencial　dominante secundário	resolução passageira	dominante secundário

16 V	17	18 V7　　SubV7
G	./.	E7(#9)　　Bb7(13)
dominante primário		dominante secundário / substituto do V7 (SubV7 secundário)

19 V7	20 V7	21 V7
A_4^7　　A7	$D_4^7(9)$　　D7(9)	$G_4^7(9)$　　G7(9)
dominante secundário	dominante secundário	dominante primário

22 V7	23 IV7M	24 IVm6 (emp. modal)
$C_4^7(9)$　　C7(9)	F7M	Fm6
dominante secundário	resolução passageira sub-dominante	subdominante menor

25 I7M	26 IIm7	27 V7/III
C7M	F#m7	B7
tônica (resolução))	II cadencial	dominante secundário para o III grau que não aparece

28 I7M	modulação 29 MI MAIOR IIm7	30 V7
C7M	F#m7	B7
tônica (resolução)	II cadencial	dominante primário

31	32	33
I7M	VIm7	V7/V
E7M	C#m7	F#7
tônica (resolução))		dominante secundário para o V7 grau que não aparece

DÓ MAIOR

34	35	36
IIm7	V7	I7M
Dm7	G7(13) G7(b13)	C7M(9)
II cadencial	dominante primário	tônica (resolução)

37	38	39
IIm7	V7	bVII7M (emp. modal)
Cm7(9)	F7(#5)	Bb7M
II cadencial	dominante auxiliar	resolução passageira VII grau abaixado

40	41	42
IIm7	V7	bVI7M (emp. modal)
Bbm7	Eb7(b5)	Ab7M
II cadencial	dominante auxiliar	resolução passageira VI grau abaixado

43	44	45
IIm7	V7	I7M
Dm7	G7(#5)	C7M
II cadencial	dominante primário	tônica (resolução))

46	47	48
IIm7	V7	bIII7M (emp. modal)
Fm7	Bb7(9)	Eb7M
II cadencial	dominante auxiliar	resolução passageira III grau abaixado

49 IIm7	50 V7	51 bII7M (emp. modal)
Ebm7(9)	D7(#11)	Db7M
II cadencial	substituto do V7 SubV7 auxiliar	resolução passageira. II grau abaixado

52 V7/V	53 SubV7	54 I7M
D7/4(9) D7(9)	Db7/4(9) Db7(9)	C7M
dominante secundário V7 do V7 que não aparece	substituto do V7	tônica (resolução))

55 I°	56 I7M	57 Vm7 (emp. modal)
C°	C7M	Gm7
diminuto auxiliar	tônica (resolução)	

58 I7M	59 V7	60 I7M
C7M	G7($^{b9}_{13}$)	C7M
tônica (resolução)	dominante primário	(tônica resolução))

61 IV	62 V	63 V7
F	G	E7(b9)
subdominante	dominante primário	dominante secundário

64 VI	65 IV	66 I
Am7	F	C7M
resolução passageira	subdominante	tônica (resolução))

II – Considerações sobre a análise

a) Os números romanos sobre os acordes indicam os graus da escala onde os mesmos se encontram (cifra analítica). Leia, também, para maior esclarecimento a pág. 127.

b) A sinalização analítica serve para mostrar o vínculo entre os acordes (ver pág. 129).

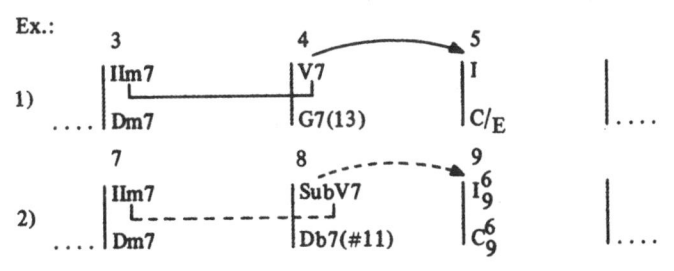

Ex.:

1)
```
        3           4          5
       |IIm7       |V7        |I
       |Dm7        |G7(13)    |C/E
```

2)
```
        7           8          9
       |IIm7       |SubV7     |I⁶₉
       |Dm7        |Db7(#11)  |C⁶₉
```

Obs. – Os exemplos precedidos e seguidos por pontos são trechos da progressão harmônica analisada.

c) Numa tonalidade os acordes podem ser **diatônicos e não diatônicos**; diatônicos quando são formados por notas que pertencem a sua escala e não diatônico quando têm pelo menos uma nota estranha à tonalidade (escala) onde se encontra. (ver pág. 127)

Exemplo de acorde diatônico e não diatônico, respectivamente:

```
        8          9
       |SubV7     |I⁶₉
       |Db7(#11)  |C⁶₉
       não diatônico  diatônico
```

d) Numa tonalidade as funções são de **tônica** (resolução), **dominante** (preparação) e **subdominante** (meia resolução):

O acorde principal da função tônica é o I grau podendo ser substituído pelo VI ou III grau. O acorde principal da função dominante é o V grau, podendo ser substituído pelo VII grau. O acorde principal da função subdominante é o IV grau, podendo ser substituído pelo II grau. A saber:

Graus de função principal	Graus substitutos
I	III e VI
V	VII
IV	II

e) O dominante de I grau é chamado primário; o dominante dos demais acordes diatônicos é chamado secundário e o dominante dos acordes de empréstimo modal é chamado auxiliar.

Exemplo de dominante primário, secundário e auxiliar respectivamente:

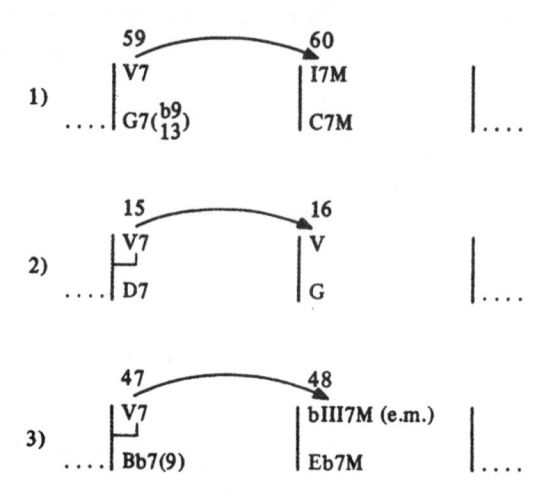

1) | 59   60 |
    | V7   I7M |
    | .... G7($^{b9}_{13}$) C7M | ....

2) | 15   16 |
    | V7   V |
    | .... D7   G | ....

3) | 47   48 |
    | V7   bIII7M (e.m.) |
    | .... Bb7(9) Eb7M | ....

f) O SubV (substituto do V7) quando prepara o I grau recebe a denominação de SubV7 primário, quando prepara os demais graus diatônicos de SubV7 secundário e os não diatônicos de SubV7 auxiliar.

Exemplo de SubV7 primário, secundário e auxiliar, respectivamente:

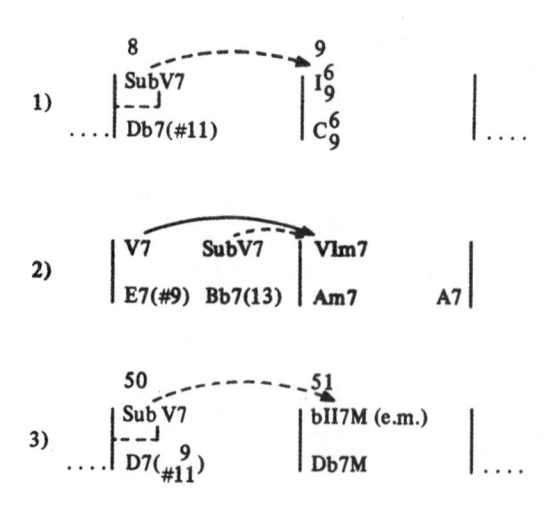

1) | 8   9 |
    | SubV7   I$^6_9$ |
    | .... Db7(#11) C$^6_9$ | ....

2) | V7   SubV7   VIm7 |
    | E7(#9) Bb7(13) Am7   A7 |

3) | 50   51 |
    | SubV7   bII7M (e.m.) |
    | .... D7($^9_{#11}$) Db7M | ....

266 • Almir Chediak

g) São três os tipos de preparação. Vejamos:

1) V7 → I (baixo desce uma 5ª justa ou sobe uma 4ª justa)

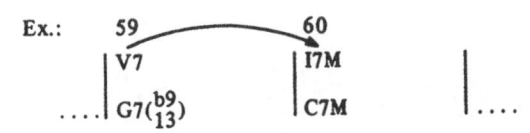

Ex.: 59   60
     | V7 | I7M |
  ...| G7($^{b9}_{13}$) | C7M | ....

2) SubV7 → I (baixo desce 1/2 tom)

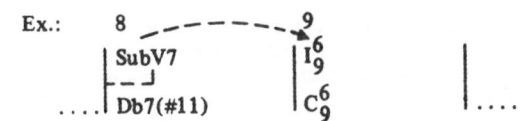

Ex.: 8   9
     | SubV7 | I$^6_9$ |
  ...| Db7(#11) | C$^6_9$ | ....

3) VII° → I (baixo sobe 1/2 tom)

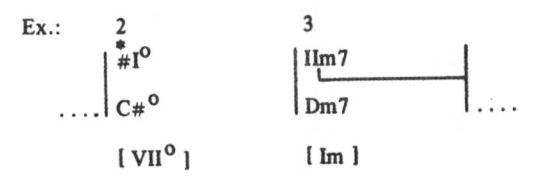

Ex.: 2   3
     | *#I° | IIm7 |
  ...| C#° | Dm7 | ....
     [VII°]   [Im]

* Nas passagens onde o acorde diminuto resolve ½ tom acima, este acorde dá o sentido de um VII° preparando uma tônica.

h) Os acordes diminutos podem ser **ascendentes, descendentes e auxiliares**: ascendente quando resolvido em acorde com o baixo ½ tom **acima**, descendente quando resolvido 1/2 tom **abaixo** e **auxiliar** quando resolvido num acorde com o mesmo baixo. (ver pág. 171, 251 e 252)

Exemplo de diminuta ascendente, descendente e auxiliar respectivamente.

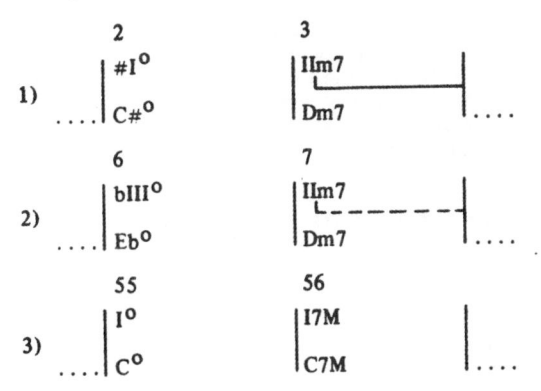

        2   3
1) | #I° | IIm7 |
    ...| C#° | Dm7 | ....

        6   7
2) | bIII° | IIm7 |
    ...| Eb° | Dm7 | ....

       55   56
3) | I° | I7M |
    ...| C° | C7M | ....

i) Em determinado trecho da progressão harmônica analisada encontram-se cinco compassos seguidos com acordes de 7ª da dominante e que recebem a denominação de **dominantes seguidos** ou **consecutivos**. (ver pág. 123)

Ex.:

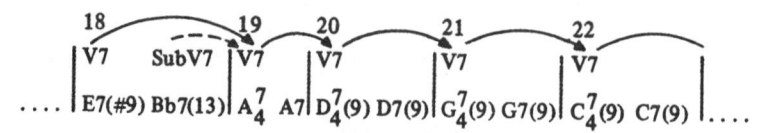

```
       18        19    20     21     22
      V7  SubV7  V7    V7     V7     V7
.... | E7(#9) Bb7(13) | A7/4 A7 | D7/4(9) D7(9) | G7/4(9) G7(9) | C7/4(9) C7(9) | ....
```

j) Observa-se numa certa parte da progressão harmônica analisada que o acorde preparatório não foi resolvido (preparação sem resolução) da maneira que se esperava, obtendo-se assim um efeito de surpresa, logo os acordes preparatórios podem ficar sem resolução.

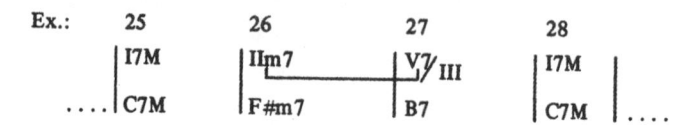

Ex.:   25   26   27   28
      | I7M | IIm7 | V7/III | I7M |
      | C7M | F#m7 | B7 | C7M | ....

* O (III) seria o grau esperado para a resolução do V7.

l) Numa progressão harmônica os acordes devem-se alternar a tempos regulares para que seja caracterizado o **ritmo harmônico**.

m) É comum encontrarmos músicas de tonalidade maior com acordes emprestados da tonalidade menor (do mesmo nome) ou vice-versa. Cito como exemplo, os compositores Caetano Veloso, Gilberto Gil e Milton Nascimento que usam, na maioria de suas músicas, a fusão da tonalidade maior e menor. Nas cantigas de roda e outras músicas folclóricas brasileiras encontram-se centenas de exemplos de melodias harmonizadas apenas com acordes de uma só tonalidade.

O acorde do modo (tonalidade) menor emprestado ao modo maior e vice-versa recebe a denominação de **acorde de empréstimo modal**.

Os acordes de empréstimo modal ocorrem isoladamente no meio de acordes diatônicos. Raramente encontraremos um grupo de mais de dois acordes desse tipo. (Mais de dois acordes de empréstimo modal seguidos, resultaria em modulação para a tonalidade paralela).

Exemplo de acorde de empréstimo modal:

       23   24   25
      | IV7M | IVm6 (emp. modal) | I7M |
 .... | F7M | Fm6 | C7M | ....

n) A tonalidade paralela (homônima) de Dó maior é Dó menor e vice-versa.

o) Foi visto no exemplo dado que os **acordes de empréstimo modal** podem vir precedidos pelo seu **dominante individual** (auxiliar) e pelo respectivo **II cadencial**. (ver pág. 129)

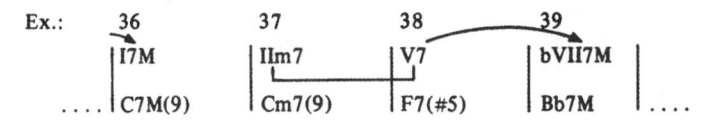

Ex.:

	36	37	38	39
	I7M	IIm7	V7	bVII7M
....	C7M(9)	Cm7(9)	F7(#5)	Bb7M	....

p) Na progressão V_4^7 V7 I o acorde de **sétima e quarta** (V_4^7) tem o sentido do II cadencial.

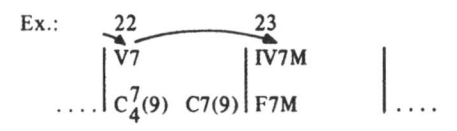

Ex.:

	22	23	
	V7	IV7M	
....	C_4^7(9) C7(9)	F7M	....

q) Na cifragem, quando aparece apenas o som básico do acorde: 7, m7, 7M, m7(b5) etc., pode-se tocar algumas notas de tensão, conforme o gosto (ver, pág. 176 e 182). A saber:

no acorde de 7 ————→ 9 e/ou 13
no acorde de 7M ————→ 9 e/ou 6
no acorde de m7 ou m7(b5) —→ 9 e/ou 11

r) Na **preparação** de um **acorde maior**, pode-se acrescentar a nona (9) e/ou a décima terceira (13), pois essas notas são comuns a escala do acorde de resolução; na **preparação** de um **acorde menor**, pode-se acrescentar a nona menor (b9) e/ou a décima terceira menor (b13), já que essas notas são, também, comuns ao acorde de resolução.

Ex.: 1   a) V7(9) I   b) V7(13) I   b) V7($^9_{13}$) I

Ex.: 2   a) V7(b9) Im   b) V7(b13) Im   c) V7($^{b9}_{b13}$) Im

Obs. – Como fator surpresa qualquer combinação é válida desde que não haja choque com a melodia harmonizada.

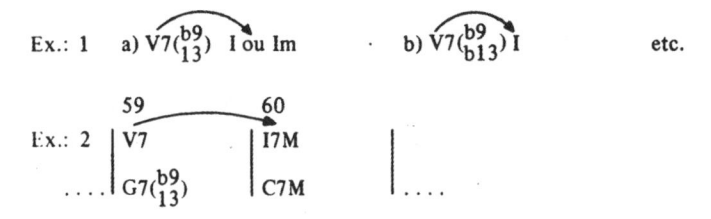

Ex.: 1   a) V7($^{b9}_{13}$) I ou Im   b) V7($^{b9}_{b13}$) I   etc.

Ex.: 2

	59	60	
	V7	I7M	
....	G7($^{b9}_{13}$)	C7M	....

s) **Cadência** é o resultado de combinações funcionais de acordes com sentido conclusivo ou suspensivo, sendo que cada uma dessas combinações resulta em maior ou menor conclusividade, isto é, de forças diferentes, sendo que essa força depende da sua definição tonal. Necessita-se de cadência para definir a tonalidade e deve-se ter no mínimo dois acordes para uma definição tonal, já que dois acordes de diferentes funções podem concentrar todas ou quase todas as notas da tonalidade. Vejamos: no encadeamento V7(9) I, isto é, sétima da dominante (com a nota de tensão 9) e tônica, se tem todas as as notas da tonalidade. A seguir serão mostrados os 5 tipos de cadência:

1 – Cadência perfeita é a mais forte e é caracterizada pelas funções (D) dominante, (T) tônica ou pelos graus V e I. Pode vir precedido por um acorde de subdominante: pelo IV ou pelo II (denominado II cadencial por ser de muito uso em cadências na música popular). Pode-se dizer, também, que a cadência perfeita é essencialmente final. A cadência perfeita quando precedida pela (S) subdominante é chamada de **autêntica**.

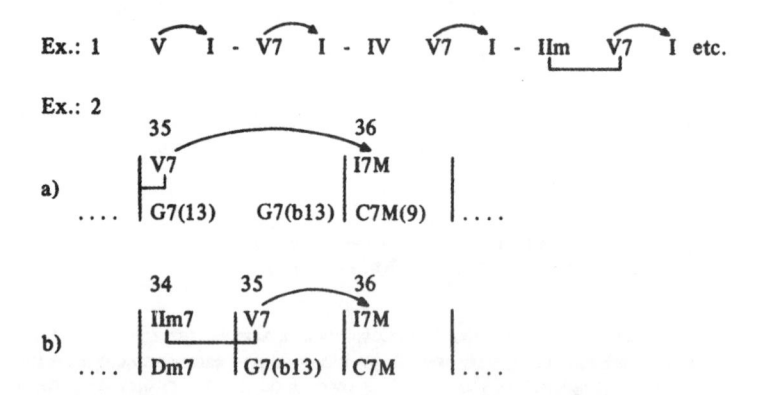

Ex.: 1   V I - V7 I - IV V7 I - IIm V7 I etc.

Ex.: 2

a)   35   36
      |V7 |I7M
      |G7(13) G7(b13) |C7M(9) |....

b)   34   35   36
      |IIm7 |V7 |I7M
      |Dm7 |G7(b13)|C7M |....

2 – Cadência imperfeita é quando um ou ambos os acordes (V) (I) estão invertidos ou ainda no caso de VII I, pois dessa maneira a cadência se enfraquece acentuadamente.

Ex.: 1   a) V/1ªinv. I/1ªinv.   b) V I/1ªinv.   c) VII I

Ex.: 2
          4   5
          |V7 |I
          |G7(13)|C/E |....

3 – Cadência plagal (S) (T) é também uma cadência conclusiva, porém de uma forma mais branda.

Ex.: 1   a) IV I   b) IIm I   c) IV I/1ªinv. d) IV/1ªinv. I

Ex.: 2

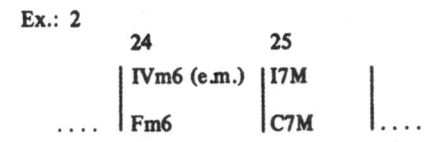

```
        24              25
    | IVm6 (e.m.) | | I7M  |
....| Fm6         | | C7M  | ....
```

4 – **Meia cadência** se caracteriza quando o descanso é feito na dominante (o V grau vem precedido por graus de função diferente).

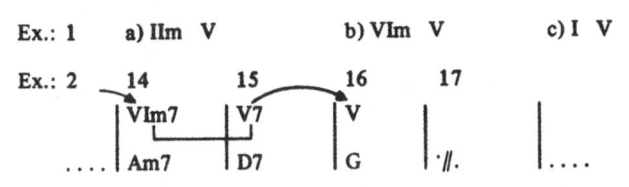

Ex.: 1   a) IIm V   b) VIm V   c) I V

Ex.: 2

```
         14      15      16     17
     | VIm7  | V7   | V    |      |
.... | Am7   | D7   | G    |·//.  | ....
```

5 – **Cadência deceptiva** é quando o V vem seguido por qualquer grau que não seja I. Esta cadência não é conclusiva e pode ser diatônica ou modulante. Vejamos:

I) **Diatônica** é quando o V grau vem seguido por acorde diatônico.

Ex.: 1   a) V IIIm   b) V IIm   c) V VIm   d) V IV

Ex.: 2

```
          10      11      12
      | IIm7  | V7   | IIIm7 |
 .... | Dm7   | G7   | Em7   | ....
```

II) **Modulante** é quando o V grau vem seguido por acorde que conduz a uma nova tonalidade (passageira ou não).

Ex.: 1

```
          61      62      63
      | IV    | V    | V7    |
 .... | F     | G    | E7(b9)| ....
```

Ex.: 2   V grau para o I de uma nova tonalidade.

Ex.: 3   V grau para o V7 I de uma nova tonalidade.

t) Foi visto na progressão analisada a passagem de uma tonalidade para outra, a esse processo dá-se o nome de modulação.

u) Toda resolução de um acorde preparatório, com exceção da tônica, recebe a denominação de resolução passageira.

Análise Harmônica • 271

v) Quando o acorde II cadencial de um dominante secundário coincide com um acorde diatônico, o número romano será do grau do acorde diatônico, e haverá o colchete indicando a relação II V:

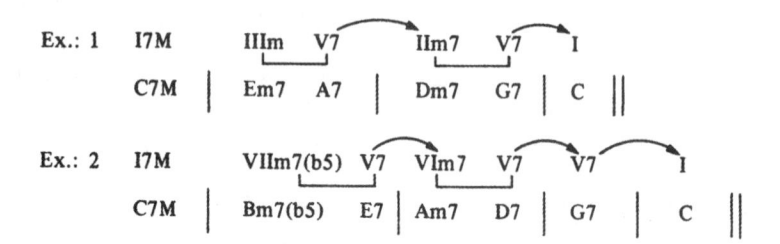

Ex.: 1   I7M   IIIm V7   IIm7 V7   I
         C7M | Em7   A7 | Dm7   G7 | C ||

Ex.: 2   I7M   VIIm7(b5) V7   VIm7 V7   V7   I
         C7M | Bm7(b5)   E7 | Am7   D7 | G7 | C ||

x) Os números romanos de I a VII, em análise harmônica, correspondem aos sete graus da escala. Uma vez que a análise abrange as tonalidades "maior" e "menor" (muitas vezes vêm misturadas), criou-se a convenção de que os números romanos de I a VII representam os sete graus da escala maior. Toda vez que aparecer um grau que não coincida com as sete notas da escala maior usa-se o respectivo sinal de alteração antes do número romano.

Exemplo:

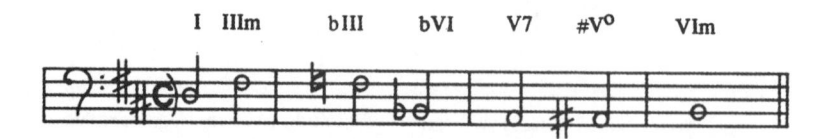

RÉ MAIOR

I   IIIm   bIII   bVI   V7   #V°   VIm

Observa-se, na linha do baixo, as notas diatônicas e não diatônicas na tonalidade de RÉ MAIOR, e como elas refletem no uso das cifras analíticas.

z) O acorde dominante se caracteriza pelo TRÍTONO que é o intervalo formado por duas notas distantes três tons, uma da outra (o trítono corresponde ao intervalo de 4ª aum. ou 5ª dim.). O TRÍTONO está presente nos acordes do V grau, SubV, VII grau. O TRÍTONO, no acorde de V7 encontra-se entre a 3ª e a 7ª do acorde e pede a resolução. Ao resolver, a 3ª alcança a nota fundamental do acorde de resolução por semitom e a 7ª alcança a 3ª do acorde de resolução por grau conjunto. Vejamos:

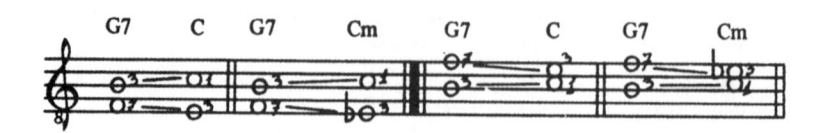

G7   C   G7   Cm   G7   C   G7   Cm

Resolução do TRITONO na preparação SubV7 → I e VII° → I, respectivamente:

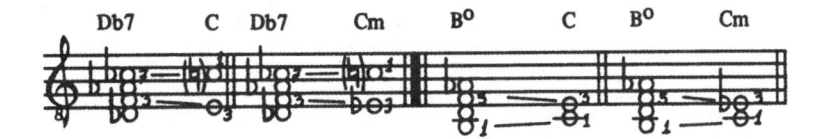

| Db7 | C | Db7 | Cm | B° | C | B° | Cm |

III – Análise harmônica de uma progressão de acordes na tonalidade de Dó Menor.

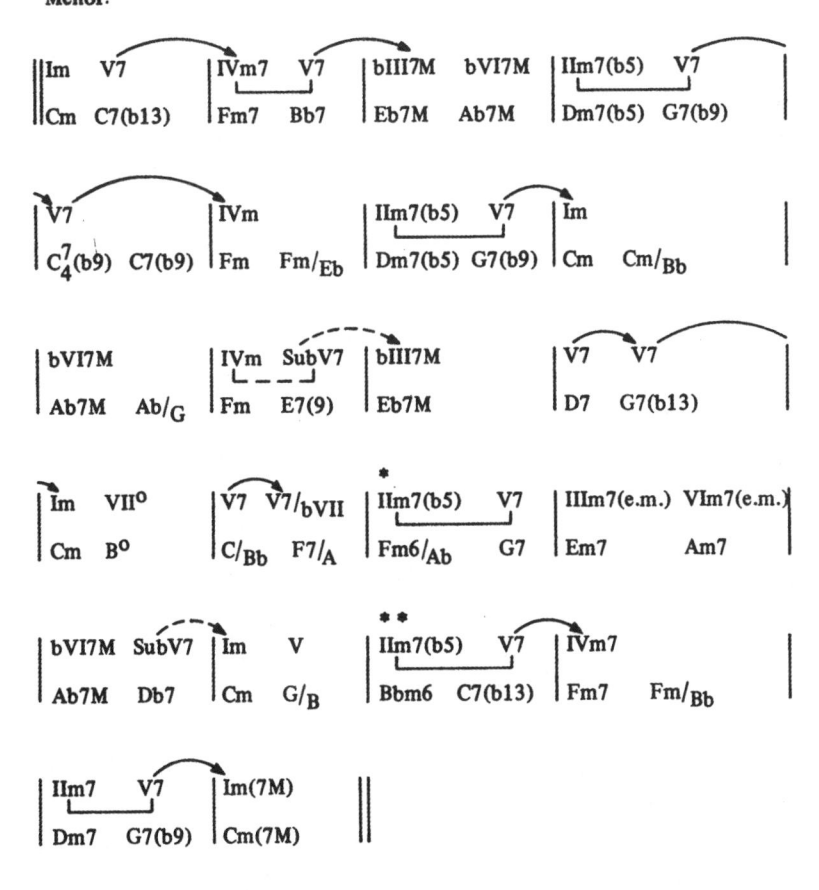

| Im | V7 | IVm7 | V7 | bIII7M | bVI7M | IIm7(b5) | V7 |
| Cm | C7(b13) | Fm7 | Bb7 | Eb7M | Ab7M | Dm7(b5) | G7(b9) |

| V7 | | IVm | | IIm7(b5) | V7 | Im | |
| C_4^7(b9) | C7(b9) | Fm | Fm/Eb | Dm7(b5) | G7(b9) | Cm | Cm/Bb |

| bVI7M | | IVm | SubV7 | bIII7M | | V7 | V7 |
| Ab7M | Ab/G | Fm | E7(9) | Eb7M | | D7 | G7(b13) |

| Im | VII° | V7 | V7/bVII | IIm7(b5)* | V7 | IIIm7(e.m.) | VIm7(e.m.) |
| Cm | B° | C/Bb | F7/A | Fm6/Ab | G7 | Em7 | Am7 |

| bVI7M | SubV7 | Im | V | IIm7(b5)** | V7 | IVm7 | |
| Ab7M | Db7 | Cm | G/B | Bbm6 | C7(b13) | Fm7 | Fm/Bb |

| IIm7 | V7 | Im(7M) | ||
| Dm7 | G7(b9) | Cm(7M) | |

* – *Fm6/Ab equivale ao acorde de Dm7(b5)*
** – *Bbm6 equivale ao acorde de Gm7(b5)*

IV – Músicas Harmonizadas e Analisadas.

A análise harmônica é a análise funcional dos acordes: cada acorde é examinado quanto ao seu papel dentro da progressão (grau em que se encontra, acorde de preparação, etc). O conhecimento da função do acorde (resultado da análise) dá condições ao aluno para harmonizar conscientemente, ou melhor, a intuição passa a ser auxiliada pela consciência.

Deve-se observar que as músicas, no decorrer deste trabalho, aparecem obedecendo uma ordem didática. Na sua escolha, foi observado também que as mesmas fossem do conhecimento de todos.

As músicas apenas harmonizadas deverão ser analisadas pelo aluno. Para o esperado aproveitamento deste estudo, é desejável que as harmonias das músicas sejam transpostas para as demais tonalidades.

PRETA PRETINHA

Moraes Moreira e Galvão

- Tônica, 7ª da dominante (dominante primário) e tônica: I V7 I

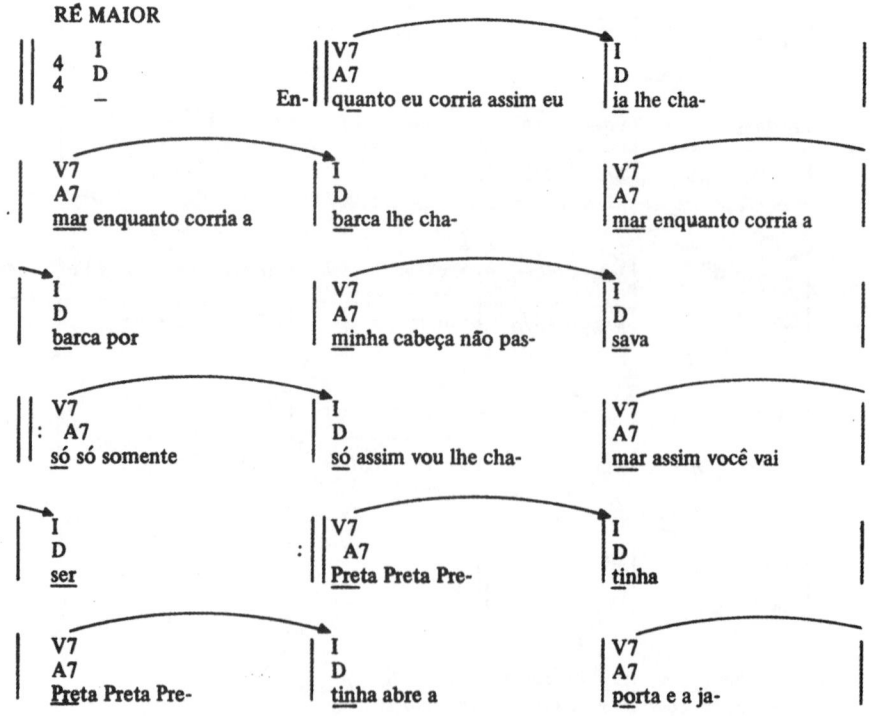

RÉ MAIOR

4/4	I D		V7 A7 En- quanto eu corria assim eu	I D ia lhe cha-

V7 A7 mar enquanto corria a	I D barca lhe cha-	V7 A7 mar enquanto corria a

I D barca por	V7 A7 minha cabeça não pas-	I D sava

V7 A7 só só somente	I D só assim vou lhe cha-	V7 A7 mar assim você vai

I D ser	V7 A7 Preta Preta Pre-	I D tinha

V7 A7 Preta Preta Pre-	I D tinha abre a	V7 A7 porta e a ja-

| I
| D
| nela e vem

| V7
| A7
| ver o sol nas-

| I
| D
| cer abre a

| V7
| A7
| porta e a ja-

| I
| D
| nela e vem

| V7
| A7
| ver o sol nas-

| I
| D
| cer eu sou um

| V7
| A7
| pássaro que vive avo-

| I
| D
| ando vive avo-

| V7
| A7
| ando sem nunca mais pa-

| I
| D
| rar ai ai ai ai sau-

| V7
| A7
| dade não venha me ma-

| I
| D
| tar ai ai ai ai sau-

| V7
| A7
| dade não venha me ma-

| I
| D
| tar

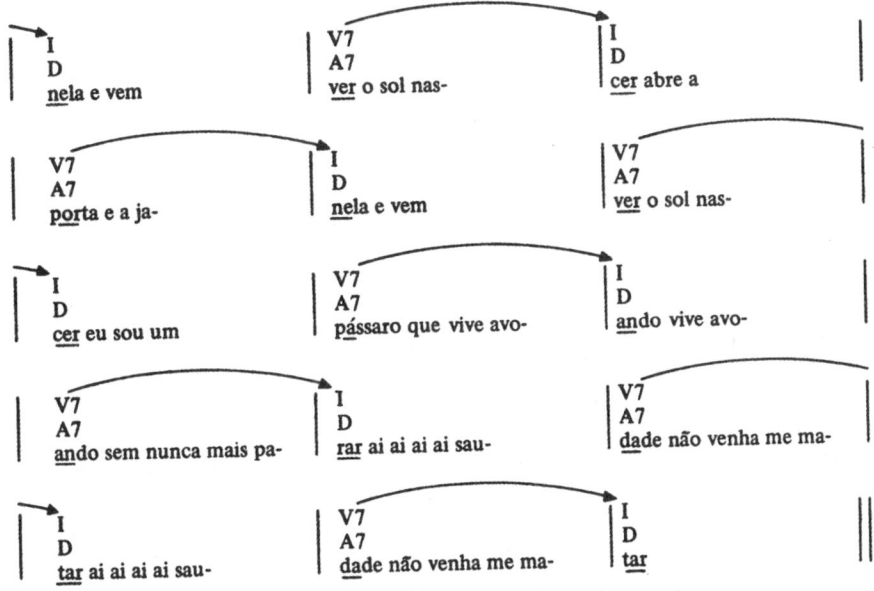

Obs. — Os traços abaixo das letras são para indicar a mudança dos acordes.

CASA DE BAMBA

Martinho da Vila

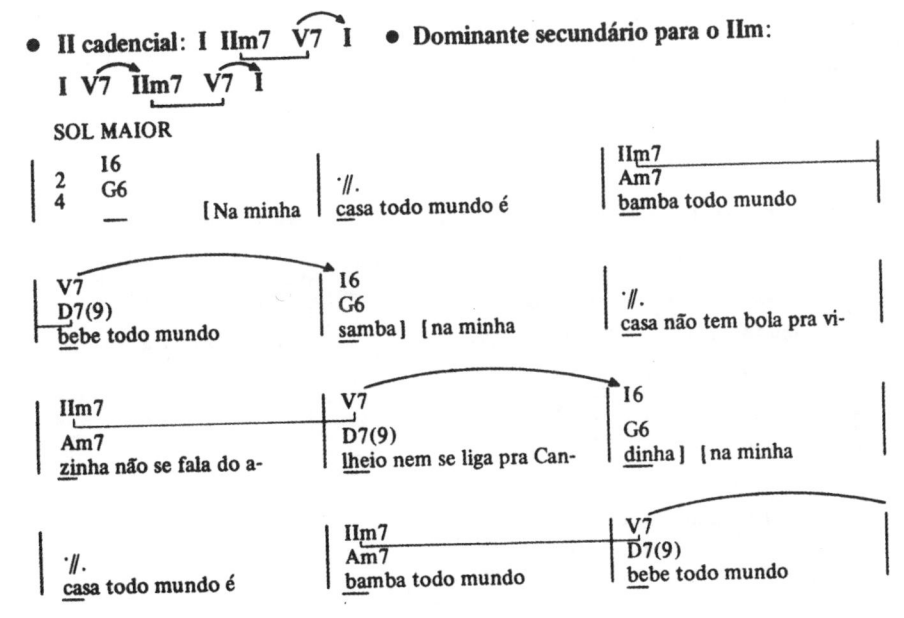

- II cadencial: I IIm7 V7 I
- Dominante secundário para o IIm:

I V7 IIm7 V7 I

SOL MAIOR

| 2/4 | I6
| G6
| [Na minha

| ·//·
| casa todo mundo é

| IIm7
| Am7
| bamba todo mundo

| V7
| D7(9)
| bebe todo mundo

| I6
| G6
| samba] [na minha

| ·//·
| casa não tem bola pra vi-

| IIm7
| Am7
| zinha não se fala do a-

| V7
| D7(9)
| lheio nem se liga pra Can-

| I6
| G6
| dinha] [na minha

| ·//·
| casa todo mundo é

| IIm7
| Am7
| bamba todo mundo

| V7
| D7(9)
| bebe todo mundo

I6	*V7	IIm7
G6	E7(b9)	Am7
samba] na minha	casa ninguém liga pra in-	triga todo mundo

V7	I6	·//.
D7(9)	G6	
xinga todo mundo	briga ma-	cumba lá na minha

IIm7	V7	I6
Am7	D7(9)	G6
casa tem galinha	preta azeite de den-	dê mas lada-

*V7	IIm7	V7
E7(b9)	Am7	D7(9)
inha lá na minha	casa tem reza boni-	tinha e canjiquinha pra co-

I	·//.	IIm7
G6		Am7
mer	mas se tem alguém a-	flito todo mundo

V7	I6	*V7
D7(9)	G6	E7(b9
chora todo mundo	sofre mas logo se	reza pra São Bene-

IIm7	V7	I6
Am7	D7(9)	G6
dito pra Nossa Se-	nhora e pra Santo O-	nofre

·//.	IIm7	V7
	Am7	D7(9)
mas se tem alguém can-	tando todo mundo	canta todo mundo

IIIm7	*V7	IIm7
Bm7	E7(b9)	Am7
dança todo mundo	samba e ninguém se	cansa pois minha

V7	I6	
D7(9)	G6	
casa é casa de	bamba	

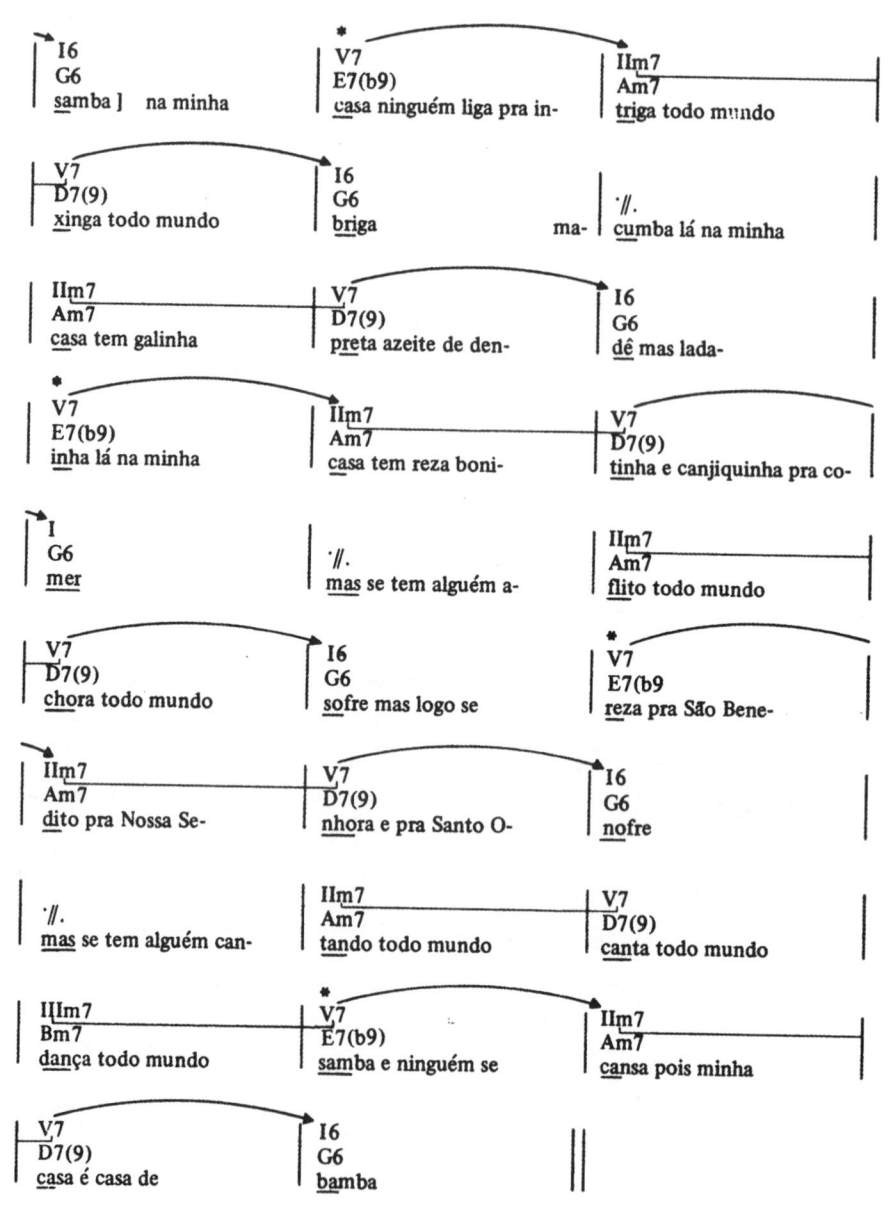

* – *Dominante secundário para o IIm*

Obs. – *Os versos entre colchetes serão repetidos.*

276 • Almir Chediak

ASA BRANCA
Luiz Gonzaga e Humberto Teixeira

• **Dominante secundário para o IV: I V7 IV**

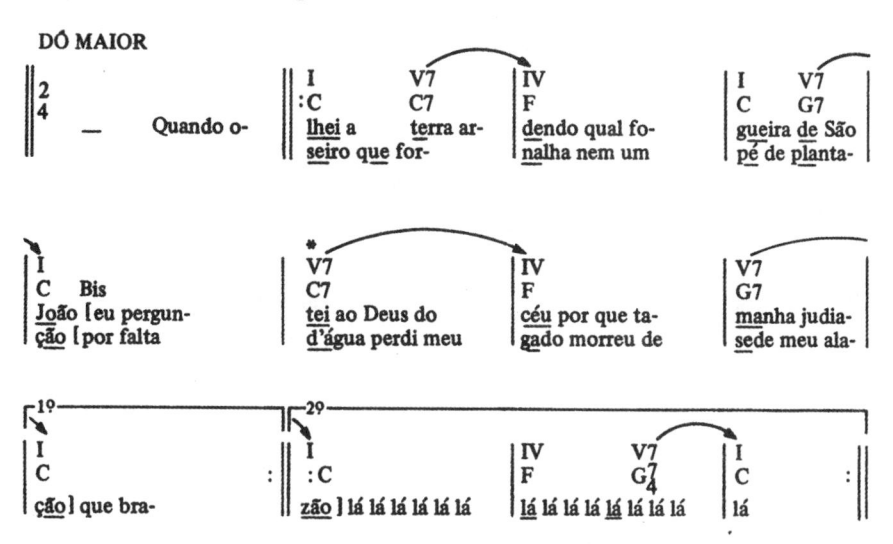

DÓ MAIOR

| $\frac{2}{4}$ — Quando o- | I   V7
:C   C7
lhei a   terra ar-
seiro que for- | IV
F
dendo qual fo-
nalha nem um | I   V7
C   G7
gueira de São
pé de planta- |

| I
C Bis
João [eu pergun-
ção [por falta | V7 *
C7
tei ao Deus do
d'água perdi meu | IV
F
céu por que ta-
gado morreu de | V7
G7
manha judia-
sede meu ala- |

| ⌜1º⌝
I
C
ção] que bra- | ⌜2º⌝
I
:C
zão] lá lá lá lá lá lá | IV   V7
F   G$^7_4$
lá lá lá lá lá lá lá | I
C
lá : |

•• Até mesmo a asa branca • bateu asas do sertão • então eu disse adeus Rosinha • guarda contigo meu coração •• Hoje longe muitas léguas • nesta triste solidão • espero a chuva cair de novo • pra eu voltar pro meu sertão •• Quando o verde dos teus olhos • se espalhar na plantação • eu lhe asseguro não chore não viu • que eu voltarei viu meu coração ••

Obs. – Os versos entre colchetes serão repetidos.

VIAGEM
João de Aquino e Paulo Cesar Pinheiro

• **Dominante secundário para o V7: I V7 V7 I**

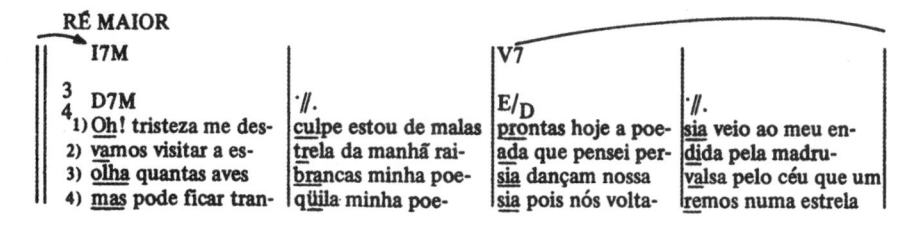

RÉ MAIOR

| I7M
$\frac{3}{4}$ D7M
1) Oh! tristeza me des-
2) vamos visitar a es-
3) olha quantas aves
4) mas pode ficar tran- | ·//·
culpe estou de malas
trela da manhã rai-
brancas minha poe-
qüila minha poe- | V7
E/D
prontas hoje a poe-
ada que pensei per-
sia dançam nossa
sia pois nós volta- | ·//·
sia veio ao meu en-
dida pela madru-
valsa pelo céu que um
remos numa estrela |

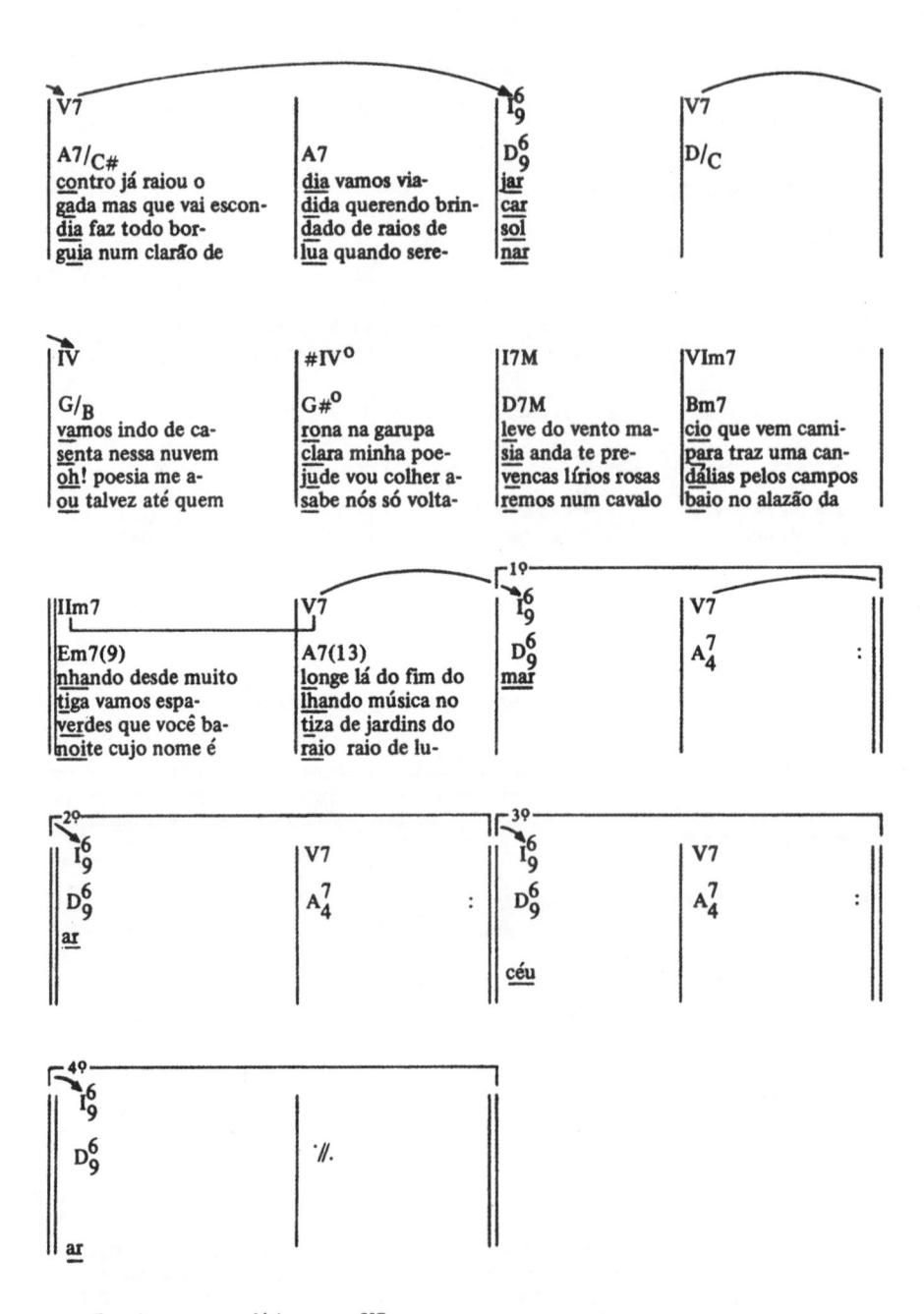

V7		I_9^6	V7
A7/C#	A7	D_9^6	D/C
<u>con</u>tro já raiou o	<u>dia</u> vamos via-	<u>jar</u>	
ga<u>da</u> mas que vai escon-	<u>di</u>da querendo brin-	<u>car</u>	
<u>di</u>a faz todo bor-	<u>da</u>do de raios de	<u>sol</u>	
<u>gui</u>a num clarão de	<u>lu</u>a quando sere-	<u>nar</u>	

IV	#IVº	I7M	VIm7
G/B	G#º	D7M	Bm7
<u>va</u>mos indo de ca-	<u>ro</u>na na garupa	<u>le</u>ve do vento ma-	<u>cio</u> que vem cami-
<u>sen</u>ta nessa nuvem	<u>cla</u>ra minha poe-	<u>si</u>a anda te pre-	<u>pa</u>ra traz uma can-
<u>oh</u>! poesia me a-	<u>ju</u>de vou colher a-	<u>ven</u>cas lírios rosas	<u>dá</u>lias pelos campos
<u>ou</u> talvez até quem	<u>sa</u>be nós só volta-	<u>re</u>mos num cavalo	<u>bai</u>o no alazão da

IIm7	V7	I_9^6	V7
Em7(9)	A7(13)	D_9^6	A_4^7
<u>nhan</u>do desde muito	<u>lon</u>ge lá do fim do	<u>mar</u>	
<u>ti</u>ga vamos espa-	<u>lhan</u>do música no		
<u>ver</u>des que você ba-	<u>ti</u>za de jardins do		
<u>noi</u>te cujo nome é	<u>rai</u>o raio de lu-		

2º
I_9^6	V7
D_9^6	A_4^7
<u>ar</u>	

3º
I_9^6	V7
D_9^6	A_4^7
<u>céu</u>	

4º
I_9^6	
D_9^6	//.
<u>ar</u>	

– *Dominante secundária para o V7.*

ANDANÇA
Paulinho Tapajós - Danilo Caymmi - Edmundo Souto

• Dominante secundário para o V7: I V7 V7   • Empréstimo modal

RÉ MAIOR

I_9^6		$bVI6$(e.m.)	
$\frac{2}{4}$ D_9^6	$:\cdot\!/\!/.$	Bb6	$\cdot\!/\!/.$
— Vim tanta a-	reia an-	dei da lua	cheia eu
	roda an-	dei dança da	moda eu

bII7M (e.m.)		IIm7(b5)(e.m.)	V7
Eb7M(9)	$\cdot\!/\!/.$	Em7(b5)	A7(13) A7(b13)
sei uma sau-	dade i-	men-	sa —
sei cansei de	ser só-	zi-	nho —

I_9^6		$bVI6$(e.m.)	
D_9^6	$\cdot\!/\!/.$	Bb6	$\cdot\!/\!/.$
vagando em	versos eu	vim vestido	de ce-
verso encan-	tado u-	sei meu namo-	rado é

bII7M(e.m.)		IIm7(b5)(e.m.)	V7
Eb7M(9)	$\cdot\!/\!/.$	Em7(b5)	A7
tim na mão di-	reita	ro-	sas
rei nas lendas	do ca-	mi-	nho

Im7(e.m.)		I7M	
Dm7	$\cdot\!/\!/.$	D7M(9)	$\cdot\!/\!/.$
vou levar		_ olha a lua	mansa a se derra-
onde andei		_ no passo da es-	trada só faço an-
			(me leva a-

		V7	
$\cdot\!/\!/.$	$\cdot\!/\!/.$	E/D	$\cdot\!/\!/.$
mar ao luar des-	cansa meu cami-	nhar seu olhar em	festa se fez fe-
dar tenho a minha a-	nada a me acompa-	nhar vim de longe	léguas cantando eu
mor)	(a-	mor)	(me

V7			
A7/C#	$\cdot\!/\!/.$	$\cdot\!/\!/.$	A7
liz lembrando a se-	resta que um dia eu	fiz por onde	for quero ser seu
vim vou não faço	tréguas sou mesmo as-	sim por onde	for quero ser seu
leva-	mor)		

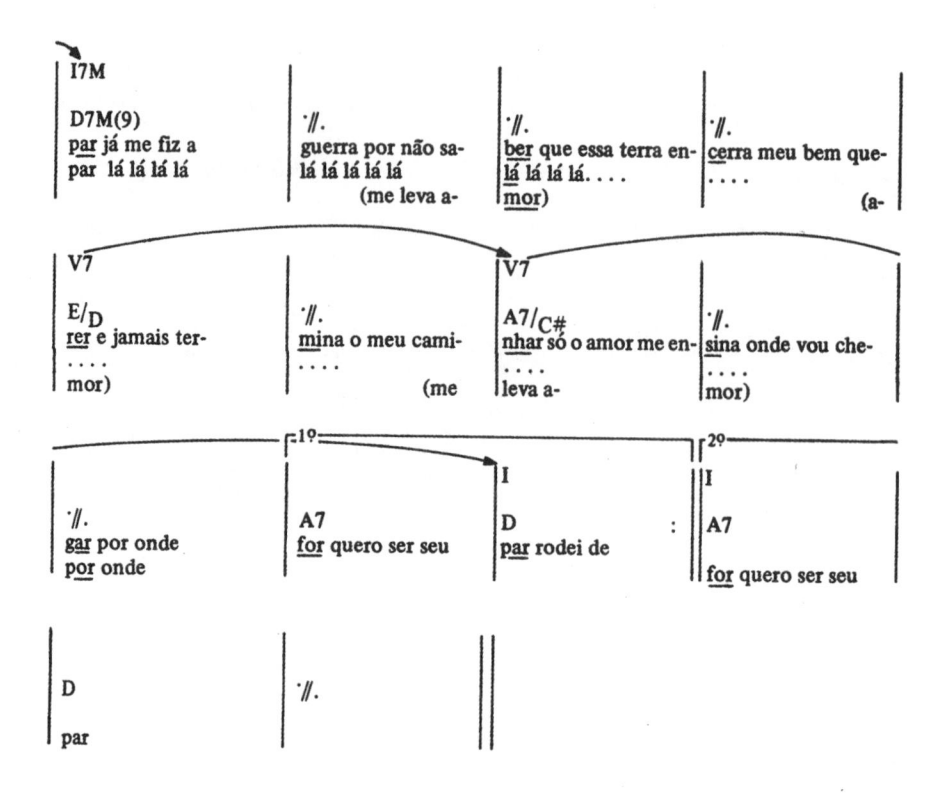

I7M			
D7M(9)	·//.	·//.	·//.
<u>par</u> já me fiz a	guerra por não sa-	<u>ber</u> que essa terra en-	<u>cerra</u> meu bem que-
<u>par</u> lá lá lá lá	lá lá lá lá lá	lá lá lá lá. ...	....
	(me leva a-	mor)	(a-

V7		V7	
E/D	·//.	A7/C#	·//.
<u>rer</u> e jamais ter-	<u>mina</u> o meu cami-	<u>nhar</u> só o amor me en-	<u>sina</u> onde vou che-
....	....	....	....
mor)	(me	leva a-	mor)

	⌜1º⌝		⌜2º⌝
		I	I
·//.	A7	D	A7
<u>gar</u> por onde	<u>for</u> quero ser seu	<u>par</u> rodei de	<u>for</u> quero ser seu
<u>por</u> onde			

D	·//.
par	

SAMPA

Caetano Veloso

- **Dominante secundário para o VIm precedido por II cadencial:**

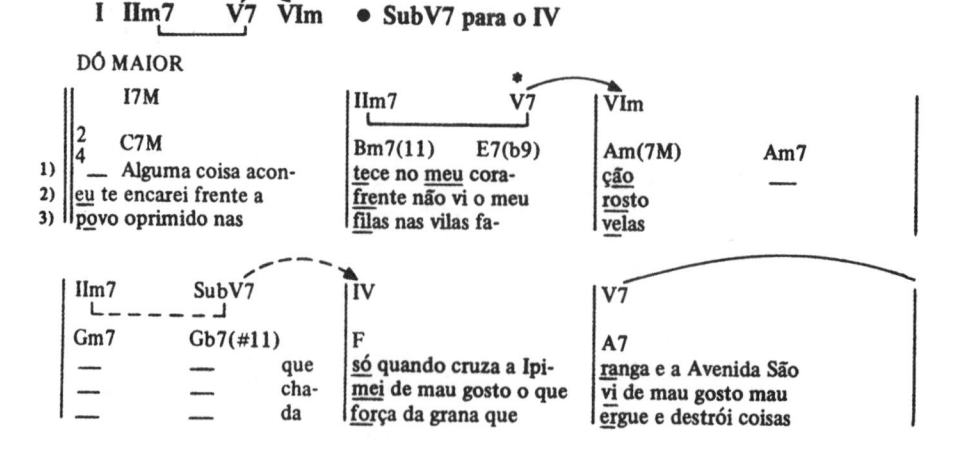

  I IIm7 V7 VIm   • SubV7 para o IV

DÓ MAIOR

	I7M		IIm7	V7	VIm	
	2/4 C7M		Bm7(11)	E7(b9)	Am(7M)	Am7
1)	— Alguma coisa acon-		tece no <u>meu</u> cora-		<u>ção</u>	—
2)	<u>eu</u> te encarei frente a		<u>frente</u> não vi o meu		<u>rosto</u>	
3)	<u>povo</u> oprimido nas		<u>filas</u> nas vilas fa-		<u>velas</u>	

IIm7	SubV7		IV	V7	
Gm7	Gb7(#11)		F	A7	
—	—	que	<u>só</u> quando cruza a Ipi-	<u>ranga</u> e a Avenida São	
—	—	cha-	<u>mei</u> de mau gosto o que	<u>vi</u> de mau gosto mau	
—	—	da	<u>força</u> da grana que	<u>ergue</u> e destrói coisas	

280 • Almir Chediak

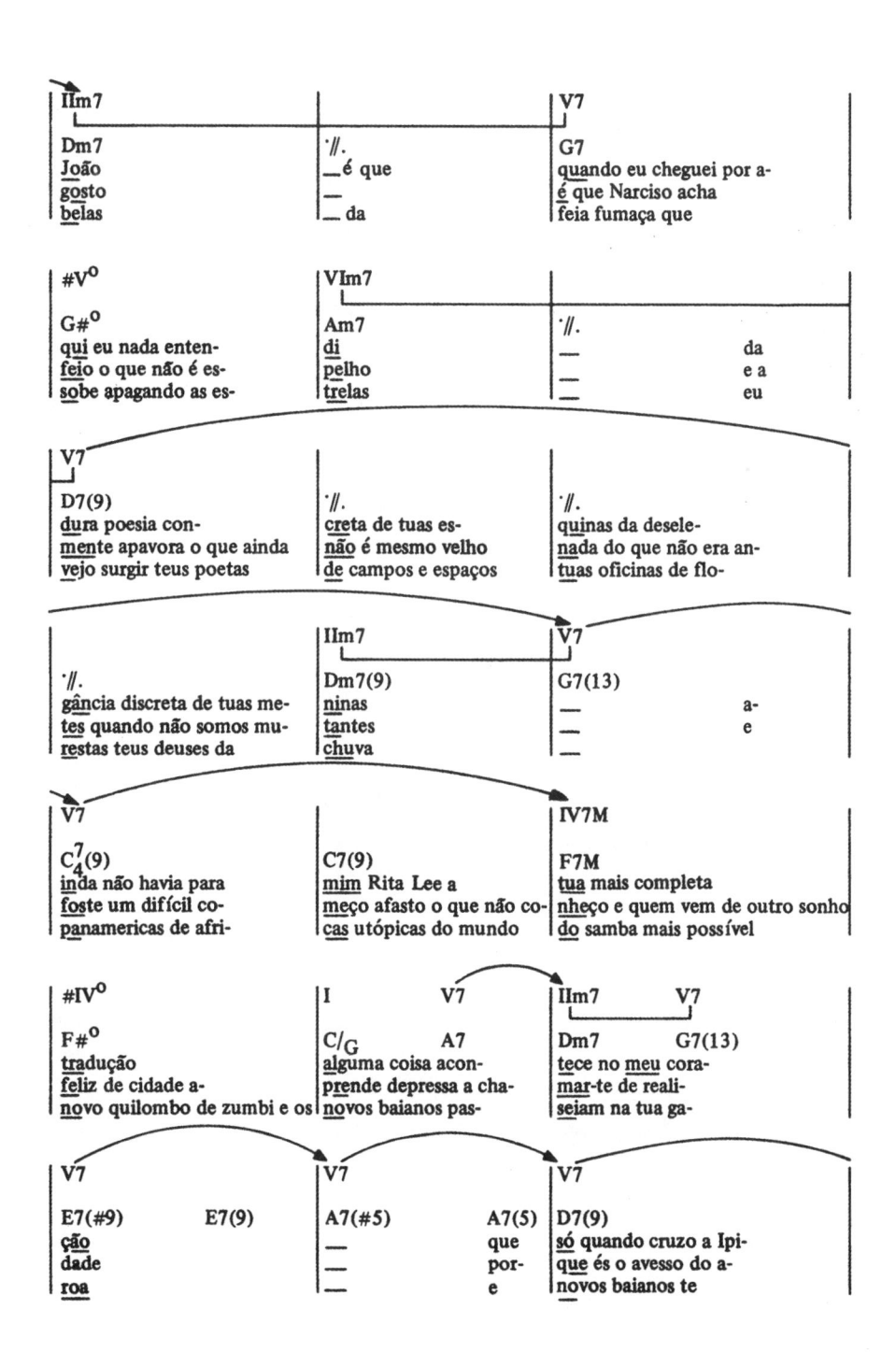

IIm7		V7
Dm7	./.	G7
João	__ é que	quando eu cheguei por a-
gosto	—	é que Narciso acha
belas	__ da	feia fumaça que

#V°	VIm7	
G#°	Am7	./.
qui eu nada enten-	di	— da
feio o que não é es-	pelho	— e a
sobe apagando as es-	trelas	— eu

V7		
D7(9)	./.	./.
dura poesia con-	creta de tuas es-	quinas da desele-
mente apavora o que ainda	não é mesmo velho	nada do que não era an-
vejo surgir teus poetas	de campos e espaços	tuas oficinas de flo-

	IIm7	V7
./.	Dm7(9)	G7(13)
gância discreta de tuas me-	ninas	— a-
tes quando não somos mu-	tantes	— e
restas teus deuses da	chuva	—

V7		IV7M
C⁷₄(9)	C7(9)	F7M
inda não havia para	mim Rita Lee a	tua mais completa
foste um difícil co-	meço afasto o que não co-	nheço e quem vem de outro sonho
panamericas de afri-	cas utópicas do mundo	do samba mais possível

#IV°	I V7	IIm7 V7
F#°	C/G A7	Dm7 G7(13)
tradução	alguma coisa acon-	tece no meu cora-
feliz de cidade a-	prende depressa a cha-	mar-te de reali-
novo quilombo de zumbi e os	novos baianos pas-	seiam na tua ga-

V7	V7	V7
E7(#9) E7(9)	A7(#5) A7(5)	D7(9)
ção	— que	só quando cruzo a Ipi-
dade	— por-	que és o avesso do a-
roa	— e	novos baianos te

Análise Harmônica • 281

V7	I$_9^6$	V7	
**			
Abm6 G7	C$_9^6$	G7(13)	:
ranga e a Avenida São	João	— quando	
vesso da a-			
podem curtir numa			

—1º——

I$_9^6$	V7	I$_9^6$	
C$_9^6$	G7(13)	C$_9^6$	
vesso	— do	boa	

—2º——   —3º——

://

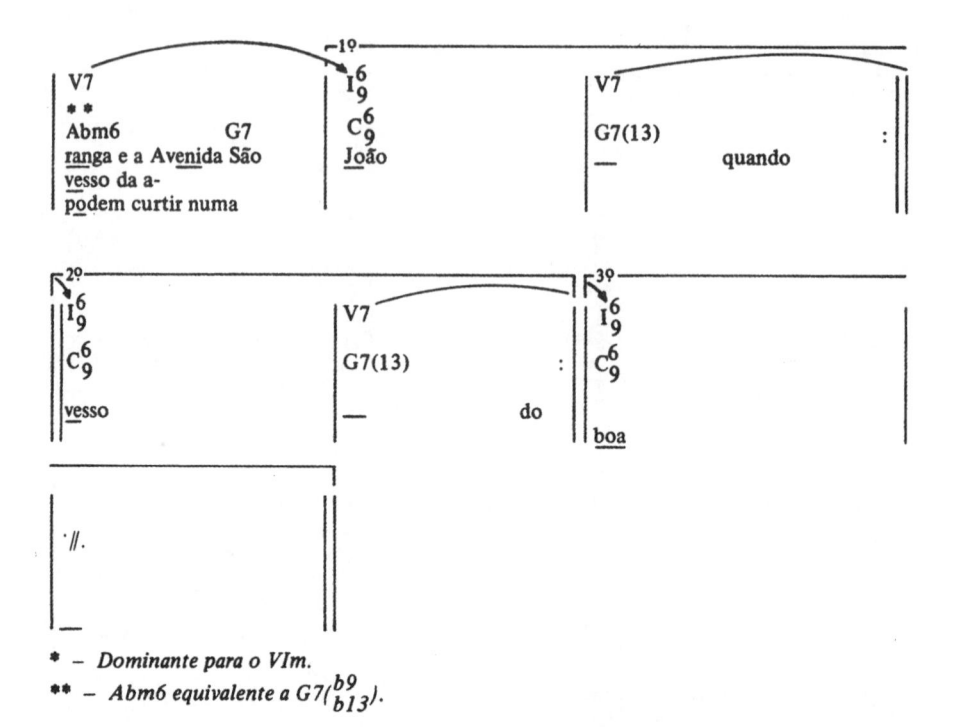

* – Dominante para o VIm.
** – Abm6 equivalente a G7($^{b9}_{b13}$).

TRISTEZA

Haroldo Lobo e Niltinho

- Diminuta descendente para o IIm   • SubV7   • Empréstimo modal   •
  IIIm7 substituindo o I   • Dominantes consecutivos

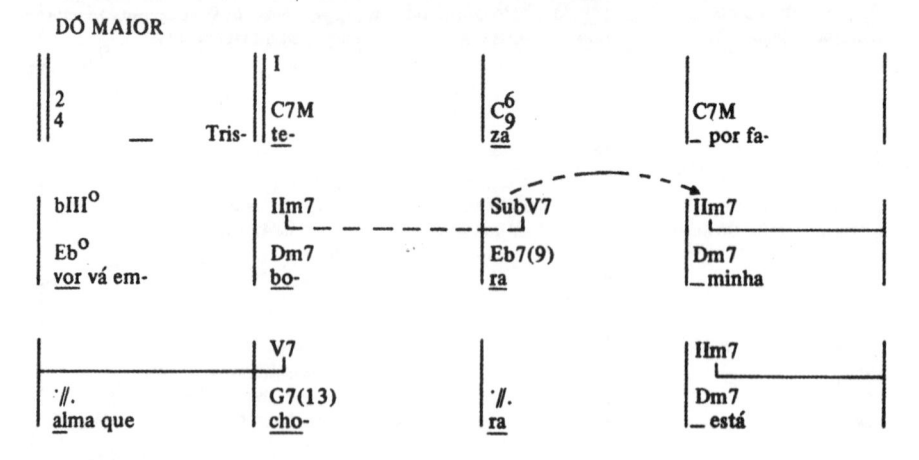

DÓ MAIOR

$^2_4$	I		
	C7M	C$_9^6$	C7M
— Tris-	te-	za	_ por fa-

bIIIº	IIm7	SubV7	IIm7
Ebº	Dm7	Eb7(9)	Dm7
vor vá em-	bo-	ra	_ minha

	V7		IIm7
://.	G7(13)	://.	Dm7
alma que	cho-	ra	_ está

282 • Almir Chediak

V7	I7M		IIm7
G7	C7M	·//.	Gm7
vendo o meu	fim	—	_ fez do meu

V7	IV		IVm6 (emp. modal)
C7	F7M	·//.	Fm6
coração a	sua mora-	dia	_já é de-

	IIIm7		V7
·//.	Em7	·//.	A7
mais o meu pe-	nar	—	_ quero vol-

	V7		V7
	D7(9)		G7
tar aquela	vida de ale-	gria	quero de

	I$_9^6$	V7	IV
·//.	C$_9^6$	C7(9)	F7M
novo can-	tar	_ larai-	a-

	IVm7 (emp. modal)	bVII7 (emp. modal)	IIIm7
F6	Fm7	Bb7(9)	Em7
ra	_laiarai-	a rai-	a-

	V7	SubV7	V7
·//.	A7	Eb7(9)	D7(9)
ra	_laia rai-	arai-	a-

	V7	V7	I$_9^6$
·//.	G7(13)	G7(b13)	C$_9^6$
ra	quero de	novo can-	tar

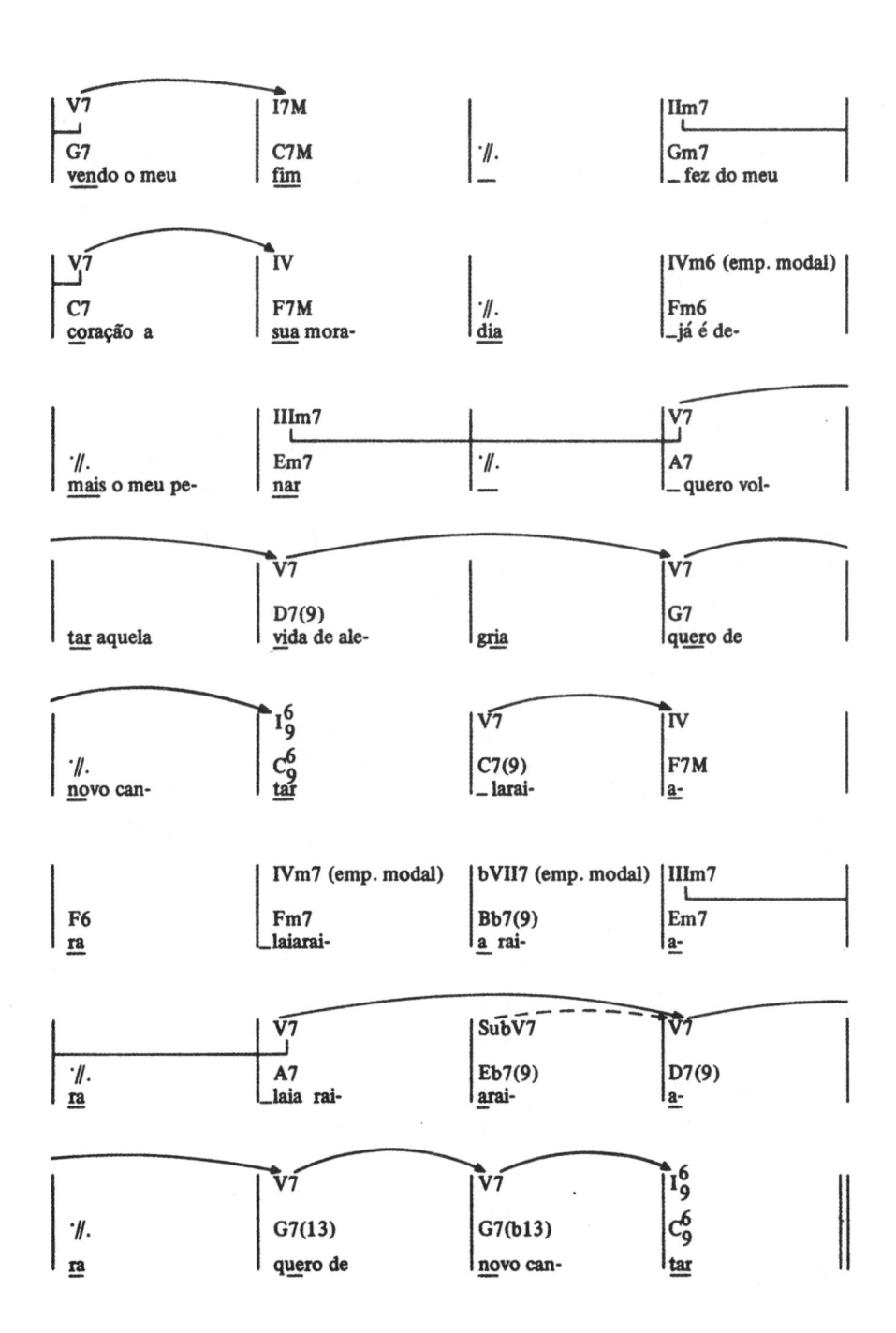

Análise Harmônica • 283

VALSA DE UMA CIDADE
Ismael Neto e Antônio Maria

- Encadeamento I VIm IIm7 V7 I • Modulação • Acorde de empréstimo modal • Diminuto ascendente para IIm • SubV7

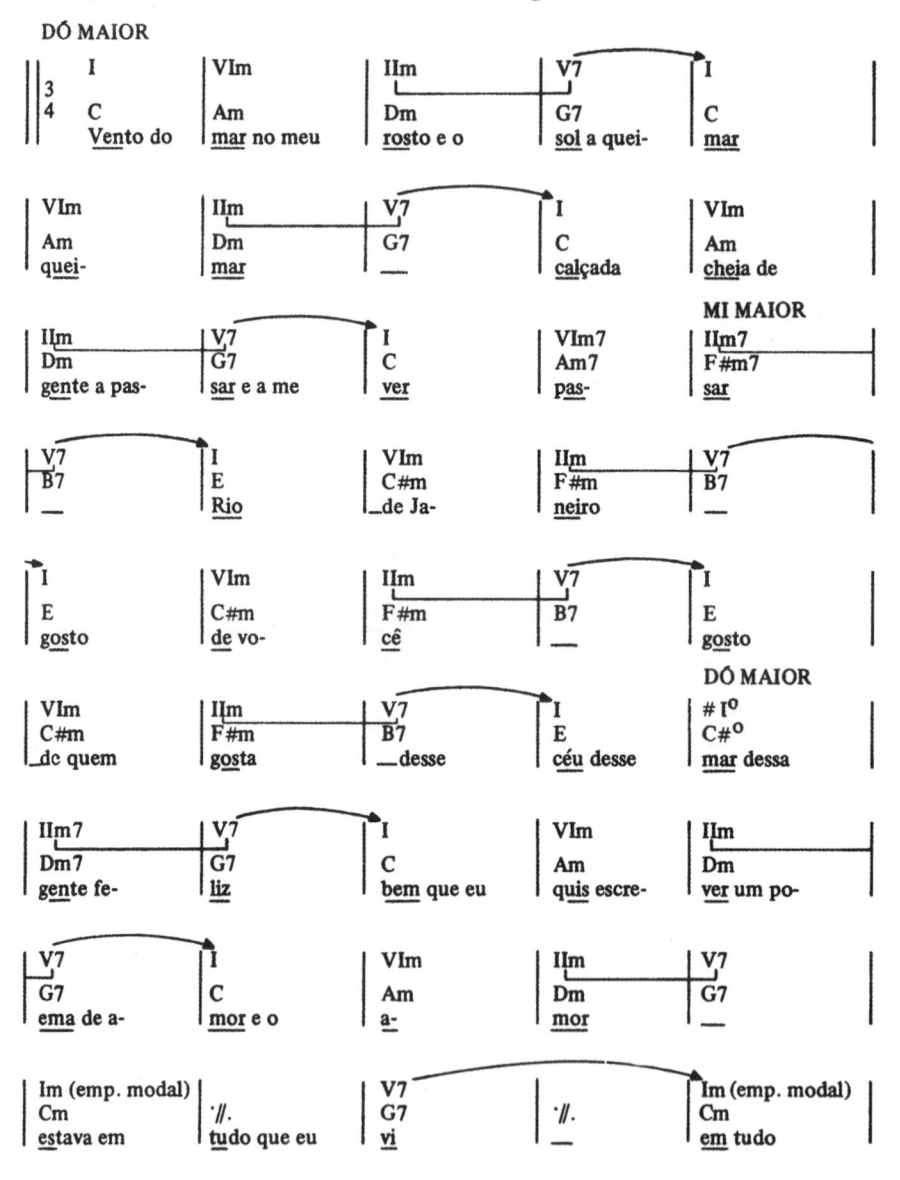

DÓ MAIOR

3/4	I C Vento do	VIm Am mar no meu	IIm Dm rosto e o	V7 G7 sol a quei-	I C mar

VIm Am quei-	IIm Dm mar	V7 G7 —	I C calçada	VIm Am cheia de

MI MAIOR

IIm Dm gente a pas-	V7 G7 sar e a me	I C ver	VIm7 Am7 pas-	IIm7 F#m7 sar

V7 B7 —	I E Rio	VIm C#m de Ja-	IIm F#m neiro	V7 B7 —

I E gosto	VIm C#m de vo-	IIm F#m cê	V7 B7 —	I E gosto

DÓ MAIOR

VIm C#m de quem	IIm F#m gosta	V7 B7 desse	I E céu desse	#I° C#° mar dessa

IIm7 Dm7 gente fe-	V7 G7 liz	I C bem que eu	VIm Am quis escre-	IIm Dm ver um po-

V7 G7 ema de a-	I C mor e o	VIm Am a-	IIm Dm mor	V7 G7 —

Im (emp. modal) Cm estava em	·//· tudo que eu	V7 G7 vi	·//· —	Im (emp. modal) Cm em tudo

| V7 / G7 / quanto eu a- mei | I / C / e no po- | VIm / Am / ema que eu |

| IIm / Dm / fiz tinha al- | V7 / G7 / guém mais fe- | IIm / Dm / liz | V7 / G7 / que | I / C / eu |

| VIm / Am | IIm / Dm / o meu a- | SubV7 / Db7(9) | I / C / mor | VIm / Am |

| IIm / Dm | V7 / G7 / que não me | I / C / quis | VIm / Am | IIm / Dm |

| V7 / G7 / o meu a- | I / C / mor |

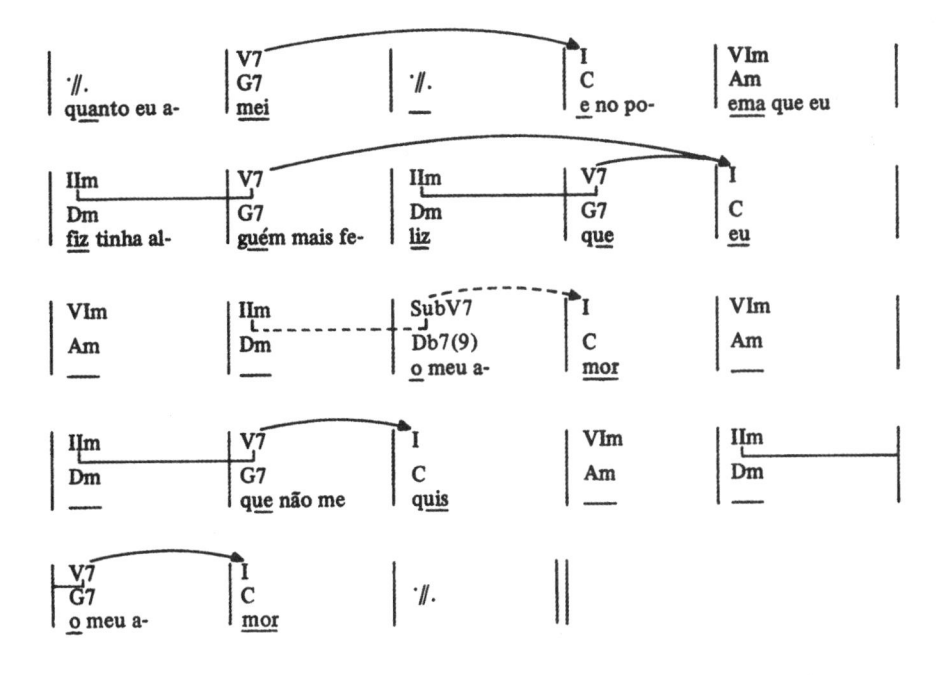

PELA LUZ DOS OLHOS TEUS

Vinícius de Moraes

- **Modulação por terça menor acima**
- **Empréstimo modal: IVm6**

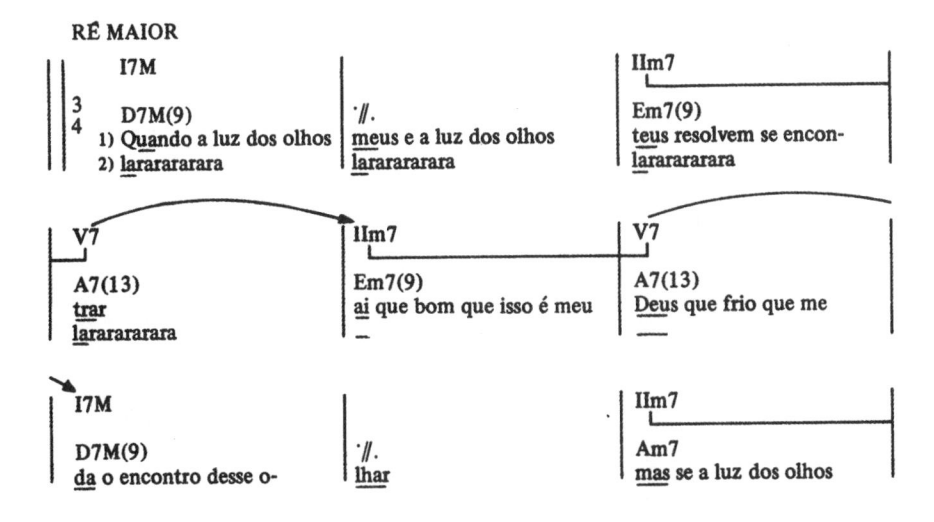

RÉ MAIOR

| I7M / D7M(9) / 1) Quando a luz dos olhos / 2) larararara | meus e a luz dos olhos / larararara | IIm7 / Em7(9) / teus resolvem se encon- / larararara |

| V7 / A7(13) / trar / larararara | IIm7 / Em7(9) / ai que bom que isso é meu | V7 / A7(13) / Deus que frio que me |

| I7M / D7M(9) / da o encontro desse o- | lhar | IIm7 / Am7 / mas se a luz dos olhos |

Análise Harmônica • 285

V7	IV7M	IVm6 (emp. modal)
D7	G7M	Gm6
teus resiste aos olhos	meus só pra me provo-	car

I7M	V7	I$^6_9$
D7M(9)	A7(13)	D$^6_9$
meu amor juro por	Deus me sinto incendi-	ar

FÁ MAIOR

V7	I7M	
C7(9)	F7M	·//.
	meu amor juro por	Deus que a luz dos olhos

IIm7	V7	IIm7
Gm7	C7(9)	Gm7
meus já não pode espe-	rar	quero a luz dos olhos

V7	I7M	
C7(9)	F7M	·//.
meus na luz dos olhos	teus sem mais larara-	ra

IIm7	V7	IV7M
Cm7	F7(9)	Bb7M
pela luz dos olhos	teus eu acho o meu	amor e só se pode a-

IVm6 (emp. modal)	I7M	V7
Bbm6	F7M	C7(9)
char	que a luz dos olhos	meus precisa se ca-

RÉ MAIOR

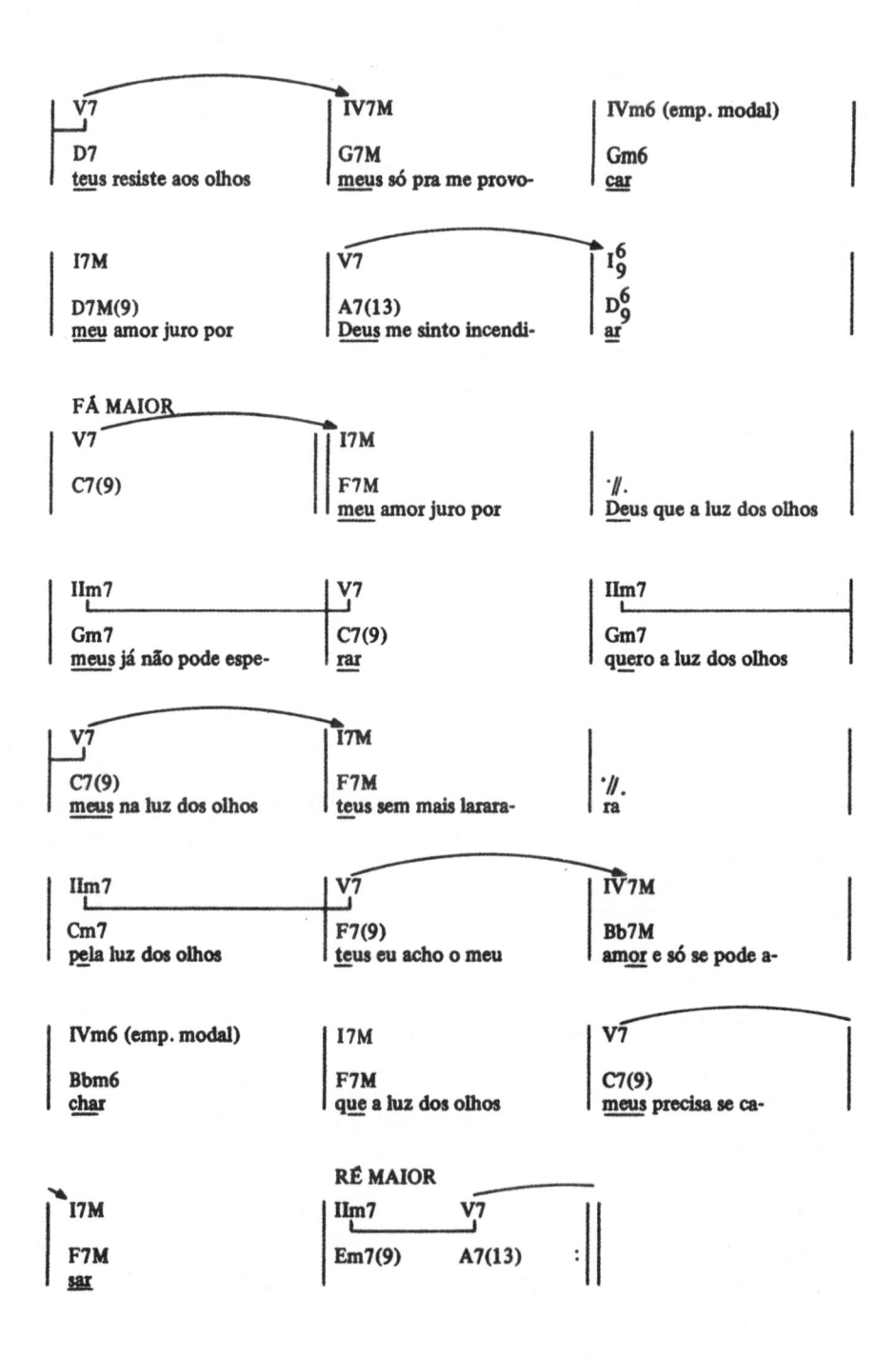

I7M	IIm7 V7	
F7M	Em7(9) A7(13)	:||
sar		

MARINHEIRO SÓ (Folclore baiano)

• **IIIm7 substituindo o I**

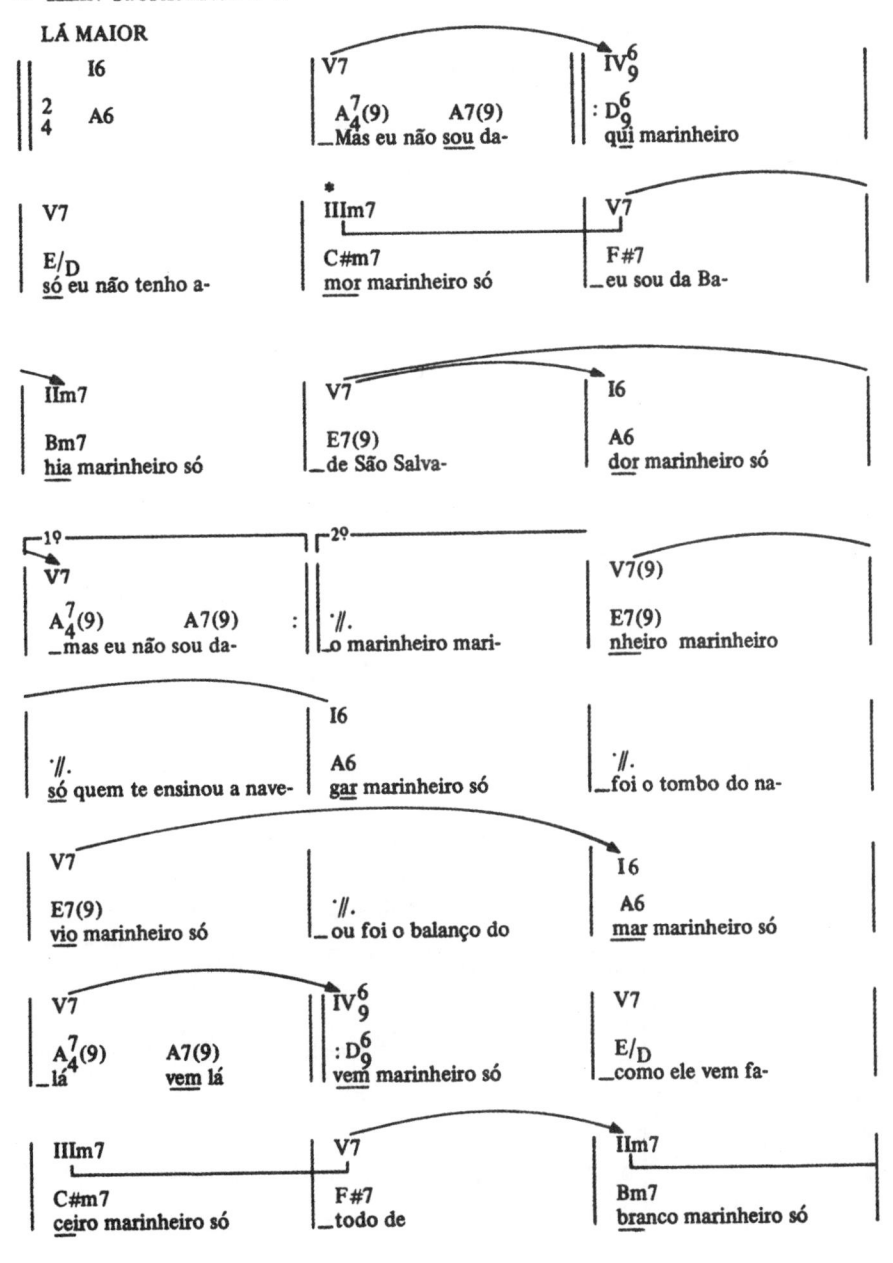

LÁ MAIOR

I6	V7	IV$_9^6$
$\frac{2}{4}$ A6	A$_4^7$(9) A7(9)	:D$_9^6$
	—Mas eu não sou da-	qui marinheiro

V7	IIIm7	V7
E/D	C#m7	F#7
só eu não tenho a-	mor marinheiro só	—eu sou da Ba-

IIm7	V7	I6
Bm7	E7(9)	A6
hia marinheiro só	—de São Salva-	dor marinheiro só

—1º——————	—2º——————	
V7		V7(9)
A$_4^7$(9) A7(9)	:∥.	E7(9)
—mas eu não sou da-	—o marinheiro mari-	nheiro marinheiro

	I6	
	A6	
∥.		∥.
só quem te ensinou a nave-	gar marinheiro só	—foi o tombo do na-

V7		I6
E7(9)	∥.	A6
vio marinheiro só	— ou foi o balanço do	mar marinheiro só

V7	IV$_9^6$	V7
A$_4^7$(9) A7(9)	:D$_9^6$	E/D
—lá vem lá	vem marinheiro só	—como ele vem fa-

IIIm7	V7	IIm7
C#m7	F#7	Bm7
ceiro marinheiro só	—todo de	branco marinheiro só

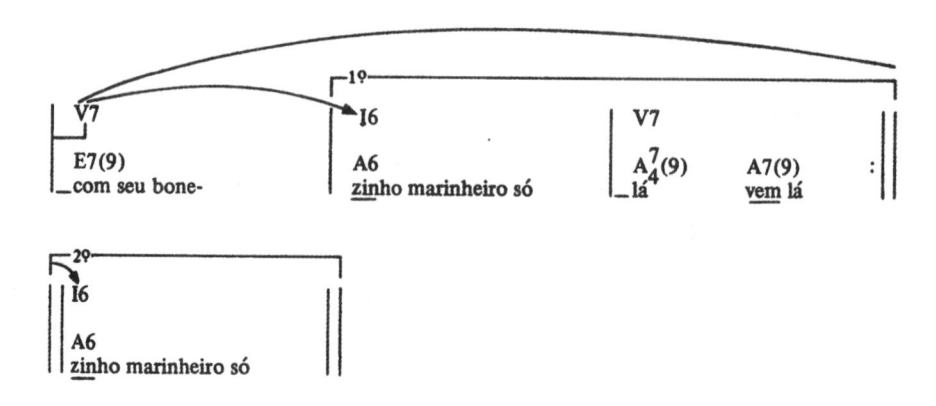

V7	I6	V7	
E7(9)	A6	A$_4^7$(9)	A7(9)
_com seu bone-	zinho marinheiro só	_lá	vem lá

1ª ───────────────────────┐

2ª ─────┐
I6	
A6	
zinho marinheiro só	

A BANDA
Chico Buarque de Holanda

• SubV7 para V7   • Dominantes consecutivos

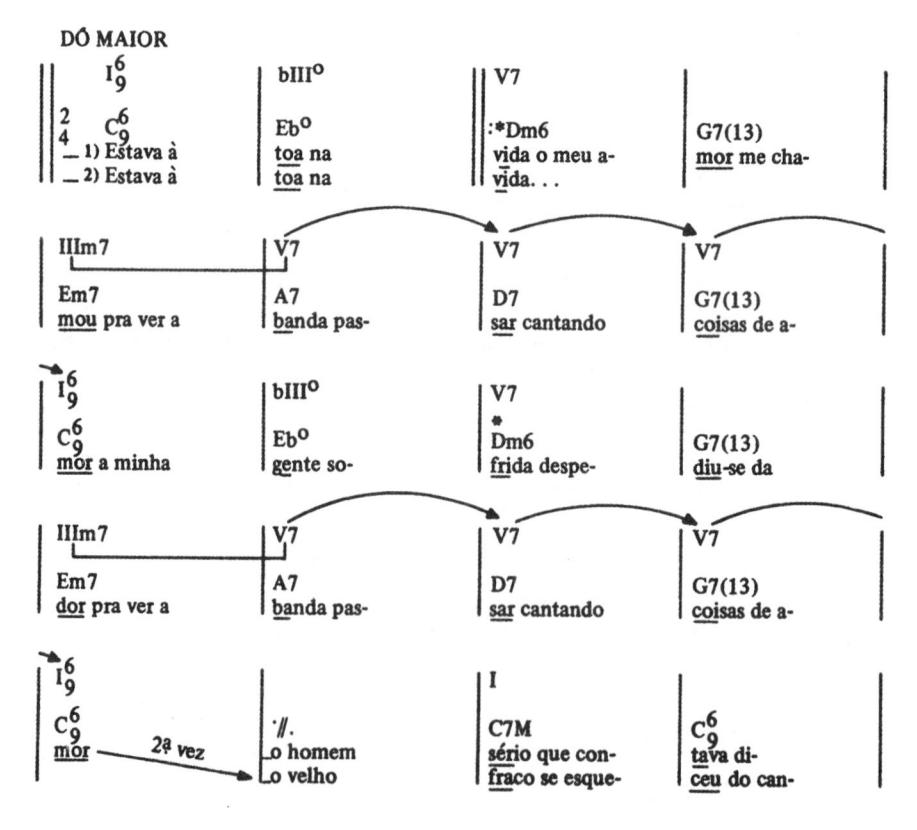

DÓ MAIOR

I$_9^6$	bIII°	V7	
2/4 C$_9^6$	Eb°	:*Dm6	G7(13)
1) Estava à	toa na	vida o meu a-	mor me cha-
2) Estava à	toa na	vida...	

IIIm7	V7	V7	V7
Em7	A7	D7	G7(13)
mou pra ver a	banda pas-	sar cantando	coisas de a-

I$_9^6$	bIII°	V7	
C$_9^6$	Eb°	*Dm6	G7(13)
mor a minha	gente so-	frida despe-	diu-se da

IIIm7	V7	V7	V7
Em7	A7	D7	G7(13)
dor pra ver a	banda pas-	sar cantando	coisas de a-

I$_9^6$		I	
C$_9^6$	://.	C7M	C$_9^6$
mor 2ª vez	o homem / o velho	sério que con- fraco se esque-	tava di- ceu do can-

V7		IIm7	V7
G7	·//.	Gm7	C7(9)
nheiro pa-	rou o faro-	leiro que con-	tava van-
saço e pen-	sou que ainda era	moço pra sa-	ir no ter-

IV$^6_9$		V7/VI	
F$^6_9$	·//.	E$^7_4$(9)	E7(9)
tagem pa-	rou a namo-	rada que con-	tava as es-
raço e dan-	çou a moça	feia debru-	çou na ja-

IIIm7	SubV7	V7	
Em7(9)	Eb7(9)	D$^7_4$(9)	D7(9)
trelas pa-	rou para	ver ouvir e	dar pas-
nela pen-	sando que a	banda to-	cava pra

V7		I7M	
G$^7_4$(9)	G7(9)	C7M	·//.
sagem	_ a moça	triste que vi-	via ca-
ela	_ a marcha a-	legre se espa-	lhou na ave-

V7		IIm7	V7
G7	·//.	Gm7	C7(9)
lada sor-	riu a rosa	triste que vi-	via fe-
nida e insis-	tiu a lua	cheia que vi-	via escon-

IV$^6_9$		V7/VI	
F$^6_9$	·//.	E$^7_4$(9)	E7(9)
chada se a-	briu e a meni-	nada toda	se assa-
dida sur-	giu minha ci-	dade toda	se enfei-

IIIm7	SubV7	V7	V7
Em7(9)	Eb7(9)	D7(9)	G7(13)
nhou pra ver a	banda pas-	sar cantando	coisas de a-
tou pra ver a	banda pas-	sar cantando	coisas de a-

I$^6_9$	⌐1º⌐ bIIIº	⌐2º⌐ bIIIº	V7
C$^6_9$	Ebº	Ebº	Dm6
mor eu estava a-	toa na	: meu desen-	canto o que era
mor mas para o			

G7(13)	IIIm7	V7	V7
	Em7	A7	D7(13)
doce aca-	bou tudo to-	mou seu lu-	gar depois que a

V7	I$_9^6$	bIII°	V7
G7(13)	C$_9^6$	Eb°	*Dm6
banda pas-	sou e cada	qual no seu	canto em cada

G7(13)	IIIm7	V7	V7
	Em7	A7(13)	D7
canto uma	dor depois da	banda pas-	sar cantando

V7	I$_9^6$		
G7(13)	C$_9^6$		
coisas de a-	mor		

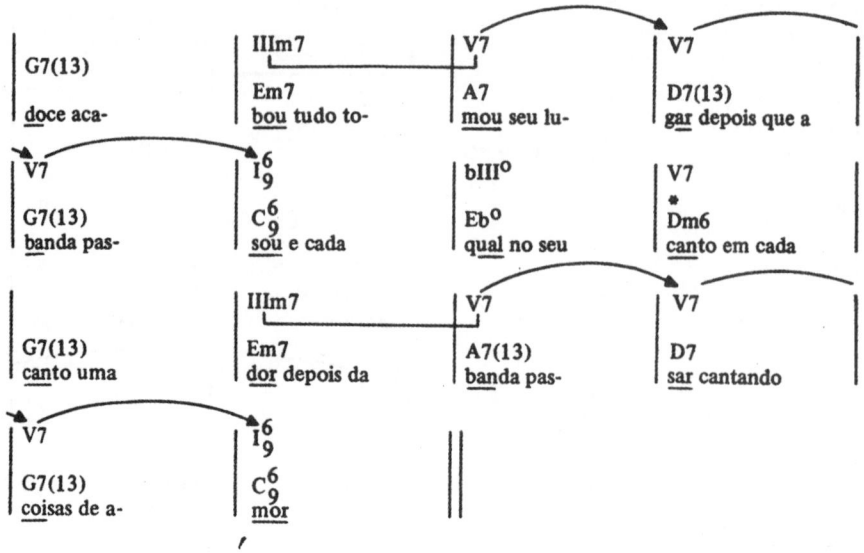

* — Dm6 equivale ao G7/D, isto é, V7 do I

FLOR DE LYS
Djavan

- **Quarto grau elevado menor com a 7ª e a 5ª diminuta: #IVm7(b5)**
  - **Dominante secundário para o IIIm precedido por II cadencial**

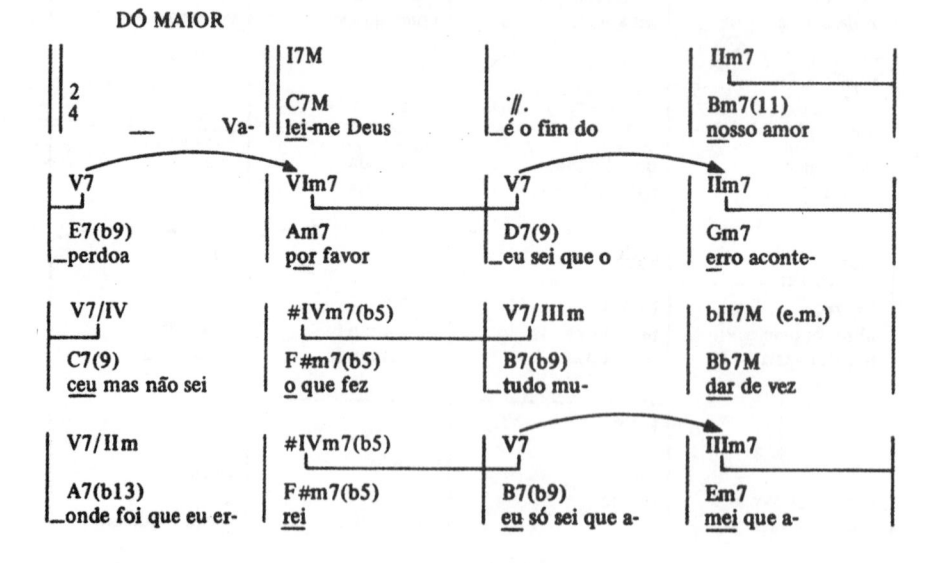

DÓ MAIOR

$\frac{2}{4}$	I7M		IIm7
	C7M	://.	Bm7(11)
Va-	lei-me Deus	é o fim do	nosso amor

V7	VIm7	V7	IIm7
E7(b9)	Am7	D7(9)	Gm7
perdoa	por favor	eu sei que o	erro aconte-

V7/IV	#IVm7(b5)	V7/IIIm	bII7M (e.m.)
C7(9)	F#m7(b5)	B7(b9)	Bb7M
ceu mas não sei	o que fez	tudo mu-	dar de vez

V7/IIm	#IVm7(b5)	V7	IIIm7
A7(b13)	F#m7(b5)	B7(b9)	Em7
onde foi que eu er-	rei	eu só sei que a-	mei que a-

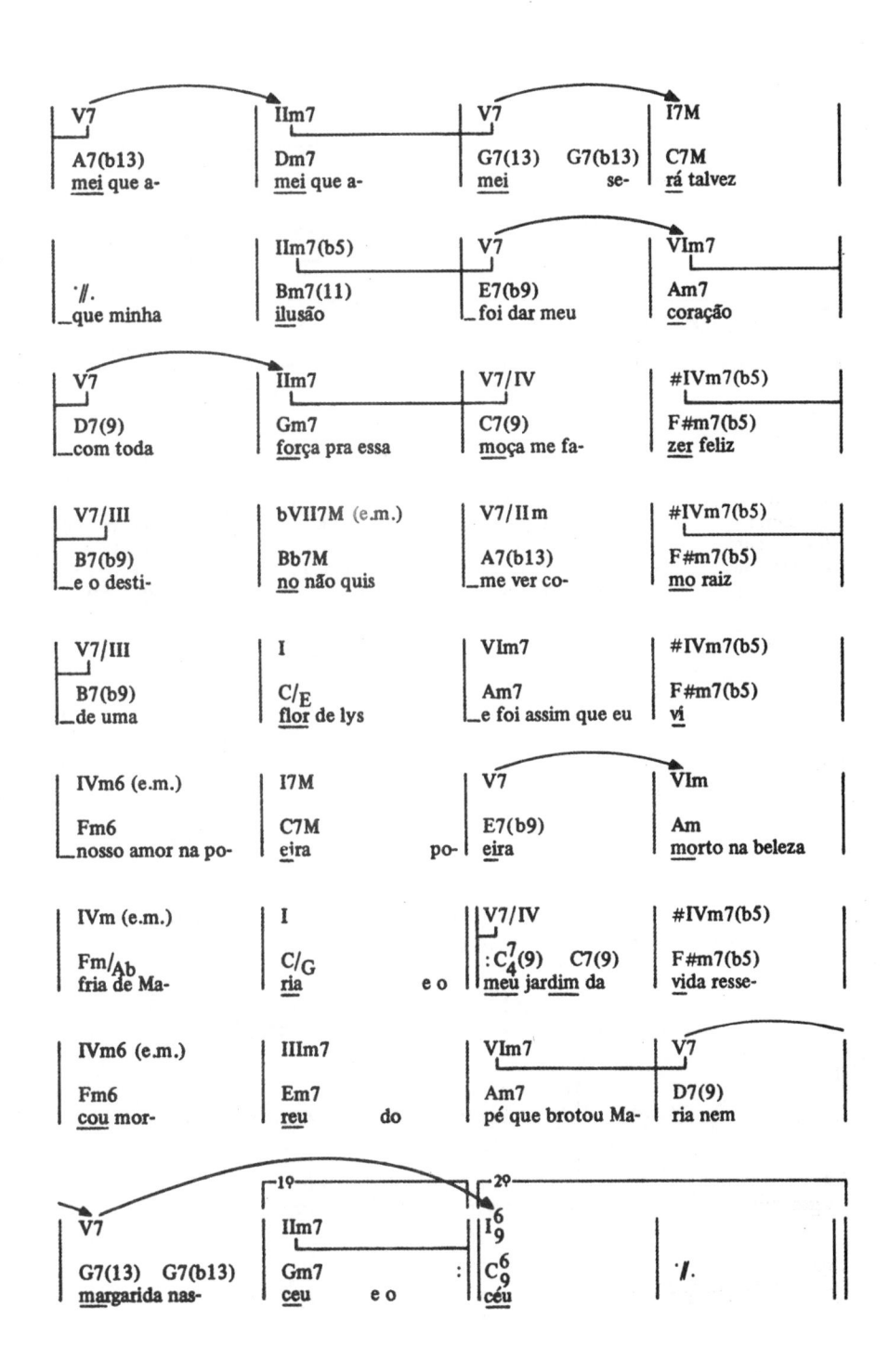

V7	IIm7	V7	I7M
A7(b13)	Dm7	G7(13) G7(b13)	C7M
mei que a-	mei que a-	mei se-	rá talvez

	IIm7(b5)	V7	VIm7
./.	Bm7(11)	E7(b9)	Am7
que minha	ilusão	foi dar meu	coração

V7	IIm7	V7/IV	#IVm7(b5)
D7(9)	Gm7	C7(9)	F#m7(b5)
com toda	força pra essa	moça me fa-	zer feliz

V7/III	bVII7M (e.m.)	V7/IIm	#IVm7(b5)
B7(b9)	Bb7M	A7(b13)	F#m7(b5)
e o desti-	no não quis	me ver co-	mo raiz

V7/III	I	VIm7	#IVm7(b5)
B7(b9)	C/E	Am7	F#m7(b5)
de uma	flor de lys	e foi assim que eu	vi

IVm6 (e.m.)	I7M	V7	VIm
Fm6	C7M	E7(b9)	Am
nosso amor na po-	eira po-	eira	morto na beleza

IVm (e.m.)	I	V7/IV	#IVm7(b5)
Fm/Ab	C/G	:C$_4^7$(9) C7(9)	F#m7(b5)
fria de Ma-	ria e o	meu jardim da	vida resse-

IVm6 (e.m.)	IIIm7	VIm7	V7
Fm6	Em7	Am7	D7(9)
cou mor-	reu do	pé que brotou Ma-	ria nem

V7	IIm7	I$_9^6$	
G7(13) G7(b13)	Gm7	:C$_9^6$	./.
margarida nas-	ceu e o	céu	

MARIA MARIA

Milton Nascimento e Fernando Brant

- **Empréstimo modal**

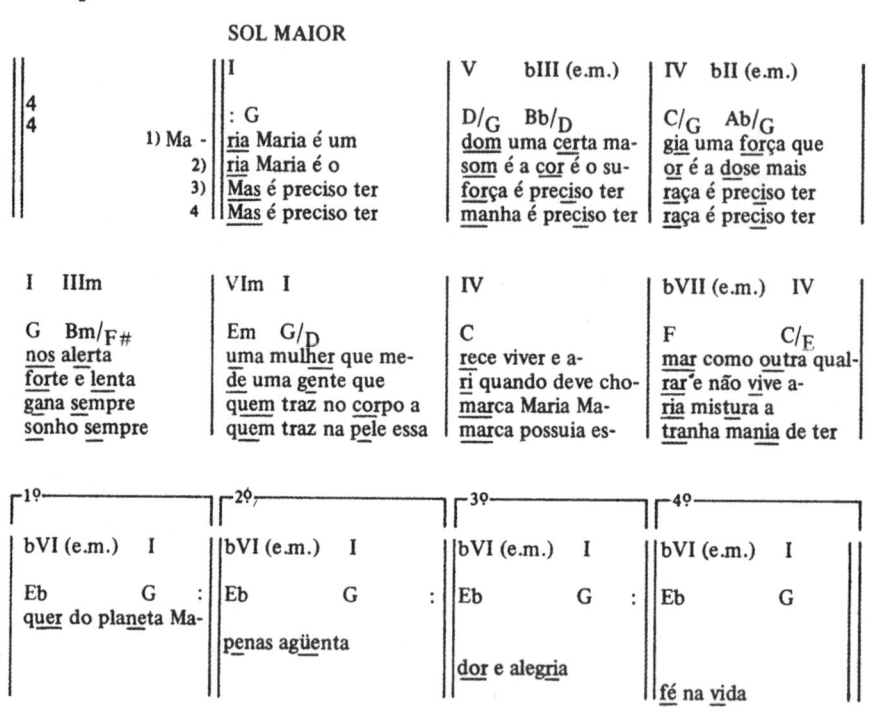

SOL MAIOR

	I	V bIII (e.m.)	IV bII (e.m.)
4/4	: G	D/G Bb/D	C/G Ab/G
1) Ma-	ria Maria é um	dom uma certa ma-	gia uma força que
2)	ria Maria é o	som é a cor é o su-	or é a dose mais
3)	Mas é preciso ter	força é preciso ter	raça é preciso ter
4	Mas é preciso ter	manha é preciso ter	raça é preciso ter

I IIIm	VIm I	IV	bVII (e.m.) IV
G Bm/F#	Em G/D	C	F C/E
nos alerta	uma mulher que me-	rece viver e a-	mar como outra qual-
forte e lenta	de uma gente que	ri quando deve cho-	rar e não vive a-
gana sempre	quem traz no corpo a	marca Maria Ma-	ria mistura a
sonho sempre	quem traz na pele essa	marca possuía es-	tranha mania de ter

┌1º──	┌2º──	┌3º──	┌4º──
bVI (e.m.) I	bVI (e.m.) I	bVI (e.m.) I	bVI (e.m.) I
Eb G :	Eb G :	Eb G :	Eb G
quer do planeta Ma-	penas agüenta	dor e alegria	fé na vida

- **Músicas a serem analisadas:** Felicidade, O Leãozinho, Gente Humilde, Alegria Alegria, Outra Vez, Menino do Rio

FELICIDADE

Lupicínio Rodrigues

4/4 ___ Felici-	D dade foi-se em-	G bora e a saudade no meu
A7 peito ainda	F#m7 mora e é por isso que eu	Bm gosto lá de
Em fora por que sei que a falsi-	A7 dade não vi-	D gora a minha

292 • Almir Chediak

`·//.`	A7	`·//.`
casa fica lá de trás do	mundo onde vou em um se-	gundo quando começo a can-

D	`·//.`	A7
tar o pensa-	mento parece uma coisa à	toa mas como é que a gente

`·//.`	D	`·//.`
voa quando começa a pen-	sar felici-	dade foi-se .....

O LEÃOZINHO
Caetano Veloso

4/4 C	G	Am	Em
1) Gosto muito de te ver	— leãozinho	caminhando sob o sol	—
2) Para desintristecer	— leãozinho	o meu coração tão só	

F	G7	`·//.`	`·//.`
gosto muito de você	— leãozinho		
basta eu encontrar você	— no caminho		

Am(8)	Am(7M)	Am7	Am6
um filhote de leão	— raio da manhã	—	—

Am(b6)	Am(5)	Dm7	G7
arrastando o meu olhar	— como um imã	—	—

Gosto de te ver ao sol leãozinho • De te ver entrar no mar • Tua pele tua luz tua juba • Gosto de ficar ao sol leãozinho • De molhar a minha juba • De estar perto de você e entrar numa.

GENTE HUMILDE
Garoto - Chico Buarque - Vinícius de Moraes

2/4 G7(13)		: C/E Eb°
— Tem certos		dias em que eu penso em minha
		simples com cadeiras na cal-

Dm7	A7(b13)	Dm7(9) G7(13)
gente	— e sinto as-	sim todo o meu peito se aper-
çada	— e na fa-	chada escrito em cima que é um

C°(7M)	C7M	G/F	C/E	Eb°
tar	—	porque pa-	rece que acontece de re-	
lar	—	pela va-	randa flores tristes e bal-	

Dm7	A7(b13)		Dm7(9)	Db7(#9)
pente	— como um de-		sejo de eu viver sem me no-	
dias	— como ale-		gria que não tem onde encos-	

C7M	G7(13)	C/E	Eb°
tar	— igual a	como quando eu passo num su-	
tar	— e aí me	dá uma tristeza no meu	

Dm7	A7(b13)	Dm7(9)	G7(13)
búrbio	— eu muito	bem vindo de trem de algum lu-	
peito	— feito um des-	peito de eu não ter como lu-	

$C^7_4(9)$	C7(9)	F#m7(b5)	Fm6
gar	— aí me	dá uma inveja dessa	
tar	— eu que não	creio peço a Deus por minha	

Em7	A7(b9)	D7(9)	Db7(#9)
gente	— que vai em	frente sem nem ter com quem con-	
gente	— é gente hu-	milde que vontade de cho-	

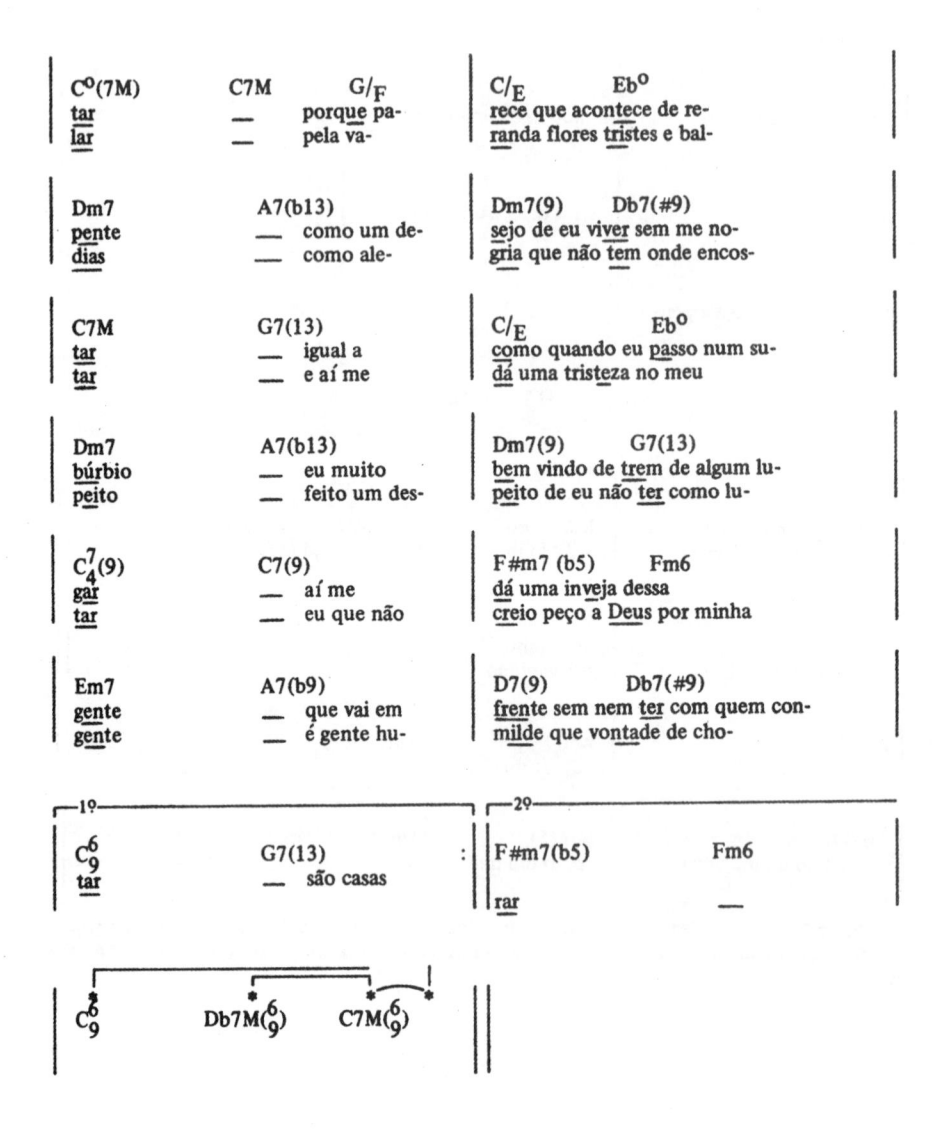

⎾—1ª—————————————⏋ ⎾—2ª——————————————⏋

C^6_9	G7(13)	:	F#m7(b5)	Fm6
tar	— são casas		rar	—

C^6_9	$Db7M(^6_9)$	$C7M(^6_9)$

ALEGRIA ALEGRIA

Caetano Veloso

4/4 G	C	D	G
—1) Caminhando contra o	vento sem lenço sem docu-		mento num sol de quase de-
—2) ela pensa em casa-	mento eu nunca mais fui a es-		cola sem lenço e sem docu-

294 • Almir Chediak

C	F	D7	G
zembro eu	vou	—	_ o sol se reparte em
mento eu	vou		_ eu tomo uma coca-

C	D	G	C
crimes espaçonaves guer-	rilhas em cardinales bo-		nitas eu
cola ela pensa em casa-	mento uma canção me con-		sola eu

F	D7	G C D C	G C D C
vou	—	_ em caras de presi-	dentes em grandes beijos de a-
vou	—	_ por entre fotos e	nomes sem livros e sem fu-

G C D C	G C D C	Em
mor em dentes pernas ban-	deiras bomba e Brigitte Bar-	dot o sol nas bancas
zil sem fome e sem tele-	fone no coração do Bra-	sil ela nem sabe a-

A7	Em	A7
de re-	vista me enche de ale-	gria e pre-
té pen-	sei em cantar na te-	levi-

Em	D7 F	C
guiça quem lê tanta no-	tícia _ eu	vou por entre fotos e
são e o sol é tão bo-	nito _ eu	vou sem lenço e sem do-

F G	C	F
nomes os olhos cheios de	cores o peito cheio de a-	mores
cumento nada no bolso ou nas	mãos eu quero seguir vi-	vendo a-

Bb	G	C
vãos eu	vou porque	não porque
mor eu	vou porque	não porque

⌜1ª	⌜2ª		
G :	G	C
não	não porque	não porque

G	C	G
não porque	não porque	não

·∥·

OUTRA VEZ
Isolda

```
|4/4           1) Você   ||: A7M                    |F#m7
|                    2)  |   foi o maior dos meus   |casos de todos os a-
|                        |   foi a mentira sin-     |cera brincadeira mais

|Bm7                     |E7(9)                     |Bm7
|braços o que eu nunca esque-|ci            você    |foi dos amores que eu
|séria que me aconte-    |ceu             você      |foi o caso mais an-

|E7(9)                   |A7M       Bm7             |C#m7
|tive o mais compli-     |cado e o mais simples pra |mim           você
|tigo o amor mais a-     |migo que me apare-        |ceu           das lem-

|Em7                     |A7(13)                    |D7M
|foi o maior dos meus    |erros a mais estranha his-|tória que alguém já escre-
|branças que eu trago na |vida você é a sau-        |dade que eu gosto de

                         ┌─19──────────────────────
|Dm6                     |A7M                       |F#m7
|veu e é por             |estas e outras que a      |minha saudade faz lem-
|ter          só as-
─────────────────────────────────────────┌─29──────
|Bm7                     |E7(9)                    :||A7M      F#m7
|brar de tudo outra      |vez           você        |sim sinto você bem

|Bm7       E7(9)         |A6         :||.           |Bm7
|perto de mim outra      |vez          esque-       |ci de tentar te esque-

|E7(9)                   |A7M                       |A6
|cer          resol-     |vi te querer por que-     |rer          deci-

|D#m7(9)                 |G#7(b13)                  |C#m7
|di te lembrar quantas   |vezes eu tenho a von-     |tade sem nada per-
```

E7		A7M
der você		foi toda felicidade.... (volta a 1ª parte, 2ª vez)

- Você foi toda felicidade • Você foi a maldade que só me fez bem • Você foi o melhor dos meus planos • E o maior dos enganos que eu pude fazer • Das lembranças que eu trago na vida • Você é a saudade que eu gosto de ter • Só assim sinto você bem perto de mim outra vez ••

MENINO DO RIO
Caetano Veloso

4/4 C7M	Eb°	Dm7 G7
⌐ Menino do Rio	⌐calor que provoca arrepio	⌐ dragão tatuado no braço

Dm7 G7	C7	F Fm
⌐calção corpo aberto no espaço co-	ração de eterno	flerte adoro ver-te

C7M	Eb°	Dm7 G7
⌐menino vadio	⌐tensão flutuante do Rio	eu canto pra Deus proteger-

C	Em A7	D7
te	⌐o Hawai	⌐ seja aqui

Dm7 G7	C7M	Em A7(b13)
⌐tudo que so-	⌐nhares	⌐ todos os lu-

Dm7 D#°	Em7 A7	Ab
gares ⌐ as ondas dos	mares ⌐quando eu te	vejo eu desejo teu de-

⫽.	C7M	Eb°
sejo	⌐menino do Rio	calor que provoca arrepio

Dm7 G7	C
⌐toma essa canção como um bei-	jo

Análise Harmônica • 297

SUPERHOMEM – A CANÇÃO
Gilberto Gil

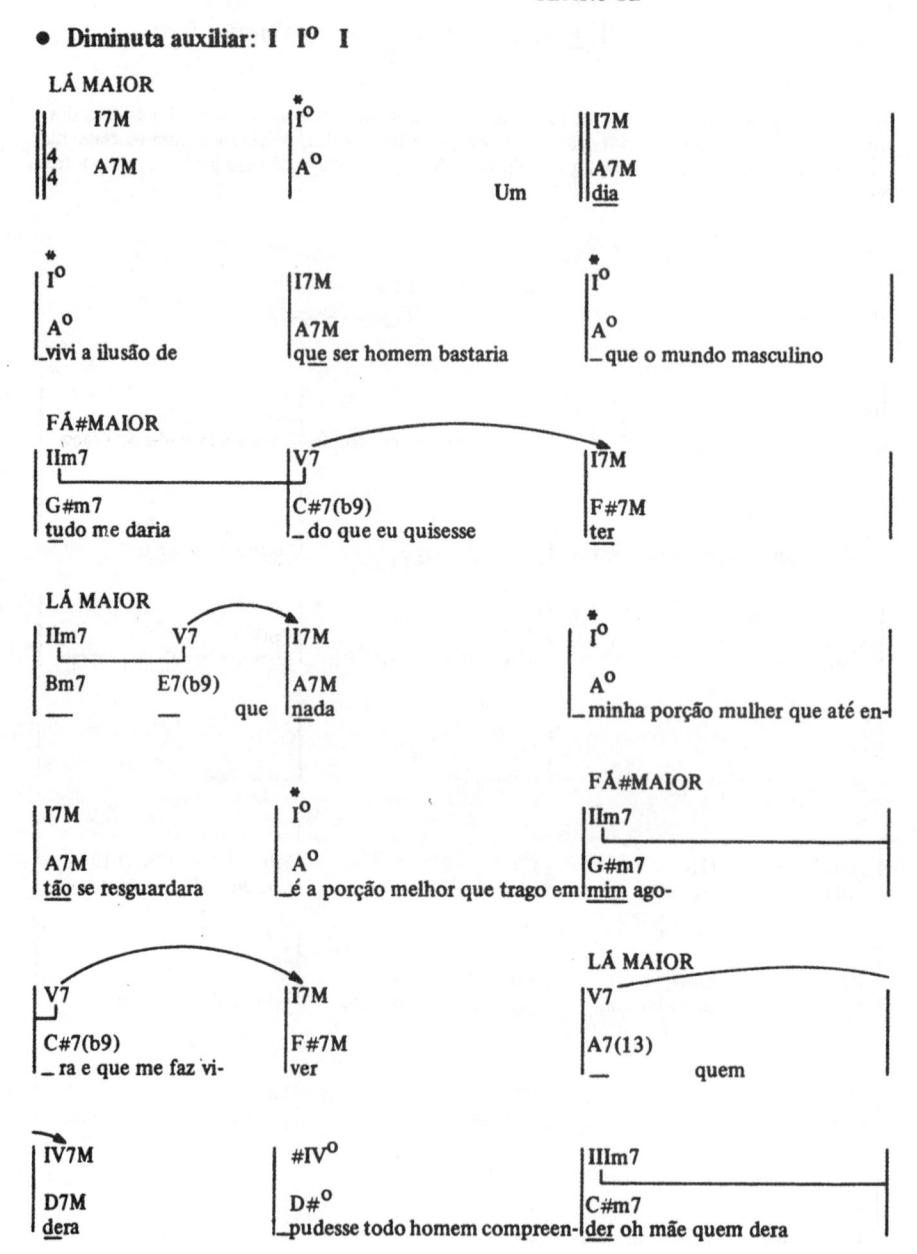

- **Diminuta auxiliar: I Iº I**

LÁ MAIOR

I7M	Iº	I7M
A7M	Aº	A7M
	Um	dia

Iº	I7M	Iº
Aº	A7M	Aº
vivi a ilusão de	que ser homem bastaria	que o mundo masculino

FÁ#MAIOR

IIm7	V7	I7M
G#m7	C#7(b9)	F#7M
tudo me daria	do que eu quisesse	ter

LÁ MAIOR

IIm7　V7	I7M	Iº
Bm7　E7(b9)	A7M	Aº
___　___　que	nada	minha porção mulher que até en-

I7M	Iº	FÁ#MAIOR IIm7
A7M	Aº	G#m7
tão se resguardara	é a porção melhor que trago em	mim ago-

V7	I7M	LÁ MAIOR V7
C#7(b9)	F#7M	A7(13)
ra e que me faz vi-	ver	___　quem

IV7M	#IVº	IIIm7
D7M	D#º	C#m7
dera	pudesse todo homem compreen-	der oh mãe quem dera

V7	IIm7		IIIm7 V7
F#7(b13)	Bm7(9)		C#m7(9) F#7(b13)
⌐ser o verão o apogeu	da primavera		⌐e só por ela

V7		IIm7	V7	I7M
B7(13) B7(b13)		Bm7	E7(b9)	A7M
ser		—	⌐quem	sabe

I°	I7M		I°
A°	A7M		A°
⌐o superhomem venha nos restitu-	ir a glória		⌐mudando como um Deus o curso

IIm7	V7	I7M
Bm7	E7(9)	A7M
da história	⌐por causa da mu-	lher

·//.	||

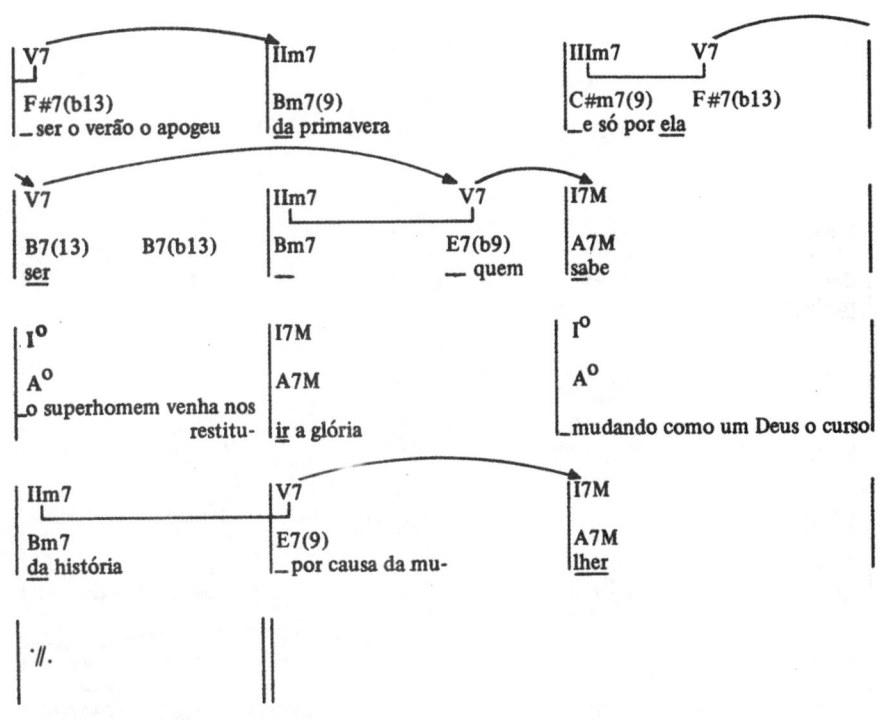

* *Diminuta auxiliar.*

QUEM TE VIU QUEM TE VÊ

Chico Buarque de Holanda

- VII° substituindo V7 precedido por II cadencial
- Dominante secundário para o bIII
- Modulação para a tonalidade paralela

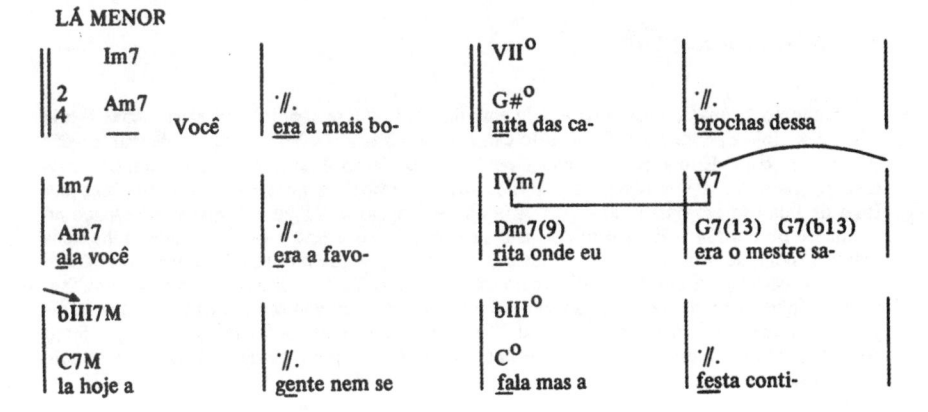

LÁ MENOR

Im7		VII°	
2/4 Am7	·//.	G#°	·//.
— Você	era a mais bo-	nita das ca-	brochas dessa

Im7		IVm7	V7
Am7	·//.	Dm7(9)	G7(13) G7(b13)
ala você	era a favo-	rita onde eu	era o mestre sa-

bIII7M		bIII°	
C7M	·//.	C°	·//.
la hoje a	gente nem se	fala mas a	festa conti-

Análise Harmônica • 299

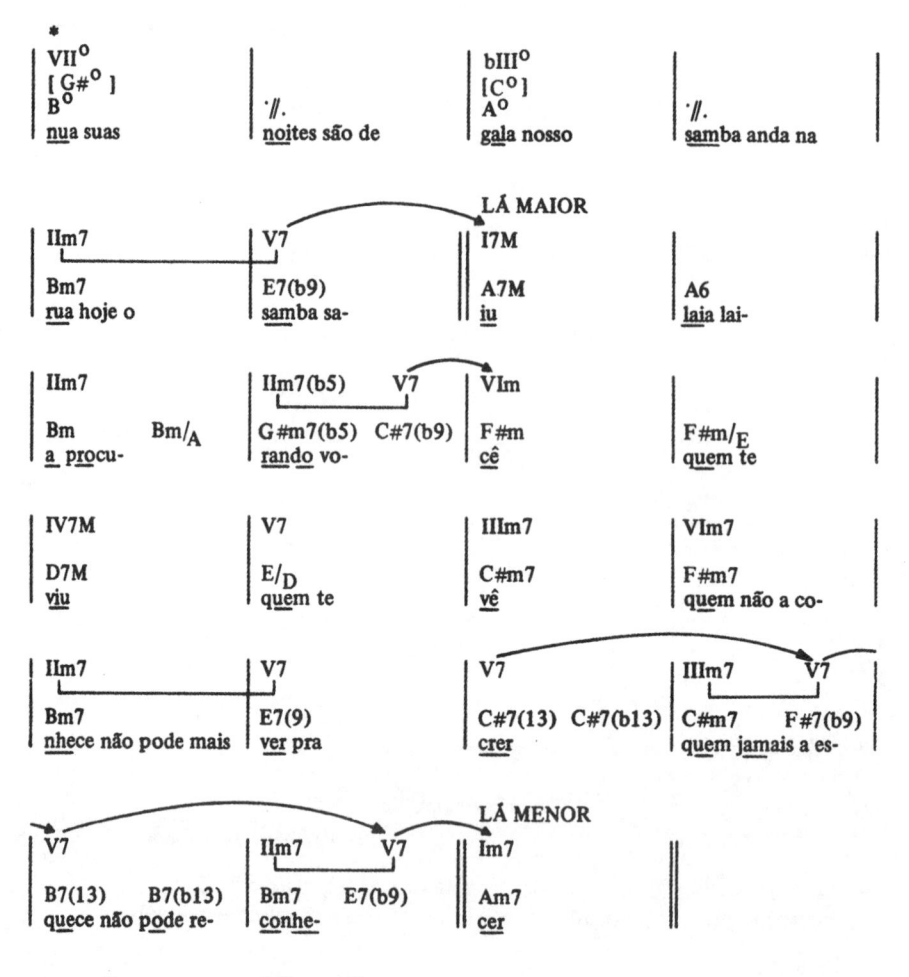

| * VII° [G#°] B° nua suas | ⋅∥⋅ noites são de | bIII° [C°] A° gala nosso | ⋅∥⋅ samba anda na |

LÁ MAIOR

| IIm7 Bm7 rua hoje o | V7 E7(b9) samba sa- | I7M A7M iu | A6 laia lai- |

| IIm7 Bm   Bm/A a procu- | IIm7(b5)   V7 G#m7(b5) C#7(b9) rando vo- | VIm F#m cê | F#m/E quem te |

| IV7M D7M viu | V7 E/D quem te | IIIm7 C#m7 vê | VIm7 F#m7 quem não a co- |

| IIm7 Bm7 nhece não pode mais | V7 E7(9) ver pra | V7 C#7(13) C#7(b13) crer | IIIm7   V7 C#m7   F#7(b9) quem jamais a es- |

LÁ MENOR

| V7 B7(13)   B7(b13) quece não pode re- | IIm7   V7 Bm7   E7(b9) conhe- | Im7 Am7 cer | ∥ |

* *O B° equivale ao [G#°] VII°*

●● Quando o samba começava você era a mais brilhante ● E se a gente se cansava você só seguia adiante ● Hoje a gente anda distante do calor do seu gingado ● Você só dá chá dançante onde eu não sou convidado ● Hoje o samba saiu procurando você (etc.) ●● O meu samba se marcava na cadência dos seus passos ● O meu sono se embalava no carinho dos seus braços ● Hoje de teimoso em passo bem em frente ao seu portão ● Prá lembrar que sobra espaço no barraco e no cordão ● Hoje o samba saiu procurando você (etc.) ●● Todo ano eu lhe fazia uma cabrocha de alta classe ● De dourado lhe vestia pra que o povo admirasse ● Eu não sei bem com certeza porque foi que um belo dia ● Quem bricava de princesa acostumou na fantasia ● Hoje o samba saiu procurando você (etc.) ●● Hoje eu vou sambar na pista você vai de galeria ● Quero que você assista na mais fina companhia ● Se você sentir saudade por favor não dê na vista ● Bate palmas com vontade faz de conta que é turista ● Hoje o samba saiu procurando você (etc.) ●●

PROCISSÃO
Gilberto Gil

● **Acorde de empréstimo modal: Vm7**

RÉ MAIOR

I	Vm7 (emp. modal)	I	Vm7 (e.m.)
2/4 D	Am7	D	Am7
Olha lá vai pas-	sando a procis-	são se arrastando que nem	cobra pelo

I	IV	I	IV
D	G	D	G
chão as pessoas que	nela vão pas-	sando acreditam nas	coisas lá do

I	IV	I	IV
D	G	D	G
céu as mulheres can-	tando tiram	versos os homens escu-	tando tiram cha-

I	IV	I VIm	IIm V7
D	G	D/F# Bm	Em A7
péu eles vivem pe-	nando aqui na	terra esperando o que	Jesus prome-

I	IV		IV
D	G	D	G
teu		_ e Jesus prome-	teu coisa me-

I	IV	I	IV
D	G	D	G
lhor pra quem vive neste	mundo sem a-	mor só depois de entre-	gar seu corpo ao

I	IV	I	IV
D	G	D	G
chão só depois de mor-	rer neste ser-	tão eu também estou do	lado de Je-

I	IV	I	IV
D	G	D	G
sus só que acho que	ele se esque-	ceu de dizer que na	terra a gente

Análise Harmônica • 301

I	VIm	IIm V7	I	IV
D/F#	Bm	Em A7	D	G
tem que arranjar um jei-		tinho pra vi-	ver	

I	IV	I	IV
D	G	D	G
muita gente se ar-	vora a ser	Deus e promete tanta	coisa pro ser-

I	IV	I	IV
D	G	D	G
tão que vai dar um ves-	tido prá Ma-	ria e promete um ro-	çado pro Jo-

I	IV	I	IV
D	G	D	G
ão entra ano e sai	ano e nada	vem meu sertão conti-	nua ao Deus da-

I	IV	I	VIm	IIm V7
D	G	D/F#	Bm	Em A7
rá mas se existe Je-	sus no firma-	mento cá na terra isso		tem que se aca-

I
D
bar

·//.

LUA E ESTRELA
Vinícius Cantuária

- **IVm (empréstimo modal) como acorde inicial**

DÓ MAIOR

2/4		IVm (emp. modal)		I7M
	1) Me-	:Fm	Fm(7M)	C7M
	2)	nina do a-	nel de	lua e es-
		manhã chegando		luzes morrendo

VIm	IV (emp. modal)		I7M
Am(add9)	Fm	Fm(7M)	C7M
trela	raios de sol	— no	céu da cidade
	nesse espelho	que é	nossa cidade

VIm	IIm7	V7/IV	V7
Am(add9)	Gm7	C7(9)	A7
—	brilho da lua	ô ô ô ô	noite é bem tarde
	quem é você	ô ô ô ô	qual o seu nome

	IIm7		V7
·//.	Dm7	·//.	G7/B
	penso em você	—	fi- co com saudade
	conta pra mim	—	diz como eu te encontro

	IVm (e.m.)		I7M
·//. :	Fm	Fm(7M)	C7M
mas	deixa ao des-	tino	deixa ao acaso

VIm	IVm (emp.modal)		I7M
Am(add9)	Fm	Fm(7M)	C7M
— quem	sabe eu te encon-	tro	de noite no Baixo

VIm	IIm7	V7/IV	V7
Am(add9)	Gm7	C7(9)	A7
	brilho da lua	ô ô ô ô	noite é bem tarde

	IIm7		V7
·//.	Dm7	·//.	G7/B
	penso em você	—	fi- co com saudade

QUALQUER COISA
Caetano Veloso

- II cadencial como acorde inicial
- Modulação por 2ª maior acima

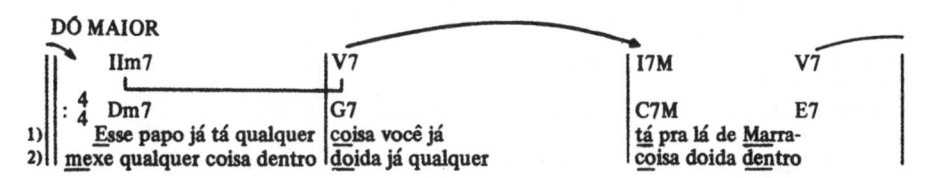

DÓ MAIOR

	IIm7	V7	I7M	V7
: 4/4	Dm7	G7	C7M	E7
1)	Esse papo já tá qualquer	coisa você já	tá pra lá de Marra-	
2)	mexe qualquer coisa dentro	doida já qualquer	coisa doida dentro	

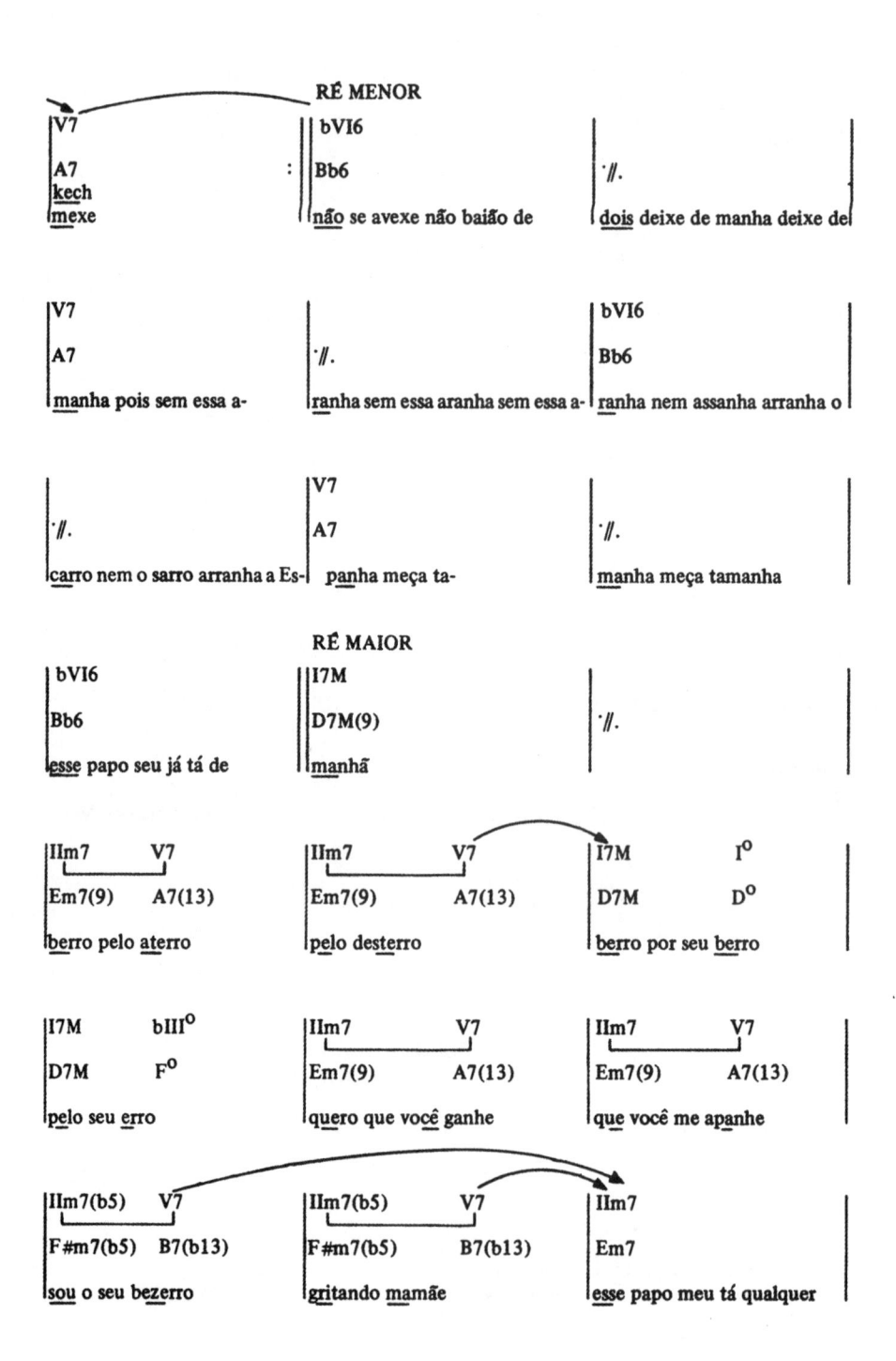

V7	**RÉ MENOR** bVI6	
A7 kech mexe	: Bb6 não se avexe não baião de	∙∥. dois deixe de manha deixe de

V7		bVI6
A7 manha pois sem essa a-	∙∥. ranha sem essa aranha sem essa a-	Bb6 ranha nem assanha arranha o

	V7	
∙∥. carro nem o sarro arranha a Es-	A7 panha meça ta-	∙∥. manha meça tamanha

bVI6	**RÉ MAIOR** I7M	
Bb6 esse papo seu já tá de	D7M(9) manhã	∙∥.

IIm7 V7	IIm7 V7	I7M Iº
Em7(9) A7(13) berro pelo aterro	Em7(9) A7(13) pelo desterro	D7M Dº berro por seu berro

I7M bIIIº	IIm7 V7	IIm7 V7
D7M Fº pelo seu erro	Em7(9) A7(13) quero que você ganhe	Em7(9) A7(13) que você me apanhe

IIm7(b5) V7	IIm7(b5) V7	IIm7
F#m7(b5) B7(b13) sou o seu bezerro	F#m7(b5) B7(b13) gritando mamãe	Em7 esse papo meu tá qualquer

DÓ MAIOR

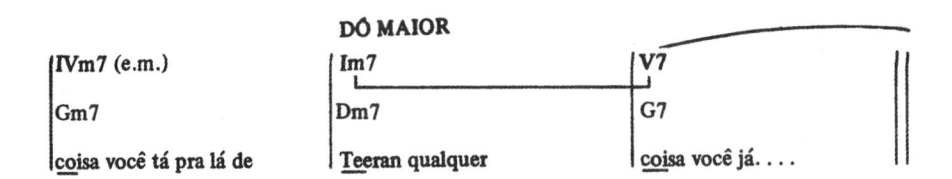

IVm7 (e.m.)	Im7	V7
Gm7	Dm7	G7
coisa você tá pra lá de	Teeran qualquer	coisa você já. . . .

MANIA DE VOCÊ
Rita Lee e Roberto de Carvalho

- IV7 • Dominante secundário para o V7 e dominante secundário para o bIII precedido por II cadencial • Acorde com a 4ª suspensa

LÁ MENOR

Im7	IV7	Im7	IV7
$^4_4$ Am7	D7	:Am7	D7
—	—	1) Meu bem você me dá	água na
		2) gente faz a-	mor por telepa-

Im7	IV7	Im7	IV7
Am7	D7	Am7	D7
boca	— ves-	tindo fanta-	sia tirando a
tia	— no	chão no mar na	lua na melo-

IVm7	V7/bIII	IVm7	V7
Dm7	G7	Dm7	G7
rou-	pa	mo- lhada de su-	or de tanto a
di-	a ma-	nia de vo-	cê de tanto a

bIII7M	Im7	IIm7	V7
C7M	Am7	F#m7(11)	B7
gente se bei-	jar de	tanto imaginar	lou-
gente se bei-	jar de	tanto imaginar	lou-

V7	⌐1º⌐	⌐2º⌐	Im7
E$^7_4$	E7	:E7	Am7
cu-	ras	a	ras	—
cu-				

IV7	Im7	IV7	Im7
D7	Am7	D7	:Am7
—	—	—	nada melhor do que

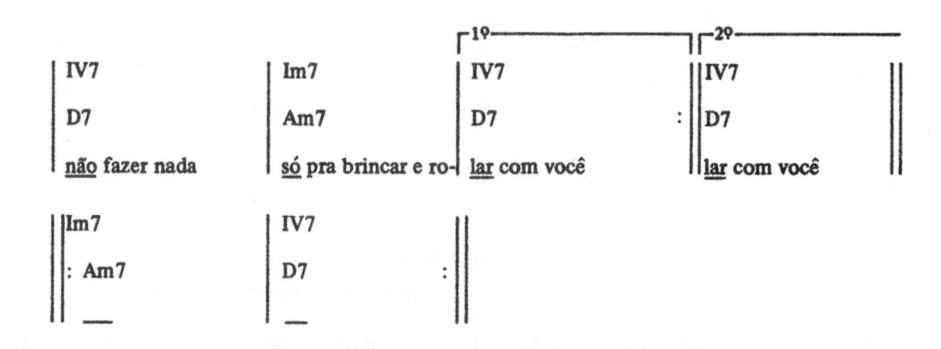

		⌐19—————	⌐2ª—————
IV7	Im7	IV7	‖IV7
D7	Am7	D7	: ‖D7
não fazer nada	só pra brincar e ro-	lar com você	‖lar com você ‖

‖Im7	IV7	‖
: Am7	D7	: ‖
—	—	

TARDE EM ITAPUÃ
Toquinho e Vinícius de Moraes

• Modulação para a tonalidade paralela   • Acorde de empréstimo modal

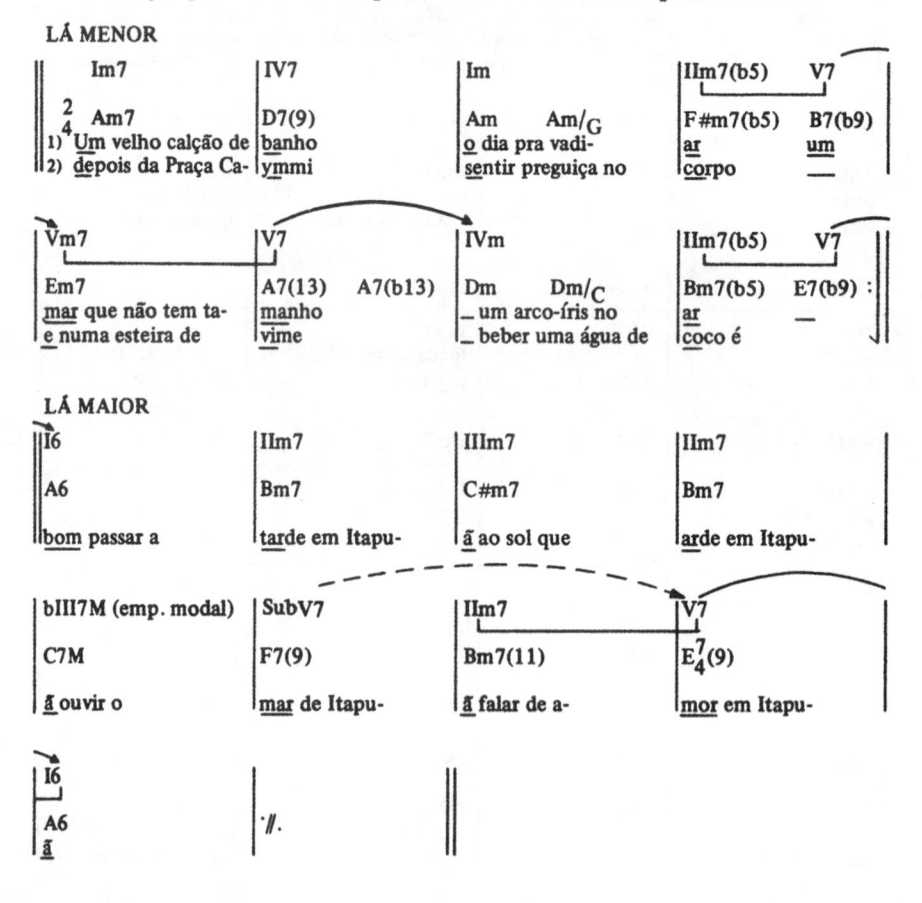

LÁ MENOR

‖ Im7	IV7	Im	IIm7(b5) V7
$^2_4$ Am7	D7(9)	Am Am/G	F#m7(b5) B7(b9)
1) Um velho calção de	banho	o dia pra vadi-	ar um
2) depois da Praça Ca-	ymmi	sentir preguiça no	corpo —

Vm7	V7	IVm	IIm7(b5) V7
Em7	A7(13) A7(b13)	Dm Dm/C	Bm7(b5) E7(b9) :
mar que não tem ta-	manho	_ um arco-íris no	ar —
e numa esteira de	vime	_ beber uma água de	coco é

LÁ MAIOR

‖I6	IIm7	IIIm7	IIm7
A6	Bm7	C#m7	Bm7
‖bom passar a	tarde em Itapu-	ã ao sol que	arde em Itapu-

bIII7M (emp. modal)	SubV7	IIm7	V7
C7M	F7(9)	Bm7(11)	E^7_4(9)
ã ouvir o	mar de Itapu-	ã falar de a-	mor em Itapu-

I6		
A6	·// .	‖
ã		

SAMBA EM PRELÚDIO

Baden Powell e Vinícius de Moraes

- **SubV7 para o V**

LÁ MENOR

Im		V	
4/4 Am	·//·	E/G#	·//·
1) Eu sem vo-	cê	não tenho por-	quê por-
2) Ah!	que sau-	da	de que von-

IIm7(b5)	V7	IVm	
* Gm6	A7(b13)	Dm	Dm/C
que sem vo-	cê não	sei nem cho-	rar sou
tade de ver renas-	cer nossas	vi-	das

IIm7(b5)	V7	I	
Bm7(b5)	E7(b9)	Am	Am/G
chama sem	luz jar-	dim sem lu-	ar lu-
vol-	ta que-	ri-	da os meus

V7(b9)		IIm7(b5)	V7
** F#°	·//·	Bm7(b5)	E7(b13)
ar sem a-	mor a-	mor sem se	dar
braços precisam dos	teus teus a-	braços precisam dos	meus es-

Im		V	
Am	·//·	E/G#	·//·
eu sem vo-	cê sou	só desa-	mor um
tou	tão so-	zinho	_tenho os

IIm7(b5)	V7	IVm	
* Gm6	A/G	Dm/F	Dm Dm/C
barco sem	mar um	campo sem	flor _ tris-
olhos cansados de o-	lhar para o a-	lém	

IIm7(b5)	V7	Im7	IIm7 V7
Bm7(b5)	E7(b13)	Am7	Gm7 C7(9)
teza que	vai tris-	teza que	vem _sem vo-
vem	ver a	vida	_ _sem vo-

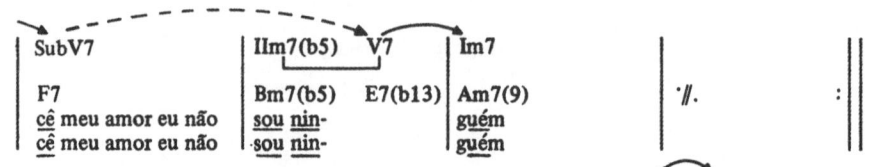

SubV7	IIm7(b5) V7	Im7		
F7	Bm7(b5) E7(b13)	Am7(9)	·//.	:
cê meu amor eu não	sou nin-	guém		
cê meu amor eu não	sou nin-	guém		

* — O acorde Gm6 equivale ao Em7(b5), isto é, II cadencial para o V7 IVm.

** — O acorde F#° equivale ao B7(b9), isto é, V7 para V7.

- Músicas a serem analisadas: Tigresa, O Barquinho, Você é Linda, Se Eu Quiser Falar com Deus, Samba de Uma Nota Só

TIGRESA
Cateano Veloso

2/4 Dm7 Uma tigresa de	Gm7 unhas negras e	Dm7 íris cor de	Bb mel
Dm7 uma mulher u-	Gm7 C7 ma beleza	F que me aconte-	G7 ceu esfre-
Dm7 gando a pele de	Bb ouro marrom do meu	Dm7 corpo junto ao	Am7 seu me fa-
Bb lou que o mal é	C bom e o bem cru-	Dm7 el	·//.

Enquanto os pêlos dessa deusa • Tremem ao vento ateu • Ela me conta sem certeza • Tudo o que viveu • Que gostava de política • Em mil novecentos e sessenta e seis • E hoje dança no Frenetic Dancin' Days •• Ela me conta que era atriz • E trabalhou no Hair • Com alguns homens foi feliz • Com outros foi mulher • Que tem muito ódio no coração • Que tem dado muito amor • E espalhado muito prazer e muita dor •• Mas ela ao mesmo tempo diz • Que tudo vai mudar • Porque ela vai ser o que quis • Inventando um lugar • Onde a gente e a natureza feliz • Vivam sempre em comunhão • E a tigresa possa mais do que o leão •• As garras da felina • Me marcaram o coração • Mas as besteiras de menina • Que ela disse não • E eu corri pra o violão num lamento • E a manhã nasceu azul • Como é bom poder tocar um instrumento.

O BARQUINHO
Roberto Menescal e Ronaldo Boscoli

2/4 F7M(9) 1)_ Dia de luz fes- 2)_Volta do mar des-	·//. ta de sol e um bar- maia o sol e o bar-	Bm7 quinho a deslizar no ma- quinho a deslizar e a von-	E7(9) cio azul do mar tade de cantar

Eb7M(9)	·//.	Am7	D7(9) ·
_tudo é verão e o a-	mor se faz num bar-	quinho pelo mar que des-	liza sem parar
_céu tão azul i-	lhas do sul e o bar-	quinho é o coração desli-	zando na canção

Db7M(9)	·//.	Gm7(11)	Gb7(#11)
_sem intenção nos-	sa canção vai sa-	indo desse mar e o	sol beija o
_tudo isso faz tudo	isso traz uma	calma de verão e en-	tão o bar-

			┌─1º──────┐
F7M	D7(b9)	Gm7	C7(b9) :
barco e	luz dias	tão a-	zuis
quinho	vai a tar-	dinha	

┌─2º────────┐
| C7(b9) : | : F7M | D7(b9) | Gm7 |
| cai o bar-| quinho | vai a tar- | dinha |

| C7(b9)   : | F7M | A7M | |
| cai o bar- | quinho | vai | ·//. |

| ·//. | |

VOCÊ É LINDA
Caetano Veloso

²⁄₄ A7M	·//. :	: F#m7	C#m7
		1) Fontes de mel nos	olhos de gueixa
		2) A sua coisa é	toda tão certa

D7M	G#m7 C#7(b9)	D7M	D#m7(b5) G#7(b13)
_Kabuki, máscara	—	choque entre o azul e o	cacho de acácias
_beleza es-	perta	você me deixa a	rua deserta

C#m7 F#7	Bm7 E7(9) :	: A7M	C#m7
luz das acácias	você é mãe do sol	linda e	sabe viver
quando atravessa	e não olha pra trás	você é linda	mais que demais

D7M	Bm7	Dm7	G7
_ você me faz fe-	liz	esta canção é	só pra dizer e
_ você é linda	sim	onda do mar do a-	mor que bateu em

A7M	·//·	:
diz		
mim		

Você é forte • Dentes e músculos • Peitos e lábios • Você é forte • Letras e músicas • Todas as músicas • Que ainda hei de ouvir • No Abaeté • Areia e estrelas • Não são mais belas • Do que você • Mulher das estrelas • Mina de estrelas • Diga o que você quer •• Você é linda • E sabe viver • Você me faz feliz • Esta canção é só prá dizer • E diz • Você é linda mais que demais • Você é linda sim • Onda do mar do amor • Que bateu em mim •• Gosto de ver • Você no seu ritmo • Dona do carnaval • Gosto de ter • Sentir teu estilo • Ir no seu íntimo • Nunca me faça mal •• Linda • Mais que demais • Você é linda sim • Onda do mar do amor • Que bateu em mim • Você é linda e sabe viver • Você me faz feliz • Esta canção é só prá dizer • E diz.

SE EU QUISER FALAR COM DEUS
Gilberto Gil

$\frac{2}{4}$ C7M Bm7(b5) E7(b9)	Am7	$C_4^7(9)$	F7M Bb7(#11)^9
_1) Se eu quiser falar com	Deus	—	_ tenho que ficar a
_2) Se eu quiser falar com	Deus	—	_ tenho que aceitar a
_3) Se eu quiser falar com	Deus	—	_ tenho que me aventu-

C7M/G	C7M Bm7(b5) E7(b9)	Am7	$C_4^7(9)$
sós	_ tenho que apagar a	luz	—
dor	_ tenho que comer o	pão	—
rar	_ tenho que subir aos	céus	—

F7M Bb7(#11)^9	C7M/G Fm/Ab G7	C7M Bm7/(b5) E7(b9)
_ tenho que calar a	voz — —	_ tenho que encontrar a
_ que o diabo amas-	sou — —	_ tenho que virar um
_ sem cordas pra segu-	rar — —	_ tenho que dizer a-

Am(7M) Am7 Gm7 Gb7(#11)	F7M Bb7(#11)^9	Gm6 F7M
paz — — —	_ tenho que folgar os	nós dos sapatos da gra-
ção — — —	_ tenho que lamber o	chão dos palácios dos cas-
deus — — —	_ dar as costas cami-	nhar decidido pela es-

E7(b9) Am7	Bb7M Bm7(b5) Bb7(#11)	Am7 F#º
_ vata dos desejos dos re-	ceios tenho que esquecer a	data tenho que perder a
_ telos suntuosos do meu	sonho tenho que me ver tris-	tonho tenho que me achar me-
trada que ao findar dar em	nada, nada nada nada	nada nada nada nada

C/G G#º	Am7 Ab7M G$_4^7$(9)	C7M
conta tenho que ter mãos va-	zias ter a alma e o corpo	nus
donho e apesar de um mal ta-	manho alegrar meu cora-	ção
nada, nada nada nada	do que eu pensava encon-	trar

SAMBA DE UMA NOTA SÓ

Tom Jobim e Newton Mendonça

2/4 — Eis a-	G#m7 qui este sam-	G7(13) binha feito	F#m7(11) numa nota
F7(#11) só outras	G#m7 notas vão en-	G7(13) trar mas a	F#m7(11) base é uma
F7(#11) só esta	Bm7(11) outra é conse-	Bb7(#11) qüência do que a-	A7M cabo de di-
Am6 zer como eu	G#m7 sou a conse-	G7(13) qüência inevi-	F#m7(11) F7(#11) tável de vo-
E$_9^6$ cê	Am7 quanta gente existe por a-	D7(9) í que fala tanto e não diz	G7M nada ou quase
G6 nada	Gm7 já me utilizei de toda es-	C7(9) cala e no final sobrou	F7M nada não deu em
F#m7(b5) B7 nada e vol-	G#m7 tei pra minha	G7(13) nota como eu	F#m7(11) volto pra vo-
F7(#11) cê vou con-	G#m7 tar com a minha	G7(13) nota como eu	F#m7(11) gosto de vo-
F7(#11) cê é quem	Bm7(11) quer todas as	Bb7(#11) notas re mi	A7M fá sol lá si

Análise Harmônica • 311

| Am6 | : G#m7 | G7(13) | F#m7(11) F7(#11) |
| dó fica | sempre sem ne- | nhuma fique | numa nota |

```
 ┌─1ª──────────┬─2ª────┐
| E6          : | E6    |
| só fica       | só    |
```

PRA DIZER ADEUS
Edu Lôbo e Torquato Neto

- SubV7 para o Im não aparece
- Im6 como acorde inicial
- II cadencial do bII que

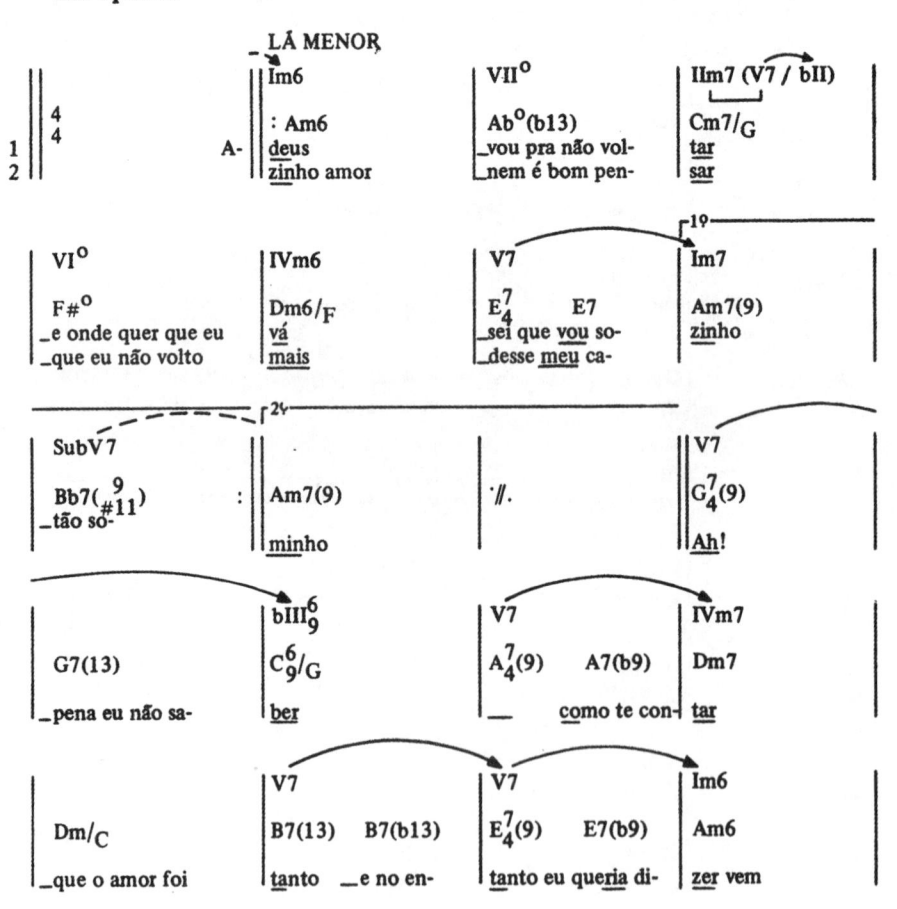

	LÁ MENOR		
	Im6	VII°	IIm7 (V7 / bII)
4/4	: Am6	Ab°(b13)	Cm7/G
1,2	A- deus zinho amor	vou pra não vol- nem é bom pen-	tar sar

VI°	IVm6	V7	Im7
F#°	Dm6/F	E_4^7 E7	Am7(9)
_e onde quer que eu _que eu não volto	vá mais	_sei que vou so- _desse meu ca-	zinho

SubV7			V7
Bb7($^9_{\#11}$)	: Am7(9)	//.	$G_4^7(9)$
_tão so-	minho		Ah!

	bIII$_9^6$	V7	IVm7
G7(13)	C$_9^6$/G	$A_4^7(9)$ A7(b9)	Dm7
_pena eu não sa-	ber	_ como te con-	tar

	V7	V7	Im6
Dm/C	B7(13) B7(b13)	$E_4^7(9)$ E7(b9)	Am6
_que o amor foi	tanto _e no en-	tanto eu queria di-	zer vem

VII°	IIm7 (V7 bII)	VI°	IVm
Ab°(b13)	Cm7/G	F#°	Dm/F
_eu só sei di-	zer vem	_nem que seja	só

V7	bVI7M	bII7M (e.m.)	Im7
E$_4^7$(9) E7	F7M	Bb7M	Am7
_pra dizer a-	deus		

WAVE
Tom Jobim

Dominantes consecutivos   • Acorde diminuto com o baixo pedal •
Empréstimo modal

RÉ MAIOR

	I7M	VII°
$\frac{2}{4}$ _ 1) Vou te con-	: D7M	*G^{dim}/D
	2) tar o que os	olhos já não podem
	mar é	tudo que eu não sei con-

V7		IV7M
D$_4^7$(9)	D7(9) D7(b9)	G7M
ver	_coisas que	só o cora-
tar	_são coisas	lindas que eu

IVm6 (e.m.)	V7	IIm7 V7
Gm6	F#7(13) F#7(b13)	F#m7 B7(b9)
ção pode enten-	der —	_fundamental é
tenho pra te	dar —	_vem de mansinho a-

		┌─1ª────
V7/V7	IVm7 (e.m.) V7	Im7 (e.m.) IV7 (e.m.)
E$_4^7$(9) E7(9)	Gm7 A7(b13)	Dm7(9) G7(13)
mesmo o amor é impos-	sível ser feliz so-	zinho —
visa e me diz que é impos-	sível ser feliz só	— —

	┌─2ª───	
Im7 (e.m.) IV7 (e.m.)	Im7 (e.m.) IV7 (e.m.)	Im7 (e.m.) IV7 (e.m.)
Dm7(9) G7(13)	: Dm7(9) G7(13)	Dm7(9) G7(13) G7(b13)
_ _o resto é	zinho —	

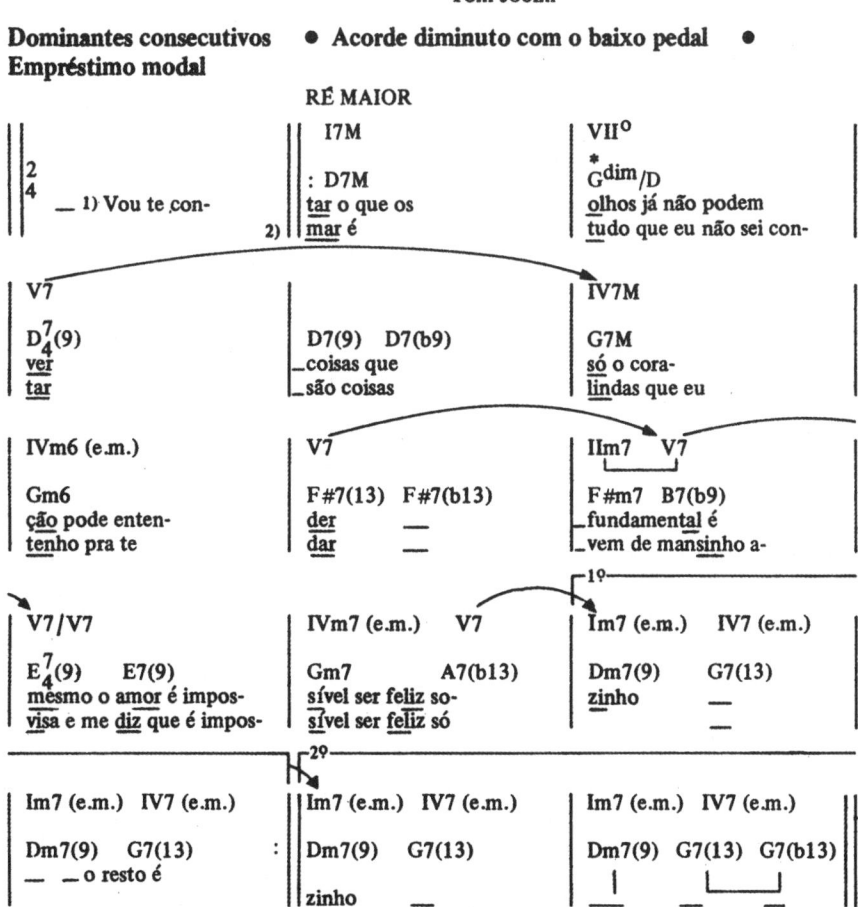

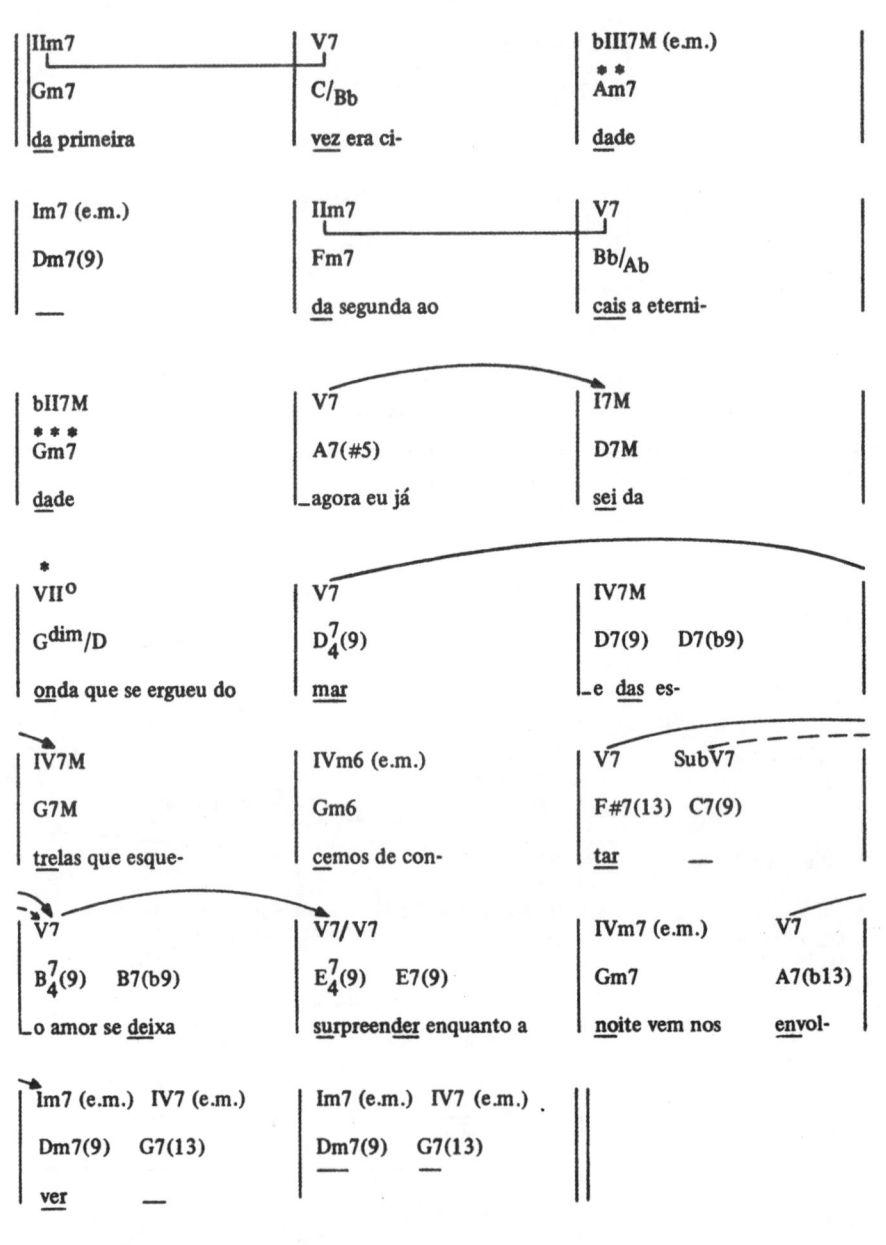

IIm7	V7	bIII7M (e.m.) **
Gm7	C/Bb	Am7
da primeira	vez era ci-	dade

Im7 (e.m.)	IIm7	V7
Dm7(9)	Fm7	Bb/Ab
—	da segunda ao	cais a eterni-

bII7M ***	V7	I7M
Gm7	A7(#5)	D7M
dade	agora eu já	sei da

VII° *	V7	IV7M
G^{dim}/D	D$^7_4$(9)	D7(9) D7(b9)
onda que se ergueu do	mar	e das es-

IV7M	IVm6 (e.m.)	V7 SubV7
G7M	Gm6	F#7(13) C7(9)
trelas que esque-	cemos de con-	tar —

V7	V7/V7	IVm7 (e.m.)	V7
B$^7_4$(9) B7(b9)	E$^7_4$(9) E7(9)	Gm7	A7(b13)
o amor se deixa	surpreender enquanto a	noite vem nos	envol-

Im7 (e.m.) IV7 (e.m.)	Im7 (e.m.) IV7 (e.m.)
Dm7(9) G7(13)	Dm7(9) G7(13)
ver —	

* — G^{dim}/D *tem o sentido de C#° (VII°)*
** — *Am7 tem o sentido de F7M (bIII7M)*
*** — *Gm7 tem o sentido de Eb7M (bII7M)*

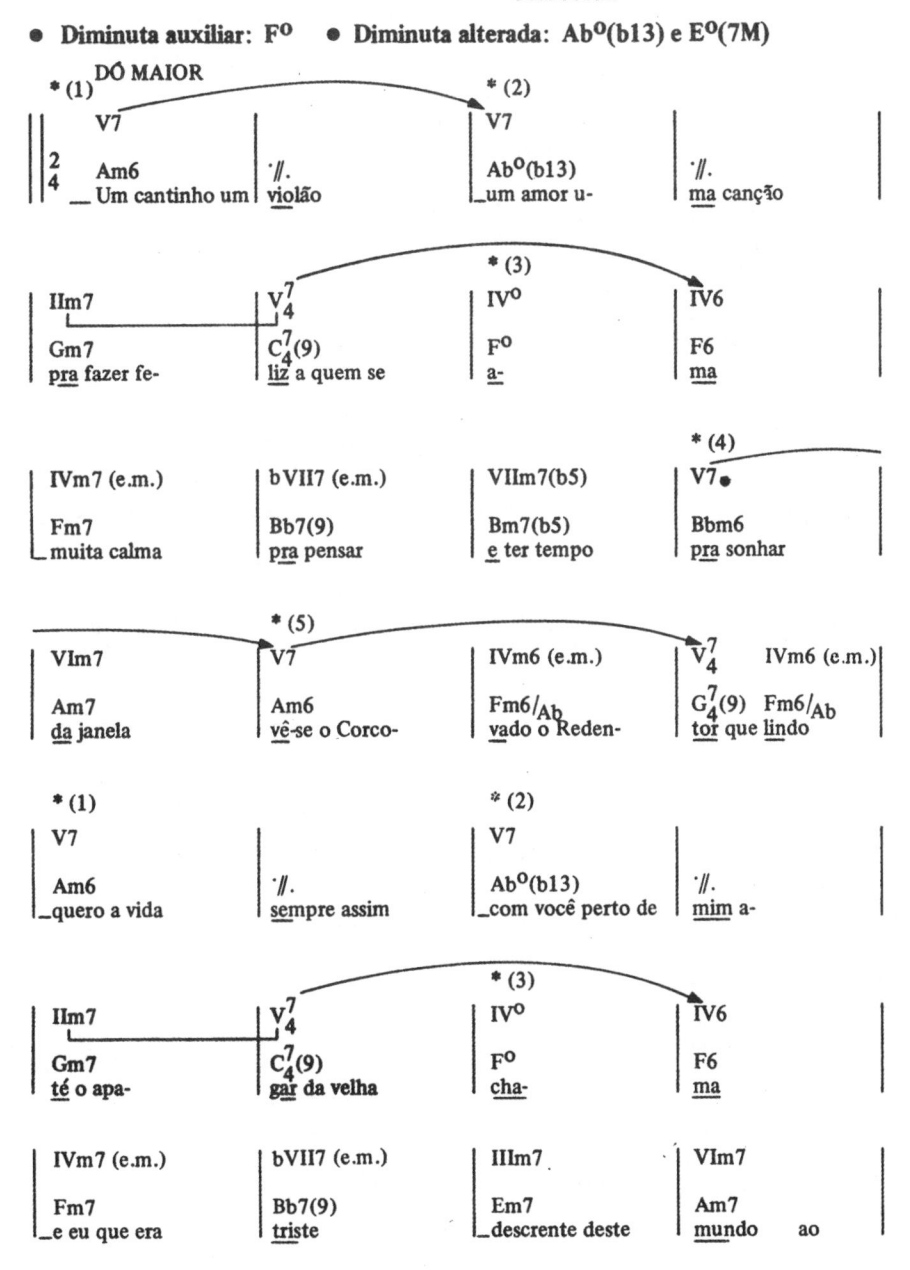

CORCOVADO
Tom Jobim

- **Diminuta auxiliar: F°**   • **Diminuta alterada: Ab°(b13) e E°(7M)**

DÓ MAIOR

*(1) V7		*(2) V7	
2/4 Am6	∙∥∙	Ab°(b13)	∙∥∙
— Um cantinho um	violão	⌐um amor u-	ma canção

IIm7	V$_4^7$	*(3) IV°	IV6
Gm7	C$_4^7$(9)	F°	F6
pra fazer fe-	liz a quem se	a-	ma

IVm7 (e.m.)	bVII7 (e.m.)	VIIm7(b5)	*(4) V7•
Fm7	Bb7(9)	Bm7(b5)	Bbm6
⌐muita calma	pra pensar	e ter tempo	pra sonhar

VIm7	*(5) V7	IVm6 (e.m.)	V$_4^7$ IVm6 (e.m.)
Am7	Am6	Fm6/Ab	G$_4^7$(9) Fm6/Ab
da janela	vê-se o Corco-	vado o Reden-	tor que lindo

*(1) V7		*(2) V7	
Am6	∙∥∙	Ab°(b13)	∙∥∙
⌐quero a vida	sempre assim	⌐com você perto de	mim a-

IIm7	V$_4^7$	*(3) IV°	IV6
Gm7	C$_4^7$(9)	F°	F6
té o apa-	gar da velha	cha-	ma

IVm7 (e.m.)	bVII7 (e.m.)	IIIm7	VIm7
Fm7	Bb7(9)	Em7	Am7
⌐e eu que era	triste	⌐descrente deste	mundo ao

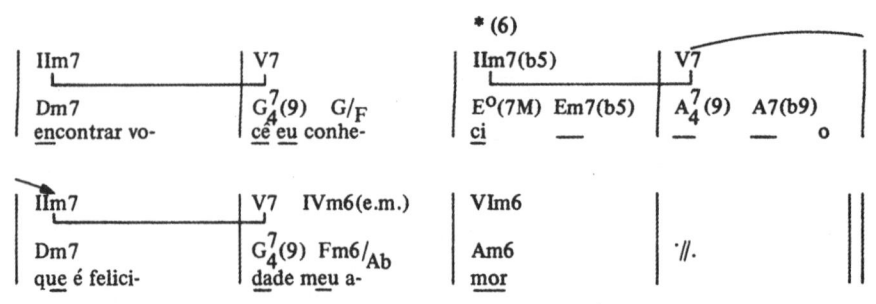

				* (6)	
IIm7		V7		IIm7(b5)	V7
Dm7		G$_4^7$(9)	G/F	E°(7M) Em7(b5)	A$_4^7$(9) A7(b9)
encontrar vo-		cê eu conhe-		ci	— — o

IIm7		V7	IVm6(e.m.)	VIm6	
Dm7		G$_4^7$(9)	Fm6/Ab	Am6	·//.
que é felici-		dade meu a-		mor	

* (1) – Am6 tem o sentido de D7
* (2) – Ab°(b13) tem o sentido de G7(b9)
* (3) – Diminuta auxiliar do IV
* (4) – Bbm6 tem o sentido de A7(b13)
* (5) – Am6 tem o sentido de D7
* (6) – E°(7M) tem o sentido de Em7(b5)

GAROTA DE IPANEMA
Tom Jobim e Vinícius de Moraes

• **Empréstimo modal**

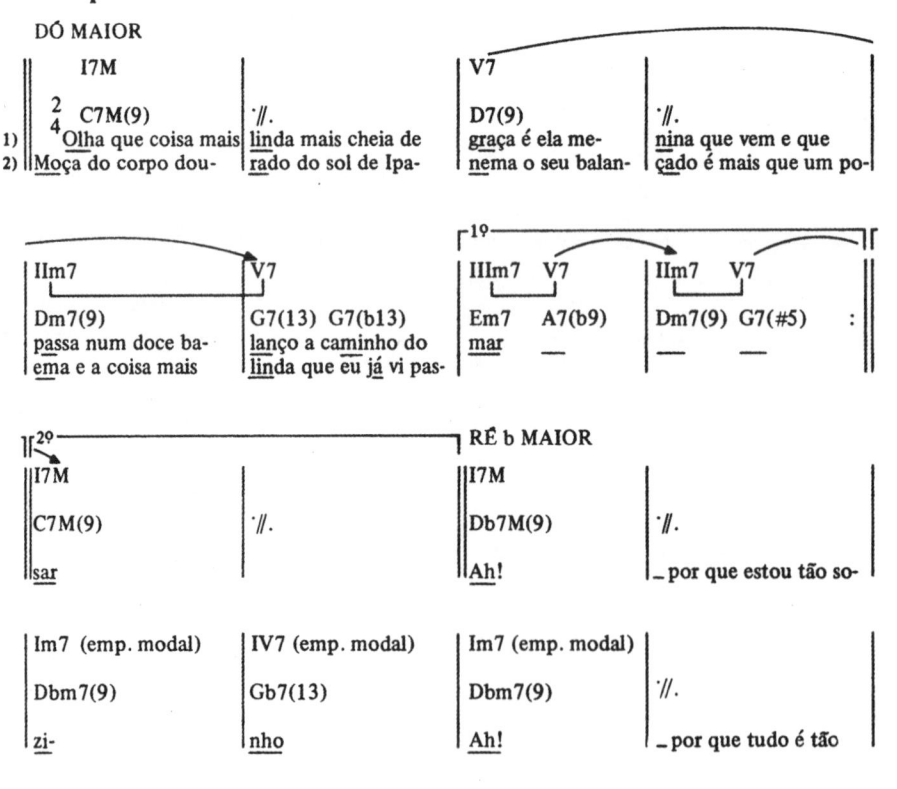

DÓ MAIOR

				V7	
I7M					
2/4 C7M(9)		·//.		D7(9)	·//.
1) Olha que coisa mais	linda mais cheia de			graça é ela me-	nina que vem e que
2) Moça do corpo dou-	rado do sol de Ipa-			nema o seu balan-	çado é mais que um po-

				┌1º ─────────────── ┐	
IIm7		V7		IIIm7 V7	IIm7 V7
Dm7(9)		G7(13) G7(b13)		Em7 A7(b9)	Dm7(9) G7(#5) :
passa num doce ba-		lanço a caminho do		mar —	— —
ema e a coisa mais		linda que eu já vi pas-			

	2º ───────────────────────── ┐	RÉ b MAIOR	
I7M		I7M	
C7M(9)	·//.	Db7M(9)	·//.
sar		Ah!	_ por que estou tão so-

Im7 (emp. modal)	IV7 (emp. modal)	Im7 (emp. modal)	
Dbm7(9)	Gb7(13)	Dbm7(9)	·//.
zi-	nho	Ah!	_ por que tudo é tão

DÓ MAIOR

IIm7	V7/bII	IIm7	
Em7(9)	A7(13)	Dm7(9)	·//.
tris-	te	Ah!	_ a beleza que e-

IVm7 (emp. modal)	bVII7 (emp. modal)	IIIm7	V7
Fm7(9)	Bb7(13)	Em7	A7(b9)
xis-	te a be-	leza que não é só	minha

IIm7	V7	I7M	
Dm7	G7(b9)	C7M(9)	·//.
que também passa só-	zinha	Ah! se ela sou-	besse que quando ela

V7		IIm7	V7
D7(9)	·//.	Dm7(9)	G7(13) G7(b13)
passa o mundo sor-	rindo se enche de	graça e fica mais	lindo por causa do a-

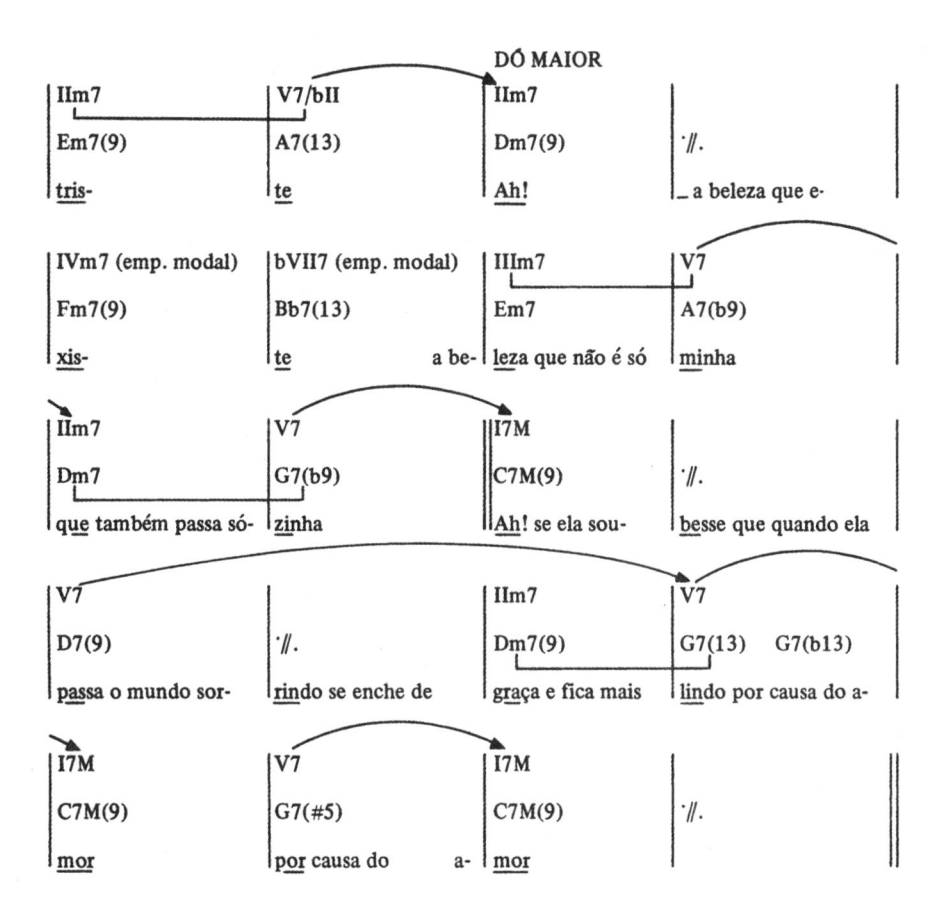

I7M	V7	I7M	
C7M(9)	G7(#5)	C7M(9)	·//.
mor	por causa do a-	mor	

EU E A BRISA
Johnny Alf

- II cadencial secundário
- Dominante secundário para o IIIm
- Modulações

MI MAIOR

V7	I7M	IVm6 (e.m.)	bVII7 (e.m.)
2/4 B7(#5)	E7M(9)	*Am6	D7(9)
	Ah! se a juven-	tude que essa brisa	

I7M	IIm7	V7	IV7M	V7
E7M(9)	Bm7	E7(b9)	A7M	G#7(b13)
canta ficasse a-	qui comigo mais um		pouco_eu pode-	

Análise Harmônica • 317

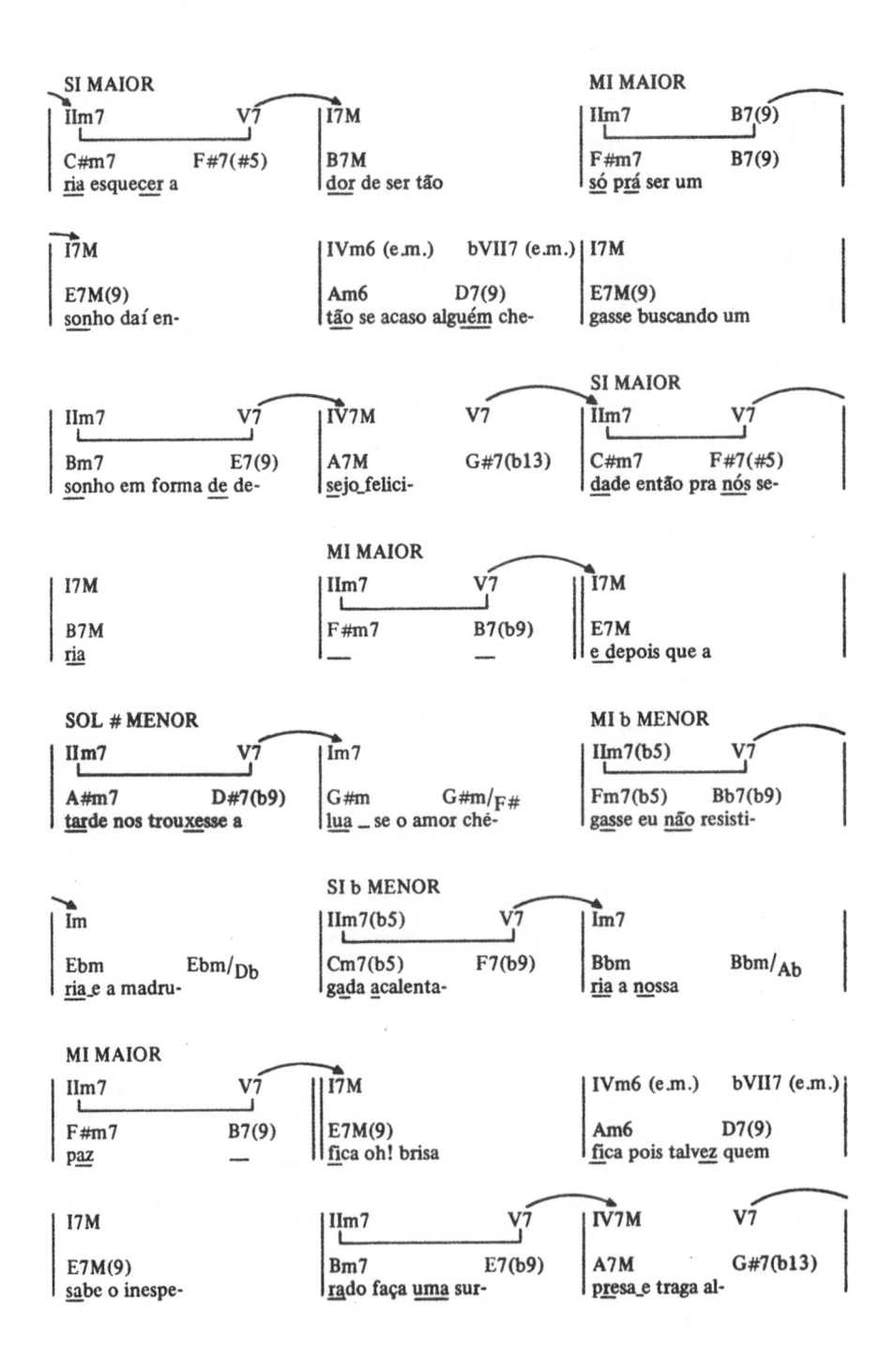

SI MAIOR
IIm7 — V7	I7M
C#m7 F#7(#5)	B7M
ria esquecer a	dor de ser tão

MI MAIOR
IIm7   B7(9)
F#m7   B7(9)
só prá ser um

I7M	IVm6 (e.m.) bVII7 (e.m.)	I7M
E7M(9)	Am6 D7(9)	E7M(9)
sonho daí en-	tão se acaso alguém che-	gasse buscando um

IIm7 — V7	IV7M V7
Bm7 E7(9)	A7M G#7(b13)
sonho em forma de de-	sejo felici-

SI MAIOR
IIm7 — V7
C#m7   F#7(#5)
dade então pra nós se-

I7M	**MI MAIOR** IIm7 — V7	I7M
B7M	F#m7 B7(b9)	E7M
ria	— —	e depois que a

SOL # MENOR
IIm7 — V7	Im7
A#m7 D#7(b9)	G#m G#m/F#
tarde nos trouxesse a	lua _ se o amor ché-

MI b MENOR
IIm7(b5)   V7
Fm7(b5)   Bb7(b9)
gasse eu não resisti-

Im	**SI b MENOR** IIm7(b5) — V7	Im7
Ebm Ebm/Db	Cm7(b5) F7(b9)	Bbm Bbm/Ab
ria e a madru-	gada acalenta-	ria a nossa

MI MAIOR
IIm7 — V7	I7M	IVm6 (e.m.) bVII7 (e.m.)
F#m7 B7(9)	E7M(9)	Am6 D7(9)
paz —	fica oh! brisa	fica pois talvez quem

I7M	IIm7 — V7	IV7M V7
E7M(9)	Bm7 E7(b9)	A7M G#7(b13)
sabe o inespe-	rado faça uma sur-	presa e traga al-

SI MAIOR

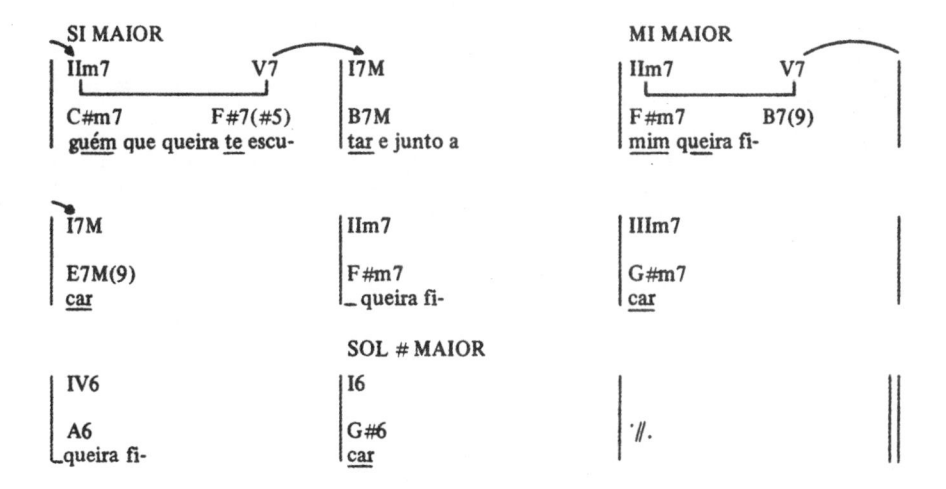

IIm7	V7	I7M
C#m7	F#7(#5)	B7M
guém que queira te escu-		tar e junto a

MI MAIOR

IIm7	V7
F#m7	B7(9)
mim queira fi-	

I7M	IIm7	IIIm7
E7M(9)	F#m7	G#m7
car	_ queira fi-	car

SOL # MAIOR

IV6	I6	
A6	G#6	·//.
_queira fi-	car	

Obs. — Característica principal IIm7 V7 (II cadencial, 7ª da dominante).

- **Músicas a serem analisadas:** As Rosas não Falam, Luz do Sol, Teletema, Drão, Odara, Sem Fantasia

AS ROSAS NÃO FALAM
Cartola

4/4 Am(add9)	E7(b9)	Am(add9) Bate outra vez	Am(add9)/G _com esperanças o
B7/F# meu coração	·//. _ pois já vai termi-	Dm6/F nando o ve-	E E/D rão _ en-
Am(add9) fim	E7(b9)	Am(add9) volto ao jardim	Am(add9)/G _com a certeza que
B7/F# devo chorar	·//. _ pois bem sei que não	Dm6/F queres voltar	E E/D _ _ para
Am/C E7/B mim	Gm6/Bb A7	Dm7 queixo-me às rosas	Bm7(b5) mas que bobagem as
Am7 rosas não falam	Am/G _ simplesmente as	B7/F# rosas exalam	·//. _ o perfume que

Análise Harmônica • 319

| Dm6/F | E7(b9) | Am(add9) | Am(add9)/G |
| roubam de ti | ah! | _ devias vir | _ para ver os meus |

| B7/F# | ·//. | Dm6/F | E7(b9) |
| olhos tristonhos | _ e quem sabe so- | nhavas meus | sonhos   por |

| Am(add9) | ·//. |
| fim | |

LUZ DO SOL
Caetano Veloso

2/4 Bb6	Bb7(13)	Eb7M(9)	Ab7(13)
1) Luz do sol	_ que a folha	traga e tra-	duz
2) céu azul	_ que vem a-	té onde os	pés

Dm7	G7(13)	Gb7M	·//.
em verde	novo em	folha em graça em	vida em força em
tocam na	terra e a	terra inspira e-	xala os seus a-

| 1ª F6 | B7(#11) | :‖ 2ª F6 | Bb7/4(9)   Bb7(9) ‖ |
| luz | | zuis | |

| Eb7M(9) | Ab7(13) | Bb6 | Bb7/4(9)   Bb7(9) |
| reza reza o rio | córrego pro rio o | rio pro mar | |

| Eb7M(9) | Ab7(13) | Bb6 | ·//. |
| reza a correnteza | roça beira doura- | reia | |

| Am7(11) | Ab7(13) | Gm7 | Gm6 |
| marcha o homem sobre o | chão leva no cora- | ção uma ferida a- | cesa |

| Cm7(9) | F7(13)   F7(#5) | Bb7M(9) | Bb6/9 |
| dono do sim e do | não   diante da vi- | são da infinita be- | leza |

| Em7(b5) | Eb7($^{9}_{\#11}$) | Dm($^{7M}_{9}$) | Dm7(9) Dm$^{6}_{9}$ |
| finda por ferir com a | mão essa delica- | deza a coisa mais que- | rida — a |

| C7(13) | ·//. | B7M | ·//. |
| glória | da | vida | — |

| Bb6 | Bb7(13) | Eb7M(9) | Ab7(13) |
| luz do sol | que a folha | traga e tra-| duz |

| Dm7 | G7(13) | Gb7M | ·//. |
| em verde | novo em | folha em graça em | vida em força em |

| F6 | ·//. |
| luz | |

TELE-TEMA
Antônio Adolfo e Tibério Gaspar

| ‖: 3/4 G(add9) | D7(9) | :‖ 1)
2) | ‖ G
: Rumo estrada
  brando corpo ce- | G7M
turva só despe-
leste meta me- |

| Am/G | F#º/G | Em7 | A7 |
| dida por entre
tade meu santu- | lenços brancos de par-
ário minha eterni- | tida em cada
dade ilumi- | curva sem ter vo-
nando o meu ca- |

| D$^{7}_{4}$(9) | F7(9) | Bb | Bb7M |
| cê vou mais
minho e | só
fim | corro rompendo
dando a incer- | laços abraços
teza tão passa- |

| Cm/Bb | Aº/Bb | Gm7 | C7(9) |
| beijos e em cada
geira nós vive- | passo é você quem
remos uma vida in- | vejo no teles-
teira eterna- | paço pousada em
mente somente os |

$F_4^7(9)$	D7(9)	$\|\begin{smallmatrix}4\\4\end{smallmatrix}$ G	G7M
cores do a-	lém		
dois mais nin-	guém	Eu	vou de

C7M($_{\#11}^{9}$)	C_9^6	$A_4^7(9)$	A7(9)
sol a	sol desfeito em	cor perfeito em	som ___ perfeito em

$D_4^7(9)$	Ab7	$\|:\begin{smallmatrix}3\\4\end{smallmatrix}$ G(add9)	D7(9) :$\|$
tanto a-	mor		

DRÃO
Gilberto Gil

$\|\begin{smallmatrix}2\\4\end{smallmatrix}$ C7M	·//.	Fm/C
1) Drão	⌐o amor da gente é como um	grão
2) Drão	⌐não pense na separa-	ção
3) Drão	⌐os meninos são todos	sãos

·//.	Am/E	E7(b13)
⌐uma semente de ilu-	são	⌐tem que morrer prá germi-
⌐não despedace o cora-	ção	⌐o verdadeiro amor é
⌐os pecados são todos	meus	⌐Deus sabe a minha confis-

Am7	Eb°	Dm7(9)
nar	⌐plantar n'algum lugar	⌐ressuscitar no chão
vão	⌐estende-se infini......	⌐ito imenso monoli......
são	⌐não há o que perdoa...	⌐ar por isso mesmo é que

C7M(9)	E7($_{13}^{b9}$)	Am7
⌐nossa semeadu......	ura	⌐quem poderá fazer
⌐ito nossa arquite-	tura	⌐quem poderá fazer
⌐há de haver mais compai-	xão	⌐quem poderá fa-

Gm7 C7(9)	F7M	Fm6
⌐aquele amor morrer	⌐nossa caminhadu......	⌐ura
⌐aquele amor morrer	⌐nossa caminhadu......	⌐ura
⌐zer aquele amor mor-	⌐rer se o amor é como um	⌐grão

·//.	C7M	Fm6
_dura cami-	nhada	_pela estrada es-
_cama de	tatame	_pela vida a
_ morre nasce	trigo	_vive morre

```
┌─19──────────────────────────────────┐  ┌─29────────────┐
 C7M              ·//.              :    C7M
 cura                                    fora
```

```
                        ┌─39────────────┐
 ·//.               :    C7M              ·//.           :||
                         pão
```

ODARA
Caetano Veloso

4/4 Em7	·//.	: : Am7	D7
		Deixe eu dançar	_pro meu corpo fi-

Em7	Em(7M)	Am7	D7
car Odara	—	minha cara	_minha cuca fi-

Em7	Em(7M)	Am7	D7
car Odara	—	deixe eu cantar	_que é pro mundo fi-

C#m7	C7M	Bm7	E7(b9)
car Odara	_ prá ficar tudo	jóia rara	_qualquer coisa que

Am7	D7	Em7	Em(7M) :||
se sonhara	_canto e danço que	dara	—

SEM FANTASIA
Chico Buarque de Holanda

$\frac{2}{4}$

Em(add9)	·//.	F#m7(b5)	B7(b13)
1) Vem	_meu menino va-	di-	o
2) Ah!	_eu quero te dizer	que o ins-	tante de te

Bm7(b5)	E7(b9)	Bm7(b5)		E7(b9)
vem	_sem mentir pra vo-	cê		—
ver	_custou tanto pe-	nar	não	vou me arrepen-

Am7	D7(9)	G7M		G6
vem	_mas vem sem fanta-	sia		_que da noite pro
der	só vim te conven-	cer	que eu	vim pra não mor-

C7M	·//.	B7		B7(b13)
dia	_você não vai cres-	cer		—
rer de	tanto te espe-	rar	eu	quero te con-

Em(add9)	·//.	F#m7(b5)		B7(b13)
vem	_por favor não e-	vites		_meu amor meus con-
tar	_das chuvas que apa-	nhei	das	noites que va-

Bm7(b5)	E7(b9)	Am7	·//.
vites	minha dor meus a-	pelos	
rei no es-	curo a te bus-	car	_eu quero te mos-

·//.	Bb°	Em/B	C7M
vou	_te envolver nos ca-	belos	_vem perder-te em meus
trar as	marcas que ga-	nhei nas	lutas contra o

Bm7(b5)	E7(b9)	Am7	·//.
braços	pelo amor de	Deus	_vem que eu te quero
rei nas	discussões com	Deus e a-	gora que che-

Bb°	·//.	Em/B	C7M
fraco	_vem que eu te quero	tolo	vem que eu te quero
guei eu	quero a recom-	pensa eu	_quero a prenda i-

F#7	B7	Em(add9)	B7(#9)	:||
to-	do	meu		
mensa dos ca-	rinhos	teus		

SE TODOS FOSSEM IGUAIS A VOCÊ

Tom Jobim e Vinícius de Moraes

- Modulação por 4ª justa acima • Dominante secundário para IIm IIIm IV V7 VIm • Dominante auxiliar

RÉ MAIOR

I7M	V7/IV	V/V	IVm6 (e.m.)
$^4_4$ D7M(9)	D$^7_4$(9) D7(9)	E/G#	Gm6
— Vai tua vida	— teu caminho é de	paz e a-	mor

I7M	V7/IV	V/V	IVm6 (e.m.)
D7M(9)	D$^7_4$(9) D7(9)	E/G#	Gm6
a tua vida	— é uma linda can-	ção de a-	mor

IIIm7	V7	IIm	IIm7 V7
F#m7	B7(b9)	Em(add9)	Gm7 C7(9)
abre teus braços e	canta a última espe-	rança espe-	rança — di-

SOL MAIOR

bIII7M (e.m.)	IIm7(b5) V7/II	IIm7 V7/IIIm	IIm7 V7
F7M	F#m7(b5) B7(b9)	G#m7 C#7(9)	Am7 D7(9)
vina de a-	mar em	paz —	—

I7M	VIIm7(b5) V7	VIm	IIm7 V7
G7M	F#m7(b5) B7(b9)	Em($^{7M}_9$) Em7(9)	Dm7 G7(13)
se todos	fossem i-	guais — a vo-	cê —

IV7M	V7	IIm	V7
C7M	E7($^{b9}_{b13}$)	Am(7M) Am7	E7(#9) E7(b9)
que mara-	vilha vi-	ver —	— —

IIm7	V7	I7M IIm	IIIm7 IV7M
Am(add9)	D7(9)	G7M Am7	Bm7 C7M
uma canção pelo	ar	uma mulher a can-	tar —

IIm7	V7	IIIm7 V7	IIm7 V7
C#m7($^9_{11}$)	F#7(b13)	Bm7($^9_{11}$) E7(b9)	Am7 D7(b9)
uma cidade a can -	tar — a sor-	rir a cantar a pe-	dir a beleza de a-

I	VIIm7(b5)　V7	VIm　　　V7	IIm7　　V7
G7M　G6	F#m7(b5)　B7(b9)	Em(7M)　A$^7_4$($^9_{13}$)	Dm7(9)　G7(13)
mar __ como o	céu __ como a	luz __ como a	flor __ a-

IV7M	IIm7(b5)　V7	IIm7	IIm7　V7/IV
C7M	Bm7(b5)　E7(b9)	Am7	Dm7(9)　G7(13)
mar sem sen-	tir __ nem so-	frer	__ __

#IVm7(b5)	IVm6 (e.m.)	I	V7　SubV7
C#m7(b5)	Cm6	G/B	E7(#9)　Bb7(13)
existiria ver-	dade	verdade que ninguém	vê __

IIm7 IIIm7 IV7M #IV°	V7	V/IV	
Am7 Bm7 C7M C#°	D$^7_4$(9)　D7(9)	G$^7_4$(9)	G7(b9)
se todos fossem no	mundo iguais a vo-	cê	

1ª

2ª

bVI7M (e.m.)	bII7M (e.m.)	I6	
Eb7M	Ab7M	G6	
cê			

• **Músicas a serem analisadas:** Minha Namorada, Viola Enluarada, Desafinado, Travessia

MINHA NAMORADA

Carlos Lyra e Vinícius de Moraes

2/4	C7M	Dm7	Em7
__ 1) Se 2)	você quer ser se mais do que	minha namo- minha namo-	rada oh! que rada você

A7(b13)	Dm7(9)	Eb7(9)	D7(9)
linda namo- quer ser minha a-	rada você mada minha a-	poderia mada mais que a-	ser se quiser mada pra va-

Ab°(b13)	C7M	Dm7	Em7
ser somente ler aquela a-	minha exata- mada pelo a-	mente essa coi- mor predesti-	sinha essa nada sem a

326 • Almir Chediak

Eb°(b13)	Em7(b5)	A7(b13)	Bm7(11)
coisa toda	minha que nin-	guém mais pode	ser
qual a vida é	nada sem a	qual se quer mor-	rer

Bb7(#11)	Am	Fm/Ab	C/G
_ você	tem que me fa-	zer um jura-	mento de só
_ você	tem que vir co-	migo em meu ca-	minho e tal-

Gb7(#11)	F7M	Fm6	Dm7(9)
ter um pensa-	mento ser só	minha até mor-	rer
vez o meu ca-	minho seja	triste pra vo-	cê

G⁷₄(9)		F#m7(b5)	G/F	Em7
_ e	tam-	bém de não per-	der esse jei-	tinho de fa-
_ os	teus	olhos tem que	ser só dos meus	olhos os meus

Gm7	C7(9)	F7M	G/F	E7
lar devaga-		rinho essas his-	tórias de vo-	cê
braços o seu		ninho no si-	lêncio de de-	pois

Gm7	G°	F#m7(b5)	G/F	E7(13) E7(b13)
_ e	de re-	pente me fa-	zer muito ca-	rinho _ e cho-
_ e	você	tem que ser a es-	trela derra-	deira _ minha a-

Em7	A7(b13)	D7(9)	Db7M	┌─1ª─── G⁷₄(9)
rar bem de man-		sinho sem nin-	guém saber por-	que
miga e compa-		nheira no infi-	nito de nós	

| G7(b9) | :‖ ┌─2ª─── C6 | ·‖. | |
| _   e | dois | | |

VIOLA ENLUARADA

Marcos e Paulo Sérgio Valle

4/4 A	·‖.	E/G#	Em/G
_ 1) A mão que	toca um vio-	lão se for pre-	ciso faz a
2) te viola em	noite enlua-	rada no ser-	tão e como es-

Análise Harmônica • 327

$D/F\#$	Dm/F	E^6_9	D^6_9
gue̱rra	̱mata o	mu̱n-	do̱ fere a
pa̱da	̱espe-	ra̱n-	ça̱ de vin-

$E^7_4(9)$	$E7(9)$	A	·//.
te̱r-	ra̱	̱ a voz que	ca̱nta uma can-
ga̱n-	ça̱	̱ o mesmo	pé̱ que dança o

$E/G\#$	Em/G	$D/F\#$	Dm/F
çã̱o se for pre-	ci̱so canta um	hi̱no	̱ louva a
sa̱mba se pre-	ci̱so vai a	lu̱-	ta̱ capo-

$E^7_4(9)$	$E7(9)$	A	B/A
mo̱r-	̱	:	
ei̱-	̱	ra̱ quem tem de	no̱ite a compa-

$Bm7(b5)$	$Bb7(\#11)$	$Am7$	B/A
nhe̱i-	ra̱	̱sabe que a	pa̱z é passa-

$Bm7$	$E7(9)$	A	B/A
ge̱i-	ra̱	̱pra defen-	dé̱-la se le-

C^6_9/G	·//.	$F\#m7(b5)$	·//.
va̱nta	̱ e	gri̱ta	̱eu

$E^7_4(9)$	$E7(9)$	A	·//.
vo̱u	̱	̱mão vio-	lã̱o canção es-

$E/G\#$	Em/G	$D/F\#$	Dm/F
pa̱da e vi-	o̱la enlua-	ra̱da	̱pelo

E^6_9	D^6_9	$E^7_4(9)$	$E7(9)$
ca̱m-	po̱ e ci-	da̱-	de̱

A	·//.	$E/G\#$	Em/G
̱ porta-ban-	de̱ira capo-	e̱ira desfi-	la̱ndo vou can-

| D/F# | Dm/F | E7/4(9) | E7(9) |
| tando | liber- | da- | — |

| A | ./. | B/A | Dm6/A |
| de | — | liber- da- | — |

| A | ‖
| de |

DESAFINADO
Tom Jobim e Newton Mendonça

| 2/4 F7M | ./. | G7(b5) | ./. |
| — Se você dis- | ser que eu desa- | fino amor | |

| Gm7 | C7(9) | Am7(b5) | D7(b9) |
| saiba que isso em | mim provoca i- | mensa | dor só |

| Gm7 | A7(#5) | D7M | D7(b9) |
| privilegi- | ados tem ou- | vido igual ao | seu |

| G7(13) | G7(b13) | Gb7M | Gb6 |
| eu possuo a- | penas o que | Deus me deu | — |

| F7M | ./. | G7(b5) | ./. |
| se você in- | siste em clas- | sificar | — |

| Gm7 | C7(b9) | Am7(b5) | D7(b9) |
| meu comporta- | mento de anti- | musi- | cal |

| Gm7 | A7(#5) | Dm7 | E7(b9) |
| eu mesmo men- | tindo devo ar- | gumentar | — que |

| A7M | Ab7(#5) | G7(13) | F#7(#5) |
| isto é bossa- | nova que isto é | muito natu- | ral o |

A7M	A#º	Bm7	E7(13) E7(b13)
que você não	sabe e nem se-	quer pressente	— — é

A7M	Am7	Bm7(b5)	Bb7(#11)
que os desafi-	nados também	tem um cora-	ção fo-

C7M	C#º	Dm7	G7(13) G7(b13)
tografei vo-	cê na minha	Rolley-flex	— —

Gm7	Ebm6	Dm6	C7(13)
revelou-se a sua e-	norme ingrati-	dão	—

F7M	·//·	G7(b5)	·//·
só não pode-	rá falar as-	sim do meu a-	mor

Gm7	C7(b9)	Am7(b5)	D7(b9)
ele é o mai-	or que você	pode encon-	trar viu vo-

Gm7	Bbm6	Am7	Abº
cê com a sua	música esque-	ceu do princi-	pal que no

G7	·//·	Gb7M	·//·
peito dos desafi-	nados no fundo do	peito bate ca-	lado que no

G7	C7(b9)	F7M Bb7(9)	F7M Cm7
peito dos desafi-	nados também	bate um cora-	ção —

|: F7M   Cm7 :|
| — |

TRAVESSIA

Milton Nascimento e Fernando Brant

LÁ MAIOR

: $\frac{2}{4}$ A7M/$_E$	E7(9)	: A7M	D#m7(9) E/$_D$
	— Quando	você foi em-	bora fez-se

A7M E$_4^7$(9)	A7M E$_4^7$(9)	A7M E/$_{G\#}$	F#m7 Bm7
noite em meu vi-	ver — forte eu	sou mas não tem	jeito — hoje eu

| Em7(9) A7(13) | D7M(9)/A   D6/A | D7M(9)   G7M | G#m7   C#m7 |
| tenho que cho- | rar _ minha | casa não é | minha _ e nem é |

| F#m   F#m/E | Ebm7(9)   E/D | A7M   E$_4^7$(9) | A7M   F#m7 |
| meu este lu- | gar _ estou | só e não re- | sisto _ muito eu |

| Bm7   Em7(11) | A7M/E | E$_4^7$(9) | ‖ A7M |
| tenho pra fa- | lar | _ solto a | voz _ nas es- |

| A$_4^7$(9)   A7(9) | F#m7 | C#m7 | D7M |
| tradas | _já não quero pa- | rar meu ca- | minho é de |

| E/D | F#m7   Bm7 | Em7   E7(b9) | A7M |
| pedra como | posso   so- | nhar _ sonho | feito de |

| A$_4^7$(9) A7(b9) | F#m7 | C#m7 | D7M |
| brisa | _vento vem termi- | nar _vou fe- | char o meu |

| E/D | Bm7   Em7(11) | A7M/E | E$_4^7$(9)   ‖ |
| pranto vou que- | rer me ma- | tar | _ vou se- |

| ‖ A7M | D#m7(9)   E/D | A7M   E$_4^7$(9) | A7M   E$_4^7$(9) |
| guindo pela | vida me esque- | cendo de vo- | cê eu não |

| A7M   E/G# | F#m7   Bm7 | Em7(9) A7(13) | D7M/A   D$_9^6$/A |
| quero mais a | morte   tenho | muito que vi- | ver _ vou que- |

| D7M(9)   G7M | G#m7   C#m7 | F#m   F#m/E | D#m7(9)   E/D |
| rer amar de | novo e se não | der não vou so- | frer _ já não |

| A7M   E$_4^7$(9) | A7M   F#m7 | Bm7   Em7(11) | A7M/E   ‖ |
| sonho _ hoje | faço _ com meu | braço o meu vi- | ver |

| ‖: E$_4^7$(9) | A7M/E   :‖ |

Tema musical do filme
"O Segredo da Rosa"

ACALANTO
Arr. para violão

Almir e Jesus Chediak

Acalanto

Vejo as estrelas caindo
Sua cruz consumindo
E você não voltou

Vejo o mar agitado
E o soldado do fado
O meu forte guardou

Canto e lhe espero na noite
Em meus braços a corte
Que o povo sonhou

Ele sozinho na morte
Com o manto da sorte
Que no dia ganhou

Vem, meu menino querido
O teu corpo despido
O meu ventre embalou

Vem, meu menino querido
O teu corpo despido
O meu ventre embalou

Vem, meu menino querido
O teu solo partido
O meu colo encontrou

Vem, meu menino querido
O teu solo partido
o meu colo encontrou

Obs. — *Acalanto foi escrita para violão, mas a melodia é realçada com hastes para cima e é acompanhada de cifras, para que possa também ser tocada por não violonistas.*

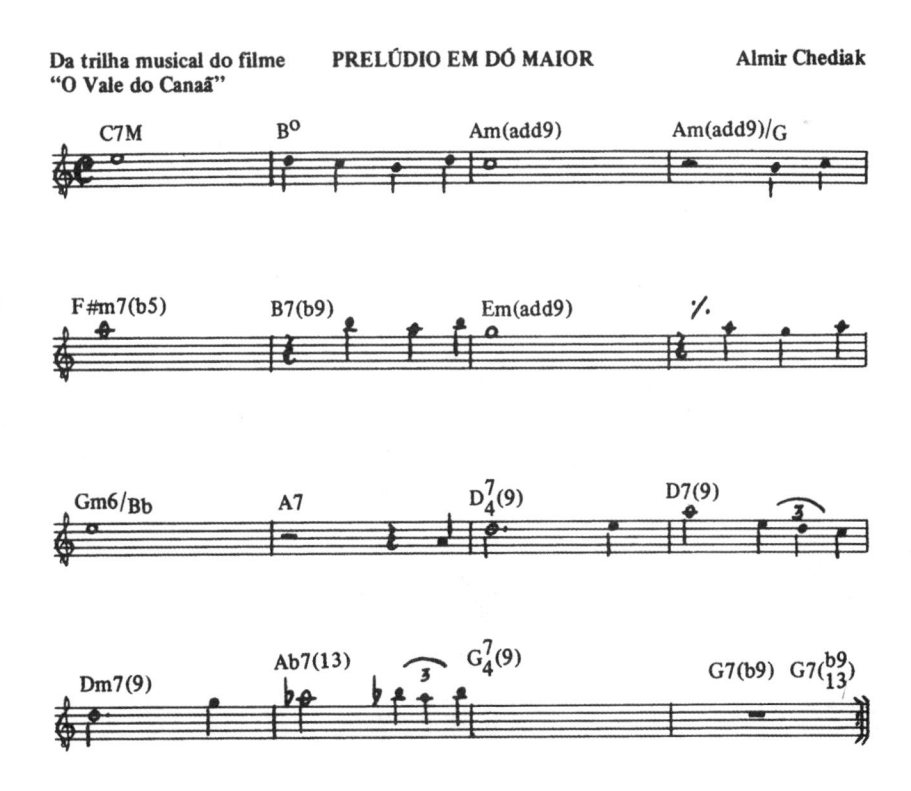

Da trilha musical do filme "O Vale do Canaã"

PRELÚDIO EM DÓ MAIOR

Almir Chediak

C7M   B°   Am(add9)   Am(add9)/G

F#m7(b5)   B7(b9)   Em(add9)   %

Gm6/Bb   A7   D7/4(9)   D7(9)

Dm7(9)   Ab7(13)   G7/4(9)   G7(b9)   G7(b9/13)

CANAÃ

Tema musical do filme "O Vale do Canaã"

Almir e Bráz Chediak

Canaã

La raia raia raia ra
Laia raia raia ra
Laia raia raia
Laia raia raia

Em meus braços trago a força
De uma esperança calada
Em meu peito cicatrizes
De lutas desesperadas

Eu construo os meus caminhos
Do mundo faço morada
Quero a paz de um novo dia
Que virá com a caminhada

La raia raia raia ra, etc.

Pouso os olhos no amanhã
Em busca de madrugadas
Deixo guerras, deixo sangue
Vou de encontro à nova estrada

Se o meu tempo ainda está certo
Meu final anda por perto
Canaã, Canaã, na esperança de encontrar
Muito amor, muita paz neste lugar
Canaã, Canaã, vida nova vou levar
Canaã, Canaã, muita paz neste lugar

La raia raia raia ra, etc.

V – Músicas a serem Harmonizadas e Analisadas

Para um melhor aproveitamento deste estudo, é importante que o aluno trabalhe outras músicas. As sugestões a seguir estão divididas em três categorias de dificuldade: elementar, fácil e difícil.

Músicas Elementares:

• A canoa virou (*) • A carrocinha (*) • A casa (Toquinho e Vinícius) • A jardineira (Benedito Lacerda e Humberto Porto) • Ana Maria (Juca Chaves) • A praça (Carlos Imperial) • Aquele abraço (Gilberto Gil) • Assum Preto (Humberto Teixeira e Luiz Gonzaga) • Atirei o pau no gato (*) • Atrás do Trio Elétrico (Caetano Veloso) • Aurora (Mário Lago e Roberto Roberti) •• Banho de lua (De Fillipi, Migliacci, versão: Fred Jorge) • Biquini amarelinho (Pockriss, Vance, versão: Hervê Cordovil) • Boi da cara preta (*) • Broto legal (Hearnhart, versão: Renato Corte Real) •• Cai, cai (Roberto Martins) • Cai, cai balão (*) • Calhambeque (Roberto Carlos e Erasmo Carlos) • Caminhando/Prá não dizer que não falei das flores (Geraldo Vandré) • Capelinha de melão (*) • Caranguejo (*) • Carneirinho, carneirão (*) • Casinha pequenina (*) • Chove chuva (Jorge Ben) • Chuva, suor e cerveja (Caetano Veloso) • Ciranda, cirandinha (*) •• De marré de-ci (*) •• Escravos de Jó (*) • Estúpido Cupido (Sedaka, Greenfield, versão: Fred Jorge) • Eu fui no Tororó (*) •• Filho único (Roberto e Erasmo Carlos) • Fio Maravilha (Jorge Ben) • Fita amarela (Noel Rosa) • Funeral de um lavrador (Chico Buarque e João Cabral de Melo Neto) •• Jesus Cristo (Roberto Carlos e Erasmo Carlos) •• Linda morena (Lamartine Babo) •• Mamãe eu quero (Jararaca e Vicente Paiva) • Maracangalha (Dorival Caymmi) • Marcas do que se foi (Ruy Mauriti e José Jorge) • Marcha soldado (*) • Maria solidária (Milton Nascimento e Fernando Brant) • Meu limão, meu limoeiro (*) • Minha história (Dalla, Pallotini, versão: Chico Buarque) • Mulher rendeira (*) •• Na hora do almoço (Belchior) • Naquela mesa (Sérgio Bittencourt) •• O cravo brigou com a rosa (*) • O meu chapéu tem três pontas (*) • Onde está a Margarida (*) • O orvalho vem caindo (Noel Rosa e Kid Pepe) • O que é que a baiana tem (Dorival Caymmi) • Oração de Mãe Menininha (Dorival Caymmi) • Ovelha Negra (Rita Lee e Roberto de Carvalho) • O vira (João Ricardo e Luli) •• Pai Francisco (*) • País tropical (Jorge Ben) • Parabéns prá você (*) • Passa, passa gavião (*) • Peguei um ita no norte (Dorival Caymmi) • Peixeinhos do mar (*) • Prenda minha (*) •• Quero voltar prá Bahia (Paulo Diniz) •• Ritmo da chuva (Gummoe, versão: Demetrius) • Rosa de Hiroshima (Gerson Conrad e Vinícius de Moraes) •• Samba da minha terra (Dorival Caymmi) • Sangue latino (João Ricardo e Paulinho Mendonça) • Sapo Cururu (*) • Se esta rua fosse minha (*) • Serenô (*) • Sonho de papel (Alberto Ribeiro) • Soy loco por ti America (Gilberto Gil, Torquato Neto e Capinam) •• Terezinha de Jesus (*) • Touradas em Madri (Alberto Ribeiro e João de Barro) • Trem das onze (Adoniran Barbosa) • Trevo de quatro folhas (Dixon, Woods, versão: Nilo Sérgio) •• Yes, nós temos bananas (Alberto Ribeiro e João de Barro) •
(*) *Canções folclóricas, cantigas de roda e de ninar*

Músicas Fáceis:

• Açaí (Djavan) • Admirável gado novo (Zé Ramalho) • A E I O U (Lamartine Babo e Noel Rosa) • A fonte secou (Monsueto, Tufi Lauar, C. Menezes e Marcléo) • Agora é cinza (Bidê e Marçal) • Águas de março (Tom Jobim) • Amigo (Roberto Carlos e Erasmo Carlos) • Amor de índio (Beto Guedes e Ronaldo Bastos) • Anda Luzia (João de Barro) • Antonico (Ismael Silva) • Apelo (Baden Powell e Vinícius de Moraes) • Aquarela do Brasil (Ary Barroso) • Aruanda (Carlos Lyra e Geraldo Vandré) • A saudade mata a gente (João de Barro e Antonio de Almeida) • As cores de abril (Toquinho e Vinícius de Moraes) • As pastorinhas (Noel Rosa e João de Barro) • Até amanhã (Noel Rosa) • Atire a primeira pedra (Ataulfo Alves e Mário Lago) • Avarandado (Caetano Veloso) •• Baila comigo (Rita Lee e Roberto de Carvalho) • Balada triste (Dalton Vogeler e Esdras Silva) • Banho de espuma

(Rita Lee e Roberto de Carvalho) • Barata tonta (Rita Lee e Roberto de Carvalho) • Beleza pura (Caetano Veloso) •• Camisa listrada (Assis Valente) • Cara a cara (Caetano Veloso) • Carcará (João do Vale e José Cândido) • Casinha na Marambaia (Henrição e Rubens Campos) • Castigo (Dolores Duran) • Chegou a hora da fogueira (Lamartine Babo) • Chiclete com banana (Gordurinha e Almira Castilho) • Chove lá fora (Tito Madi) • Cidade maravilhosa (André Filho) • Circo Marimbondo (Milton Nascimento e Ronaldo Bastos) • Com que roupa? (Noel Rosa) • Como dizia o poeta (Toquinho e Vinícius de Moraes) • Como dois e dois são cinco (Caetano Veloso) • Conversa de botequim (Vadico e Noel Rosa) • Copacabana (Alberto Ribeiro e João de Barro) • Coração vagabundo (Caetano Veloso) • Cor-de-rosa-choque (Rita Lee e Roberto de Carvalho) • Cotidiano (Chico Buarque) •• De conversa em conversa (Lúcio Alves e Haroldo Barbosa) • Disparada (Geraldo Vandré e Théo) • Diz que fui por aí (Zé Keti e H. Rocha) • Doralice (A. Almeida e Dorival Caymmi) •• Eclipse oculto (Caetano Veloso) • Esse teu olhar (Tom Jobim) • Eu agora sou feliz (Jamelão e Mestre Gato) • Eu sonhei que tu estavas tão linda (Lamartine Babo) • Expresso 2222 (Gilberto Gil) •• Fado tropical (Chico Buarque) • Fascinação (Marchetti, Fernudy, versão: Armando Louzada) • Feitiço da Vila (Noel Rosa e Vadico) • Festa do interior (Moraes Moreira e Abel Silva) • Fim de noite (Chico Feitosa e Ronaldo Boscoli) • Foi um rio que passou em minha vida (Paulinho da Viola) • Folhas secas (Nelson Cavaquinho e Guilherme de Brito) • Força estranha (Caetano Veloso) • Fotografia (Tom Jobim) •• Gema (Caetano Veloso) • Geni e Zepelin (Chico Buarque) • Guardei minha viola (Paulinho da Viola) •• Homenagem ao malandro (Chico Buarque) •• Índia (Flores, Guerrero, versão: José Fortuna) • Irene (Caetano Veloso) • João e Maria (Chico Buarque e Sivuca) • Lua de São Jorge (Caetano Veloso) • Lua, lua, lua (Caetano Veloso) •• Manhã de carnaval (Luiz Bonfá e Antonio Maria) • Marcha da quarta-feira de cinzas (Carlos Lyra e Vinícius de Moraes) • Maria (Ary Barroso) • Marina (Dorival Caymmi) • Máscara negra (Zé Keti) • Massa real (Caetano Veloso) • Me deixa em paz (Monsueto e Ayrton Amorim) • Menina (Paulinho Nogueira) • Mora na filosofia (Monsueto e Arnaldo Passos) • Muito romântico (Caetano Veloso) • Mulata assanhada (Ataulfo Alves) •• Na asa do vento (Luiz Vieira e João do Vale) • Não chore mais (Vincent, versão: Gilberto Gil) • Negue (Adelino Moreira e Enzo de Almeida Passos) • Nervos de aço (Lupicínio Rodrigues) • Noite do meu bem (Dolores Duran) • Nos bailes da vida (Milton Nascimento e Fernando Brant) •• O cio da Terra (Milton Nascimento e Chico Buarque) • O nosso amor (Tom Jobim e Vinícius de Moraes) • O pato (Jayme Silva e Neuza Teixeira) • O Pierrô apaixonado (Heitor dos Prazeres e Noel Rosa) • O sol nascerá/A sorrir (Cartola e Helton Medeiros) • O teu cabelo não nega (Lamartine Babo e Irmãos Valença) • O trem atrasou (Vilarinho, Estanislau Silva Pinto e Paquito) • Ouça (Maysa) •• Palco (Gilberto Gil) • Palpite infeliz (Noel Rosa) • Paralelas (Belchior) • Paula e Bebeto (Milton Nascimento e Caetano Veloso) • Pavão misterioso (Ednardo) • Pegando fogo (José Maria de Abreu e Fracisco Mattoso) • Pelas capitais (Moraes Moreira) • Penas do tiê (canção do folclore) • Pisa na fulô (João do Vale, Ernesto Pires e Silveira Junior) • Pombo correio (Dodô, Osmar e Moraes) • Por causa de você (Tom Jobim e Dolores Duran) • Prá frente Brasil (Miguel Gustavo) • Prá viver um grande amor (Toquinho e Vinícius de Moraes) •• Queixa (Caetano Veloso) •• Rancho fundo (Lamartine Babo e Ary Barroso) • Rasguei a minha fantasia (Lamartine Babo) • Refazenda (Gilberto Gil) • Revelação (Clodô e Clésio) • Risque (Ary Barroso) • Rita (Chico Buarque) • Roda viva (Chico Buarque) • Romaria (Renato Teixeira) • Ronda (Paulo Vanzolini) • Rosa morena (Dorival Caymmi) •• Samarina (Antonio Adolfo e Tibério Gaspar) • Samba da benção (Baden Powell e Vinícius de Moraes) • Samba da volta (Toquinho e Vinícius de Moraes) • São demais os perigos desta vida (Toquinho e Vinícius de Moraes) • Saudades da Amélia (Ataulfo Alves e Mário Lago) • Saudades da Bahia (Dorival Caymmi) • Se acaso você chegasse (Lupicínio Rodrigues) • Se é tarde me perdoa (Carlos Lyra e Ronaldo Boscoli) • Se você jurar (Ismael Silva) • Só danço samba (Tom Jobim e Vinícius de Moraes) • Só em teus braços (Tom Jobim) • Só quero um xodó (Dominguinhos e Anastácia) •• Tanto mar (Chico Buarque) • Testamento (Toquinho e Vinícius de Moraes) • Tico-tico no fubá (Zequinha de Abreu) • Três apitos (Noel Rosa) • Triste (Tom Jobim) •• Último desejo (Noel Rosa) • Um canto de afoxé para o Bloco do Ilê (Caetano

Análise Harmônica • 337

Veloso e Moreno Veloso) • Um novo tempo (Marcos Valle, Paulo Sérgio Valle e Nelson Motta) •• Valsinha (Chico Buarque) • Viajante (Teresa Tinoco) •• "X" do problema (Noel Rosa) •

Músicas Difíceis:

• Acorda amor (Julinho da Adelaide) • A felicidade (Tom Jobim e Vinícius de Moraes) • A gente precisa ver o luar (Gilberto Gil) • Água de beber (Tom Jobim e Vinícius de Moraes) • Amar em paz (Tom Jobim e Vinícius de Moraes) • Amazonas (João Donato) • Amigo, amiga (Milton Nascimento e Ronaldo Bastos) • Amigo é prá essas coisas (Silvio da Silva Jr. e Aldir Blanc) • Ana Luisa (Tom Jobim) • Andar com fé (Gilberto Gil) • Apanhei-te cavaquinho (Ernesto Nazareth) • Apesar de você (Chico Buarque) • Aqui e agora (Gilberto Gil) • A rã (João Donato) • A resposta (Marcos Valle e Paulo Sérgio Valle) • A Rosa (Chico Buarque) • Arrastão (Edu Lobo e Vinícius de Moraes) • As aparências enganam (Tunai e Sérgio Natureza) • Até pensei (Chico Buarque) • Até quem sabe (João Donato e Lysias Enio) • Atrás da porta (Chico Buarque e Francis Hime) • A volta (Roberto Menescal e Ronaldo Boscoli) •• Balão (Wagner Tiso) • Bebê (Hermeto Pascoal) • Beijo partido (Toninho Horta) • Bloco do Prazer (Moraes Moreira e Fausto Nilo) • Brasileirinho (Waldir Azevedo) • Brigas, nunca mais (Tom Jobim e Vinícius de Moraes) • Bye, bye Brasil (Roberto Menescal e Chico Buarque) •• Caçador de mim (Sérgio Magrão e Luiz Carlos Sá) • Cais (Milton Nascimento e Ronaldo Bastos) • Canção da América (Milton Nascimento e Fernando Brant) • Canção do sal (Milton Nascimento) • Canção que morre no ar (Carlos Lyra e Ronaldo Boscoli) • Canto latino (Milton Nascimento e Ruy Guerra) • Capim (Djavan) • Carinhoso (Pixinguinha e João de Barro) • Carolina (Chico Buarque) • Carta ao Tom 74 (Toquinho e Vinícius de Moraes) • Casa forte (Edu Lobo) • Casa no campo (Zé Rodrix e Tavito) • Caso sério (Rita Lee e Roberto de Carvalho) • Cavaleiro de Jorge (Caetano Veloso) • Cérebro eletrônico (Gilberto Gil) • Chão de estrelas (Orestes Barbosa e Silvio Caldas) • Chega de saudade (Tom Jobim e Vinícius de Moraes) • Chorinho prá ele (Hermeto Pascoal) • Chovendo na roseira (Tom Jobim) • Chuva (Maurício Heinhorn e D. Ferreira) • Clube da Esquina (Milton Nascimento, Lô Borges e Marcio Borges) • Com açúcar, com afeto (Chico Buarque) • Começar de novo (Ivan Lins e Vitor Martins) • Começaria tudo outra vez (Luiz Gonzaga Jr.) • Conversando no bar (Milton Nascimento e Fernando Brant) • Corrida de jangada (Edu Lobo e Capinam) • Courage (Milton Nascimento e P. Williams) • Cravo e canela (Milton Nascimento e Ronaldo Bastos) •• Desesperar jamais (Ivan Lins e Vitor Martins) • Deus Brasileiro (Marcos Valle e Paulo Sérgio Valle) • Dindi (Tom Jobim e Aloysio de Oliveira) • Discussão (Tom Jobim e Newton Mendonça) • Dois prá lá, dois prá cá (João Bosco e Aldir Blanc) • Dom de iludir (Caetano Veloso) • Domingo no parque (Gilberto Gil) • Duas contas (Garoto) •• Ela é carioca (Tom Jobim e Vinícius de Moraes) • Esotérico (Gilberto Gil) • Esse cara (Caetano Veloso) • Eu te amo (Tom Jobim e Chico Buarque) • Eu sei que vou te amar (Tom Jobim e Vinícius de Moraes) • Explode coração (Luiz Gonzaga Jr.) •• Faltando um pedaço (Djavan) • Fazenda (Nelson Angelo) • Fé cega, faca amolada (Milton Nascimento e Ronaldo Bastos) • Feira moderna (Beto Guedes, Lô Borges e Fernando Brant) • Flora (Gilberto Gil) • Folha morta (Ary Barroso) • Folhetim (Chico Buarque) •• Gente (Caetano Veloso) • Gente (Marcos Valle e Paulo Sérgio Valle) • Gota d'água (Chico Buarque) •• Ilusão à toa (Johnny Alf) • Infinito desejo (Luiz Gonzaga Jr.) • Insensatez (Tom Jobim e Vinícius de Moraes) • Inútil paisagem (Tom Jobim e Aloysio de Oliveira) • Itamarandiba (Milton Nascimento e Fernando Brant) •• Jeito de corpo (Caetano Veloso) • Jura secreta (Suely Costa e Abel Silva) • Lamento (Pixinguinha e Vinícius de Moraes) • Lança perfume (Rita Lee e Roberto de Carvalho) • Ligia (Tom Jobim) • Lobo bobo (Carlos Lyra e Ronaldo Boscoli) • Loucura (Lupicínio Rodrigues) • Louvação (Gilberto Gil e Torquato Neto) • Lugar comum (Gilberto Gil e João Donato) • Luiza (Tom Jobim) • Lunik 9 (Gilberto Gil) •• Madalena (Ivan Lins e R. M. de Souza) • Manifesto (Guto Graça Melo e Mariozinha Rocha) • Maninha (Chico Buarque) • Mucuripe (Fagner e Belchior) • Meditação (Tom Jobim e Newton Mendonça) • Meu bem, meu mal (Caetano

Veloso) • Meu bem querer (Djavan) • Meu guri (Chico Buarque) • Minha (Francis Hime) • Minha voz, minha vida (Caetano Veloso) • Mistérios (Joyce e Maurício Maestro) • Morro velho (Milton Nascimento) •• Na batucada da vida (Ary Barroso e Luiz Peixoto) • Nada será como antes (Milton Nascimento e Ronaldo Bastos) • Nascente (Flávio Venturini e Murilo Antunes) • No cordão da saideira (Edu Lobo) • Noite dos mascarados (Chico Buarque) •• O bêbado e a equilibrista (João Bosco e Aldir Blanc) • O cantador (Dori Caymmi e Nelson Motta) • Odeon (Ernesto Nazareth) • Olê, olá (Chico Buarque) • Olha Maria (Tom Jobim, Vinícius de Moraes e Chico Buarque) • Olhos nos olhos (Chico Buarque) • O meu amor (Chico Buarque) • O morro não tem vez (Tom Jobim e Vinícius de Moraes) • Onde andarás (Caetano Veloso e Ferreira Gullar) • Onde anda você (Vinícius de Moraes e Hermano Silva) • O que será (Chico Buarque) • O que tinha de ser (Tom Jobim e Vinícius de Moraes) • O sonho (Egberto Gismonti) • O trem azul (Lô Borges e Ronaldo Bastos) • Outras palavras (Caetano Veloso) • Outra Vez (Tom Jobim) • Outubro (Milton Nascimento e Fernando Brant) •• Pecado original (Caetano Veloso) • Pedaço de mim (Chico Buarque e Fracis Hime) • Pelo amor de Deus (Milton Nascimento e Fernando Brant) • Pois é (Tom Jobim) • Ponta de areia (Milton Nascimento e Fernando Brant) • Ponteio (Edu Lobo e Capinam) • Prá machucar meu coração (Ary Barroso) • Preciso aprender a ser só (Marcos Valle e Paulo Sérgio Valle) • Preciso aprender a só ser (Gilberto Gil) • Primavera (Carlos Lyra e Vinícius de Moraes) •• Raça (Milton Nascimento e Fernando Brant) • Rapte-me camaleoa (Caetano Veloso) • Realce (Gilberto Gil) • Regra três (Toquinho e Vinícius de Moraes) • Reza (Edu Lobo e Ruy Guerra) • Rio (Roberto Menescal e Ronaldo Boscoli) • Roda (Gilberto Gil e João Augusto) • Roda viva (Chico Buarque) •• Sabe você (Carlos Lyra e Vinícius de Moraes) • Sabiá (Tom Jobim e Chico Buarque) • Saídas e bandeiras nº 2 (Milton Nascimento e Fernando Brant) • Samba de verão (Marcos Valle e Paulo Sérgio Valle) • Samba do avião (Tom Jobim) • Sandra (Gilberto Gil) • San Vicente (Milton Nascimento e Fernando Brant) • Saveiros (Dori Caymmi e Nelson Motta) • Sei lá Mangueira (Paulinho da Viola e Hermínio Bello de Carvalho) • Sentinela (Milton Nascimento e Fernando Brant) • Sina (Djavan) • Sinal fechado (Paulinho da Viola) • Sob medida (Chico Buarque) • Solidão (Djavan) • Sonho (Egberto Gismonti) • Só tinha que ser com você (Tom Jobim e Aloysio de Oliveira) •• Tatuagem (Chico Buarque e Ruy Guerra) • Toada (José Renato, Cláudio Nucci e Juca) • Tô voltando (Maurício Tapajós e Paulo Cesar Pinheiro) • Trem das cores (Caetano Veloso) • Três Pontas (Milton Nascimento e Ronaldo Bastos) • Trocando em miúdos (Chico Buarque e Francis Hime) • Tudo que você podia ser (Lô Borges e Márcio Borges) •• Última forma (Baden Powell e Paulo Cesar Pinheiro) • Um girassol da cor do seu cabelo (Lô Borges e Márcio Borges) • Upa neguinho (Edu Lobo e Gianfrancesco Guarnieri) •• Vai levando (Chico Buarque e Caetano Veloso) • Vera Cruz (Milton Nascimento e Márcio Borges) • Vivo sonhando (Tom Jobim) • Você (Roberto Menescal e Ronaldo Boscoli) • Você e eu (Carlos Lyra e Vinícius de Moraes) •

Índice alfabético de palavras e expressões técnicas usadas neste livro.

Acorde   27
Acorde alterado   41
Acorde anti-relativo   48
Acorde com notação enarmônica   37
Acorde da categoria de 7ª da dominante   83
Acorde da categoria diminuto   101
Acorde da categoria maior   55
Acorde da categoria menor   69
Acorde de empréstimo modal (e.m.)   129
Acorde diatônico e não diatônico   129
Acorde diminuto alterado   101
Acorde diminuto ascendente, descendente e auxiliar   253/254
Acorde híbrido   111
Acorde invertido   31
Acorde meio diminuto   (C$\emptyset$)   38
Acorde pedal   112
Acorde relativo   48
Acordes básicos da tonalidade maior   129
Acordes básicos da tonalidade menor   129
Acordes em posições fáceis   51
Acordes especiais   113
Acordes resultantes de notas de passagem   103
Análise harmônica   259
Baixo pedal   112
Cadência   268
II cadencial   131/270
II cadencial secundário   272
Cifra analítica   128/265
Cifras   27
Dominante (primário, secundário, auxiliar e seguido)   129
Enarmonia   28
Escala de acordes   34
Função harmônica   129
Fundamental do acorde   28
Harmonia   256
Marcha harmônica modulante   178
Modulação   271
Notas de tensão   269
Quarta suspensa   31
Resolução passageira   129
Ritmo harmônico   268
Sinalização analítica   130/131
SubV7   175/266
Subdominante   129
Tétrade   30
Tétrade com nota acrescentada   30
Tríade   29
Tríade com quarta   82
Trítono   272
Tonalidade   256
Tonalidade paralela   269
Tonalidade relativa   48
Tônica   129

BIBLIOGRAFIA

Delamont, Gordon. *Modern Harmonic Tecnique*, Kondor Music, Inc., New York, 1965, 200 páginas (I Vol.)

Phillips, Alan. *Jazz Improvisation and Harmony*, Robbins Music Corporation, New York, 1973, 96 páginas.

Mehegan, John. *Jazz Improvisation*, Amsco Music Publishing Company, New York, 1965, 4 volumes, 665 páginas.

Ulanovski, Alex; Rendish, Michael; Nettles, Barrie. *Workbook For Harmony*, Berklee College of Music, 397 páginas.

Guest, Ian. (Manuscrito).

AGRADECIMENTO

Foram muitos os amigos e músicos que consultei, pessoas conhecidas nas diversas áreas do ensino e da prática musical. Os seus pareceres — uns mais técnicos, outros mais intuitivos — todos com forte carga emocional positiva que muito me sensibilizou, deram força para que este trabalho fosse assim realizado.

Destaco o apoio que recebi dos compositores e editores* das músicas harmonizadas e analisadas, que concordaram em cedê-las graciosamente, não apenas por se tratar de um livro didático mas, principalmente, pela proposta aqui apresentada, que resultará em benefício de todos.

Em resumo, agradeço àqueles que, direta ou indiretamente, se fizeram presentes durante o tempo de preparação deste livro. A colaboração dessas pessoas, suas críticas e sugestões, foram da maior importância para a concretização deste trabalho.

ALMIR CHEDIAK

* As músicas inseridas nesta edição foram cedidas graciosamente por: CARA NOVA Editora Musical Ltda., Edições EUTERPE Ltda., Editora Fermata do Brasil Ltda., Edições INTERSONG Ltda., Edições Musicais Cordilheiras Ltda., Edições Musicais HELO Ltda., Edições Musicais PÉRGOLA Ltda., Edições Musicais SATURNO Ltda., Editora COPA MUSICAL Ltda., Editora Gráfica e Fonográfica MARÉ Ltda., Editora Musical ARLEQUIM Ltda., Editora Musical LUCIANA Ltda., SIGEM, Editora Musical RCA Ltda., Editora Musical RCA-JAGUARÉ Ltda., GAPA — Guilherme Araújo Produções Artísticas Ltda., G. G. Produções Artísticas Ltda., IRMÃOS VITALE S/A., MUSISON Editora Musical Ltda., P. S. VALLE, Sociedade A.D.D.A.F., TONGA Editora Musical Ltda., TRÊS PONTAS Edições Musicais Ltda., e Srs. Antonio Adolfo, Danilo Caymmi, Danilo Rocha, Eduardo Souto, Paulinho Tapajós e Tibério Gaspar.

PARECERES

As sete notas musicais são doze e têm quarenta e dois nomes.

Como todo o ensino, a didática musical se baseia na premissa de que o aluno deve aceitar a imposição desses conceitos absurdos pelo simples fato de que o professor um dia os aceitou.

O trabalho de Almir Chediak é, entre outras coisas, uma crítica aos sistemas de cifragem atualmente em uso.

Existem inúmeros livros sobre esse assunto no mercado americano, mas eles se propõem apenas a doutrinar. Um dos grandes méritos desse trabalho é que ele se propõe a discutir a questão.

Então vamos lá.

Parabéns Almir, e obrigado.

André Dequech

Este trabalho do Almir Chediak e muito profundo e foi elaborado durante o tempo necessário para se conhecer bem os caminhos da harmonia.

Lembro-me de muitos papos que trocamos sobre a feitura deste livro durante os passeios que fazíamos nos fins de semana em Miguel Pereira quando o Almir vinha passar com a gente. Uma dessas vezes, inclusive, na companhia do grande professor e maestro Ian Guest.

Sugiro a todos os professores que atuam na área da música popular (digo popular, por se tratar de música que dá chance a improvisação) a usarem este livro para orientação dos alunos, principalmente por se tratar de um trabalho bem completo.

A mim mesmo, sei que vai auxiliar muito, não só nas aulas que dou de piano e harmonia, mas também para consultas que me ajudarão nos meus arranjos, etc.

Almir, parabéns pelo belo trabalho.

Antonio Adolfo

Almir

Examinando o seu exemplar "DICIONÁRIO DE ACORDES CIFRADOS" verifiquei a importância do seu exaustivo trabalho em reunir toda a linguagem da cifra em um livro didático para fins teóricos e também de treinamento dos encadeamentos básicos harmônicos. O presente trabalho dá também uma explicação do ponto de vista erudito desta origem jazzística e própria da música popular.

Noto ainda que este livro pode ter também outra importante função que é a de unificar a cifragem no Brasil com a internacional.

Espero que todas as universidades e escolas de música da nossa terra adotem este livro, pois é o primeiro *trabalho completo* que podemos ter para entender a cifra.

Arthur Verocai

Esta obra de Almir Chediak é, sem dúvida, a melhor e mais minuciosa que pude apreciar.

Almir, você é um grande brasileiro.

Beth Carvalho

Almir Chediak nos dá neste trabalho o que a gente precisa para ser músico mesmo: um meio de compreender o sentido das relações harmônicas de que tantas vezes nos utilizamos meio inconscientemente. Sei disso porque vi com ele o livro, ouvindo-lhe as explicações. Agora prometo a mim mesmo e a Almir que vou estudar por este livro. E espero que muita gente no Brasil faça o mesmo. Isso só pode nos fazer crescer musicalmente.

Caetano Veloso

Foi, precisamente, há vinte anos que a falta de publicações para ensino de violão (e mais o impulso da juventude) me compeliu a tentar a elaboração de um "Manual" que fosse, ao mesmo tempo, prático e que abrisse as portas ao conhecimento harmônico. E tudo através de um sistema internacional de notação: as "Cifras". Entretanto, no meio da empreitada, percebi que – além de conhecimento – me faltavam a experiência e a disposição (heróica) necessárias, ou seja, tudo o que sobra ao realizador deste dicionário.

Só resta acrescentar que, se a presente publicação tivesse acontecido 20 anos antes, não só me teria liberado do compromisso de autor (e/ou da frustração posterior de não sê-lo) como esclarecido muitas das minhas dúvidas de aficionado.

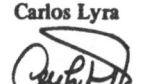

Carlos Lyra

Há um problema na interpretação e simbologia de cifras de acordes na música popular. Este livro deve, num futuro próximo, esclarecer e, conseqüentemente, padronizar esta nomenclatura, por esse motivo, Almir, muito obrigada.

Célia Vaz

Creio que o presente dicionário tem por objetivo unificar o uso da cifra, adotando simbolismos mais próximos aos usados nos meios acadêmicos norte-americanos. Isto significa uma notação universal mais padronizada.

O presente trabalho não se limita apenas a uma obra de consulta, aborda também problemas da harmonia (construção de acordes, escalas de acordes e as progressões harmônicas com inclusões de exercícios).

É sem dúvida uma obra importante para os nossos músicos.

Cláudio Guimarães

Um dos problemas mais complexos que os estudantes de música têm enfrentado, ao longo desses anos, é o do estudo das cifras ou símbolos de acordes. Isto porque em cada país, estado e até região, escreve-se e interpreta-se a cifra de maneira diversa, adaptando-a e transformando-a segundo as necessidades e os desejos de cada um. Dessa excessiva quantidade de interpretações resulta um sem número de mal entendidos e deformações como, por exemplo, os acordes maiores com a sétima "aumentada", acordes com a sétima e a quinta "menor", etc.

Com o estudo e a consulta deste dicionário, acredito que todos irão, finalmente, obter as respostas para suas dúvidas.

Porque o livro do Almir é simples, claro e preciso.

Como uma cifra

Edu Lobo

O "Dicionário de Acordes" de Almir Chediak possibilita e estimula um bom aprendizado teórico, com muitas possibilidades criativas para aqueles que descobriram a música através do violão.

Abraços

Egberto Gismonti

O trabalho de pesquisa do Professor Almir Chediak vem suprir um vazio na nossa bibliografia, uma vez que, além de almejar fazer com que o aluno bem utilize toda trama harmônica, lançando mão de recursos ordenados progressivo e didaticamente, se propôs, como ponto mais importante, a padronizar e unificar o uso da cifragem de acordes; linguagem que não mais pode ser desconhecida nos nossos dias, onde a realidade social mostra a necessidade para efeito de qualquer trabalho em música, seja em estúdios de gravação, ou nas escolas de 1º a 3º graus.

É de grande utilidade que exista um trabalho publicado que possa servir de fonte de referência e consulta, de um sistema muito difundido, porém com várias denominações (ou linguagens) para uma mesma coisa. Quanto à utilização do trabalho, desejo enfocá-lo do ponto de vista do que pode ser feito na disciplina Percepção Musical, que tem como um dos objetivos desenvolver o ouvido harmônico através da audição de trechos harmonizados, para que o aluno perceba e registre as funções nelas contidas, obedecendo à gradação de dificuldades, como preparo do aluno, visando a capacitá-lo a cursar harmonia.

Este livro pode ser plenamente utilizado e adotado por qualquer trabalho em nível de Percepção Musical com esta abrangência, isto é, com as progressões harmônicas propostas com acordes cifrados, que correspondem às funções dos mesmos dentro do sistema tonal. Isto pode ser constatado nos exercícios propostos na parte 3.

Pelo título do trabalho, creio não ter sido feito com esta finalidade, porém a abrangência dele superou a intenção inicial do autor, colocando no mercado um livro até então inédito em nosso país.

Parabéns pela iniciativa e pelo trabalho.

Ermelinda Azevedo

Almir

A falta de educação musical em nosso país é simplesmente um grande desperdício pois o que não falta entre nós é talento. Mas a rapaziada se vira como pode, inventa, improvisa, cria, imagina e alguém acaba chegando em boas situações musicais. A hora de estudar, porém, é a hora de ser malandro brasileiro.

Diante desse quadro, não é preciso dizer o quanto é auspiciosa a chegada de um compêndio definitivo para estudo, consulta, cabeceira. Se nos falta estudo instituído em currículo, se nos falta escola, pelo menos agora temos uma BÍBLIA, que vai veicular o idioma.

Admiro profundamente os homens capazes de uma alteração, de uma guinada: você é um desses. Já sou seu aluno.

Fredera

Acredito que este Dicionário de Acordes sirva de grande estímulo para aqueles que se interessam por um estudo mais completo de violão e harmonia aplicada à música popular.

Posso dizer, também, que este trabalho está me auxiliando bastante nas aulas de violão e harmonia que tenho com Almir Chediak.

Gal Costa

Um dos maiores problemas do sistema de ensino das nossas escolas de música é exatamente a criação de uma linguagem comum à música erudita e popular.

O "DICIONÁRIO DE ACORDES CIFRADOS" de Almir Chediak familiariza o estudante com esta terminologia vital para o exercício da sua profissão em todas as dimensões.

Sucesso na divulgação do seu trabalho.

Geraldo Vespar

Este método elaborado por Almir Chediak é um trabalho moderno, abrangente e completo sobre os aspectos mais importantes do aprendizado do violão. Com esta publicação, Almir demonstra além de grande competência, um profundo zêlo pela cultura desse instrumento tão importante na música do Brasil.

Gilberto Gil

Almir

Ao ler o seu dicionário fiquei muito feliz, por ver que os músicos têm, agora, um trabalho que enfoca o dia a dia. Parabéns.

Gilson Peranzzetta

Não me considero um profissional da música, entretanto, volta e meia, me vejo ligado a ela, ora como compositor, ora cantor, ora violeiro. E nas minhas andanças dei com esse livro excelente de Almir Chediak que me fez descobrir novos caminhos para o meu violão, com maior compreensão desse instrumento e da harmonia. Foi com o livro de Almir Chediak que descobri a filosofia da cifra, seu emprego e nomenclatura, sendo hoje para mim um livro de consulta permanente: um dicionário de acordes.

Gracindo Júnior

A extrema riqueza e complexidade da prática musical brasileira contrasta com uma quase total ausência de estudos teóricos. Numa terra em que a música apresenta características tão marcantes faltam estudos específicos sobre nossa rítmica, modalismo, forma, etc.

Saudamos com alegria o surgimento de um jovem músico que se dedica com entusiasmo e talento à fundamentação teórica, à racionalização dos processos do fazer, buscando assim ampliar uma conscientização, que só virá ajudar ao desenvolvimento da música no Brasil. Parabenizamos por isso Almir Chediak pelo seu trabalho sobre acordes e cifras. Nesse assunto de tantas dúvidas, tantas discrepâncias entre a forma de escrita e a interpretação, ele nos apresenta um trabalho abrangente e minucioso, que representará sem dúvida uma contribuição positiva a todos os que se interessam pela fascinante arte da harmonização.

Hélio Sena

Caro Almir,

Foi com grande satisfação que recebi seu "DICIONÁRIO DE ACORDES CIFRADOS" e constatei que surgiu o primeiro método com princípios de harmonia teórica e prática dirigida ao violão.

Num curso regular de formação musical, toda teoria, harmonia e análise são dirigidas ao piano, e no caso do violonista, que tem seu instrumento não aproveitado para esta educação musical básica, sente todos os elementos de sua formação num plano simplesmente teórico e racional e não sensitivo, como na realidade deveria ser. No caso, o curso de harmonia, que considero o de maior importância, pois toda análise fraseológica está baseada em seus princípios, o violonista sente o problema da compreensão da harmonia alienado de seu instrumento, que por excelência é um instrumento harmônico.

Mas creio que este problema é resolvido com vantagem com este "DICIONÁRIO DE ACORDES CIFRADOS", que não é simplesmente um catálogo de posições práticas, mas existe toda uma explicação evolutiva, desde seus princípios aos acordes de maior complexidade às cadencias modulantes.

Parabéns, Almir: o objetivo e seriedade de seu trabalho terão como conseqüência natural o reconhecimento e uso obrigatório nas escolas de ensino tradicional de música.

Henrique Pinto

Espero que todos os estudantes de música e músicos da nossa terra possam estudar no "DICIONÁRIO DE ACORDES CIFRADOS" de Almir Chediak.
Um bonito trabalho que vem servir a todos que se interessam por essa incrível arte que é a harmonia musical.

Hermeto Pascoal

Eu tive a oportunidade de acompanhar o início do namoro de Almir Chediak com a música, e hoje, sinto-me feliz ao terminar de ler sua obra o "DICIONÁRIO DE ACORDES CIFRADOS". Noto que desse amor que cultiva desde menino, surge agora o grande fruto: um trabalho sério que veio preencher um vazio na nossa literatura musical.
Nós, que vivemos da e para a música, só temos a agradecer e recomendar a obra de Almir para todos os que desejam crescer musicalmente.

Horondino José da Silva (DINO 7 CORDAS)

É bem comum o aprendizado de violão ou outro instrumento sem a menor informação teórica. Assim, quem quer que o faça, não conseguirá um desenvolvimento adequado à musicalidade que possui.
Vejo nesse trabalho uma janela aberta para quem quer estar a par do que faz e poderá fazer harmonicamente na execução de um instrumento.
As várias maneiras de se constituir um acorde somam na necessidade de suprir as deficiências técnicas do violão em relação ao piano, um instrumento completo.
Parabéns, Almir, pela qualidade do seu trabalho, acreditando em um resultado positivo para quem fizer uso desse material harmônico.

Jamil Joanes

Música é uma linguagem universal dentre as mais perfeitas. Indivíduos provindos de culturas as mais distantes podem comunicar-se profundamente através da arte dos sons. Torna-se, porém, imprescindível a codificação dessa linguagem para que ela seja agilmente difundida, e especialmente para fins analíticos.
Mas o que se encontra hoje em dia é uma Babel de termos gráficos, o que emperra a comunicação; e o que pretende Chediak com seu "DICIONÁRIO DE ACORDES CIFRADOS" é propor um Esperanto musical, o qual, tenho a certeza, atingirá plenamente seus objetivos.
Este livro é fruto de pesquisa do que há de mais moderno, e por conseguinte mais objetivo, em termos de grafia musical. É, portanto, de grande utilidade para os estudiosos, profissionais e amantes da ciência da arte musical.

Jaques Morelembaum

O livro de Almir Chediak traz uma contribuição a um campo onde não existem publicações deste vulto. Será beneficiado especialmente o estudante que agora se inicia no estudo dos acordes, pelo sistema de cifragem que o livro apresenta de linguagem prática e adotada internacionalmente, sem que diminua o seu valor para o profissional aplicado, e que deseja aumentar seus conhecimentos técnicos.

João Pedro Borges

Nestes meus vinte e tantos anos de ensino de violão, venho buscando uma obra teórico-prática no caminho da harmonia aplicada ao violão, que eu possa recomendar aos meus alunos. Eis que, agora, a encontro neste "DICIONÁRIO DE ACORDES CIFRADOS" de Almir Chediak.

Fruto de sua longa experiência como músico e professor na área da música popular, seu dicionário será, igualmente, de grande proveito aos estudantes de violão-clássico.

Jodacil Damaceno

Pessoalmente sempre tive a imensa frustração de não tocar violão, num país em que o violão (e o piano) eram tudo. Confesso que aqueles quadradinhos sempre me lembram um jogo de batalha naval, e me fascinam como tudo aquilo que não se compreende.

Mas no meu trabalho de professor, arranjador e compositor, em que tão freqüentemente as fronteiras entre o chamado "erudito" e o "popular" se confundem, sentia a necessidade de um unificador de códigos, uma vez que sem essa necessária unificação tudo é caos e desordem. Os signos "clássicos" não são suficientes para determinar grande parte dos acordes e caminhos harmônicos usados hoje em dia. Recorria sempre a manuais estrangeiros, e a dificuldade de tradução se não me desanimava, desanimava grande parte de meus alunos, mesmos os mais interessados.

Nesse sentido, creio que a obra de Almir Chediak vem de encontro a uma necessidade premente e preenche praticamente uma lacuna seriíssima que existia em nosso universo editorial brasileiro.

A parte nitidamente harmônica de seu livro, portanto, merece nossa admiração e nosso respeito, e aconselho sua leitura a todos os interessados nos mistérios infinitos da harmonia.

John Neschling

A simbologia padronizada é a ponte fundamental entre a criação e a execução musical.

Almir Chediak catalogou os acordes cifrados para violão em forma de dicionário criando um arquivo claro e objetivo que serve de auxílio tanto ao estudante quanto ao profissional.

Além do mais, é um ótimo livro de cabeceira para quem gosta de tocar violão deitado na cama.

Kledir Ramil

Às vezes me perguntam onde eu ando com esse olho brilhando meio perdido no espaço cheio de fantasias de sons de sinais mágicos e respondo que é impossível responder que não existe corresponder a cada olho brilhando curiosidade que existe sim mergulhar nesse "ilimites" da harmonia que a mãe natureza nos oferta nas suas combinações de matizes e formas.

Existe sim passar adiante pequenos trampolins que é entrada que é ponto de partida que é meio e que é sem fim. Reunir reflexões emoções convenções isto existe sim. Almir Chediak reuniu reflexões emoções convenções neste livro a seu inteiro dispor. Mergulhe.

Kleiton Ramil

Aí está um trabalho de sete fôlegos, pois, enquanto não se chega à última página, a gente não pára de raciocinar, calcular, concluir e executar, para, logo em seguida, retomar todo o procedimento com vontade dupla e revigorada por Almir Chediak após esse verdadeiro "Tratado de Terapia Harmônica Musical".

Sinto-me honrado e feliz em todos os sentidos ao constatar que o Almir está legando à posteridade a chance de poder estudar música de uma forma bastante objetiva e altamente eficaz.

Espero que todos aqueles que se interessarem por um nível elevado acima da média possam encontrar neste compêndio a real solução para seus problemas de harmonia e, com isso, adentrarem o maravilhoso e eterno universo ao qual denominamos "Música".

Parabéns, Almir!

"Que Deus o abençoe".

Laercio de Freitas

Embora o assunto em questão não corresponda exatamente aos procedimentos didáticos com os quais estou mais familiarizado, reconheço-o fundamental para o desenvolvimento criativo de todo aquele que pretenda se valer da linguagem mágica dos sons, como meio de comunicação.

Sem comprometer-se com o imediatismo inconseqüente tão comum em trabalhos no gênero, é notório no presente método do Professor Almir Chediak o compromisso em desenvolver, no aluno, o raciocínio musical objetivo, gradual e consciente.

Recomendo-o às entidades musicais, convencido que estou de sua importância na formação de nossos músicos.

Leo Soares

Realizar harmonias, na sua forma mais extensa, é retraduzir e criar a atmosfera e pontuação necessária à expansão mais emocional de um texto musical ou melodia. Desta prática, partem estilos e formas historicamente definidos. A mesma melodia pode ser harmonizada no estilo bacheano, clássico, impressionista, à la Duke Ellington ou Bossa Nova. Evidentemente, encarar harmonia como ciência musical é restringir e tornar absolutamente estático o que é dinâmico enquanto arte.

O material didático à disposição do estudante de harmonia melhor se apresenta a meus olhos como "Código Penal para Músicos", geralmente possuídos de estreitas concepções e moral exacerbada no que se refere a tônica e estética musical.

Neste livro, Almir Chediak apresenta um caminho alternativo na disposição do material harmônico: A pesquisa dirigida e centrada na prática musical, desenvolvida em linguagem simples, objetiva e principalmente desprovida de preconceitos ou parcialidades. Assim, para além de ser um Dicionário de Acordes Cifrados, este livro atende todos os instrumentistas interessados em aprender o sentido primeiro da arte musical: A Expressão.

Luiz Felipe R. Pereira

Uma das artes que mais sofrem com a falta de bibliografia especializada é a música, principalmente a música popular.

Talvez por confiar demais na sua prodigiosa intuição, o músico brasileiro (com raras exceções) incorre num grande erro: o de não organizar sem sedimentar, com o aprendizado teórico, este raro dom.

Foi com grande satisfação, portanto, que recebi, para apreciar, o livro de Almir Chediak.

Já se fazia urgente alguma publicação que organizasse uma das grandes impulsionadoras da música popular do nosso tempo: A CIFRA. Corríamos o risco de torná-la complicada, tantas eram as interpretações dadas a ela. Era necessário que alguém enfrentasse a dura tarefa de fazer um trabalho normativo. Difícil, porém, necessário.

Almir, seu livro, não só faz isso, como, ainda mais, dá ao iniciante noções importantes de estruturas harmônicas e, não satisfeito, propõe encadeamentos harmônicos que podem ajudar muito a quem se inicia nos caminhos da composição e da harmonia.

Resultado: um livro que deve estar na mesa de trabalho de todo músico que se preza. Instrumentista, compositor ou arranjador.

Parabéns, Almir.

Magro (MPB-4)

A carência de escolas e material didático e mesmo professores de música em geral é muito grande no Brasil.

Esse "DICIONÁRIO DE ACORDES CIFRADOS" de Almir Chediak vem preencher perfeitamente essa carência e nos mostrar com clareza todas as formas de escrevermos e empregarmos as cifras, dando também uma excelente visão de harmonia, acordes, sequências para improvisação e encadeamentos.

Tenho certeza de que é de grande utilidade para todos que estudam música e tem interesse em ampliar seus conhecimentos.

Mauro Senise

Mesmo já tendo estudado teoria musical com Moacir Santos, harmonia tradicional com Paulo Silva e violão erudito com Solon Ayalla, sempre toquei violão popular de "olho". Ou seja, olhando João Gilberto, Menescal, Baden, Carlinhos Lyra tocarem.

Sempre achei ler cifra um profundo mistério. Agora estou descobrindo a lógica dos acordes. Nas aulas de violão e harmonia que tenho tido com Almir Chediak o seu Livro "DICIONÁRIO DE ACORDES CIFRADOS" tem sido de grande importância para o meu desenvolvimento pessoal.

Enfim, custou mas apareceu esta belíssima obra que veio nos socorrer e preencher um vazio na nossa literatura musical.

Parabéns, Almir!

Nara Leão

Almir,

Pena você não ter nascido no século XVI para organizar as tablaturas de alaúde tão imprecisas e sem tantas variantes que fica difícil hoje uma abordagem mais profunda.

Bom é que no século XXII quem tiver em mãos o "DICIONÁRIO DE ACORDES CIFRADOS" não vai encontrar as dificuldades que hoje se encontram ao paginar The Mynshall Lute Book, The Boarde Lute Book, entre outros.

Espero que os músicos de hoje saibam o uso adequado do seu livro, pois é sem dúvida uma obra séria, e que deve ser lida por todos os músicos.

PS. Consultando-se o livro de Gaspar Sans (Instruccion de música sobre la guitarra española), 3ª edição (1674) entende-se a importância de uma linguagem organizada da cifragem musical para preservação futurista da criação contemporânea.

Nélio Rodrigues

Tenho certeza que o presente trabalho do Almir é algo que estava faltando na música brasileira para que se tivesse uma linguagem mais organizada e unificada sobre cifragem de acordes.

Todos nós seremos beneficiados por este nobre e paciente "DICIONÁRIO DE ACORDES CIFRADOS".

Parabéns.

Nelson Ângelo

O presente livro é um dado importante na literatura musical brasileira. Já estava na hora de aparecer um trabalho, como este; a linguagem cifrada entre nós é, e sempre foi, muito confusa: cada um tem a sua!...

Por isto mesmo podemos dizer que este é um livro de consultas, um dicionário que será muito útil, muito valioso mesmo para o aprimoramento do músico brasileiro em geral.

Dou o meu abraço ao Almir Chediak pelo seu excelente trabalho.

Nivaldo Ornelas

É realmente um trabalho muito sério para os intérpretes, compositores, estudiosos e pesquisadores da música. É uma obra prática e teórica de rara simplicidade e de fácil assimilação onde o Almir Chediak nos mostra com perfeição como aprender os nomes dos acordes usando um sistema universal.

Parabéns, Almir. Estou deveras muito feliz de ter esse livro em minhas mãos.

Nonato Luiz

Almir

O seu trabalho é de uma importância muito grande principalmente para nova geração de músicos que carecem de informaçoes sobre a cifragem. O conteúdo do seu livro mostra ao leitor de uma forma muito simples o que até hoje não foi mostrado em matéria de cifragem.

Meus parabéns.

Oberdan Pinto Magalhães

Almir

Ao tomar conhecimento de seu livro, constatei, antes de mais nada, o seu profundo conhecimento desse complexo mundo que é a harmonia musical, matéria realmente pouco explorada no Brasil, um país de pouca tradição nesse setor, infelizmente.

Devido à densidade de suas análises e a profundidade das questões abordadas, às vezes até os mínimos detalhes, pressinto algumas dificuldades quanto a sua assimilação pelos estudantes apenas iniciados. Mas, conseqüentemente, acho que seu trabalho fornece importantes elementos para professores e estudiosos do assunto, sendo uma fonte muito fértil de informações e referências sobre a difícil matéria abordada. Um belíssimo trabalho, sem dúvida alguma.

Com o abraço e a amizade do

Paulinho Nogueira

Eu creio que você realizou um trabalho de muita importância para todos que se interessam pela música, não só para os que estão iniciando, como também para todos os músicos profissionais e para os professores principalmente de violão.

Eu confesso não ter conhecimento de nenhum trabalho similar a este e aguardo ansioso que você venha a prosseguir no desenvolvimento e aprofundamento dessa sua obra, que já é um marco importantíssimo no que diz respeito à cifragem, e espero que todos possam tomar conhecimento como eu pude desse maravilhoso trabalho.

Meus sinceros parabéns

Paulinho Tapajós

Este aprofundado trabalho de Almir Chediak vem contribuir em grande dimensão no caminho de uma padronização maior para o uso da cifragem de acordes.

O uso crescente que, a partir da era do bebop, se foi fazendo desses símbolos musicais, trouxe dúvidas que o presente livro esclarece muito bem. Daí sua importância para todos os estudantes de música.

Paulo Moura

Almir

Acho da maior importância seu trabalho e acredito ser também mais um passo para uma maior aproximação do grande público com a música em geral. Este método de cifragem facilita ao leigo, com a ajuda do professor, a quebrar certos tabus até então estabelecidos ou convencionados, sobretudo de "posturas" que tornam o estudo da música, assim como da arte em geral, "uma coisa do outro mundo", até mesmo dogmática. Já é tempo de se começar a criar uma nova mentalidade de ensino no Brasil – é preciso escancarar as comportas da imaginação e deixar fluir o verdadeiro sentimento criativo, individual. A arte em si própria propõe isso, só que o homem vem se esquecendo disso há tempos. Eu, como cantor e músico, e mais precisamente como professor de canto popular, mantenho esta posição e desenvolvo junto a meus alunos a idéia de que acima de tudo isto tem de ser uma atitude de vida.

Espero que em breve, Almir, você nos brinde com mais um livro, um pouco mais simplificado para aqueles que estão "engatinhando" (no bom sentido, é claro!), no mundo da música sem a ajuda, a princípio, do professor. E também seria interessante que você dedicasse o mesmo método de cifragem dirigido especificamente para o piano.

Enquanto isso, aqui fica o meu abraço de: Vamos em frente – é isso aí!

Pepê Castro Neves

Este livro trata com a devida profundidade assuntos que, apesar de básicos, até o momento não haviam sido condensados em uma única obra. Destina-se tanto a iniciantes quanto a profissionais.

Rafael Rabello (7 cordas)

Este trabalho é de extrema utilidade para estudantes de música na área da harmonização popular, por trazer a proposta da unificação do sistema de cifragem universal e atual; e que tem por fim facilitar a comunicação musical simplificando e objetivando a linguagem.

Parabéns

Ricardo Silveira

Finalmente surge no Brasil um trabalho que proporciona, aos estudantes e professores, uma verdadeira fonte de informação concernente à harmonia na música popular, preenchendo a lacuna deixada pela formação musical brasileira que, excessivamente acadêmica, sempre ignorou os valores do mundo artístico no cotidiano musical.

Formação essa que, por outro lado, fica também limitada pela displicência do autodidata "que toca de ouvido", geralmente admirado por não saber ler música.

Entretanto, podemos afirmar que o lançamento deste livro é sinal de que o muro erguido entre o popular e o erudito começa a receber os primeiros golpes de picareta, sendo este fato de extrema importância para a música brasileira, onde o músico que se situa nesta interseção é visto pelo erudito, como popular, e pelo popular, como erudito.

Além das valiosas informações técnicas, gostaríamos de salientar que uma metodologia de ensino se faz presente em toda extensão da obra, vindo contribuir para a evolução de todos aqueles que se disponham a trabalhar ordenada, lógica e didaticamente, sendo, por isto mesmo, recomendável a qualquer curso sério.

Naturalmente, entre os especialistas, algumas discussões poderão aparecer relativas a certos detalhes técnicos tais como: Add 9, C^o ou Sub V. Seja como for, duas opções se destacam: ou se adota o sistema unificando o caos das convenções cifradas, ou simplesmente continua-se a conviver com a falta de padronização universal neste campo.

Ricardo Ventura

Eu ando no meio musical há muito tempo. Já vi vários trabalhos publicados tratando do assunto "cifras". O mais coerente que pude ler foi o do Almir Chediak. Ele foi fundo, apresentou soluções e por isso se deu bem.

Rildo Hora

O Almir é um tipo de músico que não se contenta em saber. Tem necessidade de passar adiante as coisas importantes que aprende.

Sabedor das dificuldades de se estudar música com objetividade no Brasil, Almir não esconde o jogo e passa à ação procurando dar ao aluno o que se costuma chamar de "o pulo do gato", ou seja, aquele algo mais que escapa aos compêndios tradicionais. Toda a teoria aqui contida funciona imediatamente na prática. A linguagem é atual, descomplicada, conseguindo dar sentido e lógica ao emaranhado universo das cifras de música popular.

O trabalho de organização do material deste dicionário é minucioso, mas, sem desperdício intelectual, isto é, livre e salvo de teorias inúteis.

Seguramente, trabalho indispensável de estudo e consulta para músicos profissionais, professores e estudantes, que atuam no campo da música popular.

Roberto Gnattali

Almir

Acho você um "louco". Você comprou a maior briga do mundo, equivalente a fazer todos os povos falar a mesma língua; mas Almir é desses loucos de que nascem os grandes projetos e as grandes idéias. Achei seu trabalho maravilhoso e indispensável aos nossos músicos. Acho apenas que é uma dose muito concentrada que talvez pudesse ser dividida em pílulas para ser melhor digerida. Parabéns a você pelo ato de coragem.

Roberto Menescal

Finalmente nossos músicos terão em mãos uma obra completa, que será de grande utilidade para a consulta dos acordes e das cifras.

É um trabalho sério, contém informações preciosas e será também de grande utilidade para aqueles que ainda não tiveram a oportunidade de estudar harmonia.

Espero que todos saibam aproveitar o seu conteúdo.

Parabéns, Almir!

Rosinha de Valença

Tive oportunidade de examinar o "DICIONÁRIO DE ACORDES CIFRADOS" de Almir Chediak. Este me pareceu um trabalho objetivo e meticuloso.

Embora não se proponha a substituir o curso de harmonia tradicional para o estudante de violão clássico, será sem dúvida, de grande utilidade àqueles que se dedicam com seriedade à música popular.

Sérgio Abreu

A música no Brasil, como atividade intelectual, encontra-se distanciada do povo, seja por falta de escolas, por falta de estrutura que possibilite a existência das mesmas ou ainda por falta de um maior suporte financeiro do Estado que estimule um desenvolvimento de base junto às escolas do 1º grau, visando, para gerações futuras, uma compreensão melhor do que esta representa verdadeiramente para o enriquecimento de nossa cultura.

Entretanto, como forma de lazer, a música sempre ocupou um espaço importante na vida dos brasileiros em geral e, assim, através dos tempos, sistemas e mais sistemas de ensino simplificados foram criados para facilitar o aprendizado de notas e/ou acordes utilizando-se sobretudo o violão, um instrumento que se adapta a toda sorte de processos.

O violão no Brasil ou guitarra nos demais países pode ser considerado o instrumento do século XX dado a sua larga utilização como integrante de grupos, grandes ou pequenos, ou ainda como instrumento solista. Como harmonizador é inigualável pelo fato de ser facilmente portável e relativamente barato, qualidades que o piano, por exemplo, não possui, e que se constituem em fatores determinantes de seu sucesso. Uma das maneiras de se aprender o instrumento é a utilização de um sistema amplamente usado que consiste em desenhar as posições dos acordes. Este processo torna-se mais interessante quando o praticante adquire constantemente noções de cifras.

Pelo fato de simplificar a leitura dos acordes e contribuir assim para uma performance, a curto prazo, mas imediata, o sistema de cifras tem largo emprego tanto entre profissionais como amadores. É portanto bem-vindo este presente dicionário de acordes que, diferindo dos demais dicionários do gênero, traz também explicações sobre a notação do referido sistema de cifras.

Sérgio Assad

A prática musical por meio da improvisação e da leitura de cifras é bastante antiga. Ela foi abandonada durante alguns períodos da nossa história da música, nas épocas em que reinou soberanamente a partitura.

O emprego da linguagem musical cifrada, em novos moldes, está retornando muito revigorada, apesar do desprezo com que a cifra é tratada pelos profissionais tanto na música popular quanto da erudita.

Apesar de caótica, a cifragem é resultado de uma longa e escrupulosa pesquisa, que propõe um caminho para a unificaçao dos códigos, transformando essa linguagem num meio muito útil para os estudiosos e profissionais que se iniciam.

O êxito dessa proposta vai facilitar a difusão das cifras nas escolas de formação musical, atendendo a um público e mercado de trabalho cada vez maiores.

Silvio Augusto Merhy

Almir,

Este seu "DICIONÁRIO DE ACORDES CIFRADOS" chama a atenção pela paciência e organização com as quais foi elaborado e pela extraordinária simplicidade resultante.

É um livro inédito, genial, que será por certo obrigatório nas cabeceiras de profissionais e iniciantes.

Ainda bem que alguém sacou essa.

Tavito

Este trabalho nos sugere que há cada vez mais um conhecimento da matéria musical pelo instrumentista popular brasileiro. Isso tem resultado em sua valorização profissional e social. O "DICIONÁRIO DE ACORDES CIFRADOS" de Almir Chediak é com toda certeza um dos produtos expressivos que provêm dessa nova realidade.

É um trabalho minucioso e pioneiro no Brasil. Nele são apresentados centenas de interessantes progressões harmônicas escolhidas no repertório nacional, não antes de uma substanciosa análise sobre a formação dos acordes. Os acordes são representados tão escrupulosamente pela cifras que o presente dicionário se torna um valioso tratado de cifragem.

Tomás Impróta

O "Dicionário de Acordes Cifrados" de Almir Chediak é, sem dúvida, da maior importância tanto para o estudante que se inicia, quanto para o músico de um modo geral.

A iniciativa do Almir em tomar como base a unificação do sistema de cifras, adotando uma linguagem internacional de notações, deve ser reforçada pelas escolas de música, indicando esta obra como veículo fundamental nas disciplinas que se relacionam com a harmonia.

Acho, também, bastante válida a proposta do Almir de desenvolver, junto aos alunos, uma didática que, desde o início, NÃO SEPARE O ERUDITO DO POPULAR, proporcionando assim maior aproximação entre os músicos em geral.

Parabéns...

Tom Jobim

Muitas pessoas sabem música.

Umas fazem, outras ensinam e poucas tocam, fazem e ensinam aos que não sabem e aos que sabem também.

Este último exemplo é o caso de Almir Chediak, novo amigo e excelente violonista, que mergulhou na linguagem ampla e profunda dos sons harmonizados, detalhando e esclarecendo este código vasto e sintético que é a cifra.

Parabéns, amigo. Todos nós, que vivemos no universo da música, podemos tirar dúvidas e aprender no seu "Dicionário de Acordes Cifrados".

Toquinho

Almir

Ouvi este livro com o mesmo prazer que escuto a uma boa música, onde a intuição e a técnica caminham paralelamente e se completam num bom resultado formal. Se, por um lado, há uma abordagem simples dos "sons complexos", tornando muito fácil o aprendizado, por outro, a complexidade dos detalhes é bem conduzida na organização e desenvolvimento do conteúdo.

É sem dúvida um trabalho cujo objetivo foi alcançado e que recebo com muito orgulho, como um presente dado à música brasileira, ainda carente de sua própria cultura.

Parabéns!

Vania Dantas Leite

O pessoal que se amarra em harmonia tem, agora, o melhor livro já feito no Brasil sobre o assunto.

É essencial para consulta nos nomes dos acordes, sendo intenção padronizar, de uma vez por todas, a cifra.

Parabéns, Almir, eu mesmo, sempre que necessitar, estarei consultando este seu trabalho.

Wagner Tiso

Almir

Sempre que leio sobre harmonia fico em dúvida com detalhes como:

1º) Usar uma escala;
2º) Cifrar;
3º) Omitir uma nota.

Almir, o teu livro é perfeito, pois não deixa dúvida sobre o que eu citei, parabéns.

Waltel Branco

Este livro é exatamente o que mais precisávamos.

Brasileiro na sua essência, de linguagem simples, certamente irá nos apoiar nas nossas aulas e ajudar os jovens músicos no caminho certo.

É um trabalho feito cuidadosamente, com competência e um grande amor pela música.

Não tenho dúvidas quanto ao seu sucesso.

Estamos todos de parabéns por termos conosco um músico tão capaz e dedicado como é o Almir Chediak.

Wilma Graça

RELAÇÃO DAS OBRAS MUSICAIS POPULARES INSERIDAS NESTE DICIONÁRIO E RESPECTIVOS TITULARES

TÍTULO DA OBRA	TITULARES DE DIREITO AUTORAL
A Banda	Fermata do Brasil Ltda.
Acalanto	Copa Musical Ltda.
Alegria Alegria	Musiclave Editora Musical Ltda.
Andança	Paulinho Tapajós § Edmundo Souto § Danilo Caymmi
Asa Branca	ADDAF
As Rosas Não Falam	Editora Musical RCA Ltda.
Canaã	Almir Chediak § Braz Chediak
Casa de Bamba	Edições Musicais Hello Ltda.
Corcovado	Antonio Carlos Jobim
Desafinado	Antonio Carlos Jobim § Newton Mendonça
Drão	G. G. Produções Ltda.
Eu e a Brisa	Editora Cembra Ltda.
Felicidade	Editora Cembra Ltda.
Flor de Lis	Editora Musical RCA Jaguaré Ltda.
Garota de Ipanema	Antonio Carlos Jobim § Tonga Editora Musical Ltda.
Gente Humilde	Cara Nova Editora Musical Ltda.
Lua e Estrela	Editora Musical Luciana Ltda.
Luz do Sol	Gapa Ltda. § Edições Musicais Saturno Ltda.
Mania de Você	Edições Musicais Saturno Ltda.
Maria Maria	Três Pontas Edições Musicais Ltda.
Marinheiro Só	Gapa Ltda. § Edições Musicais Saturno Ltda.
Menino do Rio	Gapa Ltda. § Edições Musicais Saturno Ltda.
Minha Namorada	Carlos Lyra § Tonga Editora Musical Ltda.
O Barquinho	Editora Gráfica e Fonográfica Mare Ltda. – Direitos assinados para Edições Intersong Ltda.
Odara	Gapa Ltda. § Edições Musicais Saturno Ltda.
O Leãozinho	Gapa Ltda. § Edições Musicais Saturno Ltda.
Outra Vez	Editora Musical RCA Ltda.
Pela Luz dos Olhos Teus	Tonga Editora Musical Ltda.
Pra Dizer Adeus	Irmãos Vitale S/A Ind. Com.
Prelúdio em Dó Maior	Almir Chediak
Preta Pretinha	Editora Musical Balaio Ltda.
Procissão	Editora Musical RCA Ltda.
Qualquer Coisa	Gapa Ltda § Edições Musicais Saturno Ltda.
Quem Te Viu Quem Te Vê	Editora Musical Arlequim Ltda.
Samba de Uma Nota Só	Antonio Carlos Jobim § Newton Mendonça
Samba em Prelúdio	Baden Powell § Tonga Editora Musical Ltda.
Sampa	Gapa Ltda. § Edições Musicais Saturno Ltda.
Se Eu Quiser Falar com Deus	G. G. Produções Ltda.
Sem Fantasia	Editora Musical Arlequim Ltda.
Se Todos Fossem Iguais a Você	Edições Euterpe Ltda.
Superhomem – A Canção	G. G. Produções Ltda.
Tarde em Itapoã	Tonga Editora Musical Ltda.
Teletema	Antonio Adolfo § Tibério Gaspar
Tigresa	Gapa Ltda. § Edições Musicais Saturno Ltda.
Travessia	Editora Musical Arlequim Ltda.
Tristeza	Fermata do Brasil Ltda.
Valsa de Uma Cidade	Irmãos Vitale S/A Ind. Com.
Viagem	Edições Musicais Cordilheiras Ltda. § Edições Musicais Pérgola Ltda.
Viola Enluarada	Marcos e Paulo Sergio Valle
Você é Linda	Gapa Ltda. § Edições Musicais Saturno Ltda.
Wave	Antonio Carlos Jobim